蛇年運程

麥玲玲

龍年運程批算準確

麥玲玲師傅《龍年運程》批算準確：

立春八字無金可用，反映今年市場仍然持續波動，[…] 整體經濟仍然尚可，熱錢也不時流入市場，但無金支持下，始終會有難以預料的衝擊，[…]保險、銀行等屬金的股票，也會受此影響而難有佳績。

準確

（由於美國經濟指標表現不如預期，加上歐債問題刺激避險需求，國際熱錢回流亞洲，使日圓格外強勢，日圓五月一日一舉升破八十日圓兌一美元關卡，創兩個月來最高；美元指數也同步下挫到兩個月來最低。）《星洲日報》二〇一二年五月二日

準確

（昨天恒指大挫，保險股領跌。恒指主要受外圍影響，保險股則因北京一場六十一年不遇的雨災，造成多人遇難以及嚴重財產損失而大跌，內險股收市多挫百分之四以上，中國太保（2601）更因股東減持大跌一成，收市報二十四元二角，跌穿配股價。）《明報》二〇一二年七月二十四日

對香港來說，祖國的支持正好代表今年印星的強大力量，來自祖國的利好消息或相關政策，有助穩定香港起伏不定的經濟，可說是逢凶化吉，在有驚無險下安渡不少衝擊。

準確

（由於內地政策面有進一步放鬆的趨勢，增加了內地實體經濟出現軟着陸的機會，資金有再度流入香港的迹象。事實上，港元匯價在過去兩個交易日顯著走強，在資金回流的背景下，相信港股可望享有較強的支持力，有利於延續剛展開的國企反彈勢頭。）《文匯報》二〇一二年四月十七日

準確

（港股連跌四日後，昨日終於出現反彈，最多升逾二百點。散戶趁大市喘定，熱炒內地政策受惠股，內房、基建、鐵路相關股份炒高超過半成。）《大公報》二〇一二年五月二十三日

今年整體大勢雖然乏善足陳，但一些外來的助力往往能稍為惠及民生，例如全球各地的政府，不時推出各種政策來刺激經濟，或透過特別的手法來穩定物價等等。

準確

（國內外經濟形勢惡化，促使巴西等新興經濟體再度走上政策刺激之路。巴西本周宣布，啟動新一輪的臨時減稅措施，規模超過十億美元，此次政策的主要目標定為汽車業。）《北京新浪網》二〇一二年五月二十三日

準確

（為了刺激經濟增長，英國央行先後於今年二月和七月擴大量化寬鬆政策規模，並自二〇〇九年三月起一直將基準利率保持在百分之零點五的低位。國際貨幣基金組織指出，儘管英國央行採取了寬鬆貨幣政策，但受市場避險情緒上升，以及歐羅區債務危機壓力升級導致銀行借貸成本上升等因素影響，英國信貸情況依然緊縮。）《星島日報》二〇一二年七月二十日

準確

（至於韓國，除加息外，政府亦有一系列穩定物價措施，包括凍結公共服務收費、提早增加新的住宅樓宇供應，以及將國營建築公司未能出售的樓宇單位，租予低收入家庭等。）《太陽報》二〇一二年六月十三日

其實今年的經濟不僅持續呆滯，全球各國的政府，普遍也有受壓之象，信服力下降。[…]既然官星欠奉，政府的領導能力自然削弱，民怨日生，也助長了民粹主義的蔓延，人們對政府的信任度難免愈來愈低。

準確

（美國財政部主管國際金融事務的助理財長科林斯，上周亦到訪希臘及意大利商討歐債危機，一周之內美國有兩名高層財金官員出訪歐洲，顯示白宮對歐債危機發展可能影響美國復蘇以至奧巴馬選情甚為關注。）《明報》二〇一二年七月三十一日

準確

（法國總統奧朗德與德國總理默克爾二十七日發表聯合聲明，決心採取一切措施捍衛歐元區。歐洲央行行長德拉吉日前也表示，歐洲央行已準備好「採取一切措施」保護歐元，避免歐洲單一貨幣聯盟解體，但各債務國前景仍不容樂觀，擺脫危機尚需時日和更多努力。目前，外界普遍對希臘執行救助協議的情況表示懷疑，希臘可能因為救助方「斷供」再次承壓，面臨無力償債並退出歐元區的危機。）《大公報》二〇一二年七月二十八日

準確

（黑手黨故鄉意大利西西里島陷債務危機，總理蒙蒂對西西里自治區面臨債務違約風險深表憂慮。由於濫用公帑、公務員團隊毫無節制地膨脹，西西里島已被喻為「意大利的希臘」，負債高達五十三億歐元（約五百零三億港元），隨時無力支付薪水及退休金。地方首長更懷疑與黑手黨有聯繫而受查，陷誠信危機。蒙蒂罕有地插手地方政務，致函要求當地首長承諾本月底下台。）《明報》二〇一二年七月十九日

（港大民意研究計劃發表最新特首及新政府民望評分，梁振英得分五十一點二，比七月初下跌二點六分，而市民反對他出任特首的比率達百分之四十五，超過百分之四十一的支持率，其中反對聲音最大的一群是十八至二十九歲年齡組別的受訪者，反對率達百分之六十三。）《明報》二〇一二年八月一日

今年世界局勢混亂，內外鬥爭頻仍，政府難以管束。輕則示威遊行，人民公然反對政府；重則兵戎相見，以武力解決問題。

（敘利亞內戰進一步升級，反政府敘利亞自由軍（FSA）宣布，「解放」首都大馬士革的戰役已經展開。效忠總統巴沙爾的政府軍在武裝直升機支援下，在全市各地與叛軍爆發激烈戰鬥。叛軍聲稱，在大馬士革市內擊落了一架政府軍直升機。而首都市中心沙巴阿巴哈拉廣場頻頻傳出重型機槍聲。）《星島日報》二〇一二年七月二十日

（剛過去的周日，東京舉行了萬人反核遊行集會，不少表演者都藉着歌舞表達他們的反核訴求。）《明報》二〇一二年七月三十一日

（大手牽小手，大汗疊細汗，香港爸媽在沉默中迸發怒火，帶子女走上街頭，齊心反對國民教育科。酷熱天氣警告下，數以百計BB車迫爆軒尼詩道，爸媽擔起傘子，為孩子遮擋兇猛烈日、抵抗洗腦教育。大會指昨日超過九萬人遊行，家長和小孩歷史性佔大多數。）《蘋果日報》二〇一二年七月三十日

今年又有交劍煞之象，此乃回祿之災，容易有高官或重要政治人物下台，[…]乾宮所代表的西北一帶地區，更加是首當其衝，紛爭既多，且易有人命受損。

（中共中央宣布解除重慶市委書記薄熙來所有在重慶的職務，由副總理張德江兼任；重慶副市長王立軍亦被免職。）《明報》二〇一二年三月十五日

（北韓軍方領導層突然出現人事變動，人民軍總參謀長李英浩突因健康問題，被執政勞動黨中央政治局解除一切職務，[…]南韓分析認為，北韓內部可能出現權力鬥爭，李英浩因此被趕下台，也不排除他可能被指為領袖金正恩掌握軍權發揮的作用不夠。）《星島日報》二〇一二年七月十六日

（前日是新疆七五騷亂三周年，消息指天津濱海新區有近百新疆維族人堵路示威，抗議當局日前將天津航空客機發生的維族乘客打鬥定性為劫機事件。示威引來數千市民圍觀，導致交通大擠塞。）《太陽報》二〇一二年七月七日

（四川什邡市因興建鉬銅廠引發的萬人騷亂持續數日後，局勢昨暫時受控，但市內氣氛仍然緊張。警方至少拘捕二十七名示威者，引發大批市民前晚到市委辦公樓外抗議；當局深夜釋放二十一人，現仍有六人未獲釋。而為了平息民憤，什邡市委宣布永久停建鉬銅項目。）《東方日報》二〇一二年七月五日

勞工界特別多不快的事端，基層工人容易深受困擾，以至罷工、遊行等事件屢有發生，工會也有不少激烈的訴求。

（內地工潮不斷。為中國神舟太空船生產配件、並為中國軍方生產「航母殺手」東風二十一D導彈的貴州遵義〇六一基地軍工廠，逾千工人不滿住房等問題，本周二開始連續三日上街堵路示威；當局出動大批公安武警驅散，期間警民衝突，逾十人受傷。）《蘋果日報》二〇一二年三月三十日

（西班牙前天有幾十萬人罷工，抗議當局的緊縮政策和勞工改革，其中巴塞隆拿的示威演變成騷亂，有暴徒四處縱火，星巴克咖啡店被付諸一炬。示威者又向警員擲石，警察要發射橡膠子彈和催淚彈驅散。騷亂造成至少一百零四人受傷，包括五十八名警員，警方拘捕了一百八十人。）《蘋果日報》二〇一二年三月三十一日

今年僱主及員工之間的供求也難以取得平衡，某些行業長期出現人手不足，令僱主十分頭痛；某些行業又長期職位不足，令工人常為生計煩惱。

（公立醫院護士人手不足，令護士專科化停滯不前。醫院管理局現時約一萬二千名註冊護士，僅得約四成半人有接受專科訓練。）《太陽報》二〇一二年七月十八日

（有飲食業界團體稱，現時很難請洗碗工人，即使支付每小時三十三元也請不到人。）《明報》二〇一二年五月二十九日

（美國新增職位數目持續在低位徘徊，擁有博士學歷的生化科研專才，更成了失業重災區。《華盛頓郵報》昨報道，由於相關職位不足，不少耗盡積蓄進修的生化科研專才，最終被迫轉行，又或擔任低收入職位以求餬口，連出身名校史丹福大學的博士亦難以求職。）《明報》二〇一二年七月九日

今年五黃星飛臨東南，二黑星飛臨正北，這些地區特別容易出現天災，[⋯]其中又以五黃星入主的東南方一帶為甚。而二黑所飛臨的正北坎宮，因屬水，故正北一帶更要提防水災、旱災或水源受到污染等問題。

（全台持續豪雨，特別是中南部大雨傾盆而下，南投縣仁愛鄉廬山溫泉區一處工寮，更因大雨引發土石流，[⋯]超大豪雨使中南部猶如泡在水中，溪水暴漲、公路坍方，災情處處。）《文匯報》二〇一二年六月十二日

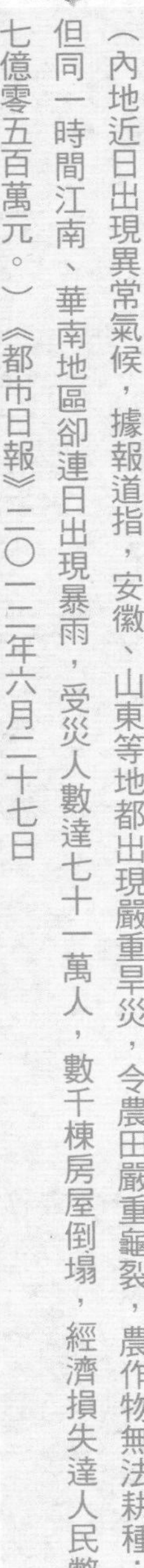

（內地近日出現異常氣候，據報道指，安徽、山東等地都出現嚴重旱災，令農田嚴重龜裂，農作物無法耕種；但同一時間江南、華南地區卻連日出現暴雨，受災人數達七十一萬人，數千棟房屋倒塌，經濟損失達人民幣七億零五百萬元。）《都市日報》二〇一二年六月二十七日

（一場六十一年罕見大暴雨，令首都北京陷於災難。暴雨致三十七人死亡，[…]全城近百處水浸，交通中斷，五萬居民要疏散，八萬人被困機場。）《蘋果日報》二〇一二年七月二十三日）

五黃及二黑亦主疾病，所以東南及正北一帶地區，也要提防病毒爆發，新型病毒或難以偵測的病源，今年會特別困擾該地。

（世衛本周三發出全球衛生警示指，柬埔寨南部自今年四月爆發不明疫症。病童受感染後發高燒，之後六小時內出現腦炎、肺炎，以至呼吸衰竭等嚴重呼吸及神經系統病徵，但血小板、肝及腎臟功能正常，不足二十四小時死亡。）《東方日報》二〇一二年七月六日

（類似愛滋病的神秘病毒肆虐亞洲，食物及衛生局局長高永文昨日在北京表示，暫時國際上並未能找出病源，本港衛生防護中心會密切與其他國際組織聯繫，以期第一時間掌握資料，協助疾病的防控，並向公眾發放信息。至於近期本港的腸胃炎及諾如病毒不尋常地爆發，高永文表示衛生防護中心亦會密切監察。）《太陽報》二〇一二年八月二十五日

今年不論政界或商界的長子嫡孫，也特別有利闖出一番成績，成就不俗，有成功接棒、繼往開來之象。

（長實的控股公司LI KA SHING UNITY HOLDINGS LIMITED於上周一（七月十六日）出現股權變動。變動後，副主席李澤鉅及主席李嘉誠分別持股百分之六十六點六七及百分之三十三點三三，意味李澤鉅正式成為長實的掌舵人。[…]長實落實改朝換代後，旗下多間公司均有利好消息出台。）《經濟一週》二〇一二年七月二十八日

艮宮代表少男，年輕一代的男生今年人緣特別暢旺，而且更有結婚之象。這情況除了有利家中的幼子成婚，也反映今年男士普遍結婚年齡有提早之象，較為一反常態。

（一項《本港八五後青年早婚趨勢》調查，訪問三百六十二名一九八五年後出生、十八至二十七歲男女；發現八成五受訪者心目中適婚年齡是二十二至二十五歲，有百分之五更選擇在十八至二十一歲結婚，不足一成選擇在二十六至三十歲結婚。希望可以早婚，主要擔心年紀愈大、伴侶選擇愈少，難找到合適對象；亦有希望趁自己父母還年輕，可以幫忙照顧初生嬰兒，或脫離父母組織家庭。）《香港經濟日報》二〇一二年四月十三日

今年娛樂事業十分蓬勃，從事演藝界的朋友出現更多的賺錢門路，藝人往外發展或跳槽過檔的機會大增，歌壇及電影界也是一片欣欣向榮之象，洗脫頹風，堪稱為發達年，大有進步之空間。

（電視圈連月來掀起逃亡潮，當中以城市電訊主席化身的「電視魔童」王維基最掭本，去年九月起積極向無線大舉挖人，除一線小生花旦、幕後製作人員外，連綠葉演員也獲逾倍人工跳槽過檔城電。）《蘋果日報》二〇一二年二月二十三日

（以往無線不太贊成旗下藝員出外拍劇，但近年制度放寬，北上拍劇的機會增多，其中胡杏兒及鄭嘉穎多得樂小姐放人，兩人相繼憑內地劇集《美人心計》、《步步驚心》極速上位，在內地的身價三級跳。）《星島日報》二〇一二年七月十五日

蛇年世界大勢總論

癸巳年立春八字

時柱	日柱	月柱	年柱
正印	日	正財	食神
戊（土）	辛（金）	甲（木）	癸（水）
子（水）	丑（土）	寅（木）	巳（火）
食神 癸（水）	食神 癸（水）	正財 甲（木）	劫財 庚（金）
	比肩 辛（金）	正官 丙（火）	正官 丙（火）
	偏印 己（土）	正印 戊（土）	正印 戊（土）

農曆正月　甲寅（西曆二〇一三年二月四至三月四日）

農曆二月　乙卯（西曆二〇一三年三月五日至四月三日）

農曆三月　丙辰（西曆二〇一三年四月四日至五月四日）

農曆四月　丁巳（西曆二〇一三年五月五日至六月四日）

農曆五月　戊午（西曆二〇一三年六月五日至七月六日）

農曆六月　己未（西曆二〇一三年七月七日至八月六日）

農曆七月　庚申（西曆二〇一三年八月七日至九月六日）

農曆八月　辛酉（西曆二〇一三年九月七日至十月七日）

農曆九月　壬戌（西曆二〇一三年十月八日至十一月六日）

農曆十月　癸亥（西曆二〇一三年十一月七日至十二月六日）

農曆十一月　甲子（西曆二〇一三年十二月七日至二〇一四年一月四日）

農曆十二月　乙丑（西曆二〇一四年一月五日至二月三日）

西曆二月四日癸巳蛇年伊始

踏入二〇一三年二月四日零時十四分，便是癸巳年，也即大家所稱呼的蛇年。二〇一三年的正月初一是西曆二月十日，很多人以為到了此日才由龍年轉換為蛇年，但癸巳蛇年其實在西曆二月四日已經開始，此話何解？

其實傳統的中國玄學一向與節氣息息相關，而「立春」是廿四節氣之首，所以長久而來「立春」在術數界中皆被視作新一年開始，各方位的吉凶亦會隨之轉移，新生嬰孩的所屬生肖也是從立春日起與往年不同。

不單如此，玄學中各個月份的劃分，也是以節氣來界定；立春為一月之始，而二月由驚蟄開始，三月則由清明開始……如此類推，所以本書中提到的農曆月份，均以不同的節氣之日為界線，並非筆誤，敬請各位讀者注意。

至於傳統的農曆正月初一，只是十二個農曆月份中的第一天，雖然家家戶戶都大肆慶祝，但新一年的風水術數計算是以「立春」作分水嶺。

正月初一「轉生肖」之謬誤

每年的「立春」大約是在西曆二月四日或二月五日，而正月初一通常是在西曆一月下旬至二月中旬不等，所以有時會出現「過了年才立春」或「先立春後過年」的情況。而今年則是先立春（二月四日），才到正月初一（二月十日）。換言之，二〇一三年二月四日零時十四分（立春）後出生的嬰孩，其生肖已屬蛇了。

若不弄清這一點，二〇一三年二月四日至二月九日期間出生的嬰孩便很容易被錯認為生肖屬龍。長大後翻看運程書，不但會將錯就錯，覺得與事實不符，對於自己是否犯太歲一事也會糊里糊塗。

正正因為很多人都誤解了正月初一就等於「轉生肖」，甚至每年傳媒大肆報道的「蛇年第一位搶閘BB」等皆以大年初一作分水嶺，以至這謬誤牢不可破。

所以，在立春日（即西曆二月四日至五日）前後出生的朋友，有必要重新翻查一次自己出生年的立春與正月初一之日子，以作出正確生肖判斷（若要翻查，可用萬年曆，一般書局有售，亦可上網查找相關網站）。

以立春日推算香港運勢

計算一個人的運勢需要準確出生資料，要推算香港的來年運勢也等同算命一樣，應該拿該年立春日的轉換時刻作基本八字推算，再配合各方位的吉凶，從而得知來年各項發展。

如前頁所示，本年的立春八字便是「癸巳年、甲寅月、辛丑日、戊子時」。

癸巳蛇年大勢總述

在詳談二〇一三癸巳蛇年的立春八字前，先扼要回顧二〇一二壬辰龍年的立春八字。壬辰龍年的立春八字屬木，欠金扶助，而且比劫透出，即使有印星之幫助，但整體仍難有大作為，乃得財而無用之象。

踏入癸巳蛇年，立春八字的日柱天干為「辛金」；八字論命一般以日柱天干之五行屬性為重心，再推算與其他年柱、月柱及時柱之相生相剋關係，從而得出命格優劣與運勢高低。

從經濟角度來看，金代表金融，癸巳蛇年的立春八字既屬金，比起壬辰龍年已多了金之匡扶，對整體運勢也有一定幫助。加上八字天干有「正財」透出，代表有財星拱照，另外還有象徵貴人及祖輩力量的「正印」及「食神」等吉星出現，故此蛇年的經濟表現比起劫財重重的龍年為佳。

然而，癸巳蛇年的立春八字也有其他隱憂。此八字命局中，木與土皆重，日柱天干雖屬金，但金之力量依然不足，所以有五行不均、印重身輕之象。雖然有吉星拱照，但也需要外來力量的刺激才有明顯起色，如特別加推的經濟政策、優惠措施等等，可見全球的經濟表現主要依靠政策來推動，表面上歌舞昇平、投資炒賣熾熱，但核心的問題仍然難以全部解決。簡言之，癸巳蛇年之經濟局勢乃「財旺身弱，富屋窮人」之象，整體生活雖有改善，但始終財來財去，普羅大眾的實際得益十分有限，貧富懸殊的問題也勢必加劇。

若以九宮飛星來推算，癸巳蛇年乃「五黃入中宮」。五黃乃大凶星，主災禍及疾病，凡飛臨中宮之星，其力量既當旺也有受困之象。蛇年因五黃入中宮，全球的大型疾病與天災橫禍也會增加，例如地震、雪崩及異常氣候引致特大災難等等。再者，立春八字呈現「寅巳相刑」，主有嚴重交通意外，不論航空、道路橋樑或公共交通系統也容易出現大型事故。另一方面，五黃在中宮也有「入囚」之象，雖然全年易有特大災禍和新型病毒，但最終五黃所象徵之災禍力量也可受控，例如研發出治療新型病毒之方法，或困擾多時的舊有疾病在醫學上有突破性進展。

至於另一顆二黑病星，蛇年則落入西南方的坤宮。雖然二黑星力量較五黃為弱，但也不可不防。尤其西南一帶（如印度、尼泊爾；廣西、雲南、四川、貴州等地）要特別提防病毒肆虐。另外因坤為土地，也代表牛隻及腸胃病，故此蛇年也特別容易發生大規模農作物失收、地陷、地震、腸胃病感染及因牛隻引發之食物問題等等。坤也代表母親，既有病星入主，孕婦即有受災之象；蛇年孕婦們的健康特別受困擾之餘，也容易因政策問題而有不利之情況。此外，豬及猴在蛇年皆有刑剋或相沖，所以要防範猴子或豬隻所帶來之病毒，與蛇類相關的食品或副產品也較大機會出現問題。

癸巳蛇年還要注意三碧星、九紫星和一白星飛臨的方位。三碧乃是非口舌之星，流年飛臨正東的震宮，故此東面一帶的國家（如日本、韓國、菲律賓）易有紛爭纏繞，不論國內外也多大型官司訴訟，民間的口舌是非難以遏止，例如中日兩國之間的糾紛仍會不時出現，南北韓的明爭暗鬥也有持續之象。

流年一白星又入坎宮，一白星本已屬水，坎宮為正北，也屬水，故此正北一帶要防水災、暴風雪侵襲、河流淤塞為患、水源污染等等與水相關的問題。另外，九紫星飛臨正南的離宮；九紫星屬火，離宮也為火，兩火交會下，南面一帶亦要嚴防大型火災、旱災或雷電之侵襲。

六白乃武曲星，主管軍政、權力。流年六白星飛臨乾宮，所謂「乾為天」，乾向來代表政府及領導人物；流年既得六白星生旺乾宮，全球的軍政界有強勢統治之象，坐擁兵權者特別佔優，如軍政強人上場或重拾軍隊勢力，政變、大型軍事演習等也特別矚目，引起全球關注。地區政府的警權也有普遍提升之象，如增強內部裝備或以強制手段壓制民間的反對勢力。除了政府的態度較以往強硬外，受立春八字印星透出的影響，也有利政府推出不同政策，尤其關於改善民生的措施方面，市民相對以往也較為歡迎及接納政策方案。

至於癸巳蛇年的八白財星，則飛臨艮宮。艮宮象徵幼子，故凡是家中幼子的運勢也較佳，尤其大家族中的幼子，深得祖父輩疼愛，財運特別佔優。恰巧流年三碧是非星飛臨震宮，震為長男，故此豪門望族中的長男運勢顯然失去優勢，不但較多是非口舌纏身，若有官司訴訟甚或爭產風波出現，長男也有失勢之象，幼子則可乘勢而上，獲得財星臨門。

四綠文昌星在蛇年則飛臨巽宮，巽宮代表長女，而四綠星主名氣、地位及學習運。故此若為家中長女，蛇年的學習運特別理想，富二代的長女名氣運也有提升之象，容易有矚目之舉，並廣受認同及讚賞。

象徵鬥爭、盜賊及是非的七赤破軍星，蛇年則飛臨兌宮。兌宮泛指以口謀生之行業，尤以娛樂圈最具代表性；既有七赤星入主，娛樂圈在蛇年也多罵戰、互相指控之事發生，財運也有受損之象。其中，又以歌星們之間競爭最激烈，而且也要特別留心健康，例如提防失聲或突發事故而影響演出。

蛇年投資詳細預測

如前文提及，癸巳蛇年乃「財旺身弱，富屋窮人」之象。立春八字既有財星、印星及食神三者支持，投機炒賣的機會一定比過去兩年大增；國際金融市場的熱錢流動特別多，各路人馬皆在尋求短期回報的機會，自然會帶動股市上漲，乃全球炒賣之風再起的一年。

但要注意，癸巳蛇年的熱錢急來也急去，雖然大眾的小額炒賣較易獲利，但只有眼光非常準確者才能有大幅進帳。再者，蛇之特性乃伺機而動，一旦出擊均十分快速，所以癸巳蛇年也會有此現象，整體走勢較難一目了然。若自身的流年偏財運不俗，確實可把握癸巳蛇年的短炒熱賣機會，以有限本錢放膽一試；若手上一直持有高位追入的套牢股票，也有望在利好時機沽出止蝕。但若流年偏財運不甚理想，癸巳蛇年還是忍耐保守為上，切勿眼見市場一片喜氣洋洋而衝動投資，反會得不償失。

其實癸巳蛇年乃「錢非錢」的年代，熱錢滾滾而來，但通貨膨脹也厲害；即使賺錢機會提升，但現金價值也同時萎縮，所以才有「富屋窮人」之說。為了保值，癸巳蛇年不宜持有太多的流動現金，將現金轉化為實物投資較為有利。若自問對投機炒賣不太熟悉，不如把餘錢投放在較穩健的中長線項目上，回報期雖較長，但始終也能保值資金。

癸巳蛇年之各類行業走勢

金：立春八字日元屬金，又有土滋潤，金融市場整體表現有進步，機械、鋼鐵等行業也不俗，惟金之力量始終不夠強大，提防一時風光。

木：立春八字有木強之象，對家具、農業、衣服、創意及環保產業等特別有利，但競爭也相對激烈。

水：立春八字中雖有水，但助力不足，物流、航空、運輸等界別有回吐壓力，加上流年有「寅巳刑」，慎防突發性的大型交通事故影響相關業務。

火：立春八字中只有一點火，而且對八字無輔助之用，所以石油、電腦、電子等行業表現僅屬一般，起落不大。

土：流年八字土重，基建、大自然原材料買賣等特別興旺，尤其建築業界會有理想發展。

癸巳蛇年之流月投資走勢

（註：中國術數之農曆月份以節氣劃分）

・農曆正月至二月
（西曆二〇一三年二月四日至四月三日）
炒風乍現，但財來財去、上落頗大，一般散戶難以掌握。

・農曆三月至四月
（西曆二〇一三年四月四日至六月四日）
流月有合也有變化，市場呈現回吐壓力，外圍局勢頗為不穩。

・農曆五月
（西曆二〇一三年六月五日至七月六日）
韜光養晦之月，大市逐步回穩，可稍作喘息。

・農曆六月
（西曆二〇一三年七月七日至八月六日）
再有相沖之象，變化不定，市場浮浮沉沉，難有劃一表現。

・農曆七月至八月
（西曆二〇一三年八月七日至十月七日）
流月金重，補了立春八字之不足，所以表現特別利好，散戶較有作為。

・農曆九月
（西曆二〇一三年十月八日至十一月六日）
得土潤金，有利好消息或政策出現，進一步帶動經濟。

・農曆十月至十一月
（西曆二〇一三年十一月七日至二〇一四年一月四日）
既沖且合之月，雖有熱錢流入利好大市，但要提防吉中藏凶。

・農曆十二月
（西曆二〇一四年一月五日至二月三日）
回穩之月，大市走勢尚可，上落不定之因素逐漸消除。

十二生肖理財錦囊

生肖	理財錦囊
蛇	犯本命年太歲之年，加上有浮沉星、歲駕星入主，故蛇年的財運上落特別大，有「三更窮、五更富」之象，關於健康及汽車的開支也較大。除了要預留儲備作應急錢外，也切勿輕率投機炒賣，只宜投資實物為佳。
馬	流年有太陽星入主，太陽代表男性及有「照遠不照近」之意，故投資外地或買賣外幣較易獲利，也有利與男性拍檔合作投資。但蛇年同時桃花旺盛，應酬開支特別大，並容易因桃花而破財。
羊	蛇年財運僅屬一般，偏財運不見特別暢旺。再者，流年又有月煞星和豹尾星入主，代表身邊小人較多，所以切勿誤信小道消息而投機投資。如有投資計劃，只適宜單獨進行，不利與他人合作。
猴	流年既有歲合之象，也有太陰星入主，太陰代表女貴人，也是力量較慢的財星，蛇年有利與年齡較大的女性合作投資。但要注意，因合太歲之年有吉中藏凶之象，所以只宜作小額投資。
雞	蛇年有三台星入主，此乃大吉星，財運會有明顯提升，不但有利儲蓄，正財及中長線投資方面也容易獲利。但流年同時有官非運，慎防因文件合約處理不善或魯莽衝動而受票控，因此而破財。
狗	蛇年有破財之象，因既有小耗星入主，又適逢紅鸞星飛臨，主有喜事臨門，如為了籌辦婚事而花錢，正好應驗「破歡喜財」之運勢。因流年開支特別大，而偏財運也僅屬一般，故投資只宜保守為上。

豬

流年有驛馬星入主，若能往外地公幹或駐守一段時間，對財運會較為有利。投資方面，主利海外貿易或外幣買賣，但因蛇年也有大耗星入主，開支必然大大提升，故即使偏財獲利，也是財來財去。

鼠

蛇年有三大吉星入主，雖然主要對事業運有利，但也對財運有幫助。不過蛇年同時有暴敗星入主，財運起落甚大，難以穩定，所以即使有貴人相助，投資方面也不宜輕舉妄動，見好即收為佳。

牛

流年有華蓋吉星入主，主利思考及讀書，頭腦會特別清晰。若要投資，蛇年較適合單打獨鬥，透過自己的研究來訂下投資策略，但始終因流年沒有財星拱照，只宜小試牛刀，以免得不償失。

虎

蛇年有八座及福星入主，象徵幸運得財，對偏財運特別有利，不妨按照自己的靈感來下注，易有橫財臨門。但因流年也有刑太歲之象，獲利後宜把金錢轉為保值的實物，以免橫發橫破。

兔

流年財運屬於中規中矩，不見刑剋，也沒有財星相助，所以偏財運也是一般。不過因有文昌星入主，蛇年的思考特別靈活，若要投資也以自己的分析結論較佔優，別人的小道消息不宜盡信。

龍

流年財運尚算平穩，加上有天喜吉星入主，正財、偏財相對上較龍年有進步。但因過去一年的財運特別動盪不穩，蛇年乃恢復元氣之年，不宜作太冒險的投資，主要仍以買賣藍籌股票為佳。

十二生肖蛇年運程

蛇

犯本命年先難後易 舉行喜事應驗變動

肖蛇開運錦囊

★犯本命年太歲，宜貼身佩戴雞形及牛形的飾物。

★因健康不穩，為求安心，龍年年尾可預先作身體檢查。

★蛇年宜洗牙或捐血，以化解血光之災。

★日常慎防受傷，並移走家中尖刀利器為佳。

★化解流年五黃災星及二黑病星飛臨之位置，以減弱病氣。

（流年吉凶方位請參看頁358）

肖蛇者出生時間（以西曆計算）

二〇一三年二月四日零時十四分 至 二〇一四年二月四日六時四分

二〇〇一年二月四日二時三十分 至 二〇〇二年二月四日八時二十五分

一九八九年二月四日四時二十八分 至 一九九〇年二月四日十時十五分

一九七七年二月五日六時三十四分 至 一九七八年二月四日十二時二十七分

一九六五年二月四日八時四十六分 至 一九六六年二月四日十四時三十八分

一九五三年二月四日十時四十六分 至 一九五四年二月四日十六時三十一分

一九四一年二月四日十二時五十分 至 一九四二年二月四日十八時四十九分

一九二九年二月四日十五時九分 至 一九三〇年二月四日二十時五十二分

一九一七年二月四日十六時五十八分 至 一九一八年二月四日二十二時五十三分

【整體運程】

肖蛇者踏入與個人生肖相同的年份，即步入「本命年」，是犯太歲的一種。中國人常言：「太歲當頭坐，無喜必有禍。」其實犯太歲影響不一定完全負面，最重要是看看有沒有作出適合的變動以應運勢。「本命年」又叫作「關口年」、「變化年」，若蛇年能舉辦大喜事，如結婚、添丁、買樓、創業等，便能減輕犯太歲所帶來的負面影響。若沒特別喜事可沖喜的話，便要有心理準備二〇一三癸巳蛇年將會過得較為動盪和辛苦。幸而除喜事外，在犯太歲之年多些出外，如公幹、旅遊，或主動在家宅上作出變動，如搬遷、大型裝修等，都可化解犯太歲之負面影響。

雖曰本命年，但肖蛇者仍有三大吉星拱照，事業穩步向前。首先，蛇年有「歲駕」星飛臨，此星有皇帝坐轎四方出巡的含意，寓意工作表現有目共睹，得眾人賞識，事業運甚佳；「歲駕」也代表座駕，即有購置新車之象，暗示事業上有所成就。肖蛇者又有「天乙」這一大貴人星，將能遇上可扶助自己的貴人；工作上更有「天解」星相照，此星代表解決困難、排難解紛，工作便能更順暢。因眾吉星相伴，故此縱使受本命年影響而令工作波動不定，但只要多加耐性，最終都會漸入佳境。

整體而言，蛇年最大問題是情緒易生波動。受本命年及「浮沉」星影響，特別有情緒低落、胡思亂想之象，容易作錯誤決定，故工作上不宜操之過急或想得太過負面，以免令本來順利的事情也觸礁。其實蛇年貴人運佳，遇有困難時，不妨多找朋友傾談或協助，問題有望迎刃而解。另外，肖蛇者本來和肖猴者最相合，但肖猴者在蛇年也因犯太歲而自身難保，所以多接觸三合之生肖，包括肖雞者、肖牛者則可加強原本已不錯的貴人運。

除了情緒問題，蛇年也遇上「太歲」、「劍鋒」、「血刃」等對健康有較大影響的凶星，代表易有血光之災，故蛇年要慎防意外受傷。但只要在立春之後捐血或洗牙，便能主動應驗血光之災，大大減低對健康的負面影響。

【財運】

凡是本命年一定是以正財為主，賺到的都是親力親為的血汗錢，偏財上難有所收穫，所以蛇年切忌對財運有太多不切實際的期望。再者，肖蛇者在本命年容易思緒紊亂、心大心細，在這狀態下投資十分容易作出錯誤決定，所以蛇年不是依靠靈感和運氣的年份，只宜踏踏實實地工作賺錢，難靠炒賣得財。

對做生意者而言，賺錢運有先難後易之勢。上半年工作較為辛苦，幸好有「天乙」星相照，業務得到貴人幫忙，只要努力持守，下半年會變得較順利。另因有「歲駕」星降臨，有機會因購買新車或維修汽車等而增加額外開支；加上蛇年較容易受傷，醫療費用的支出也會比往年為多。故此肖蛇者若能先作儲備，便能應付各種不時之需，以免財政突然大失預算。其實處身本命年，不妨主動花錢在醫療上，如作身體檢查、購買保險等；所謂破財擋災，此舉也有助化解本命年的健康威脅。

【事業】

本命年是變動年，肖蛇者自然希望事業上可出現變化。雖說蛇年宜動不宜靜，但要注意只可在既有基礎上作出較「低成本」的變動，切忌大興土木，因蛇年乃辛苦得財年，絕非大展鴻圖的理想時段。例如在原有業務上拓展海外市場，是一個不錯的主意；但如由零開始發展新生意，則要三思。如有生意伙伴支持，仍可一試；但若要自己獨力大手投資，便可免則免。

有意轉工者也不宜心急，因蛇年容易決定錯誤，輕則轉工後環境未如理想，重則辭去舊職卻得不到新公司正式錄用，陷入進退兩難之局面。故轉職之事，最好待至入秋後，當事業運轉順時才作考慮。其實肖蛇者的工作運不差，因吉星「歲駕」有助工作表現受到認同；「天乙」貴人星則有望權力提升，例如升職或負責重要項目。惟本命年多是非口舌，盡量不要為人排難解紛，以免捲入是非之中。總之凡事以和為貴，對蛇年事業運一定有所幫助。

【感情】

「本命年」也即所謂的「關口年」，感情關係容易出現變化。對於打算共諧連理的朋友而言，蛇年正是好時機，一來正面地應驗感情關係的突破，二來如前所言，婚事有助化解犯本命年的負面影響。若只是剛開始拍拖、未有長遠計劃的朋友則要特別小心，因為蛇年乃感情運的關口年，沒有深厚感情根基的情侶容易鬧分手。惟幸得「天解」星幫助，假如從前二人間有什麼誤會或心結，最終也可望得到化解。

要注意的是「天解」星也有一點解除婚約的意味，所以已訂婚者要慎防因事而計劃有變。已婚者也不可掉以輕心，因關口年出現較多外來引誘，要避免對別人太熱情，以至引來無謂的誤會甚或發生三角關係；若在龍年結婚的朋友，蛇年則容易有喜。但無論對於夫婦還是情侶，處身本命之年，伴侶的身體易有小問題，宜多加關心對方的健康。未拍拖的朋友在蛇年則有少許桃花，然而，本命年並非感情穩定的年份，出現的戀情大多是短暫桃花，不宜過分投入感情。

【健康】

本命年本來就容易受傷，尤其有破相、跌損扭傷之象，加上有代表血光之災的凶星出現，萬事更應小心。「劍鋒」、「血刃」二星意味易受金屬利器所傷，若經常接觸機械者要加緊注意安全設施，駕駛者也要打醒十二分精神，免生意外。蛇年有機會要開刀動手術，故最好於立春後捐血或洗牙，以應驗血光之災。

本命年也易生焦慮，生活被悲觀情緒主導，甚至影響睡眠質素，不妨多找朋友傾談或出門散心。不過出門時要特別謹慎，因蛇年遺失行李或遇上航班延誤的機會較大。若在本地則可多接觸大自然及多做一些較溫和的運動，既可紓解心情，也能鍛煉身體，相得益彰。

蛇年也適宜在保健項目上多花一點金錢，如購買醫療保險或作身體檢查等，一來可應驗因健康而破財之象，二來也可令自己更心安理得。整體來說，要特別留心農曆四月及十月，此兩月健康運較差，並要避免生旺家中的流年病星位置，以防加劇問題。

一九一七年：丁巳年（虛齡九十七歲）

丁巳年出生的長者，於本命年中本來就易有健康問題，加上受到流年和自己的天干「癸丁相沖」影響，更應特別注重眼睛保健。蛇年容易出現眼睛發炎、視網膜毛病等問題，視力衰退比往時快，故此切忌讓雙眼太過操勞。最好能多些接觸大自然，一來多看遠方風景可令眼睛疲勞得以紓緩；二來，「癸丁相沖」也會令人脾氣變差，郊遊有助抒發鬱抑。盡量不要和人有任何金錢瓜葛，否則容易因財失義。蛇年沒什麼偏財運，投資投機之事可免則免，以防損失。

一九二九年：己巳年（虛齡八十五歲）

己巳年出生者在蛇年手腳關節特別容易受傷，一定要特別注意家居安全。宜做好提防各種家居陷阱的準備，例如在浴室、樓梯等地方加設防滑設備，以預防跌倒受傷。除家居外，出門時亦要在交通方面打醒十二分精神，免生意外。幸而除了手腳關節問題，健康上沒什麼其他大礙，而財運更是不錯。可進行一些小投資、小賭博，如打麻雀、買彩票等，只要並非太高風險的，蛇年將可有點斬穫。

一九四一年：辛巳年（虛齡七十三歲）

一九四一年出生者是眾多肖蛇者中受蛇年負面影響最少的，相對會過得較為開心愉快。學習運強，雖年紀不小，但仍然好學不倦，找到志同道合的朋友一起開展新興趣。然而，正因朋友多，易受是非困擾，故盡量不要理會無關自己的事，以免捲入別人的是非之中。身體上沒什麼大礙，但要注意慢性健康問題，如體重、膽固醇、血壓等，宜多加注意飲食。欠偏財運，不宜短炒，建議多作兩、三年以上的中長線投資。

一九五三年：癸巳年（虛齡六十一歲）

踏進和自己天干地支相同的關口年，需要特別注意身體健康。中國人習慣當女性到六十一歲便做大壽沖喜，但其實本命年不宜太過鋪張，反而適合以茹素、放生等善事賀壽。一來清淡飲食有利健康，二來也能積福，加強自己及後輩的健康運。蛇年心理上會較悲觀，常懷疑擔心自己身體出現狀況，故宜在龍年年尾先作身體檢查，如沒事則求個安心，即使有問題也能盡早發現，通常都可大事化小。理財應以穩健為主，切忌作借貸擔保人，連中度風險的投資也不適宜。其實既已踏入退休年，不妨放假輕鬆遊玩一下，只要不作什麼重大決定便可順利度過蛇年。

一九六五年：乙巳年（虛齡四十九歲）

雖曰本命年，但乙巳年出生者受蛇年的影響不算太大，工作頗為順利，更有貴人支持。然而雖然事業上可有點變化，如創業，但切忌急進，應經過詳細思慮及分析方可行動。蛇年不宜作太大的投資，要投資的話也應以小本為主，小試牛刀則無妨。感情上蛇年只算不過不失，伴侶間易為小事爭執，伴侶健康也易生問題；宜多忍讓、多關心，對雙方身心健康和感情都有幫助。本命年始終容易弄傷，運動時要特別小心，避免攀山、潛水、跳傘等高危險性活動。工作戒之在急，宜多加耐性，既可避免出錯，亦可好好控制脾氣。

一九七七年：丁巳年（虛齡三十七歲）

丁巳年出生者和癸巳蛇年相沖，所以受到蛇年運勢的影響較大。踏進癸巳蛇年，運勢特別飄忽不定、上落較大，將出現不少重大變化。最好有結婚、添丁、置業等喜事沖喜；如沒有，則要有心理準備迎接家宅、自身等各方面的變化。事業上不宜貿然作出太大變動，要以穩守為主。另外，凡事應有兩手準備，因為計劃好的未必可如期實踐；預計難以實行之事，到頭來卻可成真，心情落差自然特別大。蛇年宜多聽取別人意見，多作理性分析，不論工作或其他方面，只要預備充足、保持耐性，便能做到穩中求變，有所突破。健康方面，今年要特別留心眼睛及心臟的毛病。

一九八九年：己巳年（虛齡二十五歲）

流年運勢整體穩定性不高，但也不算太差，因為不論在工作上、進修上，都開始慢慢找到自己的方向。感情運則不太穩定，要有心理準備今年是容易分手的年份。雖然年輕，但如有計劃結婚會是一個不錯的沖喜方式，可正面應驗感情變動。未開始談戀愛的，蛇年有開展新戀情之象，運勢上亦較多機會找到自己喜愛的工作。惟情緒比較差，和家人爭執比較多，謹記控制自己脾氣，不但有助改善人際關係，與家人之爭執也可大大減少。

二〇〇一年：辛巳年（虛齡十三歲）

蛇年的學習運十分強，學業表現相當不俗，但可能學習的東西太多太雜，以至出現專注力不足的問題。其實學習不應太多心，強行要自己學貫各項範疇，如能專注於一兩項所長，成功機會將會更大。人緣運不錯，社交圈子變大，多了解群體活動，倍感開心。惟本命年始終容易受傷，尤其是跌傷，如進行足球、籃球等較劇烈的運動時要多加小心。此外日常也要留心道路安全，小心因輕率而發生意外。蛇年氣管較弱容易生病，宜多留意天氣變化，維持良好作息時間。

流年運勢

農曆正月（西曆二〇一三年二月四日至三月四日）

正月要特別注意健康問題，容易患上傷風感冒，天氣轉變時謹記穿着足夠保暖衣物。工作上多遇阻滯，需要多點耐性去克服問題。因為流年運勢有「先難後易」之象，所以年初時工作辛苦一點也屬正常，好好努力，往後月份將更輕鬆。一九六五年出生者則在本月容易破財，切忌投機投資；一九八九年出生者特別容易受傷，要多加小心。

農曆二月（西曆二〇一三年三月五日至四月三日）

工作開始稍為變得順利，但人際關係上則出現了一些問題，應盡量避作排難解紛之事，否則會捲入別人的是非漩渦之中；少說話多做事，可避免許多不必要的紛爭。一九五三年出生者和朋友爭拗較多，宜多虛心聆聽別人意見；二〇〇一年出生者本月有傷及手部的危機。

農曆三月（西曆二〇一三年四月四日至五月四日）

三月是劫財月份，容易招致金錢損失，故此不宜作投機投資。理財方向亦要保守謹慎，量入為出；做生意者要開源節流，否則有機會無端破財。一九四一年出生的老人家呼吸系統相對比較差，應多注意天氣冷暖變化，盡量避免出入空氣混濁的場所。

農曆四月（西曆二〇一三年五月五日至六月四日）

本月心緒較多煩擾，被悲觀情緒主導，最好可以出門外遊，離開本身現有磁場，有助紓解鬱悶，加強運勢。此外，也要留意家宅運，例如家人的健康問題。即使不選擇外遊，在這月份如裝修一下家居，都能應驗家宅運的變動，令運勢得以強化。

農曆五月（西曆一三年六月五日至七月六日）

五月有很強的貴人運，可利用貴人的力量，助自己解決一些難題。雖然工作上仍有點阻滯，但其實已經初現曙光，成功在望。尤其打工的朋友因人際關係好轉，工作亦會因而開始變得較為順利。然而，做生意者要小心理財，經濟上會比較緊張。一九五三年出生者會有失眠的情況，如有心事宜找朋友傾訴。

農曆六月（西曆一三年七月七日至八月六日）

此月易受家事所煩擾，親朋戚友可能需要你的幫忙，但只可量力而為。蛇年有因財失義之象，故不宜在這方面為他們提供太多支援，否則傷及感情，亦可能引致自身難保。此月同時亦會為子女、下屬的事而煩惱，如擔憂其學業、工作表現等，需要一點時間才能得到改善。一九六五年出生者有一點財運，小量投機投資可望有所回報。

農曆七月（西曆一三年八月七日至九月六日）

本月應酬比較多，工作上有機會節外生枝，不算順利。遇有難題時應找朋友幫忙，否則自己沒法應付太多困難，會變得氣餒而令事業變得更壞。由於應酬無間，休息時間不足，加上吃喝不斷，令身體容易出問題，應盡量調節生活作息，好好節制飲食，以防生病。一九八九年出生者有感情變化的可能，宜多關心愛侶。

農曆八月（西曆一三年九月七日至十月七日）

本月桃花乍現，尚未戀愛的朋友，本月將有合適對象出現，可嘗試開始交往。雖然蛇年的桃花都不算十分穩定，但如想有些感情生活也不妨一試。工作阻力慢慢消失，宜把握時機努力一點，許多早前解決不到的問題將得到解決。一九六五年出生者容易和別人產生爭端，凡事宜多忍讓；二〇〇一年出生者健康運較弱。

農曆九月（西曆一三年十月八日至十一月六日）

本月悲觀情緒浮現，然而實際環境其實並不是太壞，只不過因自己心情不佳而總覺得事事不順。若能多和朋友相聚，或外出旅遊散心，都可幫助消除負面想法。上半年出生者宜到較冷的地方遊玩；下半年出生者則適合到較熱的地方。一九七七年出生者踏進了容易失眠、情緒低落的月份，宜多找人傾訴。

農曆十月（西曆一三年十一月七日至十二月六日）

十月在傳統上是和自己相沖的月份，加上與本命年年份相沖，除了農曆四月外，屬全年穩定性最低的月份。幸而將近年尾，很多事情已漸入佳境，所以不用太擔心。本月是動盪的月份，計劃轉工的朋友可把握本月實行，但不要貿然作出高冒險性的決定，一般變動則沒大問題。一九七七年出生者要留心身體健康。

農曆十一月（西曆一三年十二月七日至一四年一月四日）

工作上要留心文件合約官非，當中易有錯誤，最好能找專業人士幫忙查看，以免不小心觸及法例。駕車的朋友也要切記奉公守法，因為除了文件合約，在交通上亦有機會遇上官非，被抄牌等事也會比往常為多。一九八九年出生者容易受傷，出入要多加留神。

農曆十二月（西曆一四年一月五日至二月三日）

踏入年尾，事業發展上出現強大助力，自己解決問題的能力也有所提升，運勢開始穩定下來。本月不但有望解決早前積壓的問題，而且表現也在穩步上揚，不過工作壓力也大一點，易鬧情緒，而且和家人容易不和，故此必須注意和家人之間的溝通，除了注意改善關係，若有問題也不妨溫和地向家人坦言。一九四一年出生者要注意家居陷阱，小心受傷。

馬

太陽高照貴人相助 向外發展光芒四射

肖馬者出生時間（以西曆計算）

二〇〇二年二月四日八時二十五分 至 二〇〇三年二月四日十四時六分

一九九〇年二月四日十時十五分 至 一九九一年二月四日十六時九分

一九七八年二月四日十二時二十七分 至 一九七九年二月四日十八時十三分

一九六六年二月四日十四時三十八分 至 一九六七年二月四日二十時三十一分

一九五四年二月四日十六時三十一分 至 一九五五年二月四日二十二時十八分

一九四二年二月四日十八時四十九分 至 一九四三年二月五日零時四十一分

一九三〇年二月四日二十時五十二分 至 一九三一年二月五日二時四十一分

一九一八年二月四日二十二時五十三分 至 一九一九年二月五日四時四十分

肖馬開運錦囊

★若要提升運勢，蛇年可多出門或往外走動。

★投資外幣或海外物業等，獲利機會較大。

★流年有利動中生財，宜在家中流年一白星之位置擺放馬形飾物。

★農曆正月適宜在家中擺放桃花，以進一步加強桃花及人緣。

★晦氣星入主，宜化解三碧是非星飛臨之方位。

（流年吉凶方位請參看頁358）

【整體運程】

踏入癸巳蛇年，肖馬者流年運勢相當不錯，先有大吉星「太陽」星高照，不論在工作、人緣、姻緣等各方面都有很正面的發展，是相對過得較好的一年。「太陽」乃代表男性的貴人星，身邊會有許多男性貴人出現；如果你的工作或生意與男性有關，將十分有利，例如從事汽車用品、男士服飾、電子設備等以男性顧客為主的業務，蛇年將可錄得不錯的業績。對於打工的朋友而言，如上司、老闆為男性，蛇年都會得到較好的發揮機會。

除了得貴人相助，「太陽」星也有向外擴散的力量。本來肖馬者已是十二生肖中最活躍的生肖，不愛休息，喜歡走動；加上蛇年「太陽」星光照遠方，故此蛇年是十分合適向外拓展的年份。投資也好，做生意也好，都應嘗試往外地走，不要只局限於原先的範疇。

「太陽」星光芒四射，人有光采自然更能吸引異性；蛇年有「咸池」星、「桃花」星出現，撞上代表男性的「太陽」星，感情肯定多姿多彩。蛇年有不少桃花，尤其肖馬的女性，特別容易遇上合適對象；肖馬的男性也有許多機會碰到心儀目標，惟「咸池」、「桃花」屬不穩定之情緣，感情生活雖豐富，但未必可發展出長久穩定的感情關係。

既然出現這麼多和人際關係相關的星，蛇年的人緣運也不俗，如工作方面常要與人接觸、見客談生意等，蛇年都有不錯表現。然而，正因常要接觸客戶，加上「咸池」、「桃花」暗示應酬不斷，要注意調整作息規律，免得過度操勞，影響生活節奏；再者，蛇年較多機會進出煙花之地，謹記適可而止。由於桃花當旺，引誘亦多，小心不要太過沉醉於感情生活中，以免引發三角關係等事，落得不歡而散。

要注意蛇年同時有「晦氣」星，表示別人對你不滿，容易開罪他人，幸好有「太陽」星拱照，其光芒終會將「晦氣」照散。但為免因說話而引起他人不滿，惹來不快局面，言行應小心謹慎。整體來說，今年算是多姿多彩，多出外闖蕩，蛇年將過得不錯。

【財運】

肖馬者在蛇年因為有「太陽」星照耀遠方，不但有利往外發展，名氣也容易達至遠方，故要好好把握這機遇。如一向只在本地投資，蛇年不妨考慮離開原有範疇，進軍海外。做生意者也適合向外拓展，進軍國際市場。如本來已和外國人有生意往來，業績將更為出色。當然往外走也要注意方位；春夏出生者宜向較冷的地方發展；秋冬出世者宜往天氣較熱的地方工作。

「太陽」是男性貴人星，故以男性客人為主的生意成功機會會較大，例如汽車、音響、男士服裝、電腦、模型等生意，蛇年可謂財源不絕、滾滾而來。但蛇年偏財不多，以正財為主，而開支也大；加上「咸池」、「桃花」等代表應酬不絕之星飛臨，小心因出入煙花之地而導致桃花破財。另因人際及桃花不俗，間接也會花更多錢在約會對象或朋友身上。總之蛇年賺得多也花得多，幸而總算是應付有餘，尚有少許餘錢用作儲備。

【事業】

所謂「馬不停蹄」，肖馬者一向都適合向外走動，是十二生肖中最活躍及特別性急的生肖。蛇年因有「太陽」星光照遠方，所以蛇年乃出差的好時機。打工的朋友，如公司在蛇年有意派你駐守海外或安排出門公幹，實在應該欣然接受，對運勢十分有利。若公司沒有特別安排，自己也不妨主動爭取，可為事業運帶來突破。

因有「太陽」星的光彩四射，工作上出現進步運勢，令周遭的人都認同你的表現。蛇年的人際關係也理想，與同事之間的關係特別好，上司及下屬都能為你提供足夠支援；如上司或工作拍擋為男性，更有利工作一帆風順。但要記着，即使表現多好，都應收斂一下，因「晦氣」星出現令你容易樹敵，故切忌鋒芒太露、意氣風發。如想廣結人緣，就不應太過高調行事。

正在謀求新職位的朋友也不用太擔心，既然蛇年事業運強、男性貴人運旺，不妨聯絡從前的男上司、男同事尋求幫助，有助找到理想的新工作。

【感情】

受「太陽」星高照影響，肖馬的女性感情運十分有利。蛇年容易遇上一些不錯的男性，無論在生活背景、學識修養上都是理想人選；加上「咸池」、「桃花」令桃花運暢旺，成功開始戀情的機會特別高，如還沒談戀愛的應該把握機會結交新對象。即使真的一直欠缺機遇，蛇年也有利異地姻緣，因「太陽」光照遠方，在海外工作、旅遊時容易遇上合適對象；即使身在原地，也有望遇上外地到來出差的心儀目標。此外，因有男性貴人星高照，透過男性長輩介紹，成功機會也會提高。

肖馬者由於應酬多，在不同場合都可認識到有發展機會的對象。不過受「咸池」、「桃花」影響，遇上的多是短暫桃花，長遠上能否開花結果仍有待觀察。尤其在煙花之地遇上的對象，較易引起桃花破財，容易不歡而散，故不宜太過認真。已婚者遇上「咸池」、「桃花」這些複雜的桃花運，自己便要多加克制，別對人太過熱情，以防出現三角關係。

【健康】

整體而言，肖馬者於蛇年的健康運沒太大問題，只是因為出門的機會較多，故飲食上要特別小心，以免水土不服。另外，肖馬者在外地也有較大機會受到一點小驚嚇，除了預先購買外遊保險，也應帶備一些「平安藥」在身，當腸胃有問題、心緒不寧時，也能紓緩一下，安定心神。

原則上有「太陽」星所照的年份，都會令人變得積極樂觀，較少出現負面情緒，所以相較龍年，肖馬者在癸巳蛇年的想法變得正面，做事也顯得特別積極。心境開朗，身體自然也較健康。惟注意蛇年因應酬不絕，有食神運，故此常要提醒自己節制飲食，以免體重超標，引發高血壓、高膽固醇等健康危機。同時也因外遊機會增加，舟車勞頓加上時差問題，打亂作息規律，唯有盡量作出調節，不要只顧工作或玩樂，應把握時間多作休息。另外，有一較小的凶星「年煞」出現，需多加注意家宅及長輩的健康，其餘則沒大礙。

一九一八年：戊午年（虛齡九十六歲）

戊午年出生的肖馬者今年虛齡已達九十六歲，出生年份和流年呈相合之象，故此容易引致負面情緒，令人胡思亂想及作出錯誤決定。因為被悲觀情緒主導，自己在蛇年不及往年開心，宜多與朋友或後輩談天，閒時多做自己喜歡的事，這些活動皆對身心有益。雖然在蛇年心情欠佳，總覺得諸事不順，但客觀上其實過得不差，例如蛇年財運不錯，有輕微偏財，若喜歡麻將耍樂的話不妨玩玩，小賭怡情，既可調節負面情緒，不太貪心的話也能有點進帳。

一九三〇年：庚午年（虛齡八十四歲）

蛇年相對過得不錯，各方面都很順利，雖年事已高但仍有學習新事物的動力，是開心的一年。後輩也能安盡孝心，兒女、孫兒等常常探望自己，能感受到他們的關心，老懷安慰。只是自己的脾氣相對較差，容易和他們發生口角。謹記只要大家互相忍讓，其實都可大事化小。有後輩們相伴照應，蛇年將可愉快度過。惟要注意的是，蛇年絕非適合投資的年份，一切只宜保守為之，投機投資之事可免則免。健康上，喉嚨、氣管等易有問題，出入冷氣場所要小心穿衣，盡量避免到空氣混濁的地方。

一九四二年：壬午年（虛齡七十二歲）

踏入癸巳年，壬午年出生者運勢相對比起龍年有較高的穩定性。龍年時容易破財，在蛇年則開始轉好，財運變強了一點，也有些偏財運，可以作輕微的投機投資，可是切忌貪心，別選擇太高風險的項目，以免得不償失。蛇年比往時有更多人向你提議合作的機會，故此容易找到生意拍檔。然而，要事事留心，別太輕易相信別人，因蛇年有因財失義之象，故即使對方可信，合作炒賣等事仍然可免則免。

一九五四年：甲午年（虛齡六十歲）

虛齡已屆六十，傳統上叫作「厄年」或「關口年」，已開始踏進一個甲子，故要有心理準備迎接一些較大的變化，尤其健康上要多加留心。所謂「男做齊頭，女做出一」，中國傳統男性在虛齡六十之年會以壽宴沖喜，如能吃素及多作放生之事，行善積福都能提高健康運及各方面的運勢。若不打算擺設壽宴，出席別人的喜慶場合都會有所幫助。蛇年有機會出現突如其來的變化，而令自己措手不及，故此財運上宜保守一點，避免進行高風險投資。做生意者在蛇年任何重大決定都要三思而行，肖馬者應戒急進，工作宜循序漸進。此外，健康上要留心一下關節的毛病，出入走動要多加留神。

一九六六年：丙午年（虛齡四十八歲）

踏入蛇年事業運發展相當不錯，雄心壯志，出現不少新的發展機會，容易遇上合適的拍檔。如希望有新發展，如創業、作出新投資方向等，都不應太急進，循序漸進逐步發展才會成功。蛇年有遇上官非訴訟之象，文件合約等盡可能找專業人士處理，減低出錯機會。同時要小心處理人際關係，由於自己固執，容易和別人產生摩擦，應當試多接納別人的意見，建立更圓融的關係。蛇年人事變動多，要多關心下屬，以免人事去留為自己多添麻煩。感情運上，蛇年反而沒大起伏，相對來說是平穩的一年；健康上除了牙齒、視力有點小毛病外，其他亦無大礙。惟年尾時最好前往抽血驗身，以準備預防馬年本命年時將出現的健康變化。

一九七八年：戊午年（虛齡三十六歲）

流年運僅屬一般，出生年和流年出現「戊癸合」的情況，加上虛歲三十六正在行「眼運」，運勢反覆多變，要多一點耐性克服困難。家宅上易因親友長輩之事煩惱，特別是老人家的健康易生問題，令你勞心。受各種事情煩擾而焦躁不安，但記着要以柔制剛，不論對外人或是對家人只要平和一點，都能改善家宅運和事業運。如有傳統喜事如結婚、添丁、買樓等沖喜，當然有助提升家宅運；蛇年亦宜遷居、裝修，都有助提升運勢。正財運不差，但偏財運切勿期望太高，投機投資容易招致損失。工作上雖有許多新想法，但暫時都未能成事，今年不宜急進，應仔細部署為未來作好準備。健康方面，要注意頭、手、腳容易受傷，帶危險性的活動如爬山、跳傘等便不宜參與。

一九九〇年：庚午年（虛齡二十四歲）

庚午年出生者踏進了變化年，穩定性未夠，自己的目標及方向尚有待確定。人際關係上多閒言閒語、是非口舌，朋友間多爭拗，和家人關係亦有點小衝擊，記着凡事以和為貴，多接納長輩的意見都是有益的。身邊人在各項事情上給你不同看法，令你有點無所適從。其實別人的意見可多聽取，但宜自行多加分析才作決定，不用太受別人左右。桃花運也未見穩定，雖然認識了許多新朋友，不論男女都會遇到很多戀愛機會，尤其女性桃花更見暢旺，可是自己心大心細未能安定，其實在變化之年不宜急於作決定，最緊要帶眼識人，否則容易換來傷心失望。

二〇〇二年：壬午年（虛齡十二歲）

原則上學習運相當不俗，讀書專注力高，更能表現出競爭力，學習能力都有所提升，成績於長輩、老師間有目共睹。龍年時情緒不佳、終日和同學朋輩爭吵不休的情況，在蛇年總算安定下來，不論同學之間的關係或自己的情緒，相對上都變得穩定。惟要小心蛇年是容易受傷的年份，有機會跌倒受傷，進行球類或攀爬等劇烈運動時要特別留神；若要作戶外運動，應做好安全措施及遵從導師指示，切勿自把自為。在家中也要多注意家居安全，小心因疏忽而撞傷扭損。

流年運勢

農曆正月（西曆二〇一三年二月四日至三月四日）

正月是貴人運旺的月份，無論長輩、同輩中都有幫助自己的人。人際關係融洽，大家都認同你的表現，讚美之聲不絕。在工作上不妨多表現自己，事業有望更上一層樓。一九七八年出生者的工作壓力相對比較重，可和家人朋友傾談，分擔一下；一九九〇年出生者和家人有點小爭執，勿意氣用事，小事化大。

農曆二月（西曆二〇一三年三月五日至四月三日）

工作遇到阻滯及困難，有點舉步難移的感覺；實際上由於失去了一些支援，令工作變得困難重重，必須多給一點耐性才能克服問題。本月容易有輕微的官非，駕車的朋友謹記遵守交通規則，避免抄牌記名等事。一九三〇年出生的老人家要留意頭、手、關節會容易受傷，出外走動時要多加留神。

農曆三月（西曆二〇一三年四月四日至五月四日）

本月是破財的月份，不宜作投機投資。理財盡量保守謹慎一點，做生意者應開源節流。一九六六年出生者有輕微的受傷運，除自身外，也要多注意老人家的健康；二〇〇二年出生的小朋友亦容易受傷，嬉戲玩樂、進行運動時要分外小心。

農曆四月（西曆二〇一三年五月五日至六月四日）

出現許多新的合作機會，機遇連連，但切忌輕易相信而採取行動，宜多給一點時間觀察，因為部分機遇只是假象，以免因過急行事而招致損失。工作心態較為急進、緊張，不妨在這月份作小旅行，除放鬆一下心情，也能對自己的運勢起強化作用。一九四二年出生者容易失眠，要學習凡事勿過慮，多想無益。

農曆五月（西曆一三年六月五日至七月六日）

本月需要特別注意健康問題，有機會遇上破相、開刀、受傷等事，尤其駕車的朋友要注意可能會有交通意外，應時常保持警醒，提防出事。人際關係變得較為緊張，由於自己脾氣變得暴躁，記着這月份要以和為貴，以免人事間產生任何不快。一九七八年出生者本月和伴侶爭執不絕，宜多忍讓多溝通，合力解決問題；二〇〇二年出生的小朋友，傷風感冒在所難免，宜多休息，增強抵抗力。

農曆六月（西曆一三年七月七日至八月六日）

工作上仍然未見順暢，如能加點創意，想出一些奇謀，將能突破悶局。本月開始出現一點貴人運，不妨多找肖狗、肖虎等生肖相夾的朋友幫忙，許多困難都可迎刃而解。一九五四年出生者要注意健康，例如小心病從口入；一九六六年出生者本月要面對較多是是非非，宜少管別人閒事，做好自己分內事便可。

農曆七月（西曆一三年八月七日至九月六日）

本月財運較佳，許多事也都變得順暢，不少之前未能解決的問題在本月都可逐一解決。本月適宜裝備一下自己，如進修學習，都能令自己運勢有所提升。一九九〇年出生者要注意和伴侶會發生較多爭拗，應好好控制自己情緒，有助強化感情運。

農曆八月（西曆一三年九月七日至十月七日）

桃花運相當重，不論男女本月都會出現桃花。可惜的是部分人遇上的只是短暫桃花，故此不宜過分投入，以免受到情傷。本月飯局應酬頻繁，令自己休息時間不足，宜多加注意調節生活習慣，以防健康受損。一九五四年出生者處理文件合約時要小心，以免惹上官非；一九六六年出生者要小心喉嚨氣管出毛病，易生咳嗽。

農曆九月（西曆一三年十月八日至十一月六日）

本月原則上都是順遂，工作上能找到理想的拍檔或合作經營者。然而，許多意想不到的事情都會突如其來，令你措手不及，故凡事宜有兩手準備。本月同時有輕微破財之象，投資上宜保守一點，不能太貪心，以免招致損失。一九四二年出生者切忌投機投資；一九六六年出生者不論工作上或健康上都有點小問題，幸沒大礙。

農曆十月（西曆一三年十一月七日至十二月六日）

工作順暢，事業出現一點突破，很多難關都能化解。感情運方面經過早前連月的波動後終於變得較為穩定，本月有開花結果的機會，如能遇上合適對象，不妨積極主動一點。一九七八年出生者本月情緒比較低落，不妨多找朋友傾談，解開心結。

農曆十一月（西曆一三年十二月七日至一四年一月四日）

整體穩定性不高，特別是家宅運較差，如受別人裝修噪音騷擾，或為家中漏水、冷氣機故障等問題而煩惱，更可能因要維修而破財。不妨考慮在家中作出一些變動，如添置或更換新家具，重新粉飾家居，此舉能正面應驗家宅變動以加強運勢。一九九〇年出生者和家人有許多爭執，宜收斂一下脾氣，多接納別人意見。

農曆十二月（西曆一四年一月五日至二月三日）

本月和自己有點刑剋，也較多變化，所以健康上易出現問題。而且已到蛇年年尾，將開始踏進本命年，宜早為健康運變化作出準備，如進行身體檢查、保健調理等，這都有助提升緊接的馬年健康運。一九三〇年出生者會常失眠，凡事不應想得太多；一九五四年出生者會有破財機會，切忌投機投資，以免招致損失。

羊

工作順利才能展現
小心口舌當心家宅

肖羊者出生時間（以西曆計算）

二〇〇三年二月四日十四時六分　至　二〇〇四年二月四日十九時五十七分

一九九一年二月四日十六時九分　至　一九九二年二月四日二十一時四十九分

一九七九年二月四日十八時十三分　至　一九八〇年二月五日零時十分

一九六七年二月四日二十時三十一分　至　一九六八年二月五日二時八分

一九五五年二月四日二十二時十八分至　一九五六年二月五日四時十三分

一九四三年二月五日零時四十一分　至　一九四四年二月五日六時二十三分

一九三一年二月五日二時四十一分　至　一九三二年二月五日八時三十分

一九一九年二月五日四時四十分　至　一九二〇年二月五日十時二十七分

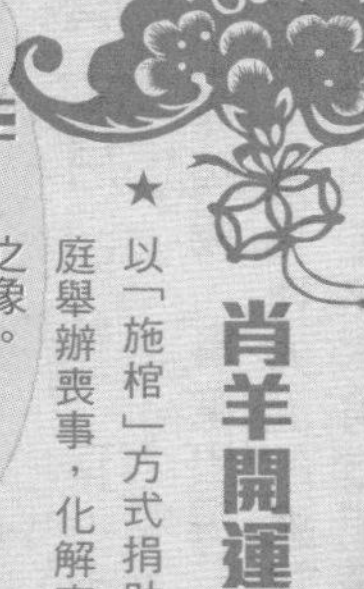

肖羊開運錦囊

★以「施棺」方式捐助貧困家庭舉辦喪事，化解家有白事之象。

★小人當道，可於驚蟄當日祭白虎、打小人，以減弱口舌是非之力量。

★蛇年忌與女性合作，否則容易鬧翻或受拖累。

★盡量避免探病問喪，多出席喜宴場合提升正能量。

★催旺流年四綠文昌星及六白武曲星，有助加強事業運。

（流年吉凶方位請參看頁358）

【整體運程】

對屬羊的朋友來說，踏入癸巳蛇年工作相當順利，是可以大展所長的年份。原來肖羊者在蛇年有「唐符」星拱照，此吉星代表權力、威望及領導才能，蛇年將能展示個人能力；如為管理階層，更能帶領下屬共創佳績。「唐符」星也特別有利從事「武職」的工作，例如軍政界、警察、海關、消防等紀律部隊；從事這些職業的肖羊者蛇年將能展示出眾的領導才能，勇往直前，也有望進一步提升地位。不過，由於蛇年事業暢旺，大部分時間皆用心工作，難免令感情運沒什麼大突破。其實蛇年事業運順遂，專注事業發展亦為好事；只要打好事業基礎，也有利將來找到更好的姻緣。

吉星以外，蛇年也出現了「飛簾」、「豹尾」、「月煞」三顆代表是非口舌、開罪別人的凶星。所以工作即使得心應手、表現出色，也要留心不宜過分高調，免招人話柄。其中，「飛簾」、「豹尾」象徵得罪權貴，有人搬弄是非；「月煞」則代表女性帶來的麻煩，得失女性的機會十分高；若上司為女性，蛇年更應加倍小心，注意彼此關係。蛇年在此等凶星影響下，人際關係難免有較多困擾，總有人喜歡從中作梗，故待人處事應盡量溫和圓滑；無論工作如何出色，蛇年最好安守本分，更不要亂發脾氣，只要盡量以和為貴，自能大大減弱凶星的影響。

此外，肖羊者在蛇年還有另一凶星「喪門」出現，家中不但長者的健康容易出現問題，甚至容易有白事發生。要化解「喪門」所帶來的厄運，可以做一些大善事，例如「施棺」。所謂「施棺」，意指扶助一些沒有經濟能力辦理喪事的貧困家庭；此舉不但能回饋社會，也能為自己積善積福，主動應驗家有喪事之象，減低了自身遇上白事凶災的機會。坊間一直有專門處理這類捐助的機構，肖羊者值得留意一下。整體而言，肖羊者在蛇年沒太大波動，只要謹言慎行、多關心長輩健康、多做善事，自能平安度過。

【財運】

肖羊者在蛇年沒什麼特別大的財星相照，幸好有代表權力、威望的「唐符」星，對打工一族特別有利；尤其從事紀律部隊者，有機會提升權力，故此薪酬也有望上調。做生意者雖然財運不強，但蛇年有利發揮領導才能，只要帶領着下屬努力直衝，業績也會不錯。由於肖羊者在蛇年靈感較強、鬥志旺盛，從商者不妨多作有噱頭、創意性強的東西，自能突圍而出，有所收穫。既然是靈感之年，投機投資也相對有利；蛇年不必刻意打聽小道消息，主要靠自己的靈感及分析，也會略有進帳。惟光靠靈感不是百試百中，必要配合理性分析，而且見好即收，以免因小失大。

蛇年不算是破財年份，財政偏向穩定，惟家宅運欠佳，比龍年更大機會花錢在家人、長輩的醫療開支或突發事情上。故此最好先預備應急錢或「施棺」救濟，助人助己。另因有「月煞」一星，最好避免與女性合作，否則有機會因財失義。

【事業】

蛇年事業發展不俗，表現突出，更有機會升職加薪。因有「唐符」星所照，特別有利從事武職的朋友，如軍政界、消防、海關、警察……甚至保安等工作也表現更佳。即使只作行政領導的肖羊者，蛇年也大有發揮的機會，領導才能得以展現，下屬感到佩服，上司認同表現，是有利建立威望的年份。要小心的是，正因表現出眾，不要被勝利沖昏頭腦，切忌功高蓋主，也不要過分高調，做事宜謙虛低調。別忘了蛇年還有「飛簾」、「豹尾」等是非星，容易遭人從中作梗、搬弄是非。另外要特別小心「豹尾」星，因此星有踏在豹尾巴上，被反咬一口之象；故蛇年必須慎防口舌招尤、得罪惡人。

整體上蛇年乃進步年，有升遷之運。若希望工作有些變化、轉換工作環境，蛇年也是適宜之時機，惟最好配合自己的出生月份。上半年出生的朋友，宜待至冬天才轉工；下半年出生者，則在踏入蛇年後便可積極考慮。

【感情】

蛇年的感情運只能以「不過不失」來形容，讓人有點原地踏步的感覺。因為蛇年事業吉星高照，令人大部分時間都專注在工作上，以至對愛情沒以往般積極。例如肖羊的男性沒什麼談戀愛的意欲，一心只掛着工作；單身女性遇上適合對象的機會也不特別多，相對上是比較平淡平穩的年份。雖然在工作中也有認識到心儀目標的機遇，但始終蛇年沒有明顯的桃花運，一切不宜過急，可先做朋友培養感情，日後發展還是以平常心面對。

戀愛中的肖羊者則要當心，因受「月煞」影響，將有女性帶來麻煩；男士們要慎防因新相識的女性而引致桃花破財，不歡而散，所以即使有新戀情也應慢慢觀察，不宜太過投入。如相戀已有一段時間，蛇年則不適宜拜會對方的家長及長輩，因為蛇年是非口舌較多，即使兩人感情不俗，但親友間的閒言閒語容易影響大家感情，當中尤以女性長輩為甚。故此如非因為談婚論嫁等事，蛇年便不宜「見家長」了。

【健康】

由於蛇年是積極工作的年份，帶領下屬衝鋒陷陣，壓力自然不少，間中更容易失眠，幸好除此之外身體並沒太大問題。為了調和工作壓力，蛇年宜多做運動，舒展筋骨，也不妨多接觸大自然，令緊張的工作情緒得以緩和。另外，因為「月煞」影響，女士們要特別留心婦科方面的相關問題，宜定期驗身，及早了解身體狀況；沒事求個心安，有事也能病向淺中醫，通常都可大事化小。

雖然蛇年自身沒大問題，但因有「喪門」星，家中易有喪孝之事，故此蛇年除了多加關心長者外，也可從以下兩個方向化解此凶星。第一，不妨為家居作小裝修，添置新家具、更換新牀褥，甚至搬遷等等，這些大小舉動有助提升家宅運。第二，如前文所述，可作「施棺」善舉，聯絡相關的慈善機構捐助沒能力執葬的家庭；此舉既可應驗家有白事之象，二來也是救弱扶貧的大功德，助人助己，一舉兩得。

一九一九年：己未年（虛齡九十五歲）

蛇年整體運勢不算差，而且有一點財運，小賭如打麻將、買彩票等可有點收穫，但只宜玩玩，切勿沉迷，否則得不償失。要注意的是，在社交人際關係上會有較多是非，幸好別人的閒言閒語並不是真的影響自己生活，對負面的批評不用太過介懷，以免影響心情。健康上氣管易生問題，咳嗽、痰多等小毛病在所難免。要注意空氣質素，盡量不要出入空氣混濁的地方；也要留心誘發氣管敏感的東西，如生冷食物便應少吃一點。

一九三一年：辛未年（虛齡八十三歲）

客觀上蛇年的問題不大，運勢尚算平穩安定，可是主觀上卻被悲觀情緒主導，終日悶悶不樂。焦慮多，胡思亂想，常覺得後輩不關心自己，現實中卻不是這麼一回事。其實不妨自己主動相約後輩們出來飲茶傾談，他們都會樂意陪伴。宜多四處走動，多作舒展運動，不要只躲在家，對心情和運勢都較為有利。辛未年出生者畢竟年事已高，蛇年有機會出現關節受傷，尤其是在家中，今年有家宅受傷之象，要注意提防家居陷阱，例如浴室最好加設防滑設置、椅桌套上防撞角等，都有利加強家宅健康運。

一九四三年：癸未年（虛齡七十一歲）

癸未年出生者踏入蛇年是開心的一年，整體過得愉快。然而，投資方面以保守為佳，因為蛇年並不是可以有很大發展的年份，而且傾向出現破財，投機投資必須小心一點。另外，不要替人作借貸擔保，容易「一借無回頭」，遇有此等要求宜作婉拒，以免因財失義。蛇年宜多參加一些興趣小組或社區活動，可結識更多志同道合、有共同興趣的朋友，整體是開心理想的年份。男士要留心泌尿系統問題，如膀胱、前列腺等；女士要注意婦科相關的毛病。

一九五五年：乙未年（虛齡五十九歲）

蛇年出現許多新點子，靈感十足，想出大量新計劃，對於打工的朋友來說，能在工作上發揮創意，成績不俗。但要記着量力而為，雖有計劃眾多，但分散了專注力，應該刪除一些，只重點集中在一兩個項目上，將有更大成就。若有鴻圖大計，希望開展新事業，也切勿急進亂衝，應計劃周詳一點，找到真正可輔助自己的人後再作打算。財運以正財為主，偏財一般，所以宜考慮三、五年以上的中長線投資，短炒則不適宜。健康上要注意眼睛問題，視力衰退比較快；腸胃亦明顯差了，因飯局繁多，體重上落較大，注意飲食要有適量節制；容易吃錯東西，易生腸胃炎，生冷食物還是少吃一點。

一九六七年：丁未年（虛齡四十七歲）

丁未年出生者事業運不錯，雖然辛苦，壓力大一點，但由於蛇年個人的信心及鬥志皆強，工作比起龍年變得順暢，得上司欣賞，成績有目共睹。可是下屬運則一般，部分人不信服於你，雖然今年是領導才能較強的年份，但和下屬仍會出現一些溝通問題，影響權威。人事上易生變動，繼而帶來一點麻煩。原則上自己的工作表現沒大問題，惟要留心和下屬的關係。家宅運則較差，自己和流年的天干相沖，出現「癸丁相沖」，由去年龍年至今年蛇年，家中長輩身體易出問題，宜多抽時間陪伴。最好能裝修一下家居，提升家宅運。蛇年眼睛退化得特別快，如本身有深近視的朋友，可考慮在蛇年作矯視手術；其他眼睛毛病，如發炎、紅眼症等都要多加注意。

一九七九年：己未年（虛齡三十五歲）

工作上於蛇年有所發揮，打工朋友有不少表現才華的機會，做生意者更如魚得水，除了得到舊有客戶支持，自己的創新想法亦為業務帶來突破。感情運方面，戀愛中或已婚的朋友，會有點冷落另一半，蛇年除了專注事業，也應要多關心身邊人。如未開始戀愛的朋友，今年會有點失落，因為未能遇上真正適合自己的對象。尤其男性，出現對你有好感的人，但你不喜歡；自己心儀的，卻對你不感興趣。蛇年是追追逐逐的年份，別抱太大期望。即使真的遇上合眼緣的對象，也宜先認識觀察多一點才開始感情，會有較好結果。另外，由於有是非口舌之象，小心說話，免得罪人。

一九九一年：辛未年（虛齡二十三歲）

踏進蛇年，讀書學習運暢旺，是特別適合學習的年份，應好好把握，除了正在求學的朋友外，即使是已投身社會的，也宜作一些在職進修，報讀一些和工作相關的課程，這都是正確有利的方向。事業運方面還沒去到穩定的階段，人生方向未太清晰，對前途未能定下具體方向。然而，蛇年也利於創作性工作，如設計，廣告等，在蛇年都能得到發揮，年輕人不妨多作嘗試。感情上也一樣未得穩定，來來回回、聚聚散散，不是一個安定的年份，所以不用太投入，免致受傷。財運方面蛇年可謂「財來財去」，賺得到亦支出多，宜多留心用錢方向，量入為出。

二〇〇三年：癸未年（虛齡十一歲）

原則上，癸未年出生者於蛇年擁有不錯的學習運，讀書或學習其他東西都有不錯表現。可是脾氣較差，人也不太專注，影響了整體學習。建議家長別讓他們學習太多東西，寧可集中專心於其中一兩項，否則比較雜亂，最後多學少成。身體上要留心皮膚問題，蛇年是容易皮膚敏感的年份，謹記保持牀鋪、衣物清潔；蛇年多傷風感冒及腸胃毛病，要留心家中的空氣質素，食物上宜注意一下，以免病從口入。

流年運勢

農曆正月（西曆一三年二月四日至三月四日）

官非運比較旺，駕車的朋友必須奉公守法，否則容易觸犯交通法例；做生意者要留意文件合約上的事宜，最好能找專業人士幫忙查看，以免出現官非訴訟。工作運不錯，只是相對來說壓力增加了一點，但只要克服過來就會有不錯成績。一九五五年出生者本月偏財運一般，不宜進行投機投資；一九七九年出生者要留心手容易受傷。

農曆二月（西曆一三年三月五日至四月三日）

二月是各種關係變化的月份，工作有所成就，但不要過分高調，凡事應以和為貴，多接納別人的意見，相對上對人際關係會較好，否則容易引發是非口舌，且有不和之象，自然影響工作。一九三一年出生的老人家本月容易手腳受傷，小心家居安全；一九九一年出生者容易與人不和，出現許多無謂爭吵，宜好好控制自己情緒。

農曆三月（西曆一三年四月四日至五月四日）

本月除了不適合投機投資外，也有破財的情況出現，故此要加倍留意自己用錢方向，量入為出為上。但既然會有破財機會，不妨應一下「歡喜財」，即購買自己喜歡的東西討自己開心，也為不錯，總比白白破財為佳。至於和賭博、短線炒賣有關的事，本月絕不適宜。一九六七年出生者有機會有朋友向你借錢，宜盡量拒絕，以免因財失義；一九九一年出生者要小心氣管喉嚨，盡可能不要出入空氣混濁的場所。

農曆四月（西曆一三年五月五日至六月四日）

工作上得不到支援，陷入困局，不妨找肖馬者幫忙，可以輔助自己解決一些難題，對自身運勢也有較好影響。本月可考慮出門外遊，令自己心情好一點，紓緩一下工作壓力。二〇〇三年出生的小朋友要注意眼睛相關問題，如眼發炎、紅眼症等，要注意清潔，不要常搓眼睛。

農曆五月（西曆一三年六月五日至七月六日）

雖然出現新的合作機會，但又未能落實，成功的假象較多，工作上波折重重，要多給一點耐性。一如農曆四月，本月不妨多作外遊調劑身心，宜去一些天氣較冷的地方遊玩。若要提升運勢，可以多用屬金水顏色的物件，如米色、白色、藍色之類的東西來助旺運勢。一九五五年出生者本月容易受傷，出入要小心；一九七九年出生者家宅運較弱，要注意老人家、長輩的問題。

農曆六月（西曆一三年七月七日至八月六日）

此乃劫財之月份，財運不穩，要有心理準備日常開支突然大幅增加或因突發事件而破財，投資炒賣更是不宜沾手。雖然本月做事頗多波折，但個人鬥志比較強，只要耐心應付，問題可逐一解決。一九一九年出生者健康特別不穩，即使只是小病也要多加關注，以免小事化大；一九六七年出生者是非口舌比較多，要注意人際關係。

農曆七月（西曆一三年八月七日至九月六日）

學習運極強，不妨進修一下，例如重拾昔日的興趣，或找一些志同道合的朋友一同發展新的嗜好，於本月學習都很順利。一九五五年出生者和別人有爭執不和，應謹記以和為貴，化解無謂衝突；一九九一年出生者朋友錢財運一般，很多地方要花金錢，宜好好理財。

農曆八月（西曆一三年九月七日至十月七日）

本月份食神當旺，應酬不絕，而且桃花也暢旺。然而，這些桃花並不穩定，甚至有桃花破財的機會出現，所以認識到任何對象都應小心觀察對方為人，出入煙花之地更加應適可而止，不能沉迷。一九三一年出生者本月不宜投機投資；一九六七年出生者氣管喉嚨易生毛病，出入冷氣場所尤要小心。

農曆九月（西曆二〇一三年十月八日至十一月六日）

工作辛苦，衝擊一浪接一浪，本月事業運上有點舉步難移，容易傷神動氣。本月不用祈求可有太大突破，不過只要安分守己，難關最終都能渡過。一九六七年出生者會出現失眠的情況，凡事不用想太多，應學會放鬆；一九七九年出生者本月財運不差。

農曆十月（西曆二〇一三年十一月七日至十二月六日）

得到不少身邊人的支持，人際關係特別融洽，讚美之聲不絕。因為有合適的人幫忙，加上自己思路逐漸清晰，所以許多之前困擾着自己的問題，於本月都能一一解決。一九四三年出生者會破財，小心用錢的方向。

農曆十一月（西曆二〇一三年十二月七日至二〇一四年一月四日）

本月犯小人，有人從中作梗，多口舌是非，但也不用認真面對，毋須太介意，因實際上對你的影響並不大，做好自己本分便可。要留心本月遇上的桃花，開花結果的機會不高，不宜太過投入。一九五五年出生者本月有劫財之象，不宜投資；一九七九年出生者本月容易受傷，做運動時要格外小心。

農曆十二月（西曆二〇一四年一月五日至二月三日）

踏入蛇年年尾，家宅有點不穩，如果家居上有點變動，如裝修等，可應驗一下變動來加強運勢，否則自己的腳部、關節容易受傷，不妨加設防滑設備，應驗家宅運變動之餘更能防止意外。一九九一年出生者和本月十分相沖，事業有變動，感情也有變化，要做好心理準備。

猴

吉中藏凶好壞參半
貴人提攜沖喜擋災

肖猴者出生時間（以西曆計算）

二〇〇四年二月四日十九時五十七分　至　二〇〇五年二月四日一時四十四分
一九九二年二月四日二十一時四十九分　至　一九九三年二月四日三時三十八分
一九八〇年二月五日零時十分　至　一九八一年二月四日五時五十六分
一九六八年二月五日二時八分　至　一九六九年二月四日七時五十九分
一九五六年二月五日四時十三分　至　一九五七年二月四日九時五十五分
一九四四年二月五日六時二十三分　至　一九四五年二月四日十一時二十分
一九三二年二月五日八時三十分　至　一九三三年二月四日十四時十分
一九二〇年二月五日十時二十七分　至　一九二一年二月四日十六時二十一分

肖猴開運錦囊

★蛇年出現刑太歲及破太歲，宜貼身佩戴鼠形及龍形之飾物。

★國印星入主，宜在辦公桌上擺放「帥印」有利提升權力。

★蛇年宜洗牙或捐血，有助穩定健康運。

★提防家宅出現問題，尤其注意家中的排水系統及水喉之保養。

★流年易有口舌及金錢糾紛，宜化解流年三碧是非星。

（流年吉凶方位請參看頁358）

【整體運程】

肖猴者踏入癸巳蛇年，運勢好壞處於矛盾狀態。猴和蛇雖為六合生肖，但同時也有相刑之象，故此肖猴者每逢踏進蛇年，既是「合太歲」，同時又「刑太歲」，運勢處於矛盾之間。再者，肖猴者還略有「破太歲」之象，雖影響輕微，但也代表人際關係受到破壞。在此三者的綜合影響下，肖猴者整體運勢只是好壞參半，會有很多意料之外的事情發生，有時更突如其來得令你手足無措。

其實即使在正常「合太歲」的年份，也有三成人過得不特別理想，如今再加上「刑太歲」和「破太歲」，運氣自然更受影響。然而，若蛇年有具體計劃或舉辦中國傳統的大喜事，如結婚、添丁、置業、新居入伙等等，皆有助沖喜，可望加強運勢。所謂「一喜擋三災，無喜是非來」，如沒有喜事發生，便要有心理準備蛇年人事爭執多，自己情緒也較負面，運勢變動較大。

雖然受太歲刑剋之影響，幸好肖猴者仍有「太陰」、「歲合」、「國印」三吉星高照，可得正面力量之扶助。「太陰」是女性貴人星，也是一財星，所以蛇年將會得到女性貴人提攜，尤其女性上司或長輩對你讚賞有加。「歲合」代表新的合作機遇，有人會找你合作做些新事情，不妨一試；「國印」代表權力、實權，從事文書工作或與創作相關工作的朋友，蛇年皆有突出表現。

在幾顆吉星相助下，肖猴者原則上可以過得不錯。但也要注意其他凶星如「貫索」、「勾神」，皆暗示有是非口舌、金錢糾紛之事煩擾自己。至於「孤辰」星，傳統有云：「男忌孤辰，女忌寡宿」；「孤辰」代表孤單寂寞，肖猴者在蛇年對感情看得較淡，夫妻關係也有點倒退。男性肖猴者雖有「太陰」影響，能遇上理想對象，但因「國印」代表自尊心強，不敢表白之餘，也因專注事業而難以開展感情。

此外，「合太歲」也是一個容易失財的變化年，投機投資都要傾向保守。但總括來說，蛇年事業發展不錯，貴人運好，只是自己較悲觀；若能沖喜最好，否則也可多參加喜慶場合，有助提升運勢和情緒。

【財運】

「太陰」雖是財星，但這是一顆力較慢的財星，代表漸漸進步，故今年仍是以正財為主，而且不能着急。如真的希望投資，也只能選取中長線計劃，投資年期在兩、三年以上較好。「太陰」也代表女性貴人，若生意和女性相關，如美容、化妝、女性服裝、珠寶首飾等，將有不錯收穫，但因財星顯力較慢，任何生意也宜保守一點。蛇年也出現了「歲合」星，代表有人邀你合作，做生意的朋友有機會接觸新的範疇、新事物，不妨一試。惟謹記不宜太冒險急進，因為合太歲的年份「吉中藏凶」，新機遇中潛藏風險，故不宜大興土木，例如要建立新公司的話便不太適合了。

雖然「歲合」象徵合作，但蛇年還是避免與不相熟的人有任何金錢瓜葛。因為「貫索」、「勾神」等星代表因財失義、金錢糾紛，若要投資或買賣都應自行去做。此外，家宅運不太穩定也會令你有點破財，如突發性地需要維修家居、照顧親朋戚友等，用錢是在所難免，宜早作儲備以應不時之需。

【事業】

肖猴者在事業上有「太陰」星相照，從商者若以女性客戶為主或生意拍檔為女性，皆對事業有利。打工一族方面，如自己直屬上司為女性，尤其年紀大一點的，易受讚賞，更獲提攜得到更好發展。加上有代表皇帝玉璽的「國印」星，有利工作表現，令肖猴者在蛇年的權力提升；尤其是管理階層的肖猴者，蛇年表現更為突出。

通常「合太歲」之年，總會蠢蠢欲動有意轉工，但蛇年偏偏苦無門路。其實即使出現新的工作機會，但在「合太歲」又「刑太歲」及「破太歲」的年份，也容易「吉中藏凶」。例如當你答應轉工，但新公司可能政策上有所變動未必再需要你；此時又已向舊公司請辭，令你陷入進退失據之局面；又或者有人邀你過檔，但多數只是空談，即使真正有所行動的，對方最終所給的待遇卻不理想，有雞肋之感。所以如真的要轉工，宜三思而為之。其實蛇年事業發展不錯，留守原地也有升職機會，不妨把握機會。

【感情】

雖說「合太歲」，但始終同時有刑剋之象，故感情運只屬一般，而且較多離離合合的現象。如能在蛇年選擇結婚沖喜，便能正面應驗變動；如沒此打算，則要提防分手危機了。對已婚的朋友來說，因為今年與太歲相合，所以也多了一些不實在的桃花，肖猴者宜加以克制，不要對人太熱情，避免招來三角關係。若有意生兒育女，蛇年則頗為有利，而且若能添丁，也有助沖喜助運。

不過因有「孤辰」星出現，除了代表感覺孤單，配偶的健康也容易出問題，所以要小心一點。此星也令感情出現倒退，單身者對愛情變得不太熱中，沒有談戀愛的動力。再加上有「國印」這代表自尊心的星，即使遇上心儀對象也因不能放下自尊表白，而錯失機會。原則上有「太陰」星相助，男性可遇上喜歡自己、年紀比自己大的女性，惟自身不太感興趣，所以較難開展感情。女性也有機會碰到心儀對象，奈何弄不清對方的想法，二人關係只能原地踏步，宜找朋友幫忙推動一下，則有望帶來突破。

【健康】

犯太歲之年難免容易受傷，特別是跌倒扭傷等；合太歲也代表了關節易生毛病，如腰部、膝蓋等關節有舊患的朋友要特別小心，滑雪、潛水、爬山、踏單車等較易傷到關節的運動可免則免。駕車的朋友要特別小心道路安全，因蛇年也容易出現意外，宜打醒十二分精神。蛇年的喉嚨氣管也會弱一點，不宜前往人多擠迫之地。其實不妨在蛇年捐血或抽血驗身，一來可應驗化解血光之災，二來如身體有小問題也可及早發現，早作醫治。

肖猴者在蛇年的情緒也低落一點，想法較為負面，焦慮比平時多。宜多找朋友傾談，紓解心情。此外，不妨多做一些放鬆的運動調節身心，惟因為容易受傷，不宜做太過劇烈的運動。家宅運方面，最好有裝修、搬遷等事加強一下運勢，否則要多留意老人家的身體健康。蛇年也要盡量移走家中的刀、劍等利器，並且要留意流年病星飛臨之位置，宜找一些銅製重物壓在病位上，並盡量不要移動該處之物品，以免生旺病星。

一九二〇年：庚申年（虛齡九十四歲）

庚申年出生者來到癸巳年，身體健康要留意一下，尤其是心臟、血壓等比較容易出問題，要特別留心。除此之外，原則上並沒其他大礙，只是個人心情較為煩躁，宜多和別人傾談散心，蛇年便能過得輕鬆一點。

一九三二年：壬申年（虛齡八十二歲）

壬申年出生者雖然已逾八旬，但在社交活動中仍然活躍，而且精神狀況很不錯，可以參加很多朋友的活動聚會，蛇年會是過得頗為愉快的一年。惟要小心蛇年較多機會出現輕微受傷，故此要注意家居安全，例如浴室、樓梯等最好能做好防滑設備，以免出現家居意外。財運上延續龍年的負面運勢，蛇年的投資投機運一般，盡量不要參與，即使要投資，以小量投資、保守為主。此外盡量不要做借貸擔保等事，以免出現因財失義或無端破財的情況。

一九四四年：甲申年（虛齡七十歲）

甲申年出生者在眾多肖猴者當中，算是較少受到「合太歲」與「刑太歲」之變動影響，而且更有貴人運，可令各方面更為順利。個人方面也有一點運氣，如喜歡的話可作小量投資投機，例如麻將、彩票、小量股票投資等，都可以有點收穫。當然不宜太過積極進取，因蛇年不是一個有利高風險投資的年份，一切應以保守為上。健康方面要留心氣管、呼吸系統等易生問題，故此要特別留心天氣變化，或避免出入空氣混濁的場所。在蛇年人會較活潑，好動不止，所以也容易疲倦，出現休息不足的問題；玩樂之時，也應量力而為。

一九五六年：丙申年（虛齡五十八歲）

踏入蛇年，丙申年出生者易有官非訴訟之事，所以必須好好提防。如有任何合約文件相關的事情，最好能請專業人士幫忙查閱清楚，如沒充分了解，不要隨便簽下任何合約文件。蛇年之中，容易受到稅局等的監管機構影響，例如會出現因忘記交稅而罰錢的情況，所以無論大事小事都要奉公守法，則能避免這些不必要的官非。事業運方面反而並不太差，表現不錯，但亦因而感受到工作壓力。心態上自己宜放鬆一點。蛇年如果可以出門走走，會對整體運勢及心理較為有利。

一九六八年：戊申年（虛齡四十六歲）

戊申年出生者在眾多肖猴者當中，於蛇年所要經歷的變化將比較多。在蛇年中如沒結婚、買樓、添丁等傳統的大喜事作為沖喜，就要有心理準備將要度過變化多端的一年。蛇年凡事容易節外生枝，很多問題突如其來，令人不知所措如何是好。故此如打算創業，或開創生意新方向的朋友就要加倍留心，謹記一定做好兩手準備。蛇年出現「吉中藏凶」之象，是容易失財的年份，所以即使事情順利時也不可掉以輕心。健康上，情緒波動較大，於是也多失眠的情況，令精神緊張、神經衰弱。記着凡事都應保持冷靜，宜多接觸大自然放鬆一下，多做運動調劑也是好事。除了自己，也要多留心老人家身體健康的問題。

一九八〇年：庚申年（虛齡三十四歲）

庚申年出生者踏入蛇年會出現較多變動，尤其是在感情運上，故此最好有結婚、買樓、添丁等傳統大喜事沖喜，可正面地應驗變化，加強運勢。如若沒有此等喜事，便要有心理準備蛇年運勢的上落比較大，容易離離合合。也要留心是非口舌之事，千萬不要強出頭，做事要低調，盡量以和為貴。如工作出現變化，有機會跳槽，也可以考慮一下，但最好待至下半年才作決定，將較為有利。錢銀上不要有太大期望，財運都以正財為主，沒什麼偏財運，投機投資沒大斬穫，應盡量忍手。健康運方面不過不失，沒大問題，只是自己覺得壓力大了點，踏進了容易疲憊、需要多運動強身的年份。學習運反而不俗，宜修讀一些和工作相關的課程，為未來作好準備。

一九九二年：壬申年（虛齡二十二歲）

身邊不少東西會出現不穩定的狀況，不論是讀書、工作、感情等，都要有心理準備各方面未必如理想，故此不宜將目標定得太高，免得失望氣餒。流年的波折比較多，蛇年將會是艱難的一年，有舉步難移的感覺。感情運上亦不太順利，感情關係似乎都未能落實，所以不宜太急進，給多點耐性等待回穩之時。蛇年要和家人多點溝通，不宜太過堅持己見，多聽別人意見，這樣一來可避免流年多是非口舌的運勢，也可得到家人的支持，增強力量應付各種變化。其實蛇年的運勢也非一面倒，例如有打算去外地進修的話，蛇年是適合的年份，有利在遠方學習。

二〇〇四年：甲申年（虛齡十歲）

甲申年出生的小朋友於蛇年學習運相當好，成績有所進步，父母可多發掘其潛能加以培育。去年龍年有不錯的人際關係，和同學相處融洽，認識了不少志趣相投的朋友，來到蛇年不但人緣得以延續，更和老師、長輩等有良好關係，深得愛惜。惟要留心蛇年容易跌倒、撞傷，要注意家居安全。整體來說，蛇年和朋友相處愉快，學習進步，是開心愉快的年份。

流年運勢

農曆正月（西曆一三年二月四日至三月四日）

本月是困難重重、比較多波折的月份。工作不太順利，令心情不好，但仍要盡量忍耐，別因脾氣而令事情變得更差。遇有難題宜找肖蛇的朋友幫幫忙，得其相助會令事情變得順暢一點。一九六八年出生者要留心官非，文件合約等要小心處理；一九八〇年出生者和本月極為相沖，朋友家人的關係出現倒退，宜多溝通，少堅持己見。

農曆二月（西曆一三年三月五日至四月三日）

財運不差，是能有所進帳的月份。本月可作小量投資投機，可望有點斬穫。健康上則要注意手腳容易受傷，出入要小心一點。雖然本月投資運不俗，但對一九四四年出生者而言，本月是破財月份，故還是保守一點；一九五六年出生者會有貴人相助，為你解決難題。

農曆三月（西曆一三年四月四日至五月四日）

應酬繁多，工作量大，然而卻能遇上不少新的合作機遇，出現一些理想的伙伴邀請你合作經營。遇到這些機會可以落實一試，但謹記不宜作出大手投資。一九五六年出生者本月是劫財月份，要小心控制支出；一九九二年出生者和家人有較多爭執，宜溝通多些，以和為貴。

農曆四月（西曆一三年五月五日至六月四日）

本月是變化較多的月份，許多東西都出乎意料之外，運勢不太順暢，所有事情都反反覆覆，時好時壞。在這運勢波動之時，不妨出門外遊一借地運。上半年出生者可考慮到冷一點的地方；下半年出生者則可考慮到熱一點的地方，這都有助加強運勢。一九三二年出生的老人家要留心家居安全和身體健康。

農曆五月（西曆一三年六月五日至七月六日）

本月鬥心頗強，工作充滿鬥志，許多困難都能解決和克服。不過雖有鬥志，但工作壓力的確比平常大，感覺辛苦一點，宜多找朋友傾談，如能紓解一下心情，將更有奮鬥的力量。一九五六年出生者不宜投機投資，小心破財；一九九二年出生者本月進修運不俗，可嘗試報讀一些有興趣的課程。

農曆六月（西曆一三年七月七日至八月六日）

蛇年過了一半，想法變得較為負面，常胡思亂想，有點被悲觀情緒主導。其實客觀來看，工作表現並不太差，只是自己焦慮較多，主觀地覺得諸事不順。宜多運動、多找朋友傾談，增加個人活動，調解悲觀心情。一九六八年出生者本月不宜投機投資，會有破財的危機；二〇〇四年出生的小朋友易受傷，做運動、玩耍時都要小心。

農曆七月（西曆一三年八月七日至九月六日）

七月的健康運差了一點，尤其要注意感冒方面的問題，出入冷氣場所要留意穿足夠衣服。工作上變得比較急進，容易得罪人，記得少說話多做事。一九四四年出生者有受傷機會，作任何大小具危險性的活動時都要加倍留神；一九八〇年出生者本月不宜投機投資，是易有破財的月份。

農曆八月（西曆一三年九月七日至十月七日）

本月工作變得順利，貴人運正旺，不論是來自上司、下屬或同輩的支援都很足夠，做出大家認同及讚賞的成績。本月創意得到發揮、靈感湧現，宜把握這個時機，好好表現自己。一九五六年出生者本月容易出現喉嚨氣管等呼吸系統的毛病，應避免出入人多、空氣不好的地方。

農曆九月（西曆一三年十月八日至十一月六日）

湧現新的合作機會，應酬因而比較多，故此要注意作息的時間，以免影響身體健康。本月也有機會出現閒雜桃花，較多機會出入煙花之地，總之記得適可而止，免招桃花禍水。一九九二年出生者尤其注意用錢方向，本月容易入不敷支。

農曆十月（西曆一三年十一月七日至十二月六日）

是非口舌比較多的月份，容易得罪權貴，故說話宜謹慎一點，要多接受別人的意見，避免爭執；工作上也應低調一些，否則會很易樹敵。廣結人緣是本月的首要任務，把人際關係弄好，做事才容易成功。一九六八年出生者本月最好有喜事沖喜，否則老人家的健康就要小心；一九八〇年出生者宜慎言，否則會引起一些爭端。

農曆十一月（西曆一三年十二月七日至一四年一月四日）

將近年尾，最好找肖龍者幫忙，工作上會順利得多，財運尚算不錯。本月身體會有許多小毛病出現，如傷風感冒等，雖沒大礙，但都應小心。一九六八年出生者要留心合約文件，避免出現官非；一九八〇年出生者人際關係出現倒退，本月會有較多爭執，謹記凡事忍讓。

農曆十二月（西曆一四年一月五日至二月三日）

來到年尾，本月會因家事而煩惱，家人有許多事情需要你的幫助，但你也只能量力而為，尤其在錢財上，借貸擔保等事要盡量小心，因為本月是容易失財的月份，以免因財失義。另外要多留意老人家身體健康。一九四四年出生者不宜投機投資，容易破財；一九八〇年出生者因為壓力而睡得不好，別給自己太多壓力。

雞

否極泰來諸事回順
低調行事步步高陞

肖雞開運錦囊

★進步之年，宜在辦公室桌面之青龍位（左邊）擺放「令旗」，加強事業運。

★流年有利搬遷、更換家具或裝修，主動求變為佳。

★官非運較強，宜加以化解流年三碧是非星。

★盡量避免探病問喪，多出席喜宴場合提升正能量。

★宜佩戴保平安之飾物，如葫蘆或古玉，免受小人侵害。

（流年吉凶方位請參看頁358）

肖雞者出生時間（以西曆計算）

二〇〇五年二月四日一時四十四分　至　二〇〇六年二月四日七時二十八分

一九九三年二月四日三時三十八分　至　一九九四年二月四日九時三十三分

一九八一年二月四日五時五十六分　至　一九八二年二月四日十一時四十五分

一九六九年二月四日七時五十九分　至　一九七〇年二月四日十三時四十六分

一九五七年二月四日九時五十五分　至　一九五八年二月四日十五時五十分

一九四五年二月四日二十一時二十分　至　一九四六年二月四日十八時五分

一九三三年二月四日十四時十分　至　一九三四年二月四日二十時四分

一九二一年二月四日十六時二十一分　至　一九二二年二月四日二十二時七分

【整體運程】

踏入癸巳蛇年，肖雞者將一洗龍年時的霉氣，在新一年可迎接一番新景象。在過去的龍年，肖雞者因為「合太歲」，難免過得較為艱辛和多變，生活衝擊特別大。幸好來到癸巳蛇年，許多事情都趨向穩定，尤其如果在龍年經歷了結婚、添丁、置業等中國傳統的大喜事，那麼這份喜慶在蛇年都能夠延續下來。即使龍年沒有發生過任何喜事，整體過得較為波動，踏入蛇年也是一個可以重新開始的時機。

對肖雞者而言，蛇年將會是一個進步年，工作上有不少進步和突破，人際關係好轉，煩惱也大大減少。此外，因為蛇和雞本來已是相合的生肖，如再加上肖牛者形成「巳酉丑」會合，是一個相當理想的鐵三角組合。所以肖雞者不妨在蛇年多找肖牛的朋友、同事合作，往往會有意想不到的好結果。

除了蛇年本身有進步運，同時也有數顆吉星高照，令工作運更為暢旺，有望升職加薪。首先，「三台」星代表步步高陞、進步和突破，特別有利公務員及從事公職的朋友。另一顆「將星」則象徵古時的將軍，有勇往直前之意義，特別有利從事警察、消防、海關等紀律部隊的人，即使任職保安、護衛等工作，蛇年的表現也會更佳。又因「將星」代表領導才能得到發揮，表現得到眾人認同，若為管理階層，蛇年更能帶領下屬創出好成績。

惟注意的是，流年也出現了「五鬼」、「官符」、「飛符」等凶星，主觀上自己變得多慮，常疑神疑鬼；客觀上也有小人從中作梗、搬弄是非。尤其十二生肖的形象中，雞的嘴部為最尖，本身已象徵喜歡爭辯，有失言之象，所以肖雞者在蛇年更要加倍謹慎，諸事多加忍讓，虛心聽取別人意見。日常生活上也最好低調行事，避免樹敵，工作自然較容易過關。

另外，蛇年也有代表搬遷移動的「地解」星入主，故肖雞者在蛇年家宅運也有點變動，如能搬遷、裝修等，都有助提升家宅運。整體來說，蛇年會過得比龍年好，心情也變得積極，只要多留心人際關係，蛇年會是十分順利的一年。

【財運】

肖雞者財運方面有「三台」星高照，代表步步高陞、正財運旺盛；尤其做生意者在龍年容易財來財去，蛇年則有餘錢可作儲備。不過也要留意蛇年的賺錢運勢屬慢慢進步之象，不會出現突如其來的錢財，故在偏財方面要保守一點。例如投資上只能選擇一些穩健可靠的藍籌股票，忌選三、四線細股；策略上宜取中長線，即兩至三年以上的投資方向，將有比較穩定的回報。

蛇年不是守株待兔的年份，賺的都是辛苦錢，做生意者要親力親為，力不到不為財。幸有「將星」所照，工作意志堅毅不屈，帶領下屬有出色表現，生意有所突破。惟要注意也有破財機會，如因辦公室搬遷、家中裝修、水電維修等，皆令你有所破費，宜預留儲備以作應對。此外，因有「官符」星，官非訴訟之機會相對提高，故要加倍小心文件合約事項，免招破財。「官符」星也代表自己控告別人，故蛇年也要提防金錢瓜葛；無論客戶相熟與否，最好數目分明，避免別人欠錢引致自身麻煩。

【事業】

蛇年的事業發展十分不錯，龍年在工作上可能出現較多變遷波動，和老闆關係也較為惡劣，這情況來到蛇年將可慢慢改善。因蛇年有代表步步高陞的「三台」星，象徵進步、循序漸進的意味，有利從政、公務員或於大機構工作的朋友，尤以對行政人員的正面影響最大，加薪升遷有望。

另外蛇年也有「將星」相伴，從事武職的朋友，如消防、警察、海關等，將更能表現自己的領導才能，得上司賞識提攜。而「將星」也會帶來堅毅不屈的意志，故肖雞者比往時勤力，工作自然有所進步。既是行進步運中，若有機會受邀過檔，也可以一試。當然，要看清楚時機才作決定，如在農曆四月、八月、九月實行，結果會較佳。

雖然工作運暢旺，但也要留心人際關係，因蛇年也出現了「五鬼」、「飛符」等小人星。雖然上司對自己不錯，但同輩之間的競爭十分大，是非口舌不斷，所以凡事要以和為貴，才可改善人際關係。

【感情】

過去的龍年及再之前的兔年感情運比較多變化，出現許多離離合合的情況。可幸踏入蛇年，這一切終於變得較為穩定。如有愛侶的朋友，二人爭執明顯減少，感情日益增進。

但因蛇年工作運強，事業發展忙碌，不論已婚或拍拖中的朋友也要小心不要太過冷落伴侶，令對方不滿。總之最好多加溝通，建議可藉與伴侶外遊，重拾甜蜜感覺，有助維繫雙方的恩愛關係。

不過對於單身者來說，蛇年的桃花運可謂乏善足陳，必須自己主動爭取才有較大機會。另外，今年感情發展緩慢，雖然「三台」星代表進步，但同時也有逐步發展的含意，故此肖雞的單身男女難以在蛇年發生一見鍾情之熱戀，反而多由朋友關係慢慢演化。若急於談戀愛，不妨向肖牛的朋友、長輩求助，請他們介紹一些合適對象，成功機會將會提高。但切勿過於急進，以防嚇怕對方；應耐心培養感情，方能細水長流。

【健康】

健康運方面，整體較過去的龍年表現平穩。龍年時或會有腸胃問題，甚至有破相及開刀的意外，踏入蛇年則並無特別大的凶星，反而要多加留心伴侶、長輩的健康。

肖雞者在蛇年主要是個人情緒出現問題，有庸人自擾之象。蛇年因受「五鬼」星衝擊，終日疑神疑鬼，為健康憂心煩惱，宜早日作全面身體檢查，如有事則可及早治理，通常都可以大事化小；如一切正常，則可心安理得。因為蛇年工作運強，相對也要承受較為沉重的工作壓力，導致睡眠質素欠佳，難以入睡。另外，環境變遷，例如搬屋、裝修等，也有機會影響個人情緒，應學會放鬆心情去面對。

蛇年不妨多作適量運動，或抽空與家人、好友到郊外野餐玩樂，吸收大自然的正面能量場，人也會變得積極進取，身心都可以得到調息。尤其是應酬頻繁的人，要特別注意一些慢性健康問題，以免體重暴升或出現膽固醇過高等問題。

一九二一年：辛酉年（虛齡九十三歲）

辛酉年出生者在龍年人際關係變化不定，來到蛇年人際關係則轉為順遂，生活也變得健康，客觀來看其實過得不錯。無奈主觀上個人情緒不穩定，被悲觀情緒主導，以至明明沒大問題，卻總覺得諸事不順。宜放鬆心情，不妨多相約朋友後輩見面暢談心事，有助紓解心中鬱結。今年家宅運勢不太穩定，例如有機會受附近裝修的噪音滋擾，令人煩躁非常，凡事需多忍耐，退一步則海闊天空。

一九三三年：癸酉年（虛齡八十一歲）

癸酉年出生的朋友財運有好轉的趨勢，一洗過去的龍年時的破財運勢，蛇年可作適量的投機、投資、博彩，可望有點斬穫，然而切忌過於急進，否則得不償失。心情上也比龍年來得愉快，是快樂舒暢的一年。惟要留意的是健康問題，關節舊患復發，或是退化、扭傷，腰肢及膝部等關節也痠痛難耐。要加倍留意家居安全，宜做好浴室、樓梯等防滑措施，防止因意外弄傷手腳。

一九四五年：乙酉年（虛齡六十九歲）

踏入蛇年，乙酉年出生者將備受是非口舌影響，所以要注意與別人的關係。與自己無關的事，不宜加諸任何意見，及切勿為別人作排難解紛的角色，以免捲入別人的是非漩渦之中。故此還是少說話，多做事為妙，要抱着靜觀其變的態度面對困局，多加耐性處理變動。蛇年的健康運尚算不俗，較為容易出現神經系統問題，但只屬小病小痛，除此之外問題不大。整體來說，蛇年是順遂稱心的一年。

一九五七年：丁酉年（虛齡五十七歲）

癸巳年整體運勢穩定，家宅運帶點動盪變化，如能作出如搬屋、換家具及裝修家居等變動，這將有助提升家宅運勢。若有投資打算的話，則需謹慎處理，不宜作任何冒險的決定，應持保守態度、步步為營，以免遭受損失。健康運上，蛇年容易有眼部疾病，故要提防視力退化、視網膜毛病等；而由於年份上出現「水火相沖」，故此也需要慎防心臟、心血管病等問題。今年脾氣較為暴躁，經常無故為瑣事大發雷霆，謹記凡事要以和為貴。

一九六九年：己酉年（虛齡四十五歲）

延續龍年暢旺的工作運及賺錢運，踏入蛇年，己酉年的肖雞者事業心變得強盛，工作心態較以往積極，才幹具突破性發揮。而且發展機會增多，貴人助力甚強，事業上出現很大突破和進步。已婚的人士，今年要留心會因子女和家庭之問題引起糾紛，幸而一切只是小問題，毋須過於擔憂，總之記着凡事以和為貴，總能將問題大事化小。另外，要提防手足關節扭傷，不宜進行高危的運動。

一九八一年：辛酉年（虛齡三十三歲）

辛酉年出生的肖雞者將可趁着不俗的事業運勢，在蛇年有機會提升職位，在工作上取得突破。然而，亦因為多了機會處理一些從未接觸過的工作範疇，所以要承受沉重的工作壓力，讓你透不過氣來。不妨請教經驗豐富的前輩幫忙解決難題，自己亦能從中學習，為未來更上一層樓而鋪路。感情運上有暗桃花，容易出現暗戀對象或被人暗戀，但卻因沒有表白機會或勇氣而難以發展。對已婚人士來講，則是添丁的好時機。

一九九三年：癸酉年（虛齡二十一歲）

年輕的朋友應及早學會審慎理財，因踏入蛇年，癸酉年出生的肖雞者將要迎接財運欠佳的一年，開支增加，出現「入不敷支」的危機，容易被經濟問題纏繞。故此不論就學或就業的青年朋友，理財均需謹慎，不要沉迷購買奢侈品，應量入為出。感情關係一如過去龍年般反覆不定，其實來日方長，不妨將精力心思放在學業或工作上。遇上問題，可向長輩尋求解決良方，宜收拾心情，趁機進修增值，為日後做好準備。

二〇〇五年：乙酉年（虛齡九歲）

乙酉年出生的小朋友，在蛇年將可延續龍年的學習運，今年學習上亦能得到不俗的發揮。然而，雖然學業沒大問題，但人際關係及個人情緒變化則要多加留意，父母應從旁指導其待人接物，自小培養其良好的品性。健康上要慎防手腳受傷，宜加倍注意家居安全，同時不宜進行如踏單車等高危險性的戶外活動。

流年運勢

農曆正月（西曆二〇一三年二月四日至三月四日）

受到「金木相剋」的影響，提防身體受傷，不宜進行危險的運動，駕車人士亦要時刻留意道路安全。人際關係倒退，提防與人為瑣事爭吵，注意處事圓融，方能取得成功。一九四五年出生者不宜投機及投資；一九六九年出生者是非口舌不絕，避免因個人措詞不當，令別人暗生誤解，還是少說話，多做事為妙。

農曆二月（西曆二〇一三年三月五日至四月三日）

工作阻滯不斷，感覺孤單無助，時刻處於緊張狀態，情緒大受困擾，宜出外走動，有助應驗變化運勢的影響，動中生財。一九五七年出生者尤其受影響，諸事阻滯不斷，讓你透不過氣來，務必要有「多勞少得」的準備，埋頭苦幹，視本月為事業播種期。二〇〇五年出生者加倍留意身體受傷的意象，不宜進行危險的運動。

農曆三月（西曆二〇一三年四月四日至五月四日）

應酬頻繁，注意作息時間的分配，精神充沛，才可繼續賣力工作。事業發展遇上重重波折，為免受突如其來的變動影響，打亂原有的決定及計劃，處事宜有多方面的準備。別人提出合作發展的要求時，要注意當中的波折變化，步步為營，三思而後行。一九五七年出生者本月不宜投機及投資；一九八一年出生者提防喉嚨及氣管等呼吸系統毛病；尤其要注意家中長者的健康狀況。

農曆四月（西曆二〇一三年五月五日至六月四日）

貴人運強勁，有機會遇上肖牛的貴人，在貴人鼎力相助下，事業有顯著的發展。慎防陷入官非訴訟之中，與文件合約有關的事宜，務必打醒十二分精神。一九六九年出生者受工作壓力影響情緒，建議多接觸戶外環境，從中吸取大自然的正能量，有助減低不安的感覺。一九九三年出生者備受是非口舌影響，與別人爭吵不休，慎言為重，以防因言開罪權貴。

蛇 馬 羊 猴 雞 狗 豬 鼠 牛 虎 兔 龍

農曆五月（西曆一三年六月五日至七月六日）

承受沉重工作壓力，依然是愈忙愈起勁，更因而出現不少發展的機會。備受破財之禍影響，投機及投資必要提起十二分精神，從商者不宜作龐大金額的投資，慎防「財來財去」，最終得不償失。一九三三年出生的長者，注意身體毛病，年事已高，身體稍有不妥，務必要馬上就醫；一九五七年出生者人際關係疲弱，與別人為瑣事爭吵，是非口舌不絕，建議少說話，多做事為妙。

農曆六月（西曆一三年七月七日至八月六日）

本月家宅運勢不穩定，需提防家中長者的健康狀況，宜時刻關懷對方，即使有小毛病也可及早發現。父母容易為子女擔憂，也與伴侶為孩子的教育理念僵持不下；加上工作繁重，令人心情更加煩躁。其實工作再忙，亦要注意抽空陪伴家人，宜與家人結伴外遊，加強溝通，誤會自可冰釋。一九六九年出生者不宜投機、投資。

農曆七月（西曆一三年八月七日至九月六日）

事業運向上，幹勁魄力十足，前陣子未能解決的問題，亦終迎刃而解。工作辛勞，承受沉重壓力令脾氣暴躁，凡事應低調忍讓，注意作息時間安排，心情輕鬆，思路清晰，問題自可順利解決。一九四五年出生者提防頭部受傷、或受失眠困擾。一九八一年出生者財運疲弱，不宜投機、投資。

農曆八月（西曆一三年九月七日至十月七日）

與自己刑剋的月份，宜出外走動，上半年出生者宜到寒冷地區，下半年出生者宜到炎熱地區玩樂，以「借地運」的方式減低人際關係的負面影響。一九二一年出生的長者，本月需格外注意身體狀況；二〇〇五年出生的小朋友，亦要提防意外受傷。

農曆九月（西曆一三年十月八日至十一月六日）

桃花運暢旺，感情生活多姿多彩，應酬頻繁；已有伴侶人士，需自我克制，以防破壞與伴侶的感情關係。單身者即使遇上心儀對象，但處於桃花不穩定的狀況，切勿過於投放感情。一九五七年出生者精神壓力大，備受失眠困擾；一九九三年出生者受到破財運影響，宜謹慎理財。

農曆十月（西曆一三年十一月七日至十二月六日）

事業順遂，下屬願意與自己並肩作戰，上司亦認同表現，成績有目共睹。財運方面，營商人士如能有效控制經營成本，將可以獲取不錯的錢財進帳。一九三三年出生的長者，備受破財運影響，需留意控制日常開支，避免「入不敷支」情形出現。一九五七年出生者要注意眼睛紅腫發炎等問題。

農曆十一月（西曆一三年十二月七日至一四年一月四日）

備受是非口舌纏繞的月份，因有小人從中作梗，故此忌作中間人角色或為他人排難解紛。總之少說話、多做事，避免因失言開罪權貴。除此之外，因事業運及財運方面均有不俗走勢，所以整體還是不俗。一九四五年出生者本月不宜投機、投資；一九六九年出生者慎防手腳受傷。

農曆十二月（西曆一四年一月五日至二月三日）

來到一年之盡，本月如能遇上肖蛇的貴人相助，則凡事都能事半功倍。踏入本月，宜主動出擊，不論感情運及事業運上，均宜往外走動，以獲得更多機會。一九四五年出生者提防破財；一九八一年出生者需留意人事糾紛，應以和為貴，和氣迎接新一年。

狗

紅鸞拱照喜事臨門 貴人運旺提防變化

肖狗者出生時間（以西曆計算）

二〇〇六年二月四日七時二十八分 至 二〇〇七年二月四日十三時十九分

一九九四年二月四日九時三十三分 至 一九九五年二月四日十五時十四分

一九八二年二月四日十一時四十五分 至 一九八三年二月四日十七時四十一分

一九七〇年二月四日十三時四十六分 至 一九七一年二月四日十九時二十六分

一九五八年二月四日十五時五十分 至 一九五九年二月四日二十一時四十三分

一九四六年二月四日十八時五分 至 一九四七年二月四日二十三時五十一分

一九三四年二月四日二十時四分 至 一九三五年二月五日一時四十九分

一九二二年二月四日二十二時七分 至 一九二三年二月五日四時一分

肖狗開運錦囊

★於家中擺放馬形或兔形飾物，有利提升貴人運。

★出門前宜預先購買旅遊保險，保平安之餘也可減低損傷機會。

★不妨多選購一些心頭好，以主動應驗破財之象。

★小耗星入主，宜催旺流年八白財星，以補財運之不足。

★紅鸞星動，宜催旺流年九紫喜慶星以配合運勢。

（流年吉凶方位請參看頁358）

【整體運程】

在過去的龍年，肖狗者因受到「沖太歲」的影響，經歷了一定程度的動盪變化。倘若於龍年曾舉行過人生三大喜事，即結婚、添丁或置業，不但有助化解運勢變化所帶來的不利影響，踏入蛇年後，喜慶運勢更可得以延續。若沒有喜事發生，大部分肖狗者在龍年便會經歷離合、動盪、變遷等等波折，難以作出穩定的部署。幸好蛇年對肖狗者是個不俗的年份，即使龍年未曾舉辦任何喜事沖喜，但踏入蛇年後一切也可重新開始，乃整頓生活、計劃未來的好時機。

肖狗者於蛇年有幸獲得多顆力量強勁的吉星拱照，包括「月德」星和「紅鸞」星。「月德」屬於非常有利的貴人吉星，力量強大，兼具有慈祥和悅及逢凶化吉的意象。在此星照耀之下，不論是從商的朋友或受薪人士，都能得到貴人鼎力扶持；事業得以順遂發展，人際關係更添色彩，與伴侶相處融洽，可謂在很多方面都特別稱心愉快。

感情方面，肖狗者在「紅鸞」星的帶動下，感情運有正面的突破；尤其已有伴侶者，蛇年更是理想年份與伴侶結為夫婦，踏進人生另一階段。單身人士也有機會開展新的戀情，容易遇上心儀對象，締結良緣。但對於已婚人士來說，因「紅鸞星動」，即代表容易展開另一段感情關係，故此必須慎防異性誘惑，以防陷進三角關係的糾纏之中。

財運方面，龍年因受「沖太歲」的影響，財運的上落較大。踏入蛇年，雖然財運較龍年回穩，但始終元氣還未完全恢復，兼且蛇年同時受到代表輕微破財的「小耗」星影響，故此蛇年還是必須謹慎理財，不宜進行投資、投機。日常處事更不可輕率，以免經常陷入財來財去之局面。

整體而言，蛇年運勢頗為順遂稱心，但受「死符」凶星影響，家宅運不穩，需加倍留意家中長輩的身體狀況；出外公幹或旅遊時，則要提防航班延誤或遺失行李等問題。另外，既然破財之運勢難以避免，蛇年不妨主動「破歡喜財」，即選擇購買一些自己心儀的物品以應驗運勢，如此總比讓辛苦賺來的金錢付諸流水為佳。

【財運】

適逢蛇年「紅鸞」星入主，肖狗者很大機會因嫁娶喜慶事而花費，此也屬「破歡喜財」之一。即使沒有喜慶吉事，肖狗者因桃花運暢旺，感情生活的開支也會提升不少，故此最好預留儲蓄以作不時之需。

其實「紅鸞」星對事業也有正面幫助，尤其從事與異性有關或中介人角色的工作，例如保險、地產及公關等最為有利，蛇年的收入會明顯增加。此外，在「月德」貴人星的鼎力支援下，營商者及從事銷售工作的朋友也深得新舊客戶的支持，業績有目共睹。客源穩定之餘，此星也同樣具有逢凶化吉及慈祥和悅的意象，故此與客戶關係特別融洽，生意自然有所提升。

偏財方面，因蛇年貴人運強勁，可藉着貴人提供的可靠消息而在股票上略有斬穫。但始終受「小耗」星影響，如無貴人提供可靠消息，則不宜憑個人靈感來投機。總之，肖狗者在蛇年還是不宜作高風險的投機買賣。假若一直活躍於股票投機，蛇年則要謹守「見好即收」的原則，以免因小失大。

【事業】

踏入蛇年，因為受到「月德」貴人星的正面帶動，打工人士有利得到上司的提拔；此星同時具有慈祥和悅及逢凶化吉的意象，有利與同事合作無間、相處融洽，以至團隊精神得以徹底發揮，幫助事業發展更上一層樓。倘若肖狗者有意另謀事業發展，蛇年更是理想的時機，因為在「月德」星照耀下，容易獲得別人的肯定，不但有利升職加薪，前上司或舊同事更有機會力邀肖狗者跳槽。

在貴人的鼎力支持下，蛇年整體事業運上揚。然而也要當心，因為蛇年同時受到「板鞍」星的影響，事業上除了有變動的意象，也要提防在轉換工作的過程中，受到突如其來的波折影響。例如洽談過程中，突然有競爭者出現，又或者新公司突然擱置聘請決定，但自己早已向公司提出請辭，讓你陷入兩難的局面。故此轉換工作時要慎防過程「吉中藏凶」，不宜期望過高，也不要太高調行事，若能配合理想的月份則更佳。癸巳蛇年之中，以農曆三月、六月及九月較適合變動，可加以考慮。

【感情】

肖狗者於龍年時受到「太歲相沖」的影響，未婚朋友的感情生活變化最大，過去的龍年要面對「不結即分」的離合關口，承受不少巨大的衝擊。猶幸踏進蛇年，運勢重新開始，而感情運亦終可穩定過來。肖狗者在蛇年獲得姻緣「紅鸞」星的帶動，人際關係有正面的發展，可認識更多對事業發展有助益的朋友之餘，感情發展也相當有利。若與伴侶已拍拖多年，蛇年有「紅鸞星動」之象，有利雙方結婚，展開人生新的一頁。孤單多年的肖狗者，也有利於蛇年遇上心儀對象，尤其貴人運強，由長輩介紹的異性條件特別好，不妨多加留意。

不過，肖狗者在感情上也不宜操之過急，提防遇到未能開花結果的霧水桃花而破財。此外，已婚人士因受到「紅鸞」星的影響，要提防陷入三角關係的糾纏中。自己切勿對異性過於熱情，以免令對方產生誤會，並要注意抗拒各方的情感誘惑，以免引發不必要的煩惱及損害與伴侶的關係。

【健康】

處於貴人運強勁的年份，身體健康同樣會較為理想。龍年時受到凶星衝擊，碰撞受傷在所難免；蛇年整體的健康無大礙，但因受到「死符」凶星的影響，仍易生小意外。蛇年每逢出外旅遊及公幹，必須加倍注意天氣轉變、遺失行李及航班延誤等問題。另外也要提防遇上突如其來的驚嚇及意外，各類高危的活動，如潛水、爬石、攀山、滑雪及跳傘等等可免則免，總之謹記出外旅遊及公幹前購買保險。駕車人士更應提高警覺，注意道路安全。

幸而託「月德」星的照耀，只要預先策劃周詳及時刻提高安全警覺，一切自當逢凶化吉、有驚無險。但要注意，凶星「死符」也令家宅運不穩，若家中有年邁長輩，身體狀況會大不如前，也有意外之象，令你擔心不已。故此，蛇年應加倍留意對方的身體狀態，若有不適便應盡早求醫。日常生活除了要特別提防跌倒，居室內的家具擺放位置同樣重要，慎防長者被雜物絆倒，總之盡量減低意外發生機會，以策萬全。

一九二二年：壬戌年（虛齡九十二歲）

對壬戌年出生的長者而言，蛇年會是稱心如意的一年，人際關係順遂，與家人及志同道合的朋友相處融洽，閒時相約飯局聚會，獲眾多子孫後輩關懷備至，心情開朗，度過愉快的一年。財運上，年事已高，仍然熱中賭博耍樂的話，如非牽涉重大投資決定及過於進取，財運將不過不失；至於健康方面，需提防腎臟、膀胱、前列腺等泌尿系統毛病。

一九三四年：甲戌年（虛齡八十歲）

甲戌年生的長者踏入癸巳年，受個人負面情緒主導，常胡思亂想，總覺得後輩冷落自己，無人關懷，因而產生孤獨孤寂的感覺，情緒低落；遇此情況，不妨與朋友傾訴暢談，又或相約子孫後輩品茗飯敘，外出散步，接觸大自然，從而釋放心事，解除鬱結；身心舒泰，度過愉快的晚年生活。健康方面，備受失眠困擾，精神不振，同時慎防扭傷關節，提防觸及腰背膝蓋舊患，痛楚難耐。

一九四六年：丙戌年（虛齡六十八歲）

龍年受到出生年與流年的天干地支同樣相沖的影響，變化乃眾肖狗者中數一數二最多；來到蛇年，運勢將可回復穩定，兼且漸入佳境。不論財運、健康及家宅運均有所提升，但需提防文件合約有關事宜，以免陷入官非訴訟之中，每當遇上不明瞭的合約細節，定必要向專業人士尋求意見。駕駛人士及道路使用者，必須嚴守交通規則，小心駕駛，以免招致不必要的輕微官非。此外，蛇年學習運強勁，不妨報讀年輕時未有時間涉獵的課程，與志同道合的朋友融洽相處，度過愉快充實的一年。身體健康上，要注意腹部、腸胃等消化系統健康，生冷飲食要適可而止。

一九五八年：戊戌年（虛齡五十六歲）

出生年與流年天干「戊癸相合」，影響落在家宅運勢上，容易處於不穩定的狀況，不妨選擇於蛇年主動作裝修、搬遷，或更換家具的決定，自行減低變動的影響。否則，要提防受到家居維修問題或鄰居裝修所帶來的噪音等困擾，因而影響情緒。同樣地，因受到天干相合的影響，睡眠質素差，精神不振，頭部容易發生碰撞意外，多作簡單紓緩筋骨的運動，如太極、瑜伽等，有助放鬆心情，改進睡眠質素。

一九七〇年：庚戌年（虛齡四十四歲）

處於運勢動盪的年份，需提防人事變化，面臨「先難後易」的局面，上半年事業仍未穩定下來，事業發展艱辛，下半年入秋後發展相對順遂。另外，備受是非口舌纏繞，即使與好友相聚，亦要提防因言開罪別人，所謂「言者無心，聽者有意」，還是少說話、多做事為妙，保持謙虛低調，避免樹敵，廣結人緣。感情方面，此年份出生的男士蛇年桃花大旺，但只屬短暫桃花；已婚者，應盡量克制，不宜對人太熱情。家宅運方面，留意家中長者健康；自己亦要提防體重暴升、避免患上膽固醇、高血壓及糖尿病等慢性疾病。

一九八二年：壬戌年（虛齡三十二歲）

踏入蛇年，經過龍年的變化影響，今年處於重新出發的年份，各方面都變得穩定，事業發展確立方向，亦能得到貴人扶持，整體而言運勢較往年來得順遂。惟財運仍一般，特別要提防陷入破財之禍。股票投機之事不宜進取，應以保守的態度行事。事業上因為競爭激烈，宜多加心思作出創新，思考更多不同的方案，方有望在同輩競爭者中突圍而出。

一九九四年：甲戌年（虛齡二十歲）

貴人運強勁，口才了得，思路清晰，展現個人潛能，受上司或長輩提拔賞識。感情運波折重重，爭執頻仍，交往未算穩定；年紀輕輕，不應對感情過於執著，還是隨緣吧。進修運強，倘若家庭經濟狀況許可，不妨選擇趁此機會到外地進修增值，裝備好自己，為未來發展鋪路。健康方面，提防關節及手腳受傷，不宜進行過於劇烈的運動。

二〇〇六年：丙戌年（虛齡八歲）

龍年受天干地支相沖影響，專注力及脾氣一般，踏進蛇年，不論專注力、健康及情緒均較往年順遂不少；學習能力強，父母不妨為孩子報讀興趣小組，藉強勁學習運，培養孩子為樣樣皆能的小精英。健康方面，提防腸胃及皮膚敏感，注意飲食，不宜進食海鮮及生冷食物，以防觸發敏感徵狀，及慎選沐浴露、被鋪等貼身用品。

流年運勢

農曆正月（西曆二〇一三年二月四日至三月四日）

本月貴人運強，若與肖馬者展開新的合作機會，將會有莫大助益。本月宜出外旅遊及公幹，但要提防陷入官非訴訟之中，與文件合約有關事宜，務必打醒十二分精神。一九七〇年出生者與家人為瑣事爭吵不休，諸事忍讓，有助減少糾紛；一九九四年出生者備受輕微疾病纏繞，即使是傷風、感冒及咳嗽等小毛病，但終日打針服藥，亦感煩擾非常。

農曆二月（西曆二〇一三年三月五日至四月三日）

家宅運變化不定，宜在本月進行家居裝修或更換家具，這些改變都有助提升家宅運。同時也要加倍注意家中長輩的健康狀況，本月他們較容易生毛病。一九五八年出生者感受到龐大的工作壓力，宜放鬆身心；一九七〇年出生者手腳容易碰撞受傷，兼備受失眠困擾。

農曆三月（西曆二〇一三年四月四日至五月四日）

運勢受衝擊，雖獲貴人扶助，仍無進展、突破，事業發展一般，總覺得吃力不討好，處處碰壁，不用氣餒，運勢已逐漸好轉，走勢更有平穩向上的意象；一九八二年出生者脾氣暴躁，每事動怒，心情大受影響；二〇〇六年出生的小朋友，同樣需注意情緒及專注力問題。

農曆四月（西曆二〇一三年五月五日至六月四日）

本月應酬頻仍，日夜顛倒，影響作息，情緒因而受影響變得低落。加上訂定的目標仍未達成，承受來自自己的沉重壓力；不妨多作紓緩身心的運動，或與友好傾訴，有助驅走鬱悶情緒，平衡壓力。一九四六年出生者不宜投機投資，免招損失；一九八二年出生者感情面對考驗，容易生變。

農曆五月（西曆一三年六月五日至七月六日）

農曆十、十一及十二月冬季出生的人士，本月份諸事順遂，但若是農曆四、五及六月夏季出生的人士，則有刑剋，宜以「借地運」的方式出門到寒冷地方走動，或穿戴米、藍或白色之物件以填補命格，否則情緒、思路上，本月將受到或多或少的影響。一九五八年出生者不宜投機投資及作重大決定；一九九四年出生者提防碰撞受傷。

農曆六月（西曆一三年七月七日至八月六日）

人際關係疲弱，被同事及生意伙伴誤解、背後大放暗箭，令你困擾不已；諸事忍讓，減輕無謂的衝突方為上策。事業方面，突如其來的波折，同樣讓你措手不及；發展裹足不前，需注意忍耐。一九三四年出生的長者，年事已高，要格外留意健康；一九七〇年出生者容易鑽牛角尖，胡思亂想。

農曆七月（西曆一三年八月七日至九月六日）

事業運勢順遂不少，步入順利階段；工作表現備受上司認同，加上強而有力的貴人鼎力支持，成績有目共睹。一九七〇年出生者財運疲弱，不宜投機投資；一九九四年出生者與家人為瑣事爭吵不休，注意控制個人情緒。

農曆八月（西曆一三年九月七日至十月七日）

本月運勢反覆不定，卻有利進修，不妨往外地走動，作短線旅遊，即使一兩天也有正面影響；但卻要留意旅程中可能有天氣驟變、航班延誤及遺失行李的變化，外遊前宜做足準備，免節外生枝。一九四六年出生者備受喉嚨及氣管等呼吸系統毛病纏繞，注意小心飲食。

農曆九月（西曆一三年十月八日至十一月六日）

財運處於「一得一失」的意象，建議賺取可觀進帳時，轉化為實物，購買保值物件，如藍籌股或基金都合適。心情鬱悶，諸多不滿，遇到解決不了的困難，不妨向長輩及朋友尋求協助，不要獨力承擔。一九八二年出生者不宜作借貸擔保；二〇〇六年出生的小朋友，身體狀況一般，父母要多加留意，需要時及早診治。

農曆十月（西曆一三年十一月七日至十二月六日）

財運順遂，營商者宜好好把握，受僱人士亦可趁此機會發揮表現。感情方面，男士姻緣運不俗，若遇到心儀對象不妨出擊追求，落實交往，女士們亦有機會在朋友圈中覓得合適對象，惟發展未如預期，宜放慢腳步。一九五八年出生者本月較容易情緒低落，宜多加注意；一九八二年出生者有破財意象，謹慎理財，避免為他人借貸作擔保。

農曆十一月（西曆一三年十二月七日至一四年一月四日）

事業運及財運順遂，惟要擔心健康問題，尤其應多加留意腸胃所引起的毛病，避免進食隔夜飯菜及生冷食物。一九七〇年出生者與同輩爭吵，關係備受考驗；一九九四年出生者患上傷風、感冒之類的小毛病，需打針服藥，亦因而影響了思路及精神。

農曆十二月（西曆一四年一月五日至二月三日）

本月家宅運不穩，為家人的財政問題憂心煩惱。要記着，即使對方主動要求協助，亦要顧及個人的經濟能力，宜量力而為，以免最終幫人不成反拖累了自己，甚至因財失義。人際關係出現倒退，備受同事間口舌是非困擾，謹記忍耐。一九七〇年出生者受失眠影響，難以安睡，同時要提防手腳碰撞受傷。

豬

太歲相沖變化不定
宜辦喜事穩定運勢

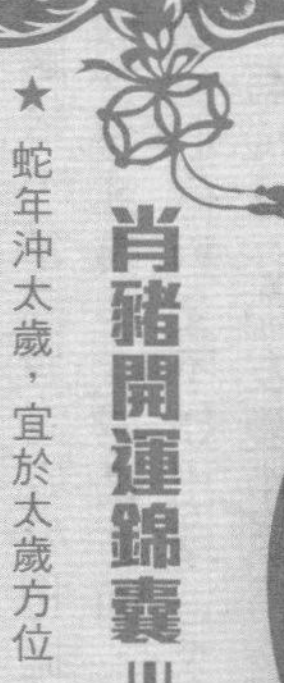

肖豬開運錦囊

★蛇年沖太歲，宜於太歲方位（東南）擺放兔形及羊形飾物。

★大耗星入主，忌持大量現金，並宜於家中擺放保險箱或聚寶盆等風水物品。

★貼身佩戴兔形及羊形之飾物，有利穩定運勢。

★日常避免接觸金屬利器，駕駛者宜於車中掛上「保平安車掛」。

★主動捐血、洗牙，並注意化解流年五黃災星及二黑病星。

（流年吉凶方位請參看頁358）

肖豬者出生時間（以西曆計算）

二〇〇七年二月四日十三時十九分　至　二〇〇八年二月四日十九時二分

一九九五年二月四日十五時十四分　至　一九九六年二月四日二十一時九分

一九八三年二月四日十七時四十一分　至　一九八四年二月四日二十三時二十分

一九七一年二月四日十九時二十六分　至　一九七二年二月五日一時二十分

一九五九年二月四日二十一時四十三分　至　一九六〇年二月五日三時二十三分

一九四七年二月四日二十三時五十一分　至　一九四八年二月五日五時四十三分

一九三五年二月五日一時四十九分　至　一九三六年二月五日七時三十分

一九二三年二月五日四時一分　至　一九二四年二月五日九時五十分

【整體運程】

踏入癸巳蛇年，肖豬者要有迎接困難的心理準備，因蛇年的運勢較為疲弱，而由於肖豬與蛇相沖，也即「巳亥相沖」，此衝擊力最為強勁。「沖太歲」屬於「年犯太歲」的一種，並非一定是壞影響，但卻要預計運勢變化不定。因此，蛇年容易有轉換工作、創業、結婚、分手、搬遷或置業的決定，為免受到不利變動的影響，肖豬者最適宜於蛇年舉行人生三大喜事，包括結婚、添丁或置業，有助大大減低運勢變動的負面影響。倘若與伴侶未發展到談婚論嫁的階段，那麼踏入這個關口之年，則要有「不結即分」的心理準備，提防陷入分手的邊緣。

古語有云：「太歲當頭坐，無喜必有禍」，若早於龍年有喜事，或是落實於蛇年或馬年舉辦大型喜事，喜慶之勢將得以延續。相反，無意計劃舉辦人生喜事者，則要面對感情、事業、人際關係及健康的變動影響，其中尤以感情運的衝擊最大。

「巳亥相沖」相比其他相沖的影響大更多，變化最多。「沖太歲」之年絕對是宜動不宜靜，加上蛇年同時有「驛馬」星入主，肖豬者若能多出外走動，反而會愈沖愈起勁。雖然「驛馬」寓意經常出差或日常生活較以往奔波勞碌，但所謂「動中生財」，故蛇年宜往外地發展，是進軍外地尋找發展機會的合適時機。蛇年出外進修增值也特別有利，故不妨預留儲蓄，以作往外地進修之用。

受「太歲相沖」的影響，健康會較差，應在龍年將完結時及早作全面身體檢查，以求安心。蛇年也同時受到「大耗」及「欄干」凶星影響。「大耗」星屬於力量強大的破財星，投機及投資務必要打醒十二分精神；「欄干」即遇上困難及阻礙的意象，代表有舉步維艱的情況。另外又有「歲破」星，此星有破壞後重新建設的含意，故蛇年破財之象在所難免，切忌投機炒賣。蛇年也有「披頭」星入主，必須多留意家中長輩的健康情況。此外，肖豬者於蛇年得到代表飲食及應酬的「天廚」星拱照，蛇年將可享口福，但也要留意因應酬帶來的更大的開支。

【財運】

處於「太歲相沖」的年份，今年進財方向以變動為首，抱着「動中生財」的原則行事，例如從商者可以實行拓展海外業務的決定，有助加強財運。加上受到「驛馬」星的帶動，宜離開原有出生地，往外地發展。「驛馬」具有奔波勞碌的含意，財來自遠方，受薪人士若有意轉投從商行列，蛇年絕對是離開原有出生地，進軍國際市場的好時機。

投資方面，蛇年應以外地置業、購買海外股票，或購入外幣作投資、投機等為佳。但謹記，處於沖太歲的年份，又受到「歲破」、「大耗」及「欄干」等多顆凶星影響，只可選擇兩至三年中長線投資，以穩健為原則。

要注意的是，蛇年容易因生意投資、股票投機或突如其來之事，令你財政上大失預算。故建議每當賺取可觀的進帳時，將金錢轉化為實物，購買具有保值能力的資產以減低破財影響，如物業、藍籌股票或黃金等皆為不錯的選擇。

【事業】

受薪人士在蛇年很大機會出現變動，輕則調任其他部門或改變工作地區，重則因受公司重組、收購等影響，而引致工作有更大變動。倘若原有公司給予出差或派往海外公司的機會，這樣變動則最為理想。一來蛇年適合離開自己出生地，往外發展；二來「太歲相沖」令人際關係方面有倒退的現象，藉轉換工作地點而重新建立人際關係，反而更為有利。

蛇年受「歲破」凶星影響，人際關係倒退，備受是非口舌纏繞，心情大受影響，謹記少說話、多做事，諸事忍讓，以和為貴。又因受到「欄干」星的影響，有心理準備遇上重重困難，務必打醒十二分精神才可把問題逐一解決。

整體而言，蛇年能往外地發展當然最好，倘若計劃另謀事業發展，則要提防在轉換工作的過程中，受到突如其來的變動影響，如新公司突然擱置聘請決定，但自己卻早已辭去原有職位，讓你陷入兩難的局面，所以必須要有全面的事前準備。另外，蛇年也有利進修，正是增值的好時機。

【感情】

受「太歲相沖」的影響，與拍拖多年的伴侶面臨「不結即分」的關口，倘若落實於蛇年或計劃於馬年結婚，所謂「一喜擋三災」，可大大減低「太歲相沖」的影響。相反，若與對方關係尚未穩定，仍未有結婚之打算的話，踏入關口之年，容易有分手的危機。

此外，蛇年受「驛馬」星影響，單身人士可留意公幹或旅遊過程中所遇上的異地桃花。但謹記蛇年是相沖年，感情發展緩慢，又因地域所限，而令發展障礙重重，感情穩定性較低，容易受到衝擊，不宜過分投入，以免承受不必要的傷害。

蛇年不單受到相沖影響，「歲破」同樣具有感情破壞的牽動，已婚人士不妨於蛇年落實添丁的計劃，否則將要留意與伴侶的感情出現變化，最好以聚少離多的方式相處，給予適當的生活空間；又或其中一方到外地工作，以地區分開的意象來應驗分離之象，皆有助化解「歲破」星的影響。

【健康】

踏入相沖年，要特別注意家宅運，「披頭」寓意家中長輩的身體狀況欠佳，健康較以往疲弱，慢性疾病的情況反覆不定。「巳亥相沖」也有腳部受傷的意象，自己容易跌倒受傷；除了外出要提防意外，居室內的家具擺位同樣重要，慎防被利器雜物所傷。注意蛇年的病星位置切忌動土，可參考本書〈蛇年行好運風水佈局〉中的九宮飛星圖加以化解病位，有利提升家宅運。

因受多顆凶星影響，個人健康運備受衝擊，踏入蛇年之際，不妨以洗牙或捐血來化解輕微血光之災，亦可選擇向慈善機構贈醫施藥，化解健康運衝擊之餘，也能積福助人。此外，提防出外旅遊或公幹時意外受傷，切忌進行攀山、滑雪等高危運動，注意家居安全，自行維修、抹窗或更換窗簾等可免則免。

蛇年同時有「天廚」星飛臨，雖有口福，但小心禍從口入，並要提防在外地遇上水土不服情況，切勿進食過量生冷食物。蛇年也有暴飲暴食以至體重上升之象，建議在龍年完結前作身體檢查，平日也應注意飲食為上。

一九二三年：癸亥年（虛齡九十一歲）

因自己出生年與蛇年天干相同，而地支又相沖，健康方面要特別留神，年事已高，身體稍有不妥，務必要馬上就醫。處於相沖的年份，情緒低落，為瑣事焦慮不安，亦因而引發健康問題，避免出席探病問喪的場合，及可多參與別人的喜慶飲宴，沾染喜樂的氣氛，藉以增強個人正能量。蛇年整體無大問題，只要明白病向淺中醫的道理，自然不會有大礙。

一九三五年：乙亥年（虛齡七十九歲）

踏入癸巳年，受個人負面情緒主導，常胡思亂想，總覺得無人關懷，後輩冷落自己，其實實際情況未必如此，只是自己自尋煩惱，杞人憂天。健康方面，提防碰撞受傷，需加倍留意居家家具的擺位，慎防撞向家具的銳角位置，因而受傷。

一九四七年：丁亥年（虛齡六十七歲）

由於出生年與流年的天干地支同樣相沖，此年份出生者在眾多肖豬者中，受「犯太歲」的影響較大，所謂「一喜擋三災」，蛇年不妨辦喜事如壽宴沖喜，較低調的做法，亦可選擇茹素或放生，對健康運均有提升的作用。家宅運勢衝擊不斷，宜自行裝修居室及更換家具，有助應驗家宅變動所構成的影響。健康方面，提防眼睛毛病，像是視力退化，發炎紅腫，如有這方面的問題，宜及早求醫。由於地支「巳亥相沖」，蛇年要加倍留意與關節有關的病痛，一直受到腰頸背痛困擾的人士，提防舊患有惡化的迹象。人際關係方面，與己無關的事，不宜加諸任何意見及勿為別人作排難解紛的角色。投資方面，亦宜以保守穩健的態度行事。

一九五九年：己亥年（虛齡五十五歲）

整體運勢變化不大，財運不俗，事業出現突破性的發展，財運與事業運都有提升的迹象，定必要加倍努力，好好把握。出門旅遊提防受到天氣轉變的影響，導致航班延誤及遺失行李等問題，造成財物上的損失。健康方面，提防體重有暴升的意象，令脂肪及膽固醇直線上升，因而觸發糖尿病、高血壓及心臟方面等慢性疾病。

一九七一年：辛亥年（虛齡四十三歲）

蛇年個人鬥志強勁，雄心壯志，對闖一番事業大為有利。但為事業發展忙得透不過氣，令家人覺得受冷落，要好好分配時間。財運時強時弱，上落較大，投資不應太進取，更不宜短炒，中長線投資相對理想。蛇年會因工作壓力影響，睡眠質素差，精神不振，注意好好分配作息時間。健康方面，應酬頻繁，終日吃喝玩樂，留意肝臟疲弱，切勿過量飲酒；亦要注意牙齒健康，作好修補或做小手術的準備。

一九八三年：癸亥年（虛齡三十一歲）

由於受到「太歲相沖」的影響，倘若於蛇年有喜事進行，如結婚或添丁，同樣可化解相沖帶來的影響，否則，將要有每事變化的心理準備。有意於蛇年落實轉換工作計劃者，上半年並非合適的時機，切勿衝動行事，建議於下半年才落實轉換工作的決定，及務必要在事前作好詳細的準備，減輕相沖變動所帶來的影響。感情方面，與拍拖多年的伴侶面臨「不結即分」的關口，倘若落實於今年或計劃於明年結婚，可減低「太歲相沖」的影響，如仍未有結婚打算，踏入關口年，易有分手的危機。工作運逐漸穩定，但卻要留意進財分佈不平均，更要慎防有突如其來的開支，建議每當賺取豐厚收入時，要作好積穀防飢的準備，留待他日財運反覆時作應急用途，以免陷進「入不敷支」的局面。

一九九五年：乙亥年（虛齡十九歲）

處於思想運之年，對於未來發展具有清楚方向，朝向個人目標勇往直前。感情不定，是非常混亂的一年，處於變換伴侶的年份，離離合合，但當中卻未能遇上十分合眼緣的伴侶。蛇年專注力不俗，學習運強勁，仍然處於求學的階段者，還是將精神放在讀書學習為妙。

二〇〇七年：丁亥年（虛齡七歲）

孩子的健康運較往年疲弱，慎防受到輕微病痛困擾，傷風、感冒、咳嗽、喉嚨及氣管等呼吸器官問題持續不斷。另要注意家居佈置，慎防家具擺放不當容易令孩子跌倒，以至手腳受傷，令父母心痛不已。儘管如此，專注力及學習動力都較往年增加，令父母深感安慰。

流年運勢

農曆正月（西曆一三年二月四日至三月四日）

諸事波折不斷，面對工作上的重重阻滯，感到氣餒，不要被眼前的困局影響鬥志，本月貴人助力稍算強勁，每當遇上無法解決的難題，可與肖牛者、肖兔者商討，尋求解決方法，貴人提供鼎力的支援，助己解決難題。一九五九年出生者要特別留意家宅運變化不定，適宜於本月裝修及更換家具。

農曆二月（西曆一三年三月五日至四月三日）

運勢逐漸轉好，有穩步上揚的意象，但仍稍有阻滯，總覺得做事處處碰壁，耐心等待機會的來臨，切勿被挫折擾亂情緒。本月人際關係提升，財運開始向好。一九三五年出生者備受財運的影響，不宜投機及投資；一九七一年出生者人際關係疲弱，提防與同事或下屬暗生齟齬，為瑣事爭吵不休。

農曆三月（西曆一三年四月四日至五月四日）

財運令人滿意，可以從股票投機中略有斬穫，但不宜太進取，謹守「見好即收」的原則，以免得不償失。本月學習運不俗，建議報讀與工作有關的課程，為事業發展鞏固根基。任職於大機構或政府部門者，更可積極爭取內部考試的機會。一九七一年出生者健康運疲弱，注意喉嚨及氣管等呼吸系統毛病；一九八三年出生者本月財運順遂，股票投機可略為進取。

農曆四月（西曆一三年五月五日至六月四日）

與自己命格相沖的月份，諸事變化不定，情緒低落，心緒不寧，本月不妨出外旅遊加強運勢，上半年出生者到寒冷地區，下半年出生者則到炎熱地區玩樂，以「借地運」的方式改善運勢。一九四七年出生者備受輕微病痛困擾，加倍注意身體健康；一九八三年出生者提防與家人爭吵不休，注意控制個人情緒。

農曆五月（西曆一三年六月五日至七月六日）

應酬頻密，飲食過量令腸胃不勝負荷，飽滯脹痛，苦不堪言，注意作息時間，不妨多接觸大自然及多作紓緩身心的運動，既可提升運勢，更可減低工作壓力。一九二三年出生者本月健康運疲弱，加倍注意身體健康；一九五九年出生者備受破財困擾，不宜投機及投資。

農曆六月（西曆一三年七月七日至八月六日）

本月事業發展順遂，早前未能解決的問題亦可迎刃而解，終於可以舒一口氣；然而備受人際關係困擾，與同輩的關係轉趨惡劣，不宜鋒芒畢露，以免招人嫉妒中傷。一九八三年出生者本月官非運特別重，除了提防陷入官非訴訟之中，與文件合約有關的事情，務必打醒十二分精神。

農曆七月（西曆一三年八月七日至九月六日）

財運不佳，意外開支較多，難免造成困擾。由於受劫財運的影響，親友中可能有人向你提出財政援助的要求，謹記只可量力而為，及要有「一借無回頭」的心理準備，提防陷入破財之禍，不宜為朋友作借貸擔保。

農曆八月（西曆一三年九月七日至十月七日）

因應付工作上的挑戰，承受沉重的壓力，心情煩躁；人際關係疲弱，提防跟工作伙伴或伴侶因瑣事鬧翻，切勿意氣用事，不妨理智分析問題的癥結，多作溝通，從客觀角度尋找解決方法。正、偏財俱旺，可以積極尋求財運進帳的機會，投機及投資可更為進取，但亦要對投機項目作詳細分析及研究。一九九五年出生者與家人為瑣事爭吵，諸事忍讓，有助減少紛爭。

農曆九月（西曆二〇一三年十月八日至十一月六日）

姻緣運處於糾纏不清的階段，已有伴侶的人士提防外間誘惑，以防陷入三角關係的糾纏中，破壞與伴侶多年的感情關係。單身人士遇上心儀對象，但處於桃花不穩定的狀況，切勿過於投放感情。另外，本月備受是非口舌纏繞，宜少說話，多做事，避免因失言開罪權貴。

農曆十月（西曆二〇一三年十一月七日至十二月六日）

除農曆四月以外，本月乃蛇年之中變化最多的月份，容易影響心情。本月健康疲弱，需加倍注意健康狀況，此外，具有受傷的意象，注意家居佈置，提防不慎被利器、雜物所傷；同時留意本月與家人為瑣事爭吵不休，易破壞建立多年的感情關係。一九四七年出生者承受多方面的衝擊，身心疲累，多與朋友暢談心事，有助解開心中鬱結。

農曆十一月（西曆二〇一三年十二月七日至二〇一四年一月四日）

貴人力量強勁，助己發展事業，前陣子未能解決的問題，本月出現突破性的發展，諸事回復順遂，終於可以稍稍放鬆過來，心情愉快，做事魄力十足；繼續努力，工作上多加心思創見，成績將有目共睹。一九五九年出生者留意手部可能受傷，不宜進行劇烈運動；一九九五年出生者提防與朋友暗生齟齬，為瑣事爭吵不休。

農曆十二月（西曆二〇一四年一月五日至二月三日）

處理人事關係上的問題，讓你深感煩擾，還是謹守個人崗位；與己無關的事，盡量不要加諸任何意見，切忌一時意氣逞強。一九三五年出生者備受破財困擾，不宜投機及投資；一九七一年出生者備受頭痛煎熬，患有長期偏頭痛者留意病情加劇，頭部亦容易受傷，要多加注意。

領導才幹徹底發揮
吉星相助化險為夷

肖鼠開運錦囊

★暴敗星入主，宜作實物投資，忌持過多現金。

★家中大門位置可擺放一對貔貅，以增強財運。

★出門時要提高警覺，可貼身攜帶保平安之飾物，以求安心。

★鼠與牛合，宜在家中添置牛形擺設，有利提升整體運勢。

★事業運旺盛，宜進一步催旺流年四綠文昌星之飛臨方位。

（流年吉凶方位請參看頁358）

肖鼠者出生時間（以西曆計算）

二〇〇八年二月四日十九時二分 至 二〇〇九年二月四日零時五十二分

一九九六年二月四日二十一時九分 至 一九九七年二月四日三時四分

一九八四年二月四日二十三時二十分 至 一九八五年二月四日五時十三分

一九七二年二月五日一時二十分 至 一九七三年二月四日七時四分

一九六〇年二月五日三時二十三分 至 一九六一年二月四日九時二十三分

一九四八年二月五日五時四十三分 至 一九四九年二月四日十一時二十三分

一九三六年二月五日七時三十分 至 一九三七年二月四日十三時二十六分

一九二四年二月五日九時五十分 至 一九二五年二月四日十五時三十七分

一九一二年二月五日十一時五十四分至 一九一三年二月四日十七時四十三分

【整體運程】

肖鼠者在癸巳蛇年既無沖也無合，兼有幸獲得多顆力量強勁的吉星拱照，故肖鼠者運勢相對較其他生肖平穩，可以度過順遂稱心的一年。蛇年入主的吉星包括「紫微」、「龍德」及「祿勛」；這些吉星對打工一族來說，可說是鴻運當頭，故工作方面一定大有進展。

「紫微」及「龍德」屬於力量強勁的貴人星，蛇年在貴人的鼎力支持下，給予不少發揮才幹的機會，能為自己建立廣闊的人際網絡，對於事業發展有明顯的幫助。因事業發展順遂，更容易在職位上有所提升；再者，「祿勛」星具有朝廷俸祿的意思，所以在職位提升的同時，薪金增幅也令人滿意。

對於從商者來說，蛇年有吉星的協助，又得到貴人的有力支持，所以發展過程順遂，應該好好把握、全力以赴，順勢而上，業務發展自能更上一層樓。但因蛇年也有「暴敗」凶星入主，有意拓展生意的話，只宜從原有業務延續下去，或至少對該範疇具有一定的認知，否則容易受到「暴敗」星的動盪影響，事情之發展突然讓你束手無策。

「暴敗」也具有「三更窮、五更富」之象，所以即使打工人士有晉升的機會，升職過程也會有一點挫折，但始終整體運勢理想，故此不必過於擔心，最終定必能夠順利過渡。另一凶星「天厄」則寓意出門之際遇上意外，所以蛇年不論公幹或出門旅遊，也要加倍提防因天氣導致航班延誤、或遺失行李等等問題，最好購買出門保險以求安心。另外，日常也不宜進行高危的運動，盡量減低發生意外的機會。感情方面，「暴敗」也容易令感情關係突然冷卻，尤其剛萌芽的戀情，有曖昧拖拉之象。

整體來說，蛇年的事業及財運發展均趨向順遂，結果令人滿意。不過要留意發展過程起落不定，同時「暴敗」星只對正財有利，但不宜投機、投資，強行參與的話，只能「輸少當贏」。另外，受到「暴敗」凶星的牽動，慎防「因言傷人」，影響人際關係；為免「言多必敗」，蛇年還是少說話、多做事為妙。是以蛇年的策略是一定要廣結人緣，順境時切勿意氣風發、四處樹敵，逆境時才可望有人扶自己一把。

【財運】

在兩顆強而有力的貴人吉星「紫微」及「龍德」的鼎力拱照下，肖鼠者在蛇年凡事可逢凶化吉，財運自然也不錯。從商者即使沒有主動招攬生意，也可以獲得舊有客戶的支持，對你不離不棄之餘，更會向你介紹具有發展潛質的新客戶。倘若計劃於今年作大型市場推廣、拓展新業務或開設分店等等，皆屬有利時機。但謹記在「暴敗」星的影響下，會有「三更窮、五更富」的意象，順境之中也要慎防運勢突然變得反覆。

綜合而言，蛇年雖有利拓展生意，但也有突然急轉直下的危機，務必要作好「好天收埋落雨柴」的準備，預留儲備的金錢作應急用途，以免出現入不敷支的局面。偏財方面，因受到「暴敗」星帶來起伏不定的影響，不宜作高風險的投機及投資，否則易有損失。若一直活躍於股票投機，蛇年則要謹守「見好即收」的道理，以免得不償失。總之蛇年凡作重大決定前作好準備，並安分守己，則可安然度過。

【事業】

「紫微」及「龍德」乃力量相當強勁的貴人星，不論是從商者或受薪人士，踏入蛇年皆可獲權貴相助，加上有「祿勛」星的相助，蛇年的事業運勢會更順利。「祿勛」意指朝廷俸祿，此星有多勞多得的寓意，打工一族只要努力工作，必然有不錯的回報。倘若計劃另謀事業發展，蛇年同樣有利得到別人的賞識；若心態較被動，只想留守原有公司發展，這也是合適的選擇，兩者皆有利。

「紫微」及「龍德」具有強勁貴人協助的含義，貴人扶持下，運勢步步高陞，有助逢凶化吉，領導才能更得以徹底發揮，甚得上司的認同和讚賞。蛇年不單得到貴人的賞識及支持，個人鬥志也強勁，思路清晰，深明自己的發展方向，故此務必要把握難得的年份，勇往直前。但要慎防個人鋒芒太露，加上受「暴敗」星的影響，人際關係呈疲弱之象。蛇年應以謙虛的態度行事，提防因鋒芒畢露，增加別人的怨恨之心，令周遭的同事及下屬暗生妒忌。總之凡事低調處理，便可免招無謂的爭鬥。

【感情】

蛇年感情運大致尚可，已有伴侶的人士大部分時間與另一半相處融洽，雙方家人及朋友也對你與伴侶的發展深表支持。但因受「暴敗」星的影響，感情關係也有突然倒退的機會，例如覺得雙方性格不合，處理問題時各走各路，繼而暗生齟齬，影響雙方感情。其實這種情感上的波動主要源於自己主觀的看法，建議好好控制個人情緒，諸事忍讓，自然可減輕無謂的爭拗。已婚者則要提防因過於專注事業發展而冷落伴侶，不妨於蛇年與對方舊地重遊，重拾昔日甜蜜的感情。

孤單多年的單身人士有利於蛇年遇上心儀對象，尤其經由長輩介紹的對象，條件大多不錯。蛇年也有機會在社交場合或朋友圈中遇上合適的對象，不妨嘗試發展。但謹記蛇年處於桃花不穩定的狀態，戀情發展緩慢，切勿急於投放感情或操之過急；否則這種桃花只會快來快去，最終又是一段「鏡花水月」的關係。總之蛇年的新戀情的對象必須經過深入了解，才有利長遠鞏固地發展下去。

【健康】

在貴人運勢強勁的年份，身體健康同樣會較為理想，諸事逢凶化吉，但要稍為提防工作壓力的影響。蛇年為事業發展長期作戰，加上「祿勛」星帶動下，權責加倍，工作奔波勞碌，壓力自然在所難免。又由於受到「暴敗」星的影響，有輕微刀傷意外之象，猶幸獲「紫微」及「龍德」兩顆慈祥和悅之星拱照，並無大礙，毋須擔心。蛇年體重易有巨大的變化，必須多做運動，節制飲食，留意身體健康及保持作息定時。其實在「暴敗」星入主之年，最好積極一點做運動，加強修身，長遠對身體健康有莫大幫助。

另外，因受到「天厄」星的影響，提防出外公幹或旅遊時，因天氣問題而發生航班延誤及遺失行李之事，同時也要提防水土不服等問題；建議預先購買旅遊保險，一旦不幸遇上意外，至少也可有金錢上的保障。此外「天厄」同樣會對家宅運帶來困擾，尤其要注意家中長輩的健康，慎防突如其來的健康變化。

一九二四年：甲子年（虛齡九十歲）

處於思想運的年份，容易胡思亂想，年事已高，仍然為瑣事焦慮不安，實質只是杞人憂天，毋須過於執著。閒時與友人茗茶聚會或多到公園散步下棋，自可愉快度過每一天，精神更見爽利，這才是最有效的養生之道。健康方面，由於受到「水過旺」的影響，提防前列腺及膀胱等泌尿系統毛病。

一九三六年：丙子年（虛齡七十八歲）

提防陷入官非訴訟之中，與文件合約有關的事宜，務必打醒十二分精神：日常生活凡有涉及合約條款的事宜，如自己難以清晰理解，最好向年輕一輩或可信任的家人朋友求助，避免含糊了事。不論是駕車或橫過馬路，都要謹守交通規則；也切勿亂拋垃圾，以免觸犯法例。健康方面，蛇年「水火相沖」，要留意心臟和血壓方面的問題，其他則無大礙。

一九四八年：戊子年（虛齡六十六歲）

由於受到出生年與流年的天干「戊癸相合」影響，家宅運勢容易處於不穩定的狀況，不妨選擇於蛇年作裝修、搬遷或更換家具的決定，自行減低變動的影響，否則要提防家居維修問題或鄰居裝修所帶來的噪音等困擾，因而影響情緒。同樣因受到「戊癸相合」的影響，蛇年情緒較為低落，切忌參與探病問喪，以防受到不利磁場的帶動；宜多接觸大自然、多做紓緩身心的運動，或參與朋友的喜慶飲宴，也可增強個人正能量。一直患有偏頭痛的人士，蛇年病情則有加劇的現象，容易頭痛，需多加注意。

一九六〇年：庚子年（虛齡五十四歲）

處於學習運強勁的年份，不妨與好友一起報讀興趣小組，例如烹飪、編織甚或電腦課程等等，不單可陶冶性情、增進知識，更可打發時間，一舉兩得。此外，蛇年總覺得後輩冷待自己，忽視自己的想法，溝通不足；其實每個人都有不同的看法和意見，建議多加聆聽，給予更多選擇與自由度，減少無謂的衝突及爭執。蛇年也容易會因兒孫瑣事而影響心情，其實情況並非如想像中差，放鬆一點便可。另外要留意腸胃及肝臟方面的健康，嗜酒者亦少飲為妙，切勿進食過量海鮮及生冷的食物。

一九七二年：壬子年（虛齡四十二歲）

諸事阻滯不斷，容易節外生枝，為免受到突如其來的變動影響，處事宜有多手準備，同時要抱着靜觀其變的態度面對困局，耐心解決難題。猶幸蛇年吉星拱照，貴人運勢強勁，不妨向具有經驗的前輩請教，問題最終可得解決，總算有驚無險。財運方面，受到劫財的影響，財運欠佳，不宜投機及投資，必須謹慎理財，以免入不敷支。健康方面，大致無懼病痛的困擾，惟要留意皮膚方面的問題，蛇年容易皮膚敏感，並要注意牙齒健康。

一九八四年：甲子年（虛齡三十歲）

財運順遂，正財、偏財俱有上升的趨勢，可以積極尋求財運進帳的機會，投機及投資可更為進取，但也要對相關項目作詳細分析及研究，切忌魯莽行事。蛇年也有作全新嘗試的念頭，事業發展上湧現不同想法，但宜聽取多方面的意見才落實決定。另外，蛇年及馬年的置業運逐漸加強，但能力所限，一己之力難以成事，幸好貴人運強，不妨就此事與長輩多作商討。感情方面則屬變化之年，若未有結婚計劃則要有「不結即分」的心理準備。倘若落實於蛇年或計劃於馬年結婚，則可應驗變化的影響力，否則提防因小事與對方鬧翻，陷入分手的邊緣。

一九九六年：丙子年（虛齡十八歲）

個人鬥志強勁，專注力及學習能力同樣較往年增加，多花耐性、時間，成績自然有顯著的進步，但要留意容易因承受過於沉重的壓力，令身心長期處於緊繃的狀態。所以即使學習運理想，也要注意作息，閒時培養其他興趣或作其他活動，以助放鬆身心。蛇年人際關係順遂，與同學之間的關係理想，有助互相鼓勵學習。健康方面，注意可能受到傷風及感冒等小毛病困擾，流感高峰期盡量不要到人煙稠密的地方。

二〇〇八年：戊子年（虛齡六歲）

孩子受情緒低落影響，顯得悶悶不樂，不妨抽空帶他們出外走動，多加溝通。健康方面，提防頭部碰撞受傷，加倍注意家具擺放的安全性，慎防撞向家具的銳角位置；利刀、雜物要妥善放好，留意家居安全。此外，孩子的學習能力強，對很多事物興趣濃厚，父母不妨為孩子報讀興趣小組，藉強勁學習運，發掘潛能，然而要注意不可過量，專注一兩項為佳。

流年運勢

農曆正月（西曆一三年二月四日至三月四日）

是非口舌不絕，謹記保持低調，不宜鋒芒太露，高調做事容易樹敵，應該廣結人緣。為免因言開罪別人，謹守自己的工作崗位，少說話、多做事，與己無關的事情，切勿加諸任何意見。一九六〇年出生者因瑣事與別人爭吵不休，諸事忍讓，免傷和氣；一九八四年出生者備受破財運勢影響，不宜投機及投資。

農曆二月（西曆一三年三月五日至四月三日）

面對工作上的重重阻滯，感覺孤單無助、缺乏支援，但不要被眼前的困局影響鬥志，本月貴人助力稍算強勁，每當遇上任何挫折，可與長輩商討尋求解決方法。一九四八年出生者容易受傷，注意身體健康；一九七二年出生者是非口舌不絕，慎言為上，少管閒事為妙。

農曆三月（西曆一三年四月四日至五月四日）

人際關係好轉，得貴人鼎力相助，工作順利；注意身體，留意腸胃功能疲弱，日常飲食要加倍留神，盡量少吃生冷食物。一九七二年出生者陷入困局之中，承受沉重的壓力；一九九六年出生者提防與家人為瑣事爭吵不休，諸事宜多加忍讓，以和為貴。

農曆四月（西曆一三年五月五日至六月四日）

諸事順遂的月份，事業運和財運都不錯，早前面對的難題均可迎刃而解。受到家宅運影響，親朋戚友中或有人向你提出借貸要求，為免破財，只可量力而為，不要超越自己的能力範圍，更要有「一借無回頭」的心理準備。一九七二年出生者容易失眠，睡眠質素差，注意作息的安排。

農曆五月（西曆一三年六月五日至七月六日）

處於與自己相沖的月份，此月適宜往外走動，具有「動中生財」的意象，不過需注意可能容易受傷，駕車人士要時刻留意道路安全，免生意外。一九四八年出生者小心保管財物，提防扒手；一九八四年出生的者財運順遂，投機及投資可更為進取。

農曆六月（西曆一三年七月七日至八月六日）

人際關係疲弱，與工作伙伴因誤會鬧翻，更會因自己過於直接，導致失言而影響彼此關係。財運、事業運上揚，然而仍受工作壓力大的影響，情緒低落，宜多找朋友傾訴，接觸大自然，注意作息時間的分配。一九八四年出生者手部容易受傷，不宜進行過於劇烈的運動。

農曆七月（西曆一三年八月七日至九月六日）

本月應酬不斷，忙於為事業及生意發展建立人際網絡，新的合作機會湧現，飯局不絕，身心疲累，讓你透不過氣來。盡量減少參與不必要的應酬，及注意作息時間的分配。一九六〇年出生者注意理財，慎防陷入破財之禍；一九七二年出生者貴人運不錯，宜好好把握；一九八四年出生者與家人為瑣事爭吵，注意控制個人情緒。

農曆八月（西曆一三年九月七日至十月七日）

情緒爆發的月份，過於堅持己見，不論是同事、上司、伴侶或拍檔，都因為自己的執著，而發生爭執，鬧至沒轉彎的餘地；謹記凡事以和為貴，宜與好友傾訴，有助紓解心情。一九三六年出生者留意喉嚨及氣管等呼吸系統毛病；一九六〇年出生者提防陷入破財之禍，不宜投機及投資。

農曆九月（西曆二○一三年十月八日至十一月六日）

留心與文件及合約有關事宜，以免陷入官非訴訟之中，每當遇上不明瞭的合約細節，定必要向專業人士尋求意見。事業運上揚，有晉升的機會。一九七二年出生者受到破財運影響，宜謹慎理財；一九九六年出生者提防與家人爭吵不休，傷害彼此感情。

農曆十月（西曆二○一三年十一月七日至十二月六日）

工作辛勞，應酬頻繁，時刻承受沉重的工作壓力，事業運順遂，才幹得以發揮，受上司認同及賞識，但仍要留意跟下屬或拍檔的關係，同輩同事容易對你產生不滿，宜諸事忍讓，顧及他人感受。一九四八年出生者諸事煩擾，備受失眠困擾；一九七二年出生者備受破財運影響，不宜投機及投資。

農曆十一月（西曆二○一三年十二月七日至二○一四年一月四日）

身體健康響起警號，容易受傷，兼有輕微的血光之災。受到傷風感冒的影響，注意身體健康，不妨多接觸大自然及多作紓緩身心的運動，留意飲食習慣，作息定時，有助加強個人的抵抗能力。一九六○年出生者與家人為瑣事爭吵不休，注意控制個人情緒；一九八四年出生者財運疲弱，不宜投機及投資。

農曆十二月（西曆二○一四年一月五日至二月三日）

進入「犯太歲」的月份，開始感受到「犯太歲」所帶來的變動影響，波折重重，障礙增加，宜及早籌劃部署，作兩手準備，以應付無可避免的變化。此外，提防受到家宅運影響，適宜在本月搬遷、裝修或更換家具。一九六○年出生者提防受到輕微失眠困擾，多作紓緩身心的運動，心情放鬆，才可呼呼入睡；一九七二年出生者人際關係疲弱，日常慎言為重。

牛

華蓋眷顧才華洋溢
凶星入主提防意外

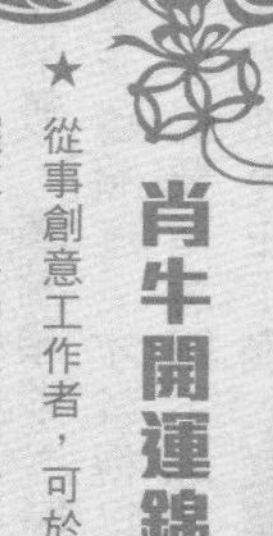

肖牛開運錦囊

★從事創意工作者，可於書桌擺放白水晶，有利思考。

★白虎星入主，提防野蠻女性，不宜與女性合作。

★日常慎防受傷，並移走家中尖刀利器為佳。

★有失眠之象，宜於牀頭一帶擺放銅器。

★主動捐血、洗牙，並注意化解流年五黃災星及二黑病星。

（流年吉凶方位請參看頁358）

肖牛者出生時間（以西曆計算）

二〇〇九年二月四日零時五十二分 至 二〇一〇年二月四日六時四十九分

一九九七年二月四日三時四分 至 一九九八年二月四日八時五十八分

一九八五年二月四日五時十三分 至 一九八六年二月四日十一時九分

一九七三年二月四日七時四分 至 一九七四年二月四日十三時零分

一九六一年二月四日九時二十三分 至 一九六二年二月四日十五時十八分

一九四九年二月四日十一時二十三分 至 一九五〇年二月四日十七時二十一分

一九三七年二月四日十三時二十六分 至 一九三八年二月四日十九時十五分

一九二五年二月四日十五時三十七分 至 一九二六年二月四日二十一時三十九分

一九一三年二月四日十七時四十三分 至 一九一四年二月四日二十三時二十九分

【整體運程】

肖牛者踏入癸巳蛇年後，因流年與出生年的地支呈「巳丑相合」，亦即所謂的「太歲相合」。一般來說，凡處身「合太歲」之年，運勢發展大致順遂；而由於巳蛇、酉雞、丑牛三者屬三合生肖，倘若肖蛇、肖雞及肖牛人士能夠會合發展，互補長短，將更有利彼此運勢。故此，肖牛者在蛇年除了可多與肖雞者合作外，每當遇有困難，不妨向肖雞者請教；在肖雞的貴人鼎力扶助下，有助事半功倍，解決不少問題。

蛇年也受「華蓋」星拱照，此星乃古代皇帝出巡時所使用的天蓋，寓意才華洋溢，從事設計、寫作等創作性高的工作者，靈感源源不絕。但有得也有失，此星同時具有孤芳自賞的特質，獨當一面的同時，也有孤身作戰之象；情感空虛，人際關係自然倒退。為免加劇「華蓋」的不利影響，蛇年切忌被勝利沖昏頭腦，若過分自大、恃才傲物，最後也會自招惡果。肖牛者另要注意受「白虎」凶星的影響，此星寓意脾氣暴躁的女性，故蛇年要有心理準備遇上蠻不講理的女性，小心對方無理取鬧，是非口舌不絕。

受「華蓋」星的牽動，單身男女對戀愛的追求意欲低，自然不利桃花；加上「白虎」星影響下，男士更容易遇上個性倔強及獨立的女性，要注意對方脾氣急躁、情緒不穩，至於是否自己的心儀對象，則要考慮清楚了。

此外，蛇年亦備受「空亡」及「天哭」兩顆與意外有關的凶星影響，家宅運勢不太穩定，更要提防家中長輩的健康狀況，宜加倍關懷對方。加上個人健康運受「羊刃」星的衝擊，「羊刃」寓意受金屬所傷或有破相開刀之象，故駕車人士需時刻留意道路上的安全，並切勿進行高危的運動。若工作常要接觸金屬機械，蛇年更務必打醒十二分精神。建議在踏進二〇一三年的立春日後，以洗牙或捐血來應驗輕微血光之災，或作「贈醫施藥」的慈善捐獻，應驗健康破財之象。

【財運】

營商者受「華蓋」星的照耀，思潮澎湃，分外多奇招想法。即使從事傳統行業，又或單純的現貨貿易，都不宜因循守舊，故步自封；宜開拓新的運作模式，或以嶄新的宣傳方式刺激市場，生意發展才有望持續向上。從事創意產業者，如廣告、設計、藝術等工作，更是如魚得水，靈感不絕；創作力廣獲上司、客戶認同欣賞，客源開闊，自然有利財運。任職電影、編劇者，蛇年表現也有突破之象，有機會憑作品獲得殊榮。

不過「華蓋」也有孤軍作戰的意思，蛇年無論工作伙伴、下屬的助力俱不大，必須咬緊牙關，獨力堅持。另因「白虎」星代表脾氣暴躁的女性，故蛇年最好避免跟女性的拍檔、下屬或客人太過緊密合作，以免受對方情緒牽動，甚至因財失義，反目收場。偏財方面，蛇年並非橫財進帳之年，財運全靠個人實力；投機、投資必須憑個人對股票的認識，以眼光取勝，不宜依靠別人提供的小道消息作投機取向。

【事業】

因「華蓋」寓意才華洋溢，從事與創作及思考有關工作者，蛇年才藝特別出眾，靈感不絕，創作意念備受各方認同及讚賞，個人才幹得以發揮。但此星同時具有恃才傲物、孤芳自賞的特質，享受獨處的同時，也有自視過高之象，不太願意跟同事合作，寧願親力親為。如此自然影響團隊合作精神，人際關係也會受到影響。為免種下禍根，蛇年切忌鋒芒過露，適時聽取同事、朋輩的意見，才有利長遠發展。

倘若有意轉換工作，蛇年也容易得到新任僱主的賞識，但要提防與新同事的相處有較多問題，因而招致是非。如繼續留守原有的公司，雖然有升職加薪的機會，但也要提防同事在背後說三道四。為免招來是非口舌，蛇年應以低調的態度行事。另外，如工作上需要團體合作，因蛇年與同事間的協調不佳，也有困難的意象，未必能如預期般順利完成工作。若從事面對客戶，如銷售或客戶服務方面工作的人士，則更加要注意。

【感情】

蛇年的感情運僅屬一般，肖牛者受本身生肖屬性的影響，脾性倔強，相較其他生肖固執，遇到困難喜歡自行解決，鮮有接受他人的意見。加上蛇年受「華蓋」星那種孤芳自賞的力量牽動，處事會更固執，故蛇年真正的桃花運寥寥可數。單身人士儘管有機會認識異性，總覺對方配不上自己，或未及深入了解便主觀地認為與對方性格不合；而自己毫無好感的異性，卻有死纏爛打之象。故蛇年的感情處於追逐的階段，較難尋覓可深入發展感情的對象。

另外，受「白虎」及「空亡」兩顆凶星影響，單身男士容易遇上性格急進的女士，個性較野蠻，是否適合長遠發展則要自行判斷。已有伴侶者則常感雙方性格不合，因而影響感情。其實蛇年不妨多花心思發掘與伴侶的共同興趣，或相約雙方好友結伴聚會出遊，增加共同話題，兼有旁人分散戾氣，感情才有望歷久常新。否則，蛇年容易有孤寂的感覺，最終苦了自己，也傷了與伴侶之間的感情。

【健康】

肖牛者健康方面的衝突較大，要格外留神。首要，「羊刃」星帶動下，容易出現破相開刀之意外；危險性高的運動，如爬石、滑雪及潛水等皆不適宜，駕駛人士更需時刻注意道路安全，切勿心浮氣躁。工作上常要接觸金屬、機械的肖牛者更要特別留心。在龍年完結前不妨先作全面的身體檢查，以求安心；踏入蛇年之初，也適宜以捐血或洗牙來化解輕微的血光之災，並購買足夠的意外或住院保障，務求安心。此外，「白虎」具有被動物咬傷之象，日常避免接觸動物之餘，若家中養有寵物，也要特別留意寵物的情緒。

另外，受到「天哭」及「凶亡」兩顆凶星的影響，必須提防出門過程中遇上驚嚇及阻礙。再者，「天哭」代表負面情緒，加上「華蓋」星的帶動，蛇年易生孤寂感覺。為免情況加劇，蛇年宜盡量避免探病問喪，不妨多參與別人的喜慶飲宴，從中沾染喜樂氣氛。另外也可投入大自然的懷抱，吸取各方的正能量，均有助穩定情緒。

一九二五年：乙丑年（虛齡八十九歲）

蛇年整體運勢不俗，雖然年事已高，但思路清晰，樂觀積極，參與朋友或家人之間的聚會，相處愉快，生活多姿多彩。但卻要留意蛇年受人際關係影響，切勿為別人作媒或為人排難解紛，以免吃力不討好，捲入是非漩渦之中，惹來無妄之災。健康方面，提防腎臟、膀胱及前列腺等泌尿系統毛病，若有問題，宜及早就醫，切勿諱疾忌醫。

一九三七年：丁丑年（虛齡七十七歲）

蛇年受家宅運相沖的影響，易因瑣事與家人發生爭執，切勿過於堅持己見，謹記家和萬事興，適當時候要聽取別人的意見，化戾氣為祥和。特別注意農曆三月及六月，跟家人的關係劍拔弩張，但年中過後，又會恢復平靜、一切如常，結局皆大歡喜。心煩之時不妨多找志同道合的好友傾訴，有助紓解心中不快，穩定心情。本年也要分外留意眼睛方面的問題，例如視力退化、眼角膜受損脫落，或因撞傷、感染細菌等引起的眼部炎症。

一九四九年：己丑年（虛齡六十五歲）

財運順遂，但要提防親朋戚友或其他人向你提出金錢上的協助請求，諸事宜量力而為，提防損失；若決定幫助對方，更要有「一借無回頭」的心理準備。流年偏財運平平，不宜作大額的投機、投資，宜選擇二至三年以上的中長線的投資為妙。健康運方面，身體易受關節痠痛煎熬，提防肩膊、腰部及膝蓋關節等痛症，不妨多作紓緩關節的運動，有助舒展筋骨，如游泳及太極等，均是不錯的選擇。

一九六一年：辛丑年（虛齡五十三歲）

事業運、貴人運及財運俱不俗，惟需留心人際關係疲弱所帶來的負面影響，蛇年要有心理準備受小人從中作梗困擾，建議沉着面對，少理閒言。因流年備受是非口舌纏繞，與自己無關的事情，切勿加諸任何意見，處事宜低調，不宜鋒芒太露；切忌高調樹敵，應盡量廣結人緣。學習運強，有利發展興趣，不妨趁機報讀感興趣的課程，順道陶冶性情。健康上要注意腸胃不適，慎防出門旅遊或公幹時遇上水土不服，不宜進食生冷食物，以防腸胃敏感。

一九七三年：癸丑年（虛齡四十一歲）

蛇年承受沉重的工作壓力，但憑着個人堅持毅力，困難迎刃而解，表現出色。但要特別留心情緒困擾，容易因過於偏執而跟伴侶鬧翻，必須收斂脾氣，多體諒別人，化戾氣為祥和。此外，本年財運欠佳，有損耗大筆金錢之象，宜謹慎理財，以免陷入入不敷支的困境。正財運不俗，然而始終受破財之象影響，不宜投機及投資。身體健康方面，提防皮膚敏感等問題，注意飲食細節及個人衛生。

一九八五年：乙丑年（虛齡二十九歲）

貴人力量強勁，遇上困擾不妨向長輩虛心請教，對方擁有豐富的閱歷，定必能提供有效的意見，助己解決困難。事業方面，蛇年工作運順遂，表現備受認同讚賞，獲得長輩貴人的鼎力提拔，宜加倍努力把握，千萬不要辜負眾人對自己的期望。流年情緒低落、焦躁不安，實際上運勢並不差，主要是杞人憂天、思慮太多，多與友人暢談心事，有助解開心底鬱結。感情運變化不定，單身人士儘管有機會結識異性，卻未能覓得心儀對象，本年亦不宜過分急進發展，建議由朋友關係開始，有助雙方了解。

蛇 馬 羊 猴 雞 狗 豬 鼠 牛 虎 兔 龍

一九九七年：丁丑年（虛齡十七歲）

蛇年受到家宅運勢變動的影響，與家人為瑣事爭吵頻仍，損害雙方關係。其實年紀尚輕，入世未深，宜多聽取長輩的意見，切忌一意孤行，坦誠相對是解決問題的良方。學業及考試運不俗，宜趁機把握，加倍努力。感情關係反覆不定，年紀輕輕理應未有結婚的打算，那便要提防因瑣事與對方鬧翻，無奈陷入分手的邊緣。處於學習運強勁的年份，個人目標清晰，倒不如將心思放諸進修上，日後必有所回報，感情事言之尚早，還是隨緣吧！

二〇〇九年：己丑年（虛齡五歲）

蛇年最大問題是手腳受傷，因此必須加倍注意家居安全，以免被家中鋭角刺中或被家具絆倒所傷，踏單車等高危運動亦應可免則免。若子女本身性格特別活躍、好動，家長在蛇年自然要更加留心。除健康有較大問題，專注及學習動力則較往年提升，令父母深感安慰，宜藉學習運強勁，報讀興趣課程，發展多方面的潛能，為日後發展打下基礎。

流年運勢

農曆正月（西曆二〇一三年二月四日至三月四日）

事業運順遂，打工人士獲得晉升機會，權責加倍，承受沉重的工作壓力；謹記此乃事業發展不可多得的良機，個人亦有足夠才華實力，建議放鬆心情，勇敢面對挑戰，成就將有目共睹。一九四九年出生者提防手部受傷，不宜進行劇烈的運動；一九八五年出生者備受破財之禍影響，不宜投資、投機。

農曆二月（西曆二〇一三年三月五日至四月三日）

人際關係疲弱，提防陷入是非口舌爭端，所謂「言者無心，聽者有意」，慎防因言開罪別人，與自己無關的事情，不宜加諸任何意見，及切勿為別人作排難解紛的角色，否則一旦出現任何差池，更會反遭別人埋怨「好心做壞事」，將失敗問題歸咎於自己。一九二五年出生者年事已高，宜加倍注意身體健康；一九六一年出生者家宅運勢變化不定，留意家中長者的健康狀況。

農曆三月（西曆二〇一三年四月四日至五月四日）

劫財月份，不宜投機投資，日常開支亦較以往增加，宜格外留神，謹慎理財。為免受破財運勢影響，假若仍然持有股票投資，建議選擇穩健的藍籌股票，以保守及中長線的投資方向為大前提。一九六一年出生者提防喉嚨及氣管等呼吸系統毛病；一九七三年出生者留意家中長輩的健康狀況，時刻關懷對方。

農曆四月（西曆二〇一三年五月五日至六月四日）

貴人運強勁，尤其肖雞的貴人所提供的鼎力支援，有助迅速解決各方難題。應酬頻密，要注意身體健康，宜適當分配作息的時間，增加個人抵抗疾病的能力。一九三七年出生者財運疲弱，不宜投機及投資；一九七三年出生者提防眼睛出現受損、發炎、紅腫等毛病，雙目乃靈魂之窗，稍有不妥，務必要馬上就醫。

農曆五月（西曆一三年六月五日至七月六日）

處於情緒低落的月份，終日胡思亂想，事事提不起勁；本月適宜出外旅遊玩樂，驅走壓力疲勞，自然精神奕奕，身心舒泰。一九七三年出生者備受失眠困擾，精神不振；一九八五年出生者提防身體受傷，不宜進行過於劇烈的運動，外出時更要慎防意外發生。

農曆六月（西曆一三年七月七日至八月六日）

諸事阻滯不斷的月份，一切只求平穩度過。事業發展遇上重重波折衝擊，處事不宜急進，要耐心尋求解決的辦法。本月不宜作任何重大的決定，尤其關於轉換工作及高風險的投機買賣，否則容易決定錯誤，連帶影響其後的運勢。一九四九年出生者受是非口舌困擾，與別人為瑣事發生爭執，注意忍讓，減少無謂的爭鬥；一九九七年出生者與朋友為瑣事爭吵不休，損害彼此情誼。

農曆七月（西曆一三年八月七日至九月六日）

學習運強，倘若有計劃報讀課程進修，可於本月付諸實行。但本月心情特別煩躁，容易與子女後輩各持己見，暗生齟齬；毋須每事動怒，宜多作溝通，心平氣和解決問題。一九八五年出生者受失眠困擾，睡眠質素欠佳，心煩氣躁，多作紓緩身心的運動，心情放鬆，自可改善睡眠質素。

農曆八月（西曆一三年九月七日至十月七日）

諸事順遂的月份，營商人士遇到他人提出合作發展的要求；而打工一族，則受新任僱主賞識，力邀跳槽；務必要經過深思熟慮，考慮轉換工作的利與弊，同時謹記做人處事切忌鋒芒畢露，以免惹來小人攻擊，在背後說三道四。

農曆九月（西曆一三年十月八日至十一月六日）

家宅運勢不穩定，例如受附近裝修的噪音滋擾，或因受到上層鄰居漏水的影響而煩躁非常；不妨趁本月更換家具，或為居所進行簡單維修保養，以提升家宅運。健康運方面，腸胃較差，小心注意飲食。一九四九年出生者財運稍為順遂，有望在博彩賭局中獲得輕微的偏財進帳，但謹記要貫徹穩中求勝的態度行事；一九九七年出生者情緒低落，為瑣事焦慮不安，不妨相約友好傾訴，解開心中鬱結。

農曆十月（西曆一三年十一月七日至十二月六日）

運勢轉趨順遂，之前未能解決的問題終現曙光，只要上半年辛勞工作，終可獲得合理回報。正財、偏財運兩旺，可以從股票投機中獲取輕微的的偏財進帳，但要謹守「見好即收」的原則，以免「得不償失」。一九三七年出生者注意眼睛健康；一九七三年出生者意料之外的開支激增，感百上加斤。

農曆十一月（西曆一三年十二月七日至一四年一月四日）

家宅運勢不穩，留心家中長輩的健康狀況，時刻關懷對方，可於本月舉辦喜事，有助加強家宅運勢。心情煩躁，需多加耐性處理人際關係。一九四九年出生者遇到的波折重重，壓力倍增；二〇〇九年出生者容易受傷，除外出時小心提防，亦要慎防被家中雜物絆倒。

農曆十二月（西曆一四年一月五日至二月三日）

面對動盪的運勢，承受沉重的工作壓力，日以繼夜的工作模式，令你透不過氣來，毋須擔心，本月乃是「先難後易」的局面，即使遇上困難，只要加諸耐性，問題將可迎刃而解。提防陷入官非訴訟之中，與文件合約有關事宜，務必打醒十二分精神；遇上任何不明白的事宜，應向法律界專業人士請教，避免誤墮法律陷阱。一九六一年出生者家宅運不穩，與家人為瑣事爭吵，煩擾非常。

虎

太歲相刑易有爭鬥 吉星相扶逢凶化吉

肖虎開運錦囊

★蛇年有刑太歲及害太歲之象，宜貼身佩戴馬形及狗形之飾物。

★福星臨門，家中宜放吉祥掛畫，更添喜氣。

★注意道路安全，駕駛人士宜於車中掛上「保平安車掛」。

★以「施棺」方式捐助貧困家庭舉辦喪事，化解家有白事之象。

★口舌較多，宜化解流年三碧是非星之飛臨方位。

（流年吉凶方位請參看頁358）

肖虎者出生時間（以西曆計算）

二〇一〇年二月四日六時四十九分　至　二〇一一年二月四日十二時三十四分

一九九八年二月四日八時五十八分　至　一九九九年二月四日十四時五十八分

一九八六年二月四日十一時九分　至　一九八七年二月四日十六時五十三分

一九七四年二月四日十三時零分　至　一九七五年二月四日十八時五十九分

一九六二年二月四日十五時十八分　至　一九六三年二月四日二十一時八分

一九五〇年二月四日十七時二十一分　至　一九五一年二月四日二十三時十四分

一九三八年二月四日十九時十五分　至　一九三九年二月五日一時十一分

一九二六年二月四日二十一時三十九分　至　一九二七年二月五日三時三十一分

一九一四年二月四日二十三時二十九分　至　一九一五年二月五日五時二十六分

【整體運程】

肖虎者受到與流年的地支「寅巳相刑」的影響，此乃「犯太歲」的一種，要有心理準備面對「刑太歲」的變動影響，同時也有「害太歲」之象。「相刑」主要代表性格不合、互有刑剋，最大影響落在身體健康及情緒變動上，寓意人際關係出現倒退，加上「害太歲」代表有小人作祟，故此蛇年與人相處暗生爭鬥，因而影響整體運勢發展。但毋須過於擔心，「刑太歲」影響力較「犯本命年」及「沖太歲」為低，「害太歲」更是力量輕微。總之肖虎者除了處事宜有多方面準備外，蛇年不宜對任何事情期望過高，把目標設得較低，一切按部就班為佳，心情會較為愉快及穩定。

「刑太歲」既屬「犯太歲」之一，故流年運勢也是宜動不宜靜，所謂「一喜擋三災，無喜是非來」，倘若計劃於蛇年進行人生三大喜事，如結婚、添丁或置業，自可化解是非的禍端，能將「犯太歲」的負面影響減至最低。若無喜事舉行，蛇年的情緒及健康也較易受影響。倘若計劃於本年發展開拓全新的業務，也只宜作小本投資經營，謹記不宜急進，務必以保守、穩健的原則行事。其實，「犯太歲」屬於一個中性名詞，帶來的變動並非一面倒，只要時刻保持身心愉快，便可將毛病、煩惱一掃而空。

其實肖虎者蛇年得「天德」、「福星」及「八座」等吉星從中協助，一切不必太杞人憂天。「天德」屬於力量非常強勁的大貴人吉星，寓意獲取得力貴人的支持；此星同時具有慈祥和悅及逢凶化吉的意象，流年儘管波折重重，最終定必能夠逢凶化吉。「福星」主福祿壽元，能增福添壽，財祿源源不絕，更與「刑剋太歲」起相互抗衡的作用；「八座」則是思想正面及帶有運氣的幸運吉星，有助心態更加積極。

然而，在「太歲相刑」底下，始終要注意有「吉中藏凶」的意象。健康方面，要特別留意關節毛病，一直受腰頸背痛困擾的人士，提防舊患有惡化的迹象。家宅方面則要留意家中長輩的健康狀況，時刻關懷對方。肖虎者流年尚有其他凶星入主，包括「劫煞」及「披麻」；此兩星皆寓意家宅運的波動，並要特別慎防家居意外。蛇年宜落實搬遷、家居維修或重新粉飾家居的計劃，即使髹油或更換牀褥，也有助應驗家宅運的變動影響。

【財運】

蛇年有幸得到「天德」、「福星」等與貴人及幸運有關的吉星拱照，財運順遂。「天德」在吉星中排行第一位，意思是具天之德行，象徵上天庇佑、貴人多助，有逢凶化吉、慈祥和悅的意象；從商者繼續發展原有的生意範疇，在舊有客戶的鼎力支持下，毋須主動尋找進財的機會，依然可以維持固定的生意額。偏財方面，受「福星」的帶動，有幸運之財臨門，買彩票、小額賭博或股票投機等也易有收穫。但始終有「刑太歲」之影響，流年總潛藏不穩定的因素，投機不宜太過進取，見好即收為佳，以免橫發橫破。

此外，倘若計劃於蛇年作市場推廣或拓展業務，表面上發展理想，但也要慎防情況急轉直下。例如接下訂單後，才發覺原材料供應出現問題，難以完成訂單；或遇上不可靠的客戶，對方存心欺騙。總之意料之外的狀況時有發生，務必要作「好天收埋落雨柴」的準備，預留儲蓄作應急用途，以防入不敷支。

【事業】

在「天德」、「福星」及「八助」等貴人星的鼎力支援下，蛇年整體事業不單得到貴人的賞識及支持，個人鬥志也強勁，思路清晰，深明適合自己的發展方向，有勇往直前之象。但留意流年受到「犯太歲」及「寅巳相刑」的影響，加上也有代表被別人陷害的「六害」星出現，對方四出散播不利自己的謠言，令人困擾，唯有盡量做好本分，慎言為重。

蛇年雖有貴人、長輩悉心提拔，但人際關係始終存在不利因素。流年身邊易有小人從中作梗，也容易招來同輩之間的竊竊私語，在背後說三道四，向自己大放暗箭。另要提防晉升過程中無端出現波折，例如有人跟你競爭或上司突然擱置升任決定，謹記蛇年事業運並非一帆風順，要有心理準備面對一番驚濤駭浪，才可達至目標。若有意於蛇年落實轉換工作的人士，要留意農曆正月、四月及十月，這些月份比較波動，絕非合適的時機，應考慮及觀察清楚，以免輕率作出錯誤決定。

【感情】

蛇年受到「福星」拱照，人際關係順遂，情侶理應較以往減少爭拗。但因處於「犯太歲」的年份，「福星」的力量相對減弱。又因受到「寅巳相刑」的影響，與對方關係漸起變化，總覺得雙方性格不合，對於問題處理方向不同，暗生齟齬，感情轉趨平淡，卻不至陷入分手邊緣，只是心底懷疑是否選擇錯誤。

單身男女在蛇年有機會遇上心儀對象，但對戀愛的追求意欲較低，同時要注意受到對方朋友或家人的唆擺，因而影響感情發展。即使剛剛開始的感情關係，亦已感覺相處乏味，倒不如將心思放在事業發展為妙。已婚人士也容易覺得伴侶對自己的了解不足，雙方關係裹足不前，建議蛇年與伴侶以聚少離多的方式相處，專注發展個人事業及興趣，反可減少雙方無謂的爭執。總之蛇年並非大桃花年或結婚年，加上受「犯太歲」及刑剋影響，難免影響感情關係，宜抱平常心面對，並要多加留心伴侶的身體健康。

【健康】

受「寅巳相刑」影響，蛇年要加倍留意腰骨關節的痛症，本身患有關節舊患的朋友，例如膝蓋退化、韌帶有傷患者，更要小心提防；不妨多作如游泳、瑜伽等紓緩筋骨的運動，對關節有傷害的劇烈運動則應盡量避免，以防再次扭傷舊患。駕車人士需時刻注意道路交通安全，容易有輕微碰撞；喜歡踏單車的話也要時刻留神，駕電單車則更加可免則免。

另外太歲相刑下，備受傷風、感冒及咳嗽等小毛病纏繞，也有機會出現皮膚紅腫、敏感及發炎等症狀。猶幸獲「天德」及「福星」照耀，最終也能夠逢凶化吉；例如遇上醫術高明的醫生，在對方悉心照料下，疾病可逐步康復過來。建議在踏進蛇年之際，以洗牙及捐血來化解輕微血光之災，或多作贈醫施藥的捐獻，預先應驗健康破財之象。家宅運方面，留意家中長輩的健康狀況，時刻關懷對方；同時也要留心伴侶的身體健康。

一九二六年：丙寅年（虛齡八十八歲）

雖然年事已高，但行動依然敏捷，精力充沛，能夠積極參與朋友或家人之間聚會，而且相處愉快。但卻要留意受到流年與出生年的天干「水火相沖」的影響，身體方面要提防與心臟及血壓有關的疾病；患有心臟病及高血壓的人士，慎防病情轉差，可以計劃作全面的身體檢查，未雨綢繆，以求安心。

一九三八年：戊寅年（虛齡七十六歲）

由於受到出生年與流年天干「戊癸相合」的帶動，影響主要落在家宅運上，情緒較為悲觀，是以個人情緒不穩，精神容易緊張。為令心情放鬆一點，不妨相約好友暢談心事，多接觸大自然，吸取源自大自然的正能量，或作紓緩身心的的運動，太極及瑜伽均屬不錯的選擇。蛇年運勢反覆不定，投機或投資還是以保守的態度行事。為免辛苦賺來的金錢付諸流水，每當賺取可觀的收入時，不妨選擇將資金化為實物，或以選購心儀物件的方式「破歡喜財」化解。

一九五〇年：庚寅年（虛齡六十四歲）

提防陷入是非口舌之爭，所謂「言者無心，聽者有意」，慎防因失言開罪別人，與己無關的事情，不宜加諸任何意見，及切勿為別人作排難解紛的角色，反而會遭到別人的埋怨，將失敗問題歸咎於自己。身體健康方面，提防關節扭傷，一直受到腰頸背痛困擾的人士，提防舊患有惡化的迹象，多作如游泳、瑜伽等紓緩筋骨的運動。

一九六二年：壬寅年（虛齡五十二歲）

整體運勢較往年順遂不少，事業具有突破性的發展，從商人士倘若計劃於蛇年投資小生意，可以一試。但要提防受到家宅動盪影響，親朋戚友提出財政上的協助請求，切勿逞強，及要有「一借無回頭」的心理準備；加倍留意家中長輩健康狀況，時刻關懷對方。偏財方面，提防陷入破財之禍，不宜作短炒投機買賣，可以選擇兩至三年中長線的投資。健康運疲弱，尤其要提防肝臟問題，若閒時愛與友人摸摸酒杯底的，蛇年還是少飲為妙，飲食方面亦要留神，慎防染上肝炎頑疾。

一九七四年：甲寅年（虛齡四十歲）

蛇年運勢反覆不定，處事不宜急進，以保守穩健的態度行事，才可以度過動盪的年份。從商或有意發展開拓業務的人士，上半年並非合適的時機，千萬不要急於實行，建議於下半年才落實發展開拓業務的決定，否則，有機會承受投資失誤的風險。打工人士蛇年貴人運不俗，得到上司的悉心提拔，有利事業發展，但要慎防個人鋒芒太露，處事應盡量低調，多聽取別人意見，免招無謂的爭鬥。有意計劃於蛇年落實轉換工作的決定，上半年絕非合適的時機，應留待下半年才作重要的決定。健康疲弱，備受傷風、感冒及咳嗽等毛病困擾，多加留意自己的身體狀況。

一九八六年：丙寅年（虛齡二十八歲）

事業發展穩步上揚，具有突破性的發展方向，朝向個人目標，努力不懈；打工人士職位提升的同時，薪金增幅也會令人滿意。從商人士財運稍稍順遂，但不宜期望有貴人的協助，蛇年每事要依靠自己，親力親為，更要留意因員工辦事不力而加添煩惱。人際關係疲弱，提防與同事及生意伙伴暗生齟齬，為瑣事爭吵不休，影響自己的情緒。為免陷入官非訴訟之中，與文件及合約有關的事宜，要格外小心，務必打醒十二分精神。

一九九八年：戊寅年（虛齡十六歲）

情緒反覆不定，終日為感情煩惱不已，年紀輕輕，思想成熟，早已覓得可發展的戀愛對象，為感情問題困擾；對於這段清純的戀情，實在不宜過分認真，每當遇上感情煩惱，不妨向家人朋友傾訴，對方必定願意成為自己的聆聽者。蛇年學習運一般，對於學習的動力銳減，處於求學階段，還是專注學業發展為妙。

二〇一〇年：庚寅年（虛齡四歲）

學習運強，學業進度相當理想，父母可為孩子報讀學前小組，為正式入學作好全面的準備。但要注意蛇年容易跌倒、碰撞受傷，要加倍注意家居安全，提防被家中銳角所傷。其他問題不大，情緒也算穩定樂天，能為家中帶來不少歡樂。

流年運勢

農曆正月（西曆一三年二月四日至三月四日）

人際關係疲弱，備受是非口舌纏繞的月份，為免因言開罪別人，還是「少說話，多做事」為妙。一九五〇年出生者與別人為瑣事爭吵不休，注意控制個人情緒；一九七四年出生者陷入破財之禍，不宜投機投資及避免為人作借貸擔保。

農曆二月（西曆一三年三月五日至四月三日）

本月應酬不斷，公事上及與朋友間的聚會頻密，吃喝玩樂，飯局不絕；注意體重上升，盡量減少不必要的應酬，及注意作息時間的分配。姻緣運處於糾纏不清的階段，已有伴侶的人士，切勿對異性過於熱情，以防破壞與伴侶多年的感情關係；單身人士遇上心儀對象，但處於桃花不穩定的狀況，切勿過度投放感情；男士注意抵抗外間誘惑，出入煙花之地，更要適可而止。一九五〇年出生者家宅運不穩定，提防上層鄰居單位漏水，構成滋擾；一九六二年出生者是非口舌不絕，慎言為重。

農曆三月（西曆一三年四月四日至五月四日）

財運順遂，可作適量的投機投資。桃花運強勁的月份，感情出現突破性的發展，一直渴望覓得心儀對象的，務必要把握本月時機。一九八六年出生者親朋戚友提出財政上的協助請求，切勿逞強，量力而為，及要有「一借無回頭」的心理準備。

農曆四月（西曆一三年五月五日至六月四日）

事業發展阻滯不斷，處事節外生枝，遇到困難不要獨力承擔，不妨向經驗豐富的長輩尋求協助，尤以肖馬者及肖狗者，對自己助力最大，在肖馬、肖狗貴人提供的鼎力支援下，問題自然能夠迎刃而解。一九三八年出生者情緒低落，終日胡思亂想，宜與好友傾訴，有助紓解不安的心情；一九六二年出生者備受失眠困擾，難以安睡。

農曆五月（西曆一三年六月五日至七月六日）

財運順遂，偏財運同樣理想，投機投資可更為進取，但亦要對投機項目作詳細分析及研究，及作好見好即收的準備，切勿因過於貪婪，令賺取的金錢付諸流水。已婚人士與伴侶因子女問題爭吵，各持己見，宜諸事忍讓，萬事有商量，一切以和為貴。一九七四年出生者財運順遂，可以積極尋求財運進帳的機會，股票投機可略為進取。

農曆六月（西曆一三年七月七日至八月六日）

學習運強勁，建議報讀與工作有關的課程，進修增值，為事業發展鞏固根基。本月同時能夠遇到得力貴人的扶助，務必要把握難得的機遇，藉貴人的支援，勇往直前，令事業發展更上一層樓。一九五〇年出生者貴人運勢強勁，營商者宜好好把握，受僱人士亦可趁此機會發揮表現；一九八六年出生者提防口舌是非，謹記諸事忍讓。

農曆七月（西曆一三年八月七日至九月六日）

處事波折不斷，原以為事情發展盡在自己掌握之中，卻突然出現不少擾人的阻滯，加上支援力不足，深感氣餒；切勿意氣用事，不妨理智分析問題的癥結，加諸耐性才可渡過難關。一九五〇年出生者備受破財運勢影響，不宜投機及投資；一九七四年出生者本月受出生年與流年天干地支相沖，家宅運不穩，可落實裝修家居的決定，有助增強家宅運勢。

農曆八月（西曆一三年九月七日至十月七日）

運勢回復穩定，前陣子未能解決的問題，亦終可順利解決，事業發展顯露曙光。但切勿因而掉以輕心，提防陷入官非訴訟之禍，與文件合約有關的事宜，務必打醒十二分精神；即使與舊有客戶合作無間，亦不要輕易相信對方，遇有任何不明白的細節，應向法律界專業人士請教。一九五〇年出生者備受破財運影響，不宜投機及投資，免招損失；一九八六年出生者提防喉嚨及氣管等呼吸系統毛病。

農曆九月（西曆一三年十月八日至十一月六日）

貴人運強勁，如向肖馬者尋求協助會較容易取得成功。本月應酬頻繁，慎防終日吃喝玩樂，最後引致飲食過量，腸胃不勝負荷，飽滯脹痛，最終苦了自己。桃花運強勁的月份，已婚人士為免受到桃花旺的影響，因而影響婚姻生活，切勿對異性過於熱情。一九二六年出生者年事已高，身體稍有不妥，務必要馬上就醫。

農曆十月（西曆一三年十一月七日至十二月六日）

為建立鞏固的人際網絡，因而承受沉重的工作壓力，同時應酬頻繁，日以繼夜的工作模式讓你透不過氣來，務必要注意作息時間的安排。本月運勢「吉中藏凶」，每事易節外生枝，為免受到突如其來的變動影響，處事宜作兩手準備。不要期望過高，宜視本月為事業播種期。一九六二年出生者受破財之禍影響，不宜投機及投資。

農曆十一月（西曆一三年十二月七日至一四年一月四日）

諸事順遂的月份，事業發展理想，具有突破性的發展方向，個人心態正面積極，每事盡在掌握之中。財運同樣令人滿意，可以從股票投機中略有斬穫，但要注意家宅運勢不穩定，提防家中長輩的健康狀況，時刻關懷對方。一九五〇年出生者與別人為瑣事爭吵不休，注意控制個人情緒；一九九八年出生者學業壓力大，注意情緒及專注力問題。

農曆十二月（西曆一四年一月五日至二月三日）

正、偏財及事業運同樣順遂，可以作股票買賣的決定，但還是抱着保守的態度行事，每當有可觀的股票進帳，應懂得收放自如的道理，以防得不償失。身體健康響起警號，需加倍注意飲食及作息時間的分配，增強個人抵抗病菌的能力。一九七四年出生者財運疲弱，不宜投機及投資；二〇一〇年出生者提防碰撞受傷。

兔

運勢回穩工作順利 文昌大旺有利進修

肖兔者出生時間（以西曆計算）

二〇一一年二月四日十二時三十四分 至 二〇一二年二月四日十八時二十四分
一九九九年二月四日十四時五十八分 至 二〇〇〇年二月四日二十時四十二分
一九八七年二月四日十六時五十三分 至 一九八八年二月四日二十二時四十四分
一九七五年二月四日十八時五十九分 至 一九七六年二月五日零時四十分
一九六三年二月四日二十一時八分 至 一九六四年二月五日三時五分
一九五一年二月四日二十三時十四分 至 一九五二年二月五日四時五十四分
一九三九年二月五日一時十一分 至 一九四〇年二月五日七時八分
一九二七年二月五日三時三十一分 至 一九二八年二月五日九時十七分
一九一五年二月五日五時二十六分 至 一九一六年二月五日十一時十四分

肖兔開運錦囊

★接觸動物時要加倍謹慎，提防受到驚嚇或意外受傷。

★玉堂星入主，宜在家中擺放具有「金玉滿堂」吉象之風水物品。

★文昌星入主，宜於書桌擺放綠水晶，進一步提升工作表現。

★流年有利進修增值，報讀課程正是理想時機。

★工作運強，宜再加以催旺流年四綠文昌星之方位。

（流年吉凶方位請參看頁358）

【整體運程】

於過去的壬辰龍年，肖兔者因受到「害太歲」的影響，人際關係較為疲弱，個人情緒也有點低落，間接拖累工作，對事業發展形成障礙。踏入癸巳蛇年，肖兔者與太歲無沖也無合，屬穩定性高的一年。既然蛇年運勢平穩，各方面都將有明顯的改善，加上受到「文昌」星及「玉堂」星兩顆吉星的鼎力支援，蛇年事業及財運發展同樣理想，即使龍年有感諸事不順，蛇年也將可重新出發，收復失地。

因受「文昌」吉星的拱照，肖兔者在蛇年的事業運發展不俗，因此星有助升職及讀書運勢，尤其有利文職人士或創作性高的工作。若從事寫作、編劇、廣告或設計行業等之肖兔者，才華將得以徹底發揮。又因「文昌」星大旺，思路清晰，蛇年宜好好把握增值進修的機會，不妨選擇報讀與工作有關的課程；若公司內部有升職考核的機會，蛇年也是理想的投考時機。總之蛇年乃為未來事業發展鋪路之良機，有助日後事業更上一層樓。

除「文昌」星外，蛇年也有「玉堂」貴人吉星的照耀。此星寓意金玉滿堂，具有貴人及獲取財富的意象，因而蛇年可望有不俗的財富進帳，乃事業運和財運俱有進步的好年份。惟偏財方面因受「文昌」星的影響，只宜選擇經個人頭腦分析及研究的組合作投資，不宜聽信小道消息，故此希望投資獲利的朋友就要多加努力了。感情運上，感情空白多時的單身肖兔者，也有利於蛇年遇上心儀對象，着實可喜可賀。

蛇年整體運勢穩定，但因受到「天狗」、「吊客」、「破碎」及「災煞」等與意外驚嚇之象相關的凶星影響，若有出門機會必須更加謹慎，提防遇上意外驚嚇及阻滯。例如不論是與家人出外旅遊或因公事出差外地，同樣要注意因天氣變化而導致航班延誤、遺失行李，或遇上輕微交通意外等事故，建議應預先購買足夠的旅遊保險作保障。此外，受「天狗」及「吊客」影響，蛇年最好避免探病問喪，以免受到不必要的驚嚇及沾染不利運勢。另外，「破碎」、「災煞」都是代表容易受傷的凶星，故蛇年謹記不宜進行高危或刺激性的活動。

【財運】

蛇年有幸得到「玉堂」照耀，提供強勁的貴人力量，因而有利獲取可觀的財運進帳，例如在舊有客戶的介紹下，可認識更多具有發展潛力的客戶。另外，受「文昌」星的影響，蛇年個人頭腦清晰，創意靈感一觸即發，從商人士不宜因循守舊、故步自封，必須動腦筋出奇制勝，以新橋段及噱頭引人注目，構思一些與市場接軌的新方案，方可引起消費者的興趣。

偏財方面，受「文昌」星的影響，個人思路清晰，只要經過自己透徹分析及研究的投資組合，也大有機會獲取不錯的偏財。然而由朋友而來的小道消息，則不宜過於信賴，也不利與別人合作投機。總之蛇年投資切勿假手於人，凡事要靠親力親為，努力換取回報為上。蛇年未必是大得財年，但正、偏財均穩定性高，原則上不太憂慮金錢。有閒錢之餘又受「文昌」星的照耀，不妨藉蛇年學習運強勁，花點錢進修增值，既可陶冶性情、紓解壓力，也有利增廣見聞，為未來而好好裝備自己。

【事業】

打工人士在「文昌」吉星的鼎力支援下，個人鬥志強勁，擁有堅毅不屈的精神，又由於受到「玉堂」貴人星的帶動，個人才幹備受認同之餘，蛇年人際關係特別順遂。同事願意與自己並肩作戰，團隊精神得以徹底發揮，若為管理階層，更有上下一心之象。

「文昌」在古代乃莘莘學士和做官者仕途上的大吉星，肖兔者流年既得此星入主，象徵蛇年處於事業運及學習運皆進步上揚的年份，而且更有利於考核、面試。若有意轉換工作，蛇年確實是最佳時機；如有心儀已久的工作，更不妨在蛇年主動出擊應徵或投考。受「文昌」吉星拱照，除有利文職人士外，從事思考及創作有關的工作，例如編劇、寫作及廣告等行業者，蛇年也有才華洋溢之象，靈感不絕，作品容易受到各方認同。蛇年也是進修增值的良機，除了可報讀與工作有關的課程，若打算參加公司的內部升遷考核，蛇年務必要加以爭取，自可事半功倍，為未來的事業發展開創新的機遇。

【感情】

龍年時受到「卯辰相害」的影響，「相害」即寓意被人陷害之象，人際關係受到破壞，與伴侶間的相處也易起變化，總覺得雙方性格不合。踏入蛇年，人際關係明顯較龍年佳，諸事順遂兼得貴人扶持，對整體運勢發展有莫大幫助。感情方面也相對穩定，自己的心情亦較好。肖兔者受本身生肖屬性影響，分析力強，惟決定性差，常難以爽快下決定。但蛇年受「文昌」星的牽動，思路清晰，尤其在感情上，確切知道自己的方向，不會像以往般婆婆媽媽、猶豫不決，更大有機會於本年選定拍拖對象。

若一直孤單多年，渴望得到異性的愛護及關懷，蛇年容易在進修環境或辦公室裏覓得可發展對象。但謹記蛇年桃花運始終較平淡，並非多姿多彩的年份，戀情發展緩慢，不要期望姻緣可立竿見影，有很大的躍進；不妨先從朋友關係培養感情，加深雙方了解，有助他日發展一段更鞏固的感情。已有伴侶人士在蛇年的姻緣運也屬穩定，儘管未有結婚的打算，亦可望平穩過渡、相處融洽。

【健康】

蛇年整體健康並無大礙，卻要注意進修及工作而來的壓力，多作紓緩身心的運動或多與友人到戶外玩樂為佳。此外，受「天狗」及「吊客」星的影響，提防在出差或旅遊的過程中遇到驚嚇及阻滯，例如受到天氣影響令航班延誤、遺失行李或遇上交通意外等等，同時也不宜進行高危的運動，如潛水、滑雪、爬石及跳傘等活動可免則免。「天狗」同時具有容易受傷、輕微血光之災的意象，出門倘若選擇以自駕遊形式玩樂，也要提防發生交通意外，切勿粗心大意。

飲食方面切勿進食過量生冷食物，以免觸發腸胃毛病，謹記預先購買旅遊保險，便有助減低意外所引致的金錢損失。「吊客」入主，代表蛇年不利探病問喪、以免對運勢構成負面影響；不妨多參與別人的喜慶飲宴，從中沾染別人的喜悅及正能量，也有利穩定自己的運勢，驅走負面的能量。另外，「破碎」、「災煞」同時影響家宅運，蛇年不妨作搬屋、更換家具及裝修家居的決定，適量的動土有助緩和家宅不利的運勢。

一九一五年：乙卯年（虛齡九十九歲）

整體運勢不俗，惟處於思想運的年份，容易胡思亂想，總覺得後輩冷落自己；年事已高，仍然為瑣事焦慮不安，實質只是自己杞人憂天，毋須過於執著。閒時與志同道合的好友茗茶聚會、欣賞電影，或多參與別人的喜慶飲宴，沾染喜樂的氣氛，生活充實且快樂，反而是最有效的養生之道。身體健康方面，提防與心臟及血壓有關的疾病，患有心臟病及高血壓的人士，慎防病情轉差，建議作全面的身體檢查，以求安心。

一九二七年：丁卯年（虛齡八十七歲）

來到蛇年，丁卯年出生者人際關係變得疲弱，脾氣暴躁，過於堅持己見。因為自己心情問題，提防與別人為瑣事爭吵不休，影響健康，凡事宜以和為貴，免去和別人爭執的機會。家宅運勢衝擊不斷，適宜自行裝修居室及更換家具，換上米色或白色的家具、家品，有助應驗家宅變動所構成的影響。健康方面，提防眼睛毛病，像是視力退化、發炎紅腫，如有這方面的問題，宜及早求醫，及作好修補眼角膜、或做如白內障等眼部小手術的準備。

一九三九年：己卯年（虛齡七十五歲）

己卯年出生的朋友，踏入蛇年後健康運表現得較為疲弱，故需加倍注意健康狀況。此外，也出現了容易身體受傷的意象，特別要多加留意腰背、膝蓋等與關節骨骼有關的，撞倒扭傷的問題；同時要注意家居安全，提防浴室滑倒等家居陷阱，最好做好樓梯、浴室等防滑設備，以免滑倒。財運順遂，偏財運同樣理想，可以從股票投機中略有斬穫。然而，當中不宜太過進取，謹守「見好即收」的原則，以免得不償失。

一九五一年：辛卯年（虛齡六十三歲）

人際關係疲弱，備受是非口舌纏繞，為免因言開罪別人，謹記「少說話，多做事」，與自己無關的事情，不宜加諸任何意見，及切勿為別人作排難解紛的角色，否則一旦出現任何差池，更會反遭別人埋怨「好心做壞事」，無辜捲進別人的爭鬥之中，將失敗問題歸咎於自己。身體健康方面，提防腎臟、膀胱及前列腺等泌尿系統毛病；女士們亦要多加留意婦科方面如乳腺、卵巢等問題，定期作身體檢查，未雨綢繆。

一九六三年：癸卯年（虛齡五十一歲）

與文件合約有關事宜，務必打醒十二分精神，提防陷入官非訴訟之中。遇上任何不明白的細節，應向法律界專業人士請教，避免誤墮法律陷阱。同時要留意客戶的信貸狀況，提防遭受不良客戶的存心欺騙，切勿讓新相識的客戶拖延繳款，以防影響營運資金流動。財運順遂，偏財運卻一般，不適宜作高風險的投資。身體健康方面，受到「水火相沖」的影響，慎防有關心臟及肝臟的毛病，嗜酒人士提防肝臟疲弱，避免飲用過量酒精，以防增加肝臟的負荷。

一九七五年：乙卯年（虛齡三十九歲）

度過艱辛的龍年，踏入蛇年，乙卯年出生者在人際關係、感情及財運轉趨順遂，終可鬆一口氣，重新出發。由於心情好轉，貴人運亦強勁，事業發展順遂，可以積極部署下半年的發展。有意轉換工作的人士，同樣可以得到別人的賞識，獲得升職加薪的機會。但要注意運勢才剛好轉，投資切忌進取，要謹守「見好即收」的原則，及只可作中長線的股票買賣，以免得不償失。

一九八七年：丁卯年（虛齡二十七歲）

一如過去龍年的情況，丁卯年出生者在蛇年中，家宅運勢繼續出現動盪，宜多留意家中長輩的健康狀況，時刻關懷對方。個人情緒不穩，脾氣暴躁，每事動怒，與別人為瑣事發生爭執。注意忍讓，需多加耐性處理人際關係，接受別人意見，廣結人緣，減少無謂的爭鬥。注意眼睛健康，提防出現視力退化、紅腫發炎等問題，眼睛乃靈魂之窗，稍有不妥，務必要馬上就醫。

一九九九年：己卯年（虛齡十五歲）

己卯年出生者延續龍年的學習運勢，蛇年的學習及考試運同樣順遂，能專注學習，學業出現突破性的發展；個人分析力較以往強勁，能夠尋找適合自己的興趣發展，令父母深感安慰。健康方面，慎防手足關節扭傷的意外，加倍注意家居安全，不宜進行劇烈的運動。

流年運勢

農曆正月（西曆二〇一三年二月四日至三月四日）

劫財月份，為免受到破財運勢影響，不宜作高風險的投機買賣，假若仍然持有股票投資，建議選擇穩健的藍籌股票，以保守及中長線的投資方向為大前提。日常開支亦較以往增加，宜格外留神，謹慎理財。提防親戚朋友中或有人向你提出借貸的要求，積蓄有限，為免受到破財影響，還是婉轉拒絕為妙。一九五一年出生者健康方面的小毛病需要注意；一九九九年出生者有輕微受傷的意象，慎防在進行運動時令手腳受傷、筋骨扭傷或肌肉過勞等問題。

農曆二月（西曆二〇一三年三月五日至四月三日）

二月的感情運處於糾纏不清的階段，已有伴侶的人士難以抗拒外間誘惑，容易陷入三角關係的糾纏中，故此切勿對異性過於熱情，以防不必要的誤會。一九五一年出生者家宅運不穩，提防與家人爭吵不休，損害彼此關係；一九七五年出生者受破財之禍影響，不宜投機及投資。

農曆三月（西曆二〇一三年四月四日至五月四日）

踏入本月份，人際關係變化不定，特別要提防是非口舌，謹記「少說話，多做事」的原則，以免捲入任何是非爭端之中。健康方面，留意腸胃疲弱，不宜進食生冷及隔夜食物，以防觸發腸胃炎，上吐下瀉，苦不堪言。一九三九年出生者手部容易受傷，不宜作劇烈的運動；一九六三年出生者備受是非口舌困擾，心情大受影響。

農曆四月（西曆二〇一三年五月五日至六月四日）

學習運強，思路清晰，宜好好把握增值進修的機會，不妨選擇報讀與工作有關的課程，進修增值，為未來事業發展鋪設順遂之路。一九五一年出生者提防喉嚨、氣管等呼吸系統毛病，吸煙者還是盡早將煙癮戒掉為妙。一九八七年出生者受破財之禍影響，不宜投機及投資，亦避免為別人作借貸擔保。

農曆五月（西曆一三年六月五日至七月六日）

五月是與自己刑剋的月份，身體健康響起警號，所以要多留意作息時間、飲食習慣及體重問題，尤其有關膽固醇及血壓方面更要特別留心，宜定期作身體檢查。一九三九年出生者備受破財之禍影響，應盡量避免為別人作借貸擔保；一九六三年出生者受失眠困擾，睡眠質素差，精神不振。

農曆六月（西曆一三年七月七日至八月六日）

人際關係順遂，應酬飯局不絕，不宜進食過量，除了加重腸胃的負荷外，更要調節作息的時間；夜夜笙歌，豈能有充沛精神繼續工作？本月工作忙碌，若獲得肖豬貴人的協助，問題將可迎刃而解。一九三九年出生者受破財運勢影響，不宜投機投資，更要謹慎理財，以防「入不敷支」；一九八七年出生者備受是非口舌纏繞，被人在背後放暗箭。

農曆七月（西曆一三年八月七日至九月六日）

受到「金木相剋」的影響，提防手足受傷，除了注意家具擺位，尤其需留意金屬引起的意外，如駕駛人士或工作需要操作大型機械者，更要分外留神。此外，本月容易與人發生爭執，宜多聽取別人意見。一九七五年出生者家宅運不穩，加倍留心家中長輩的健康狀況，時刻關懷對方。

農曆八月（西曆一三年九月七日至十月七日）

本月運勢動盪不安，要提防遇上波折困擾，處事宜有多方面準備，以應萬全。不過，仍毋須過於擔心，本月實為「先難後易」的局面，即使有困難出現，最終亦可迎刃而解。感情上同樣遇到波折，要有與伴侶爭執的心理準備。一九五一年出生者本月相沖，處事宜作多方面的準備，以應付一些突如其來的狀況。

農曆九月（西曆一三年十月八日至十一月六日）

本月出現新機遇，有機會遇到新的合作伙伴，但應用多一點時間觀察，不宜急進，以免做錯決定。一九二七年出生者受到失眠困擾，處於精神不振的狀況；一九六三年出生者提防陷入破財之禍，不宜進行投機及投資活動，及避免為人作借貸擔保。

農曆十月（西曆一三年十一月七日至十二月六日）

事業運順遂，貴人運強勁的月份，本月如能得肖羊貴人協助，將可如虎添翼。受工作壓力影響，焦慮不安，宜向朋友傾訴，解除心底的鬱結，方有足夠的正能量面對挑戰。一九八七年出生者家宅運動盪，留心家中長者的健康，及需提防眼睛毛病，如有不妥，宜及早診治。

農曆十一月（西曆一三年十二月七日至一四年一月四日）

姻緣運處於糾纏不清的階段，已有伴侶的人士，提防陷入三角關係的糾纏，切勿對異性過於熱情。人際關係倒退，備受是非口舌纏繞，小人從中作梗，為免因言開罪別人，謹記「少說話，多做事」，與自己無關的事情，不宜加諸任何意見，及切勿為別人作排難解紛的角色。一九三九年出生者加倍注意身體健康狀況；一九七五年出生者不宜投機投資。

農曆十二月（西曆一四年一月五日至二月三日）

踏入一年之盡，本月事業及財運順遂，惟需注意兄弟姊妹中，有人向你提出擔保借貸的要求，謹記量力而為，不宜逞強增添自己的財政壓力，尤其已挨年近晚，有不少地方可能都要花錢。一九五一年出生者手部容易受傷，要多加小心，劇烈運動可免則免。

龍

運勢回穩重新出發
天喜臨門喜事連綿

肖龍開運錦囊

★天喜星入主，宜同步催旺流年九紫喜慶星之方位。

★蛇年宜多作善事及祈福，贈醫施藥尤其互惠互利。

★主動搬遷或裝修家居，有利穩定家宅運。

★小毛病較多，宜於牀頭擺放銅器或白玉葫蘆。

★注意流年五黃災星及二黑病星之位置，必須加以化解。

（流年吉凶方位請參看頁358）

肖龍者出生時間（以西曆計算）

二〇一二年二月四日十八時二十四分至二〇一三年二月四日零時十五分

二〇〇〇年二月四日二十時四十二分至二〇〇一年二月四日二時三十分

一九八八年二月四日二十二時四十四分至一九八九年二月四日四時二十八分

一九七六年二月五日零時四十分至一九七七年二月五日六時三十四分

一九六四年二月五日三時五分至一九六五年二月四日八時四十六分

一九五二年二月五日四時五十四分至一九五三年二月四日十時四十六分

一九四〇年二月五日七時八分至一九四一年二月四日十二時五十分

一九二八年二月五日九時十七分至一九二九年二月四日十五時九分

一九一六年二月五日十一時十四分至一九一七年二月四日十六時五十八分

【整體運程】

肖龍者在壬辰龍年經歷了「犯本命年」之運勢，倘若並沒有於龍年舉行人生三大喜事，如結婚、添丁或置業等，或主動在生活模式上求變，難免度過了艱辛動盪的一年。倘若於龍年曾舉行喜事，則有利在蛇年把喜慶之運勢延續下來。踏入癸巳蛇年，肖龍者整體運勢已逐步安定下來，一切有重新開始之象，運勢較龍年順遂得多。即使龍年經歷了特別多變化，令你不知所措，踏進蛇年也會運勢回穩，諸事將可重新建立。

再者，蛇年喜逢「天喜」吉星入主，也會帶動喜事的機會，結婚、添丁或置業等等皆特別有利。即使是剛展開的感情關係，也會有閃電結婚的意象，或感情關係急速提升，彼此皆視對方為終生伴侶。「天喜」也屬桃花姻緣之星，所謂「男愛紅鸞，女愛天喜」，此星對女士桃花運尤其理想。但因蛇年同時受「寡宿」星的影響，有云「男忌孤辰，女忌寡宿」，「寡宿」寓意孤枕獨眠，故蛇年女士感情運特別有時好時壞之象。已婚人士要特別提防與伴侶關係轉差，雙方缺乏溝通，處於互相猜度的局面；若尚未有添丁計劃，則要慎防第三者介入婚姻關係，切勿對異性過於熱情，面對異性誘惑需加以克制。

健康方面，因受「病符」凶星的影響，蛇年要留意受傷風、感冒及腸胃等小毛病困擾，注意日常飲食細節，盡量少吃生冷及煎炸食物，多作增強身體抵抗能力的運動，同時要做好作息時間的安排。而「陌越」星寓意在面對陌生環境時，無法即時適應變化，因而承受沉重的壓力，難免會影響身心健康。另外，蛇年也有「黃幡」星的出現，寓意受到輕微的家宅問題纏繞，需加倍留意家中長者的健康狀況。

整體而言，肖龍人士蛇年運勢相當不俗，財運及事業運也較龍年順遂。又因「天喜」星拱照，喜事重重，倘若有意舉辦喜事，有利落實執行計劃，乃心想事成的一年。然而，假若蛇年未有結婚計劃，或於龍年才剛與伴侶經歷分手，蛇年要提防突然有喜或閃電結婚，最好預留儲蓄作破「歡喜財」之用。

【財運】

蛇年因受「天喜」星的照耀，運氣尚可，兼得貴人的支援，財運尚算中規中矩。從商者獲舊有客戶鼎力支持，毋須主動尋找進財的機會，依然可以維持固定的生意額，整體收入更較龍年理想。但倘若有意於蛇年開拓新的生意範疇，因受「陌越」星的影響，無法即時適應陌生環境變化，因而承受沉重的壓力。蛇年財運雖然較龍年為佳，但並非超強的財運年份，從商人士還是不宜作龐大金額的投資，注意控制成本，減省不必要的開支，否則蛇年容易會有「財來財去」的情況。

同時，蛇年受「天喜」星的牽動，代表有喜事發生，對結婚、置業或添丁皆特別有利，此外，參與別人的喜慶飲宴的機會亦大大增加，故此最好預留儲蓄。蛇年偏財運也較龍年理想，運氣上升，股票投機略有斬穫，憑個人靈感或由朋友而來的小道消息，皆可獲取小量幸運之財，惟切勿貪婪，投資不宜過分進取，宜謹守「見好即收」的原則。

【事業】

剛於龍年轉換新工作的人士，蛇年將會是適應期；而龍年未曾轉換工作的人士，蛇年將會萌生轉換工作的念頭。但因蛇年運勢回復穩定，變動的機會不及龍年般多，農曆三月及九月屬適合變動的月份，有意轉換工作的人士，可以考慮於這兩個月作出變動。

肖龍者若離開原有工作崗位，面對全新的工作環境，蛇年在「陌越」星的牽動下，未必能全面適應工作壓力。每當遇上任何難題，不要獨自承擔，不妨尋求上司及長輩的協助，幸而蛇年個人心態正面、積極，加上有貴人的幫忙，定必能夠將問題迎刃而解。倘若選擇不轉換工作，留守原有的工作崗位繼續發展，蛇年工作上亦會接觸到全新的工作範疇，但毋須擔心，蛇年與同事相處融洽，上司及下屬的支援足夠，即使工作面對困難，過程一波三折，一切只是「先難後易」的意象，只要加諸耐性，問題定必可獲解決。

【感情】

肖龍者蛇年獲得「天喜」吉星的帶動，喜事重重；倘若與伴侶拍拖多年，早有於本年結婚的計劃，蛇年將可落實執行，踏進人生另一階段，更有機會雙喜臨門，結婚、添丁同年發生。而剛於龍年與伴侶經歷分手的人士，蛇年感情有利重新出發，遇上合適發展的對象，雙方戀火熾熱，急速發展，有機會突然有喜或閃電結婚。孤單多年的單身肖龍者也可從參與別人的喜慶飲宴過程中，遇上心儀對象，加以發展。

已婚人士受「寡宿」星的影響，寓意孤枕獨眠，與伴侶關係轉差，熱情冷卻，感情轉趨平淡；惟蛇年處於喜事重疊的年份，已婚人士再次受到桃花星的帶動，要提防陷入三角關係的糾纏中，極力抵抗外來異性誘惑，不宜對別人過於熱情，若不慎遇上讓你重拾初戀情懷的異性，把持不定，便容易做出背叛伴侶的行為，影響婚姻關係。另外在「寡宿」星的影響下，除了要注意與伴侶的關係，同時要留意對方的健康狀況。

【健康】

受「病符」星的影響，蛇年較易受傷風、感冒及咳嗽等小毛病纏繞；又由於在「陌越」星的牽動下，未能即時適應全新的工作範疇及環境，承受沉重的工作壓力，心情容易低落，焦慮不安，備受失眠困擾。所以蛇年務必注意作息時間的安排，維持良好的飲食習慣及做適量的舒展運動。另外，凶星「黃幡」有招來哀傷之事的意思，與家宅運有直接的關連。若家中有年邁長者，蛇年的身體健康有大不如前之象，不妨作「施棺」善事，即捐錢予無力為家人辦理喪事的家庭，一來可積存福德，二來可應驗凶星所帶來的影響，一舉兩得。

幸好，蛇年受「天喜」星的照耀，正所謂「一喜擋三災」，若有添丁之喜，則能逢凶化吉，惟孕婦必須遵循傳統禁忌，不要在三個月內宣告懷孕消息，及避免搬動屋內家具，以策安全。雖然蛇年略受小病小痛困擾，但問題不大，反而要多注意精神層面的平衡，不宜長時間把壓力埋藏心中，否則長遠很容易對健康帶來傷害。

一九一六年：丙辰年（虛齡九十八歲）

蛇年與家人關係融洽，相處愉快，雖然年事已高，但仍然能夠積極參與後輩或朋友之間的聚會，談天說地，度過愉快的晚年生活。健康方面，受到「火金相剋」的影響，提防喉嚨、氣管及肺部等與呼吸系統有關的毛病。

一九二八年：戊辰年（虛齡八十六歲）

由於出生年與流年的年柱「戊癸相合」，影響落在家宅運勢上，容易處於不穩定的狀況，不妨選擇於蛇年作搬遷、裝修或更換家具的決定，自行減低變動的影響，否則要提防受到家居維修問題或鄰居裝修所帶來的噪音等困擾，因而影響情緒。同樣地，因受到「戊癸相合」的影響，精神不振，情緒低落，不妨多接觸大自然，或參與朋友的喜慶飲宴，放鬆心情，均會對自己的運勢有所提升。

一九四〇年：庚辰年（虛齡七十四歲）

處於學習運強勁的年份，雖然年事已高，但不妨報讀怡情養性的興趣小組，與志同道合的友人相聚，度過愉快的一年。健康方面，腸胃疲弱，務必留意與腸胃有關的病痛，加倍注意飲食，切勿進食過量海鮮及生冷的食物。出外旅遊時，尤其要小心飲食，以免水土不服，苦了自己。

一九五二年：壬辰年（虛齡六十二歲）

壬辰年出生者，龍年時因與流年天干地支相合，故此運勢特別艱辛動盪。踏入蛇年，健康運及財運轉趨穩定，終可鬆一口氣。蛇年財運順遂，投資可略為進取，有利從股票投機中略有斬穫，但要注意運勢才剛好轉，不宜過急，要謹守見好即收的原則，以免得不償失。身體健康方面，提防與心臟及血壓有關的疾病，注意飲食及作息的分配，增強個人抵抗病菌的能力。另要注意與皮膚有關的毛病，需加倍留意飲食細節及個人衛生。

一九六四年：甲辰年（虛齡五十歲）

甲辰年出生的人士，踏入虛齡五十歲，屬於變化年，運勢跟龍年一樣反覆不定；從商或有意開拓業務發展的人士，處於動盪的年份，千萬不要急於實行，務必要以保守穩健的態度行事，否則有機會承受投資失誤的風險。打工人士，蛇年貴人運不俗，上司悉心提拔，下屬通力配合，有利事業發展。家宅運方面，本年特別要留心可能會受到情緒困擾，容易因過於偏執、堅持己見，而跟伴侶鬧翻，注意控制個人情緒，諸事忍讓。健康疲弱，需加倍留心腎臟、膀胱、前列腺及婦科疾病等問題。

一九七六年：丙辰年（虛齡三十八歲）

蛇年運勢較龍年平穩，尤其家宅運明顯較龍年順遂；倘若龍年曾有大喜事發生，蛇年喜慶運將可得以延續。事業運方面，承受沉重的工作壓力，日以繼夜的工作模式，令你透不過氣；睡眠質素差，焦躁不安，建議多作紓緩身心的運動，或往短線旅遊，放鬆身心。此外，要提防陷入官非訴訟之中，與文件合約有關事宜，務必打醒十二分精神，遇上任何不明白的細節，應向法律界專業人士請教，避免誤墮法律陷阱。駕車人士亦要時刻遵守交通規則，慎防因觸犯條例，招致罰款或被扣分。

一九八八年：戊辰年（虛齡二十六歲）

受到出生年與流年天干「戊癸相合」的帶動，受負面情緒主導，精神緊張，胡思亂想；其實蛇年客觀運勢不俗，一切只是自己杞人憂天，蛇年不妨報讀與工作有關的課程作業餘進修，擴闊眼光，對個人情緒及事業發展均有莫大幫助。戀愛運疲弱，仍然處於不太穩定的階段；已有伴侶人士，心底懷疑是否選擇錯誤，惟拖拖拉拉，卻不致陷入分手邊緣，其實年紀尚輕可能時機未到，不妨將心思放諸事業及進修上。財運較龍年順遂，若沒有賭博嗜好，及只作低風險的投機買賣，蛇年將可積聚儲蓄。

二〇〇〇年：庚辰年（虛齡十四歲）

處於「多學少成」的年份，雖然想法多多，對不同事物也感興趣，但同時也因興趣太多，未能專注學習，故此也會影響整體表現。父母宜與子女多作溝通，從中發掘子女的專長和主要興趣，從旁指導或集中培訓，成效更大之餘，也有助加深彼此了解，增強親子關係。

二〇一二年：壬辰年（虛齡兩歲）

尚在幼兒階段，家長最需要提防寶寶出現輕微毛病。雖然並非大病大痛，但也會令父母擔憂不已。蛇年健康上要特別留意與皮膚及腸胃相關的毛病，除了注意嬰孩食品的質素及保存，也要提防皮膚敏感。嬰兒的護膚品必須謹慎選購，使用前多加留意成分及說明，以免寶寶出現皮膚紅腫或其他敏感徵狀。

流年運勢

農曆正月（西曆二〇一三年二月四日至三月四日）

事業發展順遂，才幹得以徹底發揮，表現備受認同及讚賞，慎防因專注事業發展而冷落家人，遭到埋怨。一九四〇年出生的人士，與家人為瑣事爭吵不休，宜諸事忍讓，減少無謂的爭鬥；一九六四年出生的人士，受破財之禍影響，不宜投機及投資，及要謹記勿為別人作借貸擔保。

農曆二月（西曆二〇一三年三月五日至四月三日）

工作壓力沉重，健康響起警號，尤其留心與皮膚及腸胃有關的毛病，注意飲食及作息時間分配，多作紓緩身心的簡單運動，身心愉快，病痛亦自然減少。一九四〇年出生的人士，受失眠困擾，精神不振；一九五二年出生的人士，提防是非口舌，所謂「言者無心，聽者有意」，慎防因言開罪權貴，與己無關的事情，切勿加諸任何意見。

農曆三月（西曆二〇一三年四月四日至五月四日）

運勢疲弱，處於波動的月份，不妨選擇出外旅遊，以「借地運」的方式加強個人運勢。上半年出生的人士宜到寒冷的地區旅遊；而下半年出生的人士則可到炎熱的地方玩樂。惟外遊過程中，需提防遇到遺失行李或航班延誤等問題，出門前應先購買旅遊保險。一九七六年出生的人士，留心家宅運及個人健康。

農曆四月（西曆二〇一三年五月五日至六月四日）

財運陷入「一得一失」的局面，投資宜以保守穩健為方向，每當賺取了一筆可觀的收入時，宜將金錢轉化為實物，投資藍籌股票為不錯的選擇。一九四〇年出生的人士，提防官司之禍，與文件合約有關事宜，務必留神，遇上任何不明白的細節，應向法律界專業人士請教；一九六四年出生的人士，受是非口舌困擾，謹記「少說話、多做事」，及切勿為別人作排難解紛的角色。

蛇 馬 羊 猴 雞 狗 豬 鼠 牛 虎 兔 龍

農曆五月（西曆二〇一三年六月五日至七月六日）

事業發展順遂，做事稱心滿意，個人才幹得以徹底發揮，職權具有增加的意象，同時涉及新的工作範疇，卻難免要承受沉重的工作壓力，需注意作息時間的分配，多作紓緩壓力的運動，太極及瑜伽均是不錯的選擇。一九八八年出生的人士，受破財運勢影響，不宜投機及投資。

農曆六月（西曆二〇一三年七月七日至八月六日）

動盪不安的月份，為免受到突如其來的變動影響，打亂原有的決定及計劃，處事宜作多方面的準備；受壓力影響，脾氣暴躁，遇到任何難題時，宜向別人提出協助的請求。一九五二年出生的人士，慎防陷入官非之禍，與文件合約有關的事宜，務必打醒十二分精神；一九六四年出生的人士，提防手部扭傷，不宜作劇烈運動。

農曆七月（西曆二〇一三年八月七日至九月六日）

貴人運強勁，肖龍者宜與肖鼠人士合作，對方提供的支援有助解決問題，將可事半功倍；此月思路清晰，決斷力強，可憑個人靈感及眼光，在投資中獲取輕微進帳。一九四〇年出生的人士，陷入破財之禍，切勿作短炒投機買賣，更不可為別人作借貸擔保；一九六四年出生的人士，與家人為瑣事爭吵不休，諸事忍讓為妙。

農曆八月（西曆二〇一三年九月七日至十月七日）

受家宅變化影響，此月適宜舉行喜事，減低不利的影響。健康方面，宜特別留意足部扭傷的意外及與腸胃有關的問題，不宜進行過於劇烈的運動，並避免進食生冷食物。一九七六年出生的人士，呼吸系統疲弱，提防與喉嚨及氣管有關的毛病，加倍注意家居環境及空氣質素，以防引發氣管毛病。

農曆九月（西曆二〇一三年十月八日至十一月六日）

此月與自己命格相沖，適宜出外旅遊；上半年出生者可到寒冷的地區，下半年出生者則可到炎熱的地區。但要提防出門過程遇到意外，如遺失行李及航班延誤等狀況；高危的活動，如潛水、爬石及滑雪等更加可免則免。一九五二年出生的人士，波折困難不斷，需加諸耐性克服。

農曆十月（西曆二〇一三年十一月七日至十二月六日）

感情與人際關係備受衝擊的月份，與伴侶因瑣事爭吵不休，凡事宜以和為貴，冷靜處理雙方分歧，以免破壞雙方建立多年的感情。正、偏兩財俱旺的月份，投機可較為進取，可以從小金額的股票投機略有斬穫，但要謹守「見好即收」的道理，以免「得不償失」。一九四〇年出生的人士，是非口舌不絕，避免因個人措辭不當，令別人暗生誤解，還是慎言為妙；一九八八年出生的人士，睡眠質素差，要加倍注意健康。

農曆十一月（西曆二〇一三年十二月七日至二〇一四年一月四日）

本月有別人提出合作的要求，面對不少新的機遇。若與男性合作，成功機會較高；與女性合作則有機會因財失義，故此應盡量避免與女性有全何金錢瓜葛，以防受到牽連，陷入破財之禍，甚至因此而反目。一九六四年出生的人士，受到劫財運勢影響，不宜投資投機；二〇〇〇年出生的人士，提防手部受傷，避免進行過於劇烈的運動。

農曆十二月（西曆二〇一四年一月五日至二月三日）

家宅運疲弱，不妨選擇於本月裝修家居或更換家具，自行應驗家宅上的變動及衝擊，提升家宅運。健康方面，需注意腸胃及消化系統方面問題，慎防消化不良，加倍注意飲食。一九四〇年出生的人士，受頭痛困擾，睡眠質素差；一九八八年出生的人士，慎防陷入官非之禍，與文件合約有關的事宜，務必打醒十二分精神。

出生日

流年運勢

從【出生日】看流年運程

環顧坊間的運程書，都喜以十二生肖作運程預測。其實單以出生年份來分出十二種類別來推算流年運程，雖有一定的參考價值，但卻未免流於簡單。因此，我便突破性地精算出六十個「出生日」（「日柱」）流年運勢預測，來補充生肖運程之不足。

「日柱」對命格的影響可說是舉足輕重的，玄學家都相信「日柱」的影響比年份、月份及時辰都要大。要是生肖流年運程好，但「日柱」流年運程卻欠佳，這是一個壞消息；而如果生肖流年運程甚差，然而「日柱」流年運程形勢卻大好，你便毋須擔心，因為你的運勢會是偏向好方面的。由於深知以「日柱」來推算流年運勢可更為準確、詳細，於是我便花盡心思為讀者精算出六十個「日柱」的蛇年運程。

那麼大家應如何得悉自己所屬的出生「日柱」？很簡單，翻閱後頁的「出生日對照表」，便可憑着自己的西曆出生年、月、日來找出命格中所屬的「日柱」了。

舉例說，你的出生年、月、日是西曆一九六〇年一月一日，那你便可翻到西曆一九六〇年那一頁，找出月、日小格子中所註明的「日柱」，查出是「戊子」；接下來，便可翻閱「戊子日」流年運勢解說本文那一頁，來查看你在蛇年的運勢。

六十【出生日】解說本文頁碼索引

日	頁
31. 甲午日	288
32. 乙未日	290
33. 丙申日	292
34. 丁酉日	294
35. 戊戌日	296
36. 己亥日	298
37. 庚子日	300
38. 辛丑日	302
39. 壬寅日	304
40. 癸卯日	306

日	頁
41. 甲辰日	308
42. 乙巳日	310
43. 丙午日	312
44. 丁未日	314
45. 戊申日	316
46. 己酉日	318
47. 庚戌日	320
48. 辛亥日	322
49. 壬子日	324
50. 癸丑日	326

日	頁
51. 甲寅日	328
52. 乙卯日	330
53. 丙辰日	332
54. 丁巳日	334
55. 戊午日	336
56. 己未日	338
57. 庚申日	340
58. 辛酉日	342
59. 壬戌日	344
60. 癸亥日	346

西曆一九三二年

12月	11月	10月	9月	8月	7月	6月	5月	4月	3月	2月	1月	月/日
丙申	丙寅	乙未	八月 乙丑	甲午	癸亥	癸巳	壬戌	壬辰	辛酉	壬辰	辛酉	1
丁酉	丁卯	丙申	丙寅	七月 乙未	甲子	甲午	癸亥	癸巳	壬戌	癸巳	壬戌	2
戊戌	戊辰	丁酉	丁卯	丙申	乙丑	乙未	甲子	甲午	癸亥	甲午	癸亥	3
己亥	己巳	戊戌	戊辰	丁酉	六月 丙寅	五月 丙申	乙丑	乙未	甲子	乙未	甲子	4
庚子	庚午	己亥	己巳	戊戌	丁卯	丁酉	丙寅	丙申	乙丑	丙申	乙丑	5
辛丑	辛未	庚子	庚午	己亥	戊辰	戊戌	四月 丁卯	三月 丁酉	丙寅	正月 丁酉	丙寅	6
壬寅	壬申	辛丑	辛未	庚子	己巳	己亥	戊辰	戊戌	二月 丁卯	戊戌	丁卯	7
癸卯	癸酉	壬寅	壬申	辛丑	庚午	庚子	己巳	己亥	戊辰	己亥	十二月 戊辰	8
甲辰	甲戌	癸卯	癸酉	壬寅	辛未	辛丑	庚午	庚子	己巳	庚子	己巳	9
乙巳	乙亥	甲辰	甲戌	癸卯	壬申	壬寅	辛未	辛丑	庚午	辛丑	庚午	10
丙午	丙子	乙巳	乙亥	甲辰	癸酉	癸卯	壬申	壬寅	辛未	壬寅	辛未	11
丁未	丁丑	丙午	丙子	乙巳	甲戌	甲辰	癸酉	癸卯	壬申	癸卯	壬申	12
戊申	戊寅	丁未	丁丑	丙午	乙亥	乙巳	甲戌	甲辰	癸酉	甲辰	癸酉	13
己酉	己卯	戊申	戊寅	丁未	丙子	丙午	乙亥	乙巳	甲戌	乙巳	甲戌	14
庚戌	庚辰	己酉	己卯	戊申	丁丑	丁未	丙子	丙午	乙亥	丙午	乙亥	15
辛亥	辛巳	庚戌	庚辰	己酉	戊寅	戊申	丁丑	丁未	丙子	丁未	丙子	16
壬子	壬午	辛亥	辛巳	庚戌	己卯	己酉	戊寅	戊申	丁丑	戊申	丁丑	17
癸丑	癸未	壬子	壬午	辛亥	庚辰	庚戌	己卯	己酉	戊寅	己酉	戊寅	18
甲寅	甲申	癸丑	癸未	壬子	辛巳	辛亥	庚辰	庚戌	己卯	庚戌	己卯	19
乙卯	乙酉	甲寅	甲申	癸丑	壬午	壬子	辛巳	辛亥	庚辰	辛亥	庚辰	20
丙辰	丙戌	乙卯	乙酉	甲寅	癸未	癸丑	壬午	壬子	辛巳	壬子	辛巳	21
丁巳	丁亥	丙辰	丙戌	乙卯	甲申	甲寅	癸未	癸丑	壬午	癸丑	壬午	22
戊午	戊子	丁巳	丁亥	丙辰	乙酉	乙卯	甲申	甲寅	癸未	甲寅	癸未	23
己未	己丑	戊午	戊子	丁巳	丙戌	丙辰	乙酉	乙卯	甲申	乙卯	甲申	24
庚申	庚寅	己未	己丑	戊午	丁亥	丁巳	丙戌	丙辰	乙酉	丙辰	乙酉	25
辛酉	辛卯	庚申	庚寅	己未	戊子	戊午	丁亥	丁巳	丙戌	丁巳	丙戌	26
十二月 壬戌	壬辰	辛酉	辛卯	庚申	己丑	己未	戊子	戊午	丁亥	戊午	丁亥	27
癸亥	十一月 癸巳	壬戌	壬辰	辛酉	庚寅	庚申	己丑	己未	戊子	己未	戊子	28
甲子	甲午	十月 癸亥	癸巳	壬戌	辛卯	辛酉	庚寅	庚申	己丑	庚申	己丑	29
乙丑	乙未	甲子	九月 甲午	癸亥	壬辰	壬戌	辛卯	辛酉	庚寅		庚寅	30
丙寅		乙丑		甲子	癸巳		壬辰		辛卯		辛卯	31

農曆初一　農曆十五

出生日對照表

西曆一九三三年

12月	11月	10月	9月	8月	7月	6月	5月	4月	3月	2月	1月	月/日
辛丑	辛未	庚子	庚午	己亥	戊辰	戊戌	丁卯	丁酉	丙寅	戊戌	丁卯	1
壬寅	壬申	辛丑	辛未	庚子	己巳	己亥	戊辰	戊戌	丁卯	己亥	戊辰	2
癸卯	癸酉	壬寅	壬申	辛丑	庚午	庚子	己巳	己亥	戊辰	庚子	己巳	3
甲辰	甲戌	癸卯	癸酉	壬寅	辛未	辛丑	庚午	庚子	己巳	辛丑	庚午	4
乙巳	乙亥	甲辰	甲戌	癸卯	壬申	壬寅	辛未	辛丑	庚午	壬寅	辛未	5
丙午	丙子	乙巳	乙亥	甲辰	癸酉	癸卯	壬申	壬寅	辛未	癸卯	壬申	6
丁未	丁丑	丙午	丙子	乙巳	甲戌	甲辰	癸酉	癸卯	壬申	甲辰	癸酉	7
戊申	戊寅	丁未	丁丑	丙午	乙亥	乙巳	甲戌	甲辰	癸酉	乙巳	甲戌	8
己酉	己卯	戊申	戊寅	丁未	丙子	丙午	乙亥	乙巳	甲戌	丙午	乙亥	9
庚戌	庚辰	己酉	己卯	戊申	丁丑	丁未	丙子	丙午	乙亥	丁未	丙子	10
辛亥	辛巳	庚戌	庚辰	己酉	戊寅	戊申	丁丑	丁未	丙子	戊申	丁丑	11
壬子	壬午	辛亥	辛巳	庚戌	己卯	己酉	戊寅	戊申	丁丑	己酉	戊寅	12
癸丑	癸未	壬子	壬午	辛亥	庚辰	庚戌	己卯	己酉	戊寅	庚戌	己卯	13
甲寅	甲申	癸丑	癸未	壬子	辛巳	辛亥	庚辰	庚戌	己卯	辛亥	庚辰	14
乙卯	乙酉	甲寅	甲申	癸丑	壬午	壬子	辛巳	辛亥	庚辰	壬子	辛巳	15
丙辰	丙戌	乙卯	乙酉	甲寅	癸未	癸丑	壬午	壬子	辛巳	癸丑	壬午	16
十一月 丁巳	丁亥	丙辰	丙戌	乙卯	甲申	甲寅	癸未	癸丑	壬午	甲寅	癸未	17
戊午	十月 戊子	丁巳	丁亥	丙辰	乙酉	乙卯	甲申	甲寅	癸未	乙卯	甲申	18
己未	己丑	九月 戊午	戊子	丁巳	丙戌	丙辰	乙酉	乙卯	甲申	丙辰	乙酉	19
庚申	庚寅	己未	八月 己丑	戊午	丁亥	丁巳	丙戌	丙辰	乙酉	丁巳	丙戌	20
辛酉	辛卯	庚申	庚寅	七月 己未	戊子	戊午	丁亥	丁巳	丙戌	戊午	丁亥	21
壬戌	壬辰	辛酉	辛卯	庚申	己丑	己未	戊子	戊午	丁亥	己未	戊子	22
癸亥	癸巳	壬戌	壬辰	辛酉	六月 庚寅	閏五月 庚申	己丑	己未	戊子	庚申	己丑	23
甲子	甲午	癸亥	癸巳	壬戌	辛卯	辛酉	五月 庚寅	庚申	己丑	二月 辛酉	庚寅	24
乙丑	乙未	甲子	甲午	癸亥	壬辰	壬戌	辛卯	四月 辛酉	庚寅	壬戌	辛卯	25
丙寅	丙申	乙丑	乙未	甲子	癸巳	癸亥	壬辰	壬戌	三月 辛卯	癸亥	正月 壬辰	26
丁卯	丁酉	丙寅	丙申	乙丑	甲午	甲子	癸巳	癸亥	壬辰	甲子	癸巳	27
戊辰	戊戌	丁卯	丁酉	丙寅	乙未	乙未	甲子	甲子	癸巳	乙丑	甲午	28
己巳	己亥	戊辰	戊戌	丁卯	丙申	丙寅	乙未	乙丑	甲午		乙未	29
庚午	庚子	己巳	己亥	戊辰	丁酉	丁卯	丙申	丙寅	乙未		丙申	30
辛未		庚午		己巳	戊戌		丁酉		丙申		丁酉	31

農曆初一　農曆十五

西曆一九三四年

12月	11月	10月	9月	8月	7月	6月	5月	4月	3月	2月	1月	月/日
丙午	丙子	乙巳	乙亥	甲辰	癸酉	癸卯	壬申	壬寅	辛未	癸卯	壬申	1
丁未	丁丑	丙午	丙子	乙巳	甲戌	甲辰	癸酉	癸卯	壬申	甲辰	癸酉	2
戊申	戊寅	丁未	丁丑	丙午	乙亥	乙巳	甲戌	甲辰	癸酉	乙巳	甲戌	3
己酉	己卯	戊申	戊寅	丁未	丙子	丙午	乙亥	乙巳	甲戌	丙午	乙亥	4
庚戌	庚辰	己酉	己卯	戊申	丁丑	丁未	丙子	丙午	乙亥	丁未	丙子	5
辛亥	辛巳	庚戌	庚辰	己酉	戊寅	戊申	丁丑	丁未	丙子	戊申	丁丑	6
十一月 壬子	十月 壬午	辛亥	辛巳	庚戌	己卯	己酉	戊寅	戊申	丁丑	己酉	戊寅	7
癸丑	癸未	九月 壬子	壬午	辛亥	庚辰	庚戌	己卯	己酉	戊寅	庚戌	己卯	8
甲寅	甲申	癸丑	八月 癸未	壬子	辛巳	辛亥	庚辰	庚戌	己卯	辛亥	庚辰	9
乙卯	乙酉	甲寅	甲申	七月 癸丑	壬午	壬子	辛巳	辛亥	庚辰	壬子	辛巳	10
丙辰	丙戌	乙卯	乙酉	甲寅	癸未	癸丑	壬午	壬子	辛巳	癸丑	壬午	11
丁巳	丁亥	丙辰	丙戌	乙卯	六月 甲申	五月 甲寅	癸未	癸丑	壬午	甲寅	癸未	12
戊午	戊子	丁巳	丁亥	丙辰	乙酉	乙卯	四月 甲申	甲寅	癸未	乙卯	甲申	13
己未	己丑	戊午	戊子	丁巳	丙戌	丙辰	乙酉	三月 乙卯	甲申	正月 丙辰	乙酉	14
庚申	庚寅	己未	己丑	戊午	丁亥	丁巳	丙戌	丙辰	二月 乙酉	丁巳	十二月 丙戌	15
辛酉	辛卯	庚申	庚寅	己未	戊子	戊午	丁亥	丁巳	丙戌	戊午	丁亥	16
壬戌	壬辰	辛酉	辛卯	庚申	己丑	己未	戊子	戊午	丁亥	己未	戊子	17
癸亥	癸巳	壬戌	壬辰	辛酉	庚寅	庚申	己丑	己未	戊子	庚申	己丑	18
甲子	甲午	癸亥	癸巳	壬戌	辛卯	辛酉	庚寅	庚申	己丑	辛酉	庚寅	19
乙丑	乙未	甲子	甲午	癸亥	壬辰	壬戌	辛卯	辛酉	庚寅	壬戌	辛卯	20
丙寅	丙申	乙丑	乙未	甲子	癸巳	癸亥	壬辰	壬戌	辛卯	癸亥	壬辰	21
丁卯	丁酉	丙寅	丙申	乙丑	甲午	甲子	癸巳	癸亥	壬辰	甲子	癸巳	22
戊辰	戊戌	丁卯	丁酉	丙寅	乙未	乙丑	甲午	甲子	癸巳	乙丑	甲午	23
己巳	己亥	戊辰	戊戌	丁卯	丙申	丙寅	乙未	乙丑	甲午	丙寅	乙未	24
庚午	庚子	己巳	己亥	戊辰	丁酉	丁卯	丙申	丙寅	乙未	丁卯	丙申	25
辛未	辛丑	庚午	庚子	己巳	戊戌	戊辰	丁酉	丁卯	丙申	戊辰	丁酉	26
壬申	壬寅	辛未	辛丑	庚午	己亥	己巳	戊戌	戊辰	丁酉	己巳	戊戌	27
癸酉	癸卯	壬申	壬寅	辛未	庚子	庚午	己亥	己巳	戊戌	庚午	己亥	28
甲戌	甲辰	癸酉	癸卯	壬申	辛丑	辛未	庚子	庚午	己亥		庚子	29
乙亥	乙巳	甲戌	甲辰	癸酉	壬寅	壬申	辛丑	辛未	庚子		辛丑	30
丙子		乙亥		甲戌	癸卯		壬寅		辛丑		壬寅	31

農曆初一　農曆十五

出生日對照表

西曆一九三五年

12月	11月	10月	9月	8月	7月	6月	5月	4月	3月	2月	1月	月/日
辛亥	辛巳	庚戌	庚辰	己酉	六月 戊寅	五月 戊申	丁丑	丁未	丙子	戊申	丁丑	1
壬子	壬午	辛亥	辛巳	庚戌	己卯	己酉	戊寅	戊申	丁丑	己酉	戊寅	2
癸丑	癸未	壬子	壬午	辛亥	庚辰	庚戌	四月 己卯	三月 己酉	戊寅	庚戌	己卯	3
甲寅	甲申	癸丑	癸未	壬子	辛巳	辛亥	庚辰	庚戌	己卯	正月 辛亥	庚辰	4
乙卯	乙酉	甲寅	甲申	癸丑	壬午	壬子	辛巳	辛亥	二月 庚辰	壬子	十二月 辛巳	5
丙辰	丙戌	乙卯	乙酉	甲寅	癸未	癸丑	壬午	壬子	辛巳	癸丑	壬午	6
丁巳	丁亥	丙辰	丙戌	乙卯	甲申	甲寅	癸未	癸丑	壬午	甲寅	癸未	7
戊午	戊子	丁巳	丁亥	丙辰	乙酉	乙卯	甲申	甲寅	癸未	乙卯	甲申	8
己未	己丑	戊午	戊子	丁巳	丙戌	丙辰	乙酉	乙卯	甲申	丙辰	乙酉	9
庚申	庚寅	己未	己丑	戊午	丁亥	丁巳	丙戌	丙辰	乙酉	丁巳	丙戌	10
辛酉	辛卯	庚申	庚寅	己未	戊子	戊午	丁亥	丁巳	丙戌	戊午	丁亥	11
壬戌	壬辰	辛酉	辛卯	庚申	己丑	己未	戊子	戊午	丁亥	己未	戊子	12
癸亥	癸巳	壬戌	壬辰	辛酉	庚寅	庚申	己丑	己未	戊子	庚申	己丑	13
甲子	甲午	癸亥	癸巳	壬戌	辛卯	辛酉	庚寅	庚申	己丑	辛酉	庚寅	14
乙丑	乙未	甲子	甲午	癸亥	壬辰	壬戌	辛卯	辛酉	庚寅	壬戌	辛卯	15
丙寅	丙申	乙丑	乙未	甲子	癸巳	癸亥	壬辰	壬戌	辛卯	癸亥	壬辰	16
丁卯	丁酉	丙寅	丙申	乙丑	甲午	甲子	癸巳	癸亥	壬辰	甲子	癸巳	17
戊辰	戊戌	丁卯	丁酉	丙寅	乙未	乙丑	甲午	甲子	癸巳	乙丑	甲午	18
己巳	己亥	戊辰	戊戌	丁卯	丙申	丙寅	乙未	乙丑	甲午	丙寅	乙未	19
庚午	庚子	己巳	己亥	戊辰	丁酉	丁卯	丙申	丙寅	乙未	丁卯	丙申	20
辛未	辛丑	庚午	庚子	己巳	戊戌	戊辰	丁酉	丁卯	丙申	戊辰	丁酉	21
壬申	壬寅	辛未	辛丑	庚午	己亥	己巳	戊戌	戊辰	丁酉	己巳	戊戌	22
癸酉	癸卯	壬申	壬寅	辛未	庚子	庚午	己亥	己巳	戊戌	庚午	己亥	23
甲戌	甲辰	癸酉	癸卯	壬申	辛丑	辛未	庚子	庚午	己亥	辛未	庚子	24
乙亥	乙巳	甲戌	甲辰	癸酉	壬寅	壬申	辛丑	辛未	庚子	壬申	辛丑	25
十二月 丙子	十一月 丙午	乙亥	乙巳	甲戌	癸卯	癸酉	壬寅	壬申	辛丑	癸酉	壬寅	26
丁丑	丁未	十月 丙子	丙午	乙亥	甲辰	甲戌	癸卯	癸酉	壬寅	甲戌	癸卯	27
戊寅	戊申	丁丑	九月 丁未	丙子	乙巳	乙亥	甲辰	甲戌	癸卯	乙亥	甲辰	28
己卯	己酉	戊寅	戊申	八月 丁丑	丙午	丙子	乙巳	乙亥	甲辰		乙巳	29
庚辰	庚戌	己卯	己酉	戊寅	七月 丁未	丁丑	丙午	丙子	乙巳		丙午	30
辛巳		庚辰		己卯	戊申		丁未		丙午		丁未	31

農曆初一　農曆十五

西曆一九三六年

12月	11月	10月	9月	8月	7月	6月	5月	4月	3月	2月	1月	月/日
丁巳	丁亥	丙辰	丙戌	乙卯	甲申	甲寅	癸未	癸丑	壬午	癸丑	壬午	1
戊午	戊子	丁巳	丁亥	丙辰	乙酉	乙卯	甲申	甲寅	癸未	甲寅	癸未	2
己未	己丑	戊午	戊子	丁巳	丙戌	丙辰	乙酉	乙卯	甲申	乙卯	甲申	3
庚申	庚寅	己未	己丑	戊午	丁亥	丁巳	丙戌	丙辰	乙酉	丙辰	乙酉	4
辛酉	辛卯	庚申	庚寅	己未	戊子	戊午	丁亥	丁巳	丙戌	丁巳	丙戌	5
壬戌	壬辰	辛酉	辛卯	庚申	己丑	己未	戊子	戊午	丁亥	戊午	丁亥	6
癸亥	癸巳	壬戌	壬辰	辛酉	庚寅	庚申	己丑	己未	戊子	己未	戊子	7
甲子	甲午	癸亥	癸巳	壬戌	辛卯	辛酉	庚寅	庚申	己丑	庚申	己丑	8
乙丑	乙未	甲子	甲午	癸亥	壬辰	壬戌	辛卯	辛酉	庚寅	辛酉	庚寅	9
丙寅	丙申	乙丑	乙未	甲子	癸巳	癸亥	壬辰	壬戌	辛卯	壬戌	辛卯	10
丁卯	丁酉	丙寅	丙申	乙丑	甲午	甲子	癸巳	癸亥	壬辰	癸亥	壬辰	11
戊辰	戊戌	丁卯	丁酉	丙寅	乙未	乙丑	甲午	甲子	癸巳	甲子	癸巳	12
己巳	己亥	戊辰	戊戌	丁卯	丙申	丙寅	乙未	乙丑	甲午	乙丑	甲午	13
十一月 庚午	十月 庚子	己巳	己亥	戊辰	丁酉	丁卯	丙申	丙寅	乙未	丙寅	乙未	14
辛未	辛丑	九月 庚午	庚子	己巳	戊戌	戊辰	丁酉	丁卯	丙申	丁卯	丙申	15
壬申	壬寅	辛未	八月 辛丑	庚午	己亥	己巳	戊戌	戊辰	丁酉	戊辰	丁酉	16
癸酉	癸卯	壬申	壬寅	七月 辛未	庚子	庚午	己亥	己巳	戊戌	己巳	戊戌	17
甲戌	甲辰	癸酉	癸卯	壬申	六月 辛丑	辛未	庚子	庚午	己亥	庚午	己亥	18
乙亥	乙巳	甲戌	甲辰	癸酉	壬寅	五月 壬申	辛丑	辛未	庚子	辛未	庚子	19
丙子	丙午	乙亥	乙巳	甲戌	癸卯	癸酉	壬寅	壬申	辛丑	壬申	辛丑	20
丁丑	丁未	丙子	丙午	乙亥	甲辰	甲戌	四月 癸卯	閏三月 癸酉	壬寅	癸酉	壬寅	21
戊寅	戊申	丁丑	丁未	丙子	乙巳	乙亥	甲辰	甲戌	癸卯	甲戌	癸卯	22
己卯	己酉	戊寅	戊申	丁丑	丙午	丙子	乙巳	乙亥	三月 甲辰	二月 乙亥	甲辰	23
庚辰	庚戌	己卯	己酉	戊寅	丁未	丁丑	丙午	丙子	乙巳	丙子	正月 乙巳	24
辛巳	辛亥	庚辰	庚戌	己卯	戊申	戊寅	丁未	丁丑	丙午	丁丑	丙午	25
壬午	壬子	辛巳	辛亥	庚辰	己酉	己卯	戊申	戊寅	丁未	戊寅	丁未	26
癸未	癸丑	壬午	壬子	辛巳	庚戌	庚辰	己酉	己卯	戊申	己卯	戊申	27
甲申	甲寅	癸未	癸丑	壬午	辛亥	辛巳	庚戌	庚辰	己酉	庚辰	己酉	28
乙酉	乙卯	甲申	甲寅	癸未	壬子	壬午	辛亥	辛巳	庚戌	辛巳	庚戌	29
丙戌	丙辰	乙酉	乙卯	甲申	癸丑	癸未	壬子	壬午	辛亥		辛亥	30
丁亥		丙戌		乙酉	甲寅		癸丑		壬子		壬子	31

農曆初一　農曆十五

出生日對照表

西曆一九三七年

12月	11月	10月	9月	8月	7月	6月	5月	4月	3月	2月	1月	月／日
壬戌	壬辰	辛酉	辛卯	庚申	己丑	己未	戊子	戊午	丁亥	己未	戊子	1
癸亥	癸巳	壬戌	壬辰	辛酉	庚寅	庚申	己丑	己未	戊子	庚申	己丑	2
十一月 甲子	十月 甲午	癸亥	癸巳	壬戌	辛卯	辛酉	庚寅	庚申	己丑	辛酉	庚寅	3
乙丑	乙未	九月 甲子	甲午	癸亥	壬辰	壬戌	辛卯	辛酉	庚寅	壬戌	辛卯	4
丙寅	丙申	乙丑	八月 乙未	甲子	癸巳	癸亥	壬辰	壬戌	辛卯	癸亥	壬辰	5
丁卯	丁酉	丙寅	丙申	七月 乙丑	甲午	甲子	癸巳	癸亥	壬辰	甲子	癸巳	6
戊辰	戊戌	丁卯	丁酉	丙寅	乙未	乙丑	甲午	甲子	癸巳	乙丑	甲午	7
己巳	己亥	戊辰	戊戌	丁卯	六月 丙申	丙寅	乙未	乙丑	甲午	丙寅	乙未	8
庚午	庚子	己巳	己亥	戊辰	丁酉	五月 丁卯	丙申	丙寅	乙未	丁卯	丙申	9
辛未	辛丑	庚午	庚子	己巳	戊戌	戊辰	四月 丁酉	丁卯	丙申	戊辰	丁酉	10
壬申	壬寅	辛未	辛丑	庚午	己亥	己巳	戊戌	三月 戊辰	丁酉	正月 己巳	戊戌	11
癸酉	癸卯	壬申	壬寅	辛未	庚子	庚午	己亥	己巳	戊戌	庚午	己亥	12
甲戌	甲辰	癸酉	癸卯	壬申	辛丑	辛未	庚子	庚午	二月 己亥	辛未	十二月 庚子	13
乙亥	乙巳	甲戌	甲辰	癸酉	壬寅	壬申	辛丑	辛未	庚子	壬申	辛丑	14
丙子	丙午	乙亥	乙巳	甲戌	癸卯	癸酉	壬寅	壬申	辛丑	癸酉	壬寅	15
丁丑	丁未	丙子	丙午	乙亥	甲辰	甲戌	癸卯	癸酉	壬寅	甲戌	癸卯	16
戊寅	戊申	丁丑	丁未	丙子	乙巳	乙亥	甲辰	甲戌	癸卯	乙亥	甲辰	17
己卯	己酉	戊寅	戊申	丁丑	丙午	丙子	乙巳	乙亥	甲辰	丙子	乙巳	18
庚辰	庚戌	己卯	己酉	戊寅	丁未	丁丑	丙午	丙子	乙巳	丁丑	丙午	19
辛巳	辛亥	庚辰	庚戌	己卯	戊申	戊寅	丁未	丁丑	丙午	戊寅	丁未	20
壬午	壬子	辛巳	辛亥	庚辰	己酉	己卯	戊申	戊寅	丁未	己卯	戊申	21
癸未	癸丑	壬午	壬子	辛巳	庚戌	庚辰	己酉	己卯	戊申	庚辰	己酉	22
甲申	甲寅	癸未	癸丑	壬午	辛亥	辛巳	庚戌	庚辰	己酉	辛巳	庚戌	23
乙酉	乙卯	甲申	甲寅	癸未	壬子	壬午	辛亥	辛巳	庚戌	壬午	辛亥	24
丙戌	丙辰	乙酉	乙卯	甲申	癸丑	癸未	壬子	壬午	辛亥	癸未	壬子	25
丁亥	丁巳	丙戌	丙辰	乙酉	甲寅	甲申	癸丑	癸未	壬子	甲申	癸丑	26
戊子	戊午	丁亥	丁巳	丙戌	乙卯	乙酉	甲寅	甲申	癸丑	乙酉	甲寅	27
己丑	己未	戊子	戊午	丁亥	丙辰	丙戌	乙卯	乙酉	甲寅	丙戌	乙卯	28
庚寅	庚申	己丑	己未	戊子	丁巳	丁亥	丙辰	丙戌	乙卯		丙辰	29
辛卯	辛酉	庚寅	庚申	己丑	戊午	戊子	丁巳	丁亥	丙辰		丁巳	30
壬辰		辛卯		庚寅	己未		戊午		丁巳		戊午	31

農曆初一　農曆十五

西曆一九三八年

12月	11月	10月	9月	8月	7月	6月	5月	4月	3月	2月	1月	月/日
丁卯	丁酉	丙寅	丙申	乙丑	甲午	甲子	癸巳	三月 癸亥	壬辰	甲子	癸巳	1
戊辰	戊戌	丁卯	丁酉	丙寅	乙未	乙丑	甲午	甲子	二月 癸巳	乙丑	十二月 甲午	2
己巳	己亥	戊辰	戊戌	丁卯	丙申	丙寅	乙未	乙丑	甲午	丙寅	乙未	3
庚午	庚子	己巳	己亥	戊辰	丁酉	丁卯	丙申	丙寅	乙未	丁卯	丙申	4
辛未	辛丑	庚午	庚子	己巳	戊戌	戊辰	丁酉	丁卯	丙申	戊辰	丁酉	5
壬申	壬寅	辛未	辛丑	庚午	己亥	己巳	戊戌	戊辰	丁酉	己巳	戊戌	6
癸酉	癸卯	壬申	壬寅	辛未	庚子	庚午	己亥	己巳	戊戌	庚午	己亥	7
甲戌	甲辰	癸酉	癸卯	壬申	辛丑	辛未	庚子	庚午	己亥	辛未	庚子	8
乙亥	乙巳	甲戌	甲辰	癸酉	壬寅	壬申	辛丑	辛未	庚子	壬申	辛丑	9
丙子	丙午	乙亥	乙巳	甲戌	癸卯	癸酉	壬寅	壬申	辛丑	癸酉	壬寅	10
丁丑	丁未	丙子	丙午	乙亥	甲辰	甲戌	癸卯	癸酉	壬寅	甲戌	癸卯	11
戊寅	戊申	丁丑	丁未	丙子	乙巳	乙亥	甲辰	甲戌	癸卯	乙亥	甲辰	12
己卯	己酉	戊寅	戊申	丁丑	丙午	丙子	乙巳	乙亥	甲辰	丙子	乙巳	13
庚辰	庚戌	己卯	己酉	戊寅	丁未	丁丑	丙午	丙子	乙巳	丁丑	丙午	14
辛巳	辛亥	庚辰	庚戌	己卯	戊申	戊寅	丁未	丁丑	丙午	戊寅	丁未	15
壬午	壬子	辛巳	辛亥	庚辰	己酉	己卯	戊申	戊寅	丁未	己卯	戊申	16
癸未	癸丑	壬午	壬子	辛巳	庚戌	庚辰	己酉	己卯	戊申	庚辰	己酉	17
甲申	甲寅	癸未	癸丑	壬午	辛亥	辛巳	庚戌	庚辰	己酉	辛巳	庚戌	18
乙酉	乙卯	甲申	甲寅	癸未	壬子	壬午	辛亥	辛巳	庚戌	壬午	辛亥	19
丙戌	丙辰	乙酉	乙卯	甲申	癸丑	癸未	壬子	壬午	辛亥	癸未	壬子	20
丁亥	丁巳	丙戌	丙辰	乙酉	甲寅	甲申	癸丑	癸未	壬子	甲申	癸丑	21
十一月 戊子	十月 戊午	丁亥	丁巳	丙戌	乙卯	乙酉	甲寅	甲申	癸丑	乙酉	甲寅	22
己丑	己未	九月 戊子	戊午	丁亥	丙辰	丙戌	乙卯	乙酉	甲寅	丙戌	乙卯	23
庚寅	庚申	己丑	八月 己未	戊子	丁巳	丁亥	丙辰	丙戌	乙卯	丁亥	丙辰	24
辛卯	辛酉	庚寅	庚申	閏七月 己丑	戊午	戊子	丁巳	丁亥	丙辰	戊子	丁巳	25
壬辰	壬戌	辛卯	辛酉	庚寅	己未	己丑	戊午	戊子	丁巳	己丑	戊午	26
癸巳	癸亥	壬辰	壬戌	辛卯	七月 庚申	庚寅	己未	己丑	戊午	庚寅	己未	27
甲午	甲子	癸巳	癸亥	壬辰	辛酉	六月 辛卯	庚申	庚寅	己未	辛卯	庚申	28
乙未	乙丑	甲午	甲子	癸巳	壬戌	壬辰	五月 辛酉	辛卯	庚申		辛酉	29
丙申	丙寅	乙未	乙丑	甲午	癸亥	癸巳	壬戌	四月 壬辰	辛酉		壬戌	30
丁酉		丙申		乙未	甲子		癸亥		壬戌		正月 癸亥	31

農曆初一　農曆十五

出生日對照表

西曆一九三九年

12月	11月	10月	9月	8月	7月	6月	5月	4月	3月	2月	1月	月／日
壬申	壬寅	辛未	辛丑	庚午	己亥	己巳	戊戌	戊辰	丁酉	己巳	戊戌	1
癸酉	癸卯	壬申	壬寅	辛未	庚子	庚午	己亥	己巳	戊戌	庚午	己亥	2
甲戌	甲辰	癸酉	癸卯	壬申	辛丑	辛未	庚子	庚午	己亥	辛未	庚子	3
乙亥	乙巳	甲戌	甲辰	癸酉	壬寅	壬申	辛丑	辛未	庚子	壬申	辛丑	4
丙子	丙午	乙亥	乙巳	甲戌	癸卯	癸酉	壬寅	壬申	辛丑	癸酉	壬寅	5
丁丑	丁未	丙子	丙午	乙亥	甲辰	甲戌	癸卯	癸酉	壬寅	甲戌	癸卯	6
戊寅	戊申	丁丑	丁未	丙子	乙巳	乙亥	甲辰	甲戌	癸卯	乙亥	甲辰	7
己卯	己酉	戊寅	戊申	丁丑	丙午	丙子	乙巳	乙亥	甲辰	丙子	乙巳	8
庚辰	庚戌	己卯	己酉	戊寅	丁未	丁丑	丙午	丙子	乙巳	丁丑	丙午	9
辛巳	辛亥	庚辰	庚戌	己卯	戊申	戊寅	丁未	丁丑	丙午	戊寅	丁未	10
十一月 壬午	十月 壬子	辛巳	辛亥	庚辰	己酉	己卯	戊申	戊寅	丁未	己卯	戊申	11
癸未	癸丑	壬午	壬子	辛巳	庚戌	庚辰	己酉	己卯	戊申	庚辰	己酉	12
甲申	甲寅	九月 癸未	八月 癸丑	壬午	辛亥	辛巳	庚戌	庚辰	己酉	辛巳	庚戌	13
乙酉	乙卯	甲申	甲寅	癸未	壬子	壬午	辛亥	辛巳	庚戌	壬午	辛亥	14
丙戌	丙辰	乙酉	乙卯	七月 甲申	癸丑	癸未	壬子	壬午	辛亥	癸未	壬子	15
丁亥	丁巳	丙戌	丙辰	乙酉	甲寅	甲申	癸丑	癸未	壬子	甲申	癸丑	16
戊子	戊午	丁亥	丁巳	丙戌	六月 乙卯	五月 乙酉	甲寅	甲申	癸丑	乙酉	甲寅	17
己丑	己未	戊子	戊午	丁亥	丙辰	丙戌	乙卯	乙酉	甲寅	丙戌	乙卯	18
庚寅	庚申	己丑	己未	戊子	丁巳	丁亥	四月 丙辰	丙戌	乙卯	正月 丁亥	丙辰	19
辛卯	辛酉	庚寅	庚申	己丑	戊午	戊子	丁巳	三月 丁亥	丙辰	戊子	十二月 丁巳	20
壬辰	壬戌	辛卯	辛酉	庚寅	己未	己丑	戊午	戊子	二月 丁巳	己丑	戊午	21
癸巳	癸亥	壬辰	壬戌	辛卯	庚申	庚寅	己未	己丑	戊午	庚寅	己未	22
甲午	甲子	癸巳	癸亥	壬辰	辛酉	辛卯	庚申	庚寅	己未	辛卯	庚申	23
乙未	乙丑	甲午	甲子	癸巳	壬戌	壬辰	辛酉	辛卯	庚申	壬辰	辛酉	24
丙申	丙寅	乙未	乙丑	甲午	癸亥	癸巳	壬戌	壬辰	辛酉	癸巳	壬戌	25
丁酉	丁卯	丙申	丙寅	乙未	甲子	甲午	癸亥	癸巳	壬戌	甲午	癸亥	26
戊戌	戊辰	丁酉	丁卯	丙申	乙丑	乙未	甲子	甲午	癸亥	乙未	甲子	27
己亥	己巳	戊戌	戊辰	丁酉	丙寅	丙申	乙丑	乙未	甲子	丙申	乙丑	28
庚子	庚午	己亥	己巳	戊戌	丁卯	丁酉	丙寅	丙申	乙丑		丙寅	29
辛丑	辛未	庚子	庚午	己亥	戊辰	戊戌	丁卯	丁酉	丙寅		丁卯	30
壬寅		辛丑		庚子	己巳		戊辰		丁卯		戊辰	31

農曆初一　農曆十五

西曆一九四〇年

12月	11月	10月	9月	8月	7月	6月	5月	4月	3月	2月	1月	月/日
戊寅	戊申	九月 丁丑	丁未	丙子	乙巳	乙亥	甲辰	甲戌	癸卯	甲戌	癸卯	1
己卯	己酉	戊寅	八月 戊申	丁丑	丙午	丙子	乙巳	乙亥	甲辰	乙亥	甲辰	2
庚辰	庚戌	己卯	己酉	戊寅	丁未	丁丑	丙午	丙子	乙巳	丙子	乙巳	3
辛巳	辛亥	庚辰	庚戌	七月 己卯	戊申	戊寅	丁未	丁丑	丙午	丁丑	丙午	4
壬午	壬子	辛巳	辛亥	庚辰	六月 己酉	己卯	戊申	戊寅	丁未	戊寅	丁未	5
癸未	癸丑	壬午	壬子	辛巳	庚戌	五月 庚辰	己酉	己卯	戊申	己卯	戊申	6
甲申	甲寅	癸未	癸丑	壬午	辛亥	辛巳	四月 庚戌	庚辰	己酉	庚辰	己酉	7
乙酉	乙卯	甲申	甲寅	癸未	壬子	壬午	辛亥	三月 辛巳	庚戌	正月 辛巳	庚戌	8
丙戌	丙辰	乙酉	乙卯	甲申	癸丑	癸未	壬子	壬午	二月 辛亥	壬午	十二月 辛亥	9
丁亥	丁巳	丙戌	丙辰	乙酉	甲寅	甲申	癸丑	癸未	壬子	癸未	壬子	10
戊子	戊午	丁亥	丁巳	丙戌	乙卯	乙酉	甲寅	甲申	癸丑	甲申	癸丑	11
己丑	己未	戊子	戊午	丁亥	丙辰	丙戌	乙卯	乙酉	甲寅	乙酉	甲寅	12
庚寅	庚申	己丑	己未	戊子	丁巳	丁亥	丙辰	丙戌	乙卯	丙戌	乙卯	13
辛卯	辛酉	庚寅	庚申	己丑	戊午	戊子	丁巳	丁亥	丙辰	丁亥	丙辰	14
壬辰	壬戌	辛卯	辛酉	庚寅	己未	己丑	戊午	戊子	丁巳	戊子	丁巳	15
癸巳	癸亥	壬辰	壬戌	辛卯	庚申	庚寅	己未	己丑	戊午	己丑	戊午	16
甲午	甲子	癸巳	癸亥	壬辰	辛酉	辛卯	庚申	庚寅	己未	庚寅	己未	17
乙未	乙丑	甲午	甲子	癸巳	壬戌	壬辰	辛酉	辛卯	庚申	辛卯	庚申	18
丙申	丙寅	乙未	乙丑	甲午	癸亥	癸巳	壬戌	壬辰	辛酉	壬辰	辛酉	19
丁酉	丁卯	丙申	丙寅	乙未	甲子	甲午	癸亥	癸巳	壬戌	癸巳	壬戌	20
戊戌	戊辰	丁酉	丁卯	丙申	乙丑	乙未	甲子	甲午	癸亥	甲午	癸亥	21
己亥	己巳	戊戌	戊辰	丁酉	丙寅	丙申	乙丑	乙未	甲子	乙未	甲子	22
庚子	庚午	己亥	己巳	戊戌	丁卯	丁酉	丙寅	丙申	乙丑	丙申	乙丑	23
辛丑	辛未	庚子	庚午	己亥	戊辰	戊戌	丁卯	丁酉	丙寅	丁酉	丙寅	24
壬寅	壬申	辛丑	辛未	庚子	己巳	己亥	戊辰	戊戌	丁卯	戊戌	丁卯	25
癸卯	癸酉	壬寅	壬申	辛丑	庚午	庚子	己巳	己亥	戊辰	己亥	戊辰	26
甲辰	甲戌	癸卯	癸酉	壬寅	辛未	辛丑	庚午	庚子	己巳	庚子	己巳	27
乙巳	乙亥	甲辰	甲戌	癸卯	壬申	壬寅	辛未	辛丑	庚午	辛丑	庚午	28
十二月 丙午	十一月 丙子	乙巳	乙亥	甲辰	癸酉	癸卯	壬申	壬寅	辛未	壬寅	辛未	29
丁未	丁丑	丙午	丙子	乙巳	甲戌	甲辰	癸酉	癸卯	壬申		壬申	30
戊申		十月 丁未		丙午	乙亥		甲戌		癸酉		癸酉	31

農曆初一　農曆十五

西曆一九四一年

12月	11月	10月	9月	8月	7月	6月	5月	4月	3月	2月	1月	月/日
癸未	癸丑	壬午	壬子	辛巳	庚戌	庚辰	己酉	己卯	戊申	庚辰	己酉	1
甲申	甲寅	癸未	癸丑	壬午	辛亥	辛巳	庚戌	庚辰	己酉	辛巳	庚戌	2
乙酉	乙卯	甲申	甲寅	癸未	壬子	壬午	辛亥	辛巳	庚戌	壬午	辛亥	3
丙戌	丙辰	乙酉	乙卯	甲申	癸丑	癸未	壬子	壬午	辛亥	癸未	壬子	4
丁亥	丁巳	丙戌	丙辰	乙酉	甲寅	甲申	癸丑	癸未	壬子	甲申	癸丑	5
戊子	戊午	丁亥	丁巳	丙戌	乙卯	乙酉	甲寅	甲申	癸丑	乙酉	甲寅	6
己丑	己未	戊子	戊午	丁亥	丙辰	丙戌	乙卯	乙酉	甲寅	丙戌	乙卯	7
庚寅	庚申	己丑	己未	戊子	丁巳	丁亥	丙辰	丙戌	乙卯	丁亥	丙辰	8
辛卯	辛酉	庚寅	庚申	己丑	戊午	戊子	丁巳	丁亥	丙辰	戊子	丁巳	9
壬辰	壬戌	辛卯	辛酉	庚寅	己未	己丑	戊午	戊子	丁巳	己丑	戊午	10
癸巳	癸亥	壬辰	壬戌	辛卯	庚申	庚寅	己未	己丑	戊午	庚寅	己未	11
甲午	甲子	癸巳	癸亥	壬辰	辛酉	辛卯	庚申	庚寅	己未	辛卯	庚申	12
乙未	乙丑	甲午	甲子	癸巳	壬戌	壬辰	辛酉	辛卯	庚申	壬辰	辛酉	13
丙申	丙寅	乙未	乙丑	甲午	癸亥	癸巳	壬戌	壬辰	辛酉	癸巳	壬戌	14
丁酉	丁卯	丙申	丙寅	乙未	甲子	甲午	癸亥	癸巳	壬戌	甲午	癸亥	15
戊戌	戊辰	丁酉	丁卯	丙申	乙丑	乙未	甲子	甲午	癸亥	乙未	甲子	16
己亥	己巳	戊戌	戊辰	丁酉	丙寅	丙申	乙丑	乙未	甲子	丙申	乙丑	17
十一月 庚子	庚午	己亥	己巳	戊戌	丁卯	丁酉	丙寅	丙申	乙丑	丁酉	丙寅	18
辛丑	十月 辛未	庚子	庚午	己亥	戊辰	戊戌	丁卯	丁酉	丙寅	戊戌	丁卯	19
壬寅	壬申	九月 辛丑	辛未	庚子	己巳	己亥	戊辰	戊戌	丁卯	己亥	戊辰	20
癸卯	癸酉	壬寅	八月 壬申	辛丑	庚午	庚子	己巳	己亥	戊辰	庚子	己巳	21
甲辰	甲戌	癸卯	癸酉	壬寅	辛未	辛丑	庚午	庚子	己巳	辛丑	庚午	22
乙巳	乙亥	甲辰	甲戌	七月 癸卯	壬申	壬寅	辛未	辛丑	庚午	壬寅	辛未	23
丙午	丙子	乙巳	乙亥	甲辰	閏六月 癸酉	癸卯	壬申	壬寅	辛未	癸卯	壬申	24
丁未	丁丑	丙午	丙子	乙巳	甲戌	六月 甲辰	癸酉	癸卯	壬申	甲辰	癸酉	25
戊申	戊寅	丁未	丁丑	丙午	乙亥	乙巳	五月 甲戌	四月 甲辰	癸酉	二月 乙巳	甲戌	26
己酉	己卯	戊申	戊寅	丁未	丙子	丙午	乙亥	乙巳	甲戌	丙午	正月 乙亥	27
庚戌	庚辰	己酉	己卯	戊申	丁丑	丁未	丙子	丙午	三月 乙亥	丁未	丙子	28
辛亥	辛巳	庚戌	庚辰	己酉	戊寅	戊申	丁丑	丁未	丙子		丁丑	29
壬子	壬午	辛亥	辛巳	庚戌	己卯	己酉	戊寅	戊申	丁丑		戊寅	30
癸丑		壬子		辛亥	庚辰		己卯		戊寅		己卯	31

農曆初一　農曆十五

西曆一九四二年

12月	11月	10月	9月	8月	7月	6月	5月	4月	3月	2月	1月	月/日
戊子	戊午	丁亥	丁巳	丙戌	乙卯	乙酉	甲寅	甲申	癸丑	乙酉	甲寅	1
己丑	己未	戊子	戊午	丁亥	丙辰	丙戌	乙卯	乙酉	甲寅	丙戌	乙卯	2
庚寅	庚申	己丑	己未	戊子	丁巳	丁亥	丙辰	丙戌	乙卯	丁亥	丙辰	3
辛卯	辛酉	庚寅	庚申	己丑	戊午	戊子	丁巳	丁亥	丙辰	戊子	丁巳	4
壬辰	壬戌	辛卯	辛酉	庚寅	己未	己丑	戊午	戊子	丁巳	己丑	戊午	5
癸巳	癸亥	壬辰	壬戌	辛卯	庚申	庚寅	己未	己丑	戊午	庚寅	己未	6
甲午	甲子	癸巳	癸亥	壬辰	辛酉	辛卯	庚申	庚寅	己未	辛卯	庚申	7
十一月 乙未	十月 乙丑	甲午	甲子	癸巳	壬戌	壬辰	辛酉	辛卯	庚申	壬辰	辛酉	8
丙申	丙寅	乙未	乙丑	甲午	癸亥	癸巳	壬戌	壬辰	辛酉	癸巳	壬戌	9
丁酉	丁卯	九月 丙申	八月 丙寅	乙未	甲子	甲午	癸亥	癸巳	壬戌	甲午	癸亥	10
戊戌	戊辰	丁酉	丁卯	丙申	乙丑	乙未	甲子	甲午	癸亥	乙未	甲子	11
己亥	己巳	戊戌	戊辰	七月 丁酉	丙寅	丙申	乙丑	乙未	甲子	丙申	乙丑	12
庚子	庚午	己亥	己巳	戊戌	六月 丁卯	丁酉	丙寅	丙申	乙丑	丁酉	丙寅	13
辛丑	辛未	庚子	庚午	己亥	戊辰	五月 戊戌	丁卯	丁酉	丙寅	戊戌	丁卯	14
壬寅	壬申	辛丑	辛未	庚子	己巳	己亥	四月 戊辰	三月 戊戌	丁卯	正月 己亥	戊辰	15
癸卯	癸酉	壬寅	壬申	辛丑	庚午	庚子	己巳	己亥	戊辰	庚子	己巳	16
甲辰	甲戌	癸卯	癸酉	壬寅	辛未	辛丑	庚午	庚子	二月 己巳	辛丑	十二月 庚午	17
乙巳	乙亥	甲辰	甲戌	癸卯	壬申	壬寅	辛未	辛丑	庚午	壬寅	辛未	18
丙午	丙子	乙巳	乙亥	甲辰	癸酉	癸卯	壬申	壬寅	辛未	癸卯	壬申	19
丁未	丁丑	丙午	丙子	乙巳	甲戌	甲辰	癸酉	癸卯	壬申	甲辰	癸酉	20
戊申	戊寅	丁未	丁丑	丙午	乙亥	乙巳	甲戌	甲辰	癸酉	乙巳	甲戌	21
己酉	己卯	戊申	戊寅	丁未	丙子	丙午	乙亥	乙巳	甲戌	丙午	乙亥	22
庚戌	庚辰	己酉	己卯	戊申	丁丑	丁未	丙子	丙午	乙亥	丁未	丙子	23
辛亥	辛巳	庚戌	庚辰	己酉	戊寅	戊申	丁丑	丁未	丙子	戊申	丁丑	24
壬子	壬午	辛亥	辛巳	庚戌	己卯	己酉	戊寅	戊申	丁丑	己酉	戊寅	25
癸丑	癸未	壬子	壬午	辛亥	庚辰	庚戌	己卯	己酉	戊寅	庚戌	己卯	26
甲寅	甲申	癸丑	癸未	壬子	辛巳	辛亥	庚辰	庚戌	己卯	辛亥	庚辰	27
乙卯	乙酉	甲寅	甲申	癸丑	壬午	壬子	辛巳	辛亥	庚辰	壬子	辛巳	28
丙辰	丙戌	乙卯	乙酉	甲寅	癸未	癸丑	壬午	壬子	辛巳		壬午	29
丁巳	丁亥	丙辰	丙戌	乙卯	甲申	甲寅	癸未	癸丑	壬午		癸未	30
戊午		丁巳		丙辰	乙酉		甲申		癸未		甲申	31

農曆初一　農曆十五

出生日對照表

西曆一九四三年

12月	11月	10月	9月	8月	7月	6月	5月	4月	3月	2月	1月	月／日
癸巳	癸亥	壬辰	壬戌	(七月)辛卯	庚申	庚寅	己未	己丑	戊午	庚寅	己未	1
甲午	甲子	癸巳	癸亥	壬辰	(六月)辛酉	辛卯	庚申	庚寅	己未	辛卯	庚申	2
乙未	乙丑	甲午	甲子	癸巳	壬戌	(五月)壬辰	辛酉	辛卯	庚申	壬辰	辛酉	3
丙申	丙寅	乙未	乙丑	甲午	癸亥	癸巳	(四月)壬戌	壬辰	辛酉	癸巳	壬戌	4
丁酉	丁卯	丙申	丙寅	乙未	甲子	甲午	癸亥	(三月)癸巳	壬戌	(正月)甲午	癸亥	5
戊戌	戊辰	丁酉	丁卯	丙申	乙丑	乙未	甲子	甲午	(二月)癸亥	乙未	(十二月)甲子	6
己亥	己巳	戊戌	戊辰	丁酉	丙寅	丙申	乙丑	乙未	甲子	丙申	乙丑	7
庚子	庚午	己亥	己巳	戊戌	丁卯	丁酉	丙寅	丙申	乙丑	丁酉	丙寅	8
辛丑	辛未	庚子	庚午	己亥	戊辰	戊戌	丁卯	丁酉	丙寅	戊戌	丁卯	9
壬寅	壬申	辛丑	辛未	庚子	己巳	己亥	戊辰	戊戌	丁卯	己亥	戊辰	10
癸卯	癸酉	壬寅	壬申	辛丑	庚午	庚子	己巳	己亥	戊辰	庚子	己巳	11
甲辰	甲戌	癸卯	癸酉	壬寅	辛未	辛丑	庚午	庚子	己巳	辛丑	庚午	12
乙巳	乙亥	甲辰	甲戌	癸卯	壬申	壬寅	辛未	辛丑	庚午	壬寅	辛未	13
丙午	丙子	乙巳	乙亥	甲辰	癸酉	癸卯	壬申	壬寅	辛未	癸卯	壬申	14
丁未	丁丑	丙午	丙子	乙巳	甲戌	甲辰	癸酉	癸卯	壬申	甲辰	癸酉	15
戊申	戊寅	丁未	丁丑	丙午	乙亥	乙巳	甲戌	甲辰	癸酉	乙巳	甲戌	16
己酉	己卯	戊申	戊寅	丁未	丙子	丙午	乙亥	乙巳	甲戌	丙午	乙亥	17
庚戌	庚辰	己酉	己卯	戊申	丁丑	丁未	丙子	丙午	乙亥	丁未	丙子	18
辛亥	辛巳	庚戌	庚辰	己酉	戊寅	戊申	丁丑	丁未	丙子	戊申	丁丑	19
壬子	壬午	辛亥	辛巳	庚戌	己卯	己酉	戊寅	戊申	丁丑	己酉	戊寅	20
癸丑	癸未	壬子	壬午	辛亥	庚辰	庚戌	己卯	己酉	戊寅	庚戌	己卯	21
甲寅	甲申	癸丑	癸未	壬子	辛巳	辛亥	庚辰	庚戌	己卯	辛亥	庚辰	22
乙卯	乙酉	甲寅	甲申	癸丑	壬午	壬子	辛巳	辛亥	庚辰	壬子	辛巳	23
丙辰	丙戌	乙卯	乙酉	甲寅	癸未	癸丑	壬午	壬子	辛巳	癸丑	壬午	24
丁巳	丁亥	丙辰	丙戌	乙卯	甲申	甲寅	癸未	癸丑	壬午	甲寅	癸未	25
戊午	戊子	丁巳	丁亥	丙辰	乙酉	乙卯	甲申	甲寅	癸未	乙卯	甲申	26
(十二月)己未	(十一月)己丑	戊午	戊子	丁巳	丙戌	丙辰	乙酉	乙卯	甲申	丙辰	乙酉	27
庚申	庚寅	己未	己丑	戊午	丁亥	丁巳	丙戌	丙辰	乙酉	丁巳	丙戌	28
辛酉	辛卯	(十月)庚申	(九月)庚寅	己未	戊子	戊午	丁亥	丁巳	丙戌		丁亥	29
壬戌	壬辰	辛酉	辛卯	庚申	己丑	己未	戊子	戊午	丁亥		戊子	30
癸亥		壬戌		(八月)辛酉	庚寅		己丑		戊子		己丑	31

農曆初一　農曆十五

西曆一九四四年

12月	11月	10月	9月	8月	7月	6月	5月	4月	3月	2月	1月	月/日
己亥	己巳	戊戌	戊辰	丁酉	丙寅	丙申	乙丑	乙未	甲子	乙未	甲子	1
庚子	庚午	己亥	己巳	戊戌	丁卯	丁酉	丙寅	丙申	乙丑	丙申	乙丑	2
辛丑	辛未	庚子	庚午	己亥	戊辰	戊戌	丁卯	丁酉	丙寅	丁酉	丙寅	3
壬寅	壬申	辛丑	辛未	庚子	己巳	己亥	戊辰	戊戌	丁卯	戊戌	丁卯	4
癸卯	癸酉	壬寅	壬申	辛丑	庚午	庚子	己巳	己亥	戊辰	己亥	戊辰	5
甲辰	甲戌	癸卯	癸酉	壬寅	辛未	辛丑	庚午	庚子	己巳	庚子	己巳	6
乙巳	乙亥	甲辰	甲戌	癸卯	壬申	壬寅	辛未	辛丑	庚午	辛丑	庚午	7
丙午	丙子	乙巳	乙亥	甲辰	癸酉	癸卯	壬申	壬寅	辛未	壬寅	辛未	8
丁未	丁丑	丙午	丙子	乙巳	甲戌	甲辰	癸酉	癸卯	壬申	癸卯	壬申	9
戊申	戊寅	丁未	丁丑	丙午	乙亥	乙巳	甲戌	甲辰	癸酉	甲辰	癸酉	10
己酉	己卯	戊申	戊寅	丁未	丙子	丙午	乙亥	乙巳	甲戌	乙巳	甲戌	11
庚戌	庚辰	己酉	己卯	戊申	丁丑	丁未	丙子	丙午	乙亥	丙午	乙亥	12
辛亥	辛巳	庚戌	庚辰	己酉	戊寅	戊申	丁丑	丁未	丙子	丁未	丙子	13
壬子	壬午	辛亥	辛巳	庚戌	己卯	己酉	戊寅	戊申	丁丑	戊申	丁丑	14
十一月 癸丑	癸未	壬子	壬午	辛亥	庚辰	庚戌	己卯	己酉	戊寅	己酉	戊寅	15
甲寅	十月 甲申	癸丑	癸未	壬子	辛巳	辛亥	庚辰	庚戌	己卯	庚戌	己卯	16
乙卯	乙酉	九月 甲寅	八月 甲申	癸丑	壬午	壬子	辛巳	辛亥	庚辰	辛亥	庚辰	17
丙辰	丙戌	乙卯	乙酉	甲寅	癸未	癸丑	壬午	壬子	辛巳	壬子	辛巳	18
丁巳	丁亥	丙辰	丙戌	七月 乙卯	甲申	甲寅	癸未	癸丑	壬午	癸丑	壬午	19
戊午	戊子	丁巳	丁亥	丙辰	六月 乙酉	乙卯	甲申	甲寅	癸未	甲寅	癸未	20
己未	己丑	戊午	戊子	丁巳	丙戌	五月 丙辰	乙酉	乙卯	甲申	乙卯	甲申	21
庚申	庚寅	己未	己丑	戊午	丁亥	丁巳	閏四月 丙戌	丙辰	乙酉	丙辰	乙酉	22
辛酉	辛卯	庚申	庚寅	己未	戊子	戊午	丁亥	四月 丁巳	丙戌	丁巳	丙戌	23
壬戌	壬辰	辛酉	辛卯	庚申	己丑	己未	戊子	戊午	三月 丁亥	二月 戊午	丁亥	24
癸亥	癸巳	壬戌	壬辰	辛酉	庚寅	庚申	己丑	己未	戊子	己未	正月 戊子	25
甲子	甲午	癸亥	癸巳	壬戌	辛卯	辛酉	庚寅	庚申	己丑	庚申	己丑	26
乙丑	乙未	甲子	甲午	癸亥	壬辰	壬戌	辛卯	辛酉	庚寅	辛酉	庚寅	27
丙寅	丙申	乙丑	乙未	甲子	癸巳	癸亥	壬辰	壬戌	辛卯	壬戌	辛卯	28
丁卯	丁酉	丙寅	丙申	乙丑	甲午	甲子	癸巳	癸亥	壬辰	癸亥	壬辰	29
戊辰	戊戌	丁卯	丁酉	丙寅	乙未	乙丑	甲午	甲子	癸巳		癸巳	30
己巳		戊辰		丁卯	丙申		乙未		甲午		甲午	31

農曆初一　農曆十五

出生日對照表

西曆一九四五年

12月	11月	10月	9月	8月	7月	6月	5月	4月	3月	2月	1月	月/日
甲辰	甲戌	癸卯	癸酉	壬寅	辛未	辛丑	庚午	庚子	己巳	辛丑	庚午	1
乙巳	乙亥	甲辰	甲戌	癸卯	壬申	壬寅	辛未	辛丑	庚午	壬寅	辛未	2
丙午	丙子	乙巳	乙亥	甲辰	癸酉	癸卯	壬申	壬寅	辛未	癸卯	壬申	3
丁未	丁丑	丙午	丙子	乙巳	甲戌	甲辰	癸酉	癸卯	壬申	甲辰	癸酉	4
十一月 戊申	十月 戊寅	丁未	丁丑	丙午	乙亥	乙巳	甲戌	甲辰	癸酉	乙巳	甲戌	5
己酉	己卯	九月 戊申	八月 戊寅	丁未	丙子	丙午	乙亥	乙巳	甲戌	丙午	乙亥	6
庚戌	庚辰	己酉	己卯	戊申	丁丑	丁未	丙子	丙午	乙亥	丁未	丙子	7
辛亥	辛巳	庚戌	庚辰	七月 己酉	戊寅	戊申	丁丑	丁未	丙子	戊申	丁丑	8
壬子	壬午	辛亥	辛巳	庚戌	六月 己卯	己酉	戊寅	戊申	丁丑	己酉	戊寅	9
癸丑	癸未	壬子	壬午	辛亥	庚辰	五月 庚戌	己卯	己酉	戊寅	庚戌	己卯	10
甲寅	甲申	癸丑	癸未	壬子	辛巳	辛亥	庚辰	庚戌	己卯	辛亥	庚辰	11
乙卯	乙酉	甲寅	甲申	癸丑	壬午	壬子	四月 辛巳	三月 辛亥	庚辰	壬子	辛巳	12
丙辰	丙戌	乙卯	乙酉	甲寅	癸未	癸丑	壬午	壬子	辛巳	正月 癸丑	壬午	13
丁巳	丁亥	丙辰	丙戌	乙卯	甲申	甲寅	癸未	癸丑	二月 壬午	甲寅	十二月 癸未	14
戊午	戊子	丁巳	丁亥	丙辰	乙酉	乙卯	甲申	甲寅	癸未	乙卯	甲申	15
己未	己丑	戊午	戊子	丁巳	丙戌	丙辰	乙酉	乙卯	甲申	丙辰	乙酉	16
庚申	庚寅	己未	己丑	戊午	丁亥	丁巳	丙戌	丙辰	乙酉	丁巳	丙戌	17
辛酉	辛卯	庚申	庚寅	己未	戊子	戊午	丁亥	丁巳	丙戌	戊午	丁亥	18
壬戌	壬辰	辛酉	辛卯	庚申	己丑	己未	戊子	戊午	丁亥	己未	戊子	19
癸亥	癸巳	壬戌	壬辰	辛酉	庚寅	庚申	己丑	己未	戊子	庚申	己丑	20
甲子	甲午	癸亥	癸巳	壬戌	辛卯	辛酉	庚寅	庚申	己丑	辛酉	庚寅	21
乙丑	乙未	甲子	甲午	癸亥	壬辰	壬戌	辛卯	辛酉	庚寅	壬戌	辛卯	22
丙寅	丙申	乙丑	乙未	甲子	癸巳	癸亥	壬辰	壬戌	辛卯	癸亥	壬辰	23
丁卯	丁酉	丙寅	丙申	乙丑	甲午	甲子	癸巳	癸亥	壬辰	甲子	癸巳	24
戊辰	戊戌	丁卯	丁酉	丙寅	乙未	乙丑	甲午	甲子	癸巳	乙丑	甲午	25
己巳	己亥	戊辰	戊戌	丁卯	丙申	丙寅	乙未	乙丑	甲午	丙寅	乙未	26
庚午	庚子	己巳	己亥	戊辰	丁酉	丁卯	丙申	丙寅	乙未	丁卯	丙申	27
辛未	辛丑	庚午	庚子	己巳	戊戌	戊辰	丁酉	丁卯	丙申	戊辰	丁酉	28
壬申	壬寅	辛未	辛丑	庚午	己亥	己巳	戊戌	戊辰	丁酉		戊戌	29
癸酉	癸卯	壬申	壬寅	辛未	庚子	庚午	己亥	己巳	戊戌		己亥	30
甲戌		癸酉		壬申	辛丑		庚子		己亥		庚子	31

農曆初一　農曆十五

西曆一九四六年

12月	11月	10月	9月	8月	7月	6月	5月	4月	3月	2月	1月	月／日
己酉	己卯	戊申	戊寅	丁未	丙子	丙午	四月 乙亥	乙巳	甲戌	丙午	乙亥	1
庚戌	庚辰	己酉	己卯	戊申	丁丑	丁未	丙子	三月 丙午	乙亥	正月 丁未	丙子	2
辛亥	辛巳	庚戌	庚辰	己酉	戊寅	戊申	丁丑	丁未	丙子	戊申	十二月 丁丑	3
壬子	壬午	辛亥	辛巳	庚戌	己卯	己酉	戊寅	戊申	二月 丁丑	己酉	戊寅	4
癸丑	癸未	壬子	壬午	辛亥	庚辰	庚戌	己卯	己酉	戊寅	庚戌	己卯	5
甲寅	甲申	癸丑	癸未	壬子	辛巳	辛亥	庚辰	庚戌	己卯	辛亥	庚辰	6
乙卯	乙酉	甲寅	甲申	癸丑	壬午	壬子	辛巳	辛亥	庚辰	壬子	辛巳	7
丙辰	丙戌	乙卯	乙酉	甲寅	癸未	癸丑	壬午	壬子	辛巳	癸丑	壬午	8
丁巳	丁亥	丙辰	丙戌	乙卯	甲申	甲寅	癸未	癸丑	壬午	甲寅	癸未	9
戊午	戊子	丁巳	丁亥	丙辰	乙酉	乙卯	甲申	甲寅	癸未	乙卯	甲申	10
己未	己丑	戊午	戊子	丁巳	丙戌	丙辰	乙酉	乙卯	甲申	丙辰	乙酉	11
庚申	庚寅	己未	己丑	戊午	丁亥	丁巳	丙戌	丙辰	乙酉	丁巳	丙戌	12
辛酉	辛卯	庚申	庚寅	己未	戊子	戊午	丁亥	丁巳	丙戌	戊午	丁亥	13
壬戌	壬辰	辛酉	辛卯	庚申	己丑	己未	戊子	戊午	丁亥	己未	戊子	14
癸亥	癸巳	壬戌	壬辰	辛酉	庚寅	庚申	己丑	己未	戊子	庚申	己丑	15
甲子	甲午	癸亥	癸巳	壬戌	辛卯	辛酉	庚寅	庚申	己丑	辛酉	庚寅	16
乙丑	乙未	甲子	甲午	癸亥	壬辰	壬戌	辛卯	辛酉	庚寅	壬戌	辛卯	17
丙寅	丙申	乙丑	乙未	甲子	癸巳	癸亥	壬辰	壬戌	辛卯	癸亥	壬辰	18
丁卯	丁酉	丙寅	丙申	乙丑	甲午	甲子	癸巳	癸亥	壬辰	甲子	癸巳	19
戊辰	戊戌	丁卯	丁酉	丙寅	乙未	乙丑	甲午	甲子	癸巳	乙丑	甲午	20
己巳	己亥	戊辰	戊戌	丁卯	丙申	丙寅	乙未	乙丑	甲午	丙寅	乙未	21
庚午	庚子	己巳	己亥	戊辰	丁酉	丁卯	丙申	丙寅	乙未	丁卯	丙申	22
十二月 辛未	辛丑	庚午	庚子	己巳	戊戌	戊辰	丁酉	丁卯	丙申	戊辰	丁酉	23
壬申	十一月 壬寅	辛未	辛丑	庚午	己亥	己巳	戊戌	戊辰	丁酉	己巳	戊戌	24
癸酉	癸卯	十月 壬申	九月 壬寅	辛未	庚子	庚午	己亥	己巳	戊戌	庚午	己亥	25
甲戌	甲辰	癸酉	癸卯	壬申	辛丑	辛未	庚子	庚午	己亥	辛未	庚子	26
乙亥	乙巳	甲戌	甲辰	八月 癸酉	壬寅	壬申	辛丑	辛未	庚子	壬申	辛丑	27
丙子	丙午	乙亥	乙巳	甲戌	七月 癸卯	癸酉	壬寅	壬申	辛丑	癸酉	壬寅	28
丁丑	丁未	丙子	丙午	乙亥	甲辰	六月 甲戌	癸卯	癸酉	壬寅		癸卯	29
戊寅	戊申	丁丑	丁未	丙子	乙巳	乙亥	甲辰	甲戌	癸卯		甲辰	30
己卯		戊寅		丁丑	丙午		五月 乙巳		甲辰		乙巳	31

農曆初一　農曆十五

出生日對照表

西曆一九四七年

12月	11月	10月	9月	8月	7月	6月	5月	4月	3月	2月	1月	月/日
甲寅	甲申	癸丑	癸未	壬子	辛巳	辛亥	庚辰	庚戌	己卯	辛亥	庚辰	1
乙卯	乙酉	甲寅	甲申	癸丑	壬午	壬子	辛巳	辛亥	庚辰	壬子	辛巳	2
丙辰	丙戌	乙卯	乙酉	甲寅	癸未	癸丑	壬午	壬子	辛巳	癸丑	壬午	3
丁巳	丁亥	丙辰	丙戌	乙卯	甲申	甲寅	癸未	癸丑	壬午	甲寅	癸未	4
戊午	戊子	丁巳	丁亥	丙辰	乙酉	乙卯	甲申	甲寅	癸未	乙卯	甲申	5
己未	己丑	戊午	戊子	丁巳	丙戌	丙辰	乙酉	乙卯	甲申	丙辰	乙酉	6
庚申	庚寅	己未	己丑	戊午	丁亥	丁巳	丙戌	丙辰	乙酉	丁巳	丙戌	7
辛酉	辛卯	庚申	庚寅	己未	戊子	戊午	丁亥	丁巳	丙戌	戊午	丁亥	8
壬戌	壬辰	辛酉	辛卯	庚申	己丑	己未	戊子	戊午	丁亥	己未	戊子	9
癸亥	癸巳	壬戌	壬辰	辛酉	庚寅	庚申	己丑	己未	戊子	庚申	己丑	10
甲子	甲午	癸亥	癸巳	壬戌	辛卯	辛酉	庚寅	庚申	己丑	辛酉	庚寅	11
十一月 乙丑	乙未	甲子	甲午	癸亥	壬辰	壬戌	辛卯	辛酉	庚寅	壬戌	辛卯	12
丙寅	十月 丙申	乙丑	乙未	甲子	癸巳	癸亥	壬辰	壬戌	辛卯	癸亥	壬辰	13
丁卯	丁酉	九月 丙寅	丙申	乙丑	甲午	甲子	癸巳	癸亥	壬辰	甲子	癸巳	14
戊辰	戊戌	丁卯	八月 丁酉	丙寅	乙未	乙丑	甲午	甲子	癸巳	乙丑	甲午	15
己巳	己亥	戊辰	戊戌	七月 丁卯	丙申	丙寅	乙未	乙丑	甲午	丙寅	乙未	16
庚午	庚子	己巳	己亥	戊辰	丁酉	丁卯	丙申	丙寅	乙未	丁卯	丙申	17
辛未	辛丑	庚午	庚子	己巳	六月 戊戌	戊辰	丁酉	丁卯	丙申	戊辰	丁酉	18
壬申	壬寅	辛未	辛丑	庚午	己亥	五月 己巳	戊戌	戊辰	丁酉	己巳	戊戌	19
癸酉	癸卯	壬申	壬寅	辛未	庚子	庚午	四月 己亥	己巳	戊戌	庚午	己亥	20
甲戌	甲辰	癸酉	癸卯	壬申	辛丑	辛未	庚子	三月 庚午	己亥	二月 辛未	庚子	21
乙亥	乙巳	甲戌	甲辰	癸酉	壬寅	壬申	辛丑	辛未	庚子	壬申	正月 辛丑	22
丙子	丙午	乙亥	乙巳	甲戌	癸卯	癸酉	壬寅	壬申	閏二月 辛丑	癸酉	壬寅	23
丁丑	丁未	丙子	丙午	乙亥	甲辰	甲戌	癸卯	癸酉	壬寅	甲戌	癸卯	24
戊寅	戊申	丁丑	丁未	丙子	乙巳	乙亥	甲辰	甲戌	癸卯	乙亥	甲辰	25
己卯	己酉	戊寅	戊申	丁丑	丙午	丙子	乙巳	乙亥	甲辰	丙子	乙巳	26
庚辰	庚戌	己卯	己酉	戊寅	丁未	丁丑	丙午	丙子	乙巳	丁丑	丙午	27
辛巳	辛亥	庚辰	庚戌	己卯	戊申	戊寅	丁未	丁丑	丙午	戊寅	丁未	28
壬午	壬子	辛巳	辛亥	庚辰	己酉	己卯	戊申	戊寅	丁未		戊申	29
癸未	癸丑	壬午	壬子	辛巳	庚戌	庚辰	己酉	己卯	戊申		己酉	30
甲申		癸未		壬午	辛亥		庚戌		己酉		庚戌	31

農曆初一　農曆十五

西曆一九四八年

12月	11月	10月	9月	8月	7月	6月	5月	4月	3月	2月	1月	月/日
十一月 庚申	十月 庚寅	己未	己丑	戊午	丁亥	丁巳	丙戌	丙辰	乙酉	丙辰	乙酉	1
辛酉	辛卯	庚申	庚寅	己未	戊子	戊午	丁亥	丁巳	丙戌	丁巳	丙戌	2
壬戌	壬辰	九月 辛酉	八月 辛卯	庚申	己丑	己未	戊子	戊午	丁亥	戊午	丁亥	3
癸亥	癸巳	壬戌	壬辰	辛酉	庚寅	庚申	己丑	己未	戊子	己未	戊子	4
甲子	甲午	癸亥	癸巳	七月 壬戌	辛卯	辛酉	庚寅	庚申	己丑	庚申	己丑	5
乙丑	乙未	甲子	甲午	癸亥	壬辰	壬戌	辛卯	辛酉	庚寅	辛酉	庚寅	6
丙寅	丙申	乙丑	乙未	甲子	六月 癸巳	五月 癸亥	壬辰	壬戌	辛卯	壬戌	辛卯	7
丁卯	丁酉	丙寅	丙申	乙丑	甲午	甲子	癸巳	癸亥	壬辰	癸亥	壬辰	8
戊辰	戊戌	丁卯	丁酉	丙寅	乙未	乙丑	四月 甲午	三月 甲子	癸巳	甲子	癸巳	9
己巳	己亥	戊辰	戊戌	丁卯	丙申	丙寅	乙未	乙丑	甲午	正月 乙丑	甲午	10
庚午	庚子	己巳	己亥	戊辰	丁酉	丁卯	丙申	丙寅	二月 乙未	丙寅	十二月 乙未	11
辛未	辛丑	庚午	庚子	己巳	戊戌	戊辰	丁酉	丁卯	丙申	丁卯	丙申	12
壬申	壬寅	辛未	辛丑	庚午	己亥	己巳	戊戌	戊辰	丁酉	戊辰	丁酉	13
癸酉	癸卯	壬申	壬寅	辛未	庚子	庚午	己亥	己巳	戊戌	己巳	戊戌	14
甲戌	甲辰	癸酉	癸卯	壬申	辛丑	辛未	庚子	庚午	己亥	庚午	己亥	15
乙亥	乙巳	甲戌	甲辰	癸酉	壬寅	壬申	辛丑	辛未	庚子	辛未	庚子	16
丙子	丙午	乙亥	乙巳	甲戌	癸卯	癸酉	壬寅	壬申	辛丑	壬申	辛丑	17
丁丑	丁未	丙子	丙午	乙亥	甲辰	甲戌	癸卯	癸酉	壬寅	癸酉	壬寅	18
戊寅	戊申	丁丑	丁未	丙子	乙巳	乙亥	甲辰	甲戌	癸卯	甲戌	癸卯	19
己卯	己酉	戊寅	戊申	丁丑	丙午	丙子	乙巳	乙亥	甲辰	乙亥	甲辰	20
庚辰	庚戌	己卯	己酉	戊寅	丁未	丁丑	丙午	丙子	乙巳	丙子	乙巳	21
辛巳	辛亥	庚辰	庚戌	己卯	戊申	戊寅	丁未	丁丑	丙午	丁丑	丙午	22
壬午	壬子	辛巳	辛亥	庚辰	己酉	己卯	戊申	戊寅	丁未	戊寅	丁未	23
癸未	癸丑	壬午	壬子	辛巳	庚戌	庚辰	己酉	己卯	戊申	己卯	戊申	24
甲申	甲寅	癸未	癸丑	壬午	辛亥	辛巳	庚戌	庚辰	己酉	庚辰	己酉	25
乙酉	乙卯	甲申	甲寅	癸未	壬子	壬午	辛亥	辛巳	庚戌	辛巳	庚戌	26
丙戌	丙辰	乙酉	乙卯	甲申	癸丑	癸未	壬子	壬午	辛亥	壬午	辛亥	27
丁亥	丁巳	丙戌	丙辰	乙酉	甲寅	甲申	癸丑	癸未	壬子	癸未	壬子	28
戊子	戊午	丁亥	丁巳	丙戌	乙卯	乙酉	甲寅	甲申	癸丑	甲申	癸丑	29
十二月 己丑	己未	戊子	戊午	丁亥	丙辰	丙戌	乙卯	乙酉	甲寅		甲寅	30
庚寅		己丑		戊子	丁巳		丙辰		乙卯		乙卯	31

農曆初一　農曆十五

出生日對照表

西曆一九四九年

12月	11月	10月	9月	8月	7月	6月	5月	4月	3月	2月	1月	月／日
乙丑	乙未	甲子	甲午	癸亥	壬辰	壬戌	辛卯	辛酉	庚寅	壬戌	辛卯	1
丙寅	丙申	乙丑	乙未	甲子	癸巳	癸亥	壬辰	壬戌	辛卯	癸亥	壬辰	2
丁卯	丁酉	丙寅	丙申	乙丑	甲午	甲子	癸巳	癸亥	壬辰	甲子	癸巳	3
戊辰	戊戌	丁卯	丁酉	丙寅	乙未	乙丑	甲午	甲子	癸巳	乙丑	甲午	4
己巳	己亥	戊辰	戊戌	丁卯	丙申	丙寅	乙未	乙丑	甲午	丙寅	乙未	5
庚午	庚子	己巳	己亥	戊辰	丁酉	丁卯	丙申	丙寅	乙未	丁卯	丙申	6
辛未	辛丑	庚午	庚子	己巳	戊戌	戊辰	丁酉	丁卯	丙申	戊辰	丁酉	7
壬申	壬寅	辛未	辛丑	庚午	己亥	己巳	戊戌	戊辰	丁酉	己巳	戊戌	8
癸酉	癸卯	壬申	壬寅	辛未	庚子	庚午	己亥	己巳	戊戌	庚午	己亥	9
甲戌	甲辰	癸酉	癸卯	壬申	辛丑	辛未	庚子	庚午	己亥	辛未	庚子	10
乙亥	乙巳	甲戌	甲辰	癸酉	壬寅	壬申	辛丑	辛未	庚子	壬申	辛丑	11
丙子	丙午	乙亥	乙巳	甲戌	癸卯	癸酉	壬寅	壬申	辛丑	癸酉	壬寅	12
丁丑	丁未	丙子	丙午	乙亥	甲辰	甲戌	癸卯	癸酉	壬寅	甲戌	癸卯	13
戊寅	戊申	丁丑	丁未	丙子	乙巳	乙亥	甲辰	甲戌	癸卯	乙亥	甲辰	14
己卯	己酉	戊寅	戊申	丁丑	丙午	丙子	乙巳	乙亥	甲辰	丙子	乙巳	15
庚辰	庚戌	己卯	己酉	戊寅	丁未	丁丑	丙午	丙子	乙巳	丁丑	丙午	16
辛巳	辛亥	庚辰	庚戌	己卯	戊申	戊寅	丁未	丁丑	丙午	戊寅	丁未	17
壬午	壬子	辛巳	辛亥	庚辰	己酉	己卯	戊申	戊寅	丁未	己卯	戊申	18
癸未	癸丑	壬午	壬子	辛巳	庚戌	庚辰	己酉	己卯	戊申	庚辰	己酉	19
甲申（十一月）	甲寅（十月）	癸未	癸丑	壬午	辛亥	辛巳	庚戌	庚辰	己酉	辛巳	庚戌	20
乙酉	乙卯	甲申	甲寅	癸未	壬子	壬午	辛亥	辛巳	庚戌	壬午	辛亥	21
丙戌	丙辰	乙酉（九月）	乙卯（八月）	甲申	癸丑	癸未	壬子	壬午	辛亥	癸未	壬子	22
丁亥	丁巳	丙戌	丙辰	乙酉	甲寅	甲申	癸丑	癸未	壬子	甲申	癸丑	23
戊子	戊午	丁亥	丁巳	丙戌（閏七月）	乙卯	乙酉	甲寅	甲申	癸丑	乙酉	甲寅	24
己丑	己未	戊子	戊午	丁亥	丙辰	丙戌	乙卯	乙酉	甲寅	丙戌	乙卯	25
庚寅	庚申	己丑	己未	戊子	丁巳（七月）	丁亥（六月）	丙辰	丙戌	乙卯	丁亥	丙辰	26
辛卯	辛酉	庚寅	庚申	己丑	戊午	戊子	丁巳	丁亥	丙辰	戊子	丁巳	27
壬辰	壬戌	辛卯	辛酉	庚寅	己未	己丑	戊午（五月）	戊子（四月）	丁巳	己丑（二月）	戊午	28
癸巳	癸亥	壬辰	壬戌	辛卯	庚申	庚寅	己未	己丑	戊午（三月）		己未（正月）	29
甲午	甲子	癸巳	癸亥	壬辰	辛酉	辛卯	庚申	庚寅	己未		庚申	30
乙未		甲午		癸巳	壬戌		辛酉		庚申		辛酉	31

農曆初一　農曆十五

西曆一九五〇年

12月	11月	10月	9月	8月	7月	6月	5月	4月	3月	2月	1月	月/日
庚午	庚子	己巳	己亥	戊辰	丁酉	丁卯	丙申	丙寅	乙未	丁卯	丙申	1
辛未	辛丑	庚午	庚子	己巳	戊戌	戊辰	丁酉	丁卯	丙申	戊辰	丁酉	2
壬申	壬寅	辛未	辛丑	庚午	己亥	己巳	戊戌	戊辰	丁酉	己巳	戊戌	3
癸酉	癸卯	壬申	壬寅	辛未	庚子	庚午	己亥	己巳	戊戌	庚午	己亥	4
甲戌	甲辰	癸酉	癸卯	壬申	辛丑	辛未	庚子	庚午	己亥	辛未	庚子	5
乙亥	乙巳	甲戌	甲辰	癸酉	壬寅	壬申	辛丑	辛未	庚子	壬申	辛丑	6
丙子	丙午	乙亥	乙巳	甲戌	癸卯	癸酉	壬寅	壬申	辛丑	癸酉	壬寅	7
丁丑	丁未	丙子	丙午	乙亥	甲辰	甲戌	癸卯	癸酉	壬寅	甲戌	癸卯	8
十一月 戊寅	戊申	丁丑	丁未	丙子	乙巳	乙亥	甲辰	甲戌	癸卯	乙亥	甲辰	9
己卯	十月 己酉	戊寅	戊申	丁丑	丙午	丙子	乙巳	乙亥	甲辰	丙子	乙巳	10
庚辰	庚戌	九月 己卯	己酉	戊寅	丁未	丁丑	丙午	丙子	乙巳	丁丑	丙午	11
辛巳	辛亥	庚辰	八月 庚戌	己卯	戊申	戊寅	丁未	丁丑	丙午	戊寅	丁未	12
壬午	壬子	辛巳	辛亥	庚辰	己酉	己卯	戊申	戊寅	丁未	己卯	戊申	13
癸未	癸丑	壬午	壬子	七月 辛巳	庚戌	庚辰	己酉	己卯	戊申	庚辰	己酉	14
甲申	甲寅	癸未	癸丑	壬午	六月 辛亥	五月 辛巳	庚戌	庚辰	己酉	辛巳	庚戌	15
乙酉	乙卯	甲申	甲寅	癸未	壬子	壬午	辛亥	辛巳	庚戌	壬午	辛亥	16
丙戌	丙辰	乙酉	乙卯	甲申	癸丑	癸未	四月 壬子	三月 壬午	辛亥	正月 癸未	壬子	17
丁亥	丁巳	丙戌	丙辰	乙酉	甲寅	甲申	癸丑	癸未	二月 壬子	甲申	十二月 癸丑	18
戊子	戊午	丁亥	丁巳	丙戌	乙卯	乙酉	甲寅	甲申	癸丑	乙酉	甲寅	19
己丑	己未	戊子	戊午	丁亥	丙辰	丙戌	乙卯	乙酉	甲寅	丙戌	乙卯	20
庚寅	庚申	己丑	己未	戊子	丁巳	丁亥	丙辰	丙戌	乙卯	丁亥	丙辰	21
辛卯	辛酉	庚寅	庚申	己丑	戊午	戊子	丁巳	丁亥	丙辰	戊子	丁巳	22
壬辰	壬戌	辛卯	辛酉	庚寅	己未	己丑	戊午	戊子	丁巳	己丑	戊午	23
癸巳	癸亥	壬辰	壬戌	辛卯	庚申	庚寅	己未	己丑	戊午	庚寅	己未	24
甲午	甲子	癸巳	癸亥	壬辰	辛酉	辛卯	庚申	庚寅	己未	辛卯	庚申	25
乙未	乙丑	甲午	甲子	癸巳	壬戌	壬辰	辛酉	辛卯	庚申	壬辰	辛酉	26
丙申	丙寅	乙未	乙丑	甲午	癸亥	癸巳	壬戌	壬辰	辛酉	癸巳	壬戌	27
丁酉	丁卯	丙申	丙寅	乙未	甲子	甲午	癸亥	癸巳	壬戌	甲午	癸亥	28
戊戌	戊辰	丁酉	丁卯	丙申	乙丑	乙未	甲子	甲午	癸亥		甲子	29
己亥	己巳	戊戌	戊辰	丁酉	丙寅	丙申	乙丑	乙未	甲子		乙丑	30
庚子		己亥		戊戌	丁卯		丙寅		乙丑		丙寅	31

農曆初一　農曆十五

西曆一九五一年

12月	11月	10月	9月	8月	7月	6月	5月	4月	3月	2月	1月	月/日
乙亥	乙巳	九月 甲戌	八月 甲辰	癸酉	壬寅	壬申	辛丑	辛未	庚子	壬申	辛丑	1
丙子	丙午	乙亥	乙巳	甲戌	癸卯	癸酉	壬寅	壬申	辛丑	癸酉	壬寅	2
丁丑	丁未	丙子	丙午	七月 乙亥	甲辰	甲戌	癸卯	癸酉	壬寅	甲戌	癸卯	3
戊寅	戊申	丁丑	丁未	丙子	六月 乙巳	乙亥	甲辰	甲戌	癸卯	乙亥	甲辰	4
己卯	己酉	戊寅	戊申	丁丑	丙午	五月 丙子	乙巳	乙亥	甲辰	丙子	乙巳	5
庚辰	庚戌	己卯	己酉	戊寅	丁未	丁丑	四月 丙午	三月 丙子	乙巳	正月 丁丑	丙午	6
辛巳	辛亥	庚辰	庚戌	己卯	戊申	戊寅	丁未	丁丑	丙午	戊寅	丁未	7
壬午	壬子	辛巳	辛亥	庚辰	己酉	己卯	戊申	戊寅	二月 丁未	己卯	十二月 戊申	8
癸未	癸丑	壬午	壬子	辛巳	庚戌	庚辰	己酉	己卯	戊申	庚辰	己酉	9
甲申	甲寅	癸未	癸丑	壬午	辛亥	辛巳	庚戌	庚辰	己酉	辛巳	庚戌	10
乙酉	乙卯	甲申	甲寅	癸未	壬子	壬午	辛亥	辛巳	庚戌	壬午	辛亥	11
丙戌	丙辰	乙酉	乙卯	甲申	癸丑	癸未	壬子	壬午	辛亥	癸未	壬子	12
丁亥	丁巳	丙戌	丙辰	乙酉	甲寅	甲申	癸丑	癸未	壬子	甲申	癸丑	13
戊子	戊午	丁亥	丁巳	丙戌	乙卯	乙酉	甲寅	甲申	癸丑	乙酉	甲寅	14
己丑	己未	戊子	戊午	丁亥	丙辰	丙戌	乙卯	乙酉	甲寅	丙戌	乙卯	15
庚寅	庚申	己丑	己未	戊子	丁巳	丁亥	丙辰	丙戌	乙卯	丁亥	丙辰	16
辛卯	辛酉	庚寅	庚申	己丑	戊午	戊子	丁巳	丁亥	丙辰	戊子	丁巳	17
壬辰	壬戌	辛卯	辛酉	庚寅	己未	己丑	戊午	戊子	丁巳	己丑	戊午	18
癸巳	癸亥	壬辰	壬戌	辛卯	庚申	庚寅	己未	己丑	戊午	庚寅	己未	19
甲午	甲子	癸巳	癸亥	壬辰	辛酉	辛卯	庚申	庚寅	己未	辛卯	庚申	20
乙未	乙丑	甲午	甲子	癸巳	壬戌	壬辰	辛酉	辛卯	庚申	壬辰	辛酉	21
丙申	丙寅	乙未	乙丑	甲午	癸亥	癸巳	壬戌	壬辰	辛酉	癸巳	壬戌	22
丁酉	丁卯	丙申	丙寅	乙未	甲子	甲午	癸亥	癸巳	壬戌	甲午	癸亥	23
戊戌	戊辰	丁酉	丁卯	丙申	乙丑	乙未	甲子	甲午	癸亥	乙未	甲子	24
己亥	己巳	戊戌	戊辰	丁酉	丙寅	丙申	乙丑	乙未	甲子	丙申	乙丑	25
庚子	庚午	己亥	己巳	戊戌	丁卯	丁酉	丙寅	丙申	乙丑	丁酉	丙寅	26
辛丑	辛未	庚子	庚午	己亥	戊辰	戊戌	丁卯	丁酉	丙寅	戊戌	丁卯	27
十二月 壬寅	壬申	辛丑	辛未	庚子	己巳	己亥	戊辰	戊戌	丁卯	己亥	戊辰	28
癸卯	十一月 癸酉	壬寅	壬申	辛丑	庚午	庚子	己巳	己亥	戊辰		己巳	29
甲辰	甲戌	十月 癸卯	癸酉	壬寅	辛未	辛丑	庚午	庚子	己巳		庚午	30
乙巳		甲辰		癸卯	壬申		辛未		庚午		辛未	31

農曆初一　農曆十五

西曆一九五二年

12月	11月	10月	9月	8月	7月	6月	5月	4月	3月	2月	1月	月/日
辛巳	辛亥	庚辰	庚戌	己卯	戊申	戊寅	丁未	丁丑	丙午	丁丑	丙午	1
壬午	壬子	辛巳	辛亥	庚辰	己酉	己卯	戊申	戊寅	丁未	戊寅	丁未	2
癸未	癸丑	壬午	壬子	辛巳	庚戌	庚辰	己酉	己卯	戊申	己卯	戊申	3
甲申	甲寅	癸未	癸丑	壬午	辛亥	辛巳	庚戌	庚辰	己酉	庚辰	己酉	4
乙酉	乙卯	甲申	甲寅	癸未	壬子	壬午	辛亥	辛巳	庚戌	辛巳	庚戌	5
丙戌	丙辰	乙酉	乙卯	甲申	癸丑	癸未	壬子	壬午	辛亥	壬午	辛亥	6
丁亥	丁巳	丙戌	丙辰	乙酉	甲寅	甲申	癸丑	癸未	壬子	癸未	壬子	7
戊子	戊午	丁亥	丁巳	丙戌	乙卯	乙酉	甲寅	甲申	癸丑	甲申	癸丑	8
己丑	己未	戊子	戊午	丁亥	丙辰	丙戌	乙卯	乙酉	甲寅	乙酉	甲寅	9
庚寅	庚申	己丑	己未	戊子	丁巳	丁亥	丙辰	丙戌	乙卯	丙戌	乙卯	10
辛卯	辛酉	庚寅	庚申	己丑	戊午	戊子	丁巳	丁亥	丙辰	丁亥	丙辰	11
壬辰	壬戌	辛卯	辛酉	庚寅	己未	己丑	戊午	戊子	丁巳	戊子	丁巳	12
癸巳	癸亥	壬辰	壬戌	辛卯	庚申	庚寅	己未	己丑	戊午	己丑	戊午	13
甲午	甲子	癸巳	癸亥	壬辰	辛酉	辛卯	庚申	庚寅	己未	庚寅	己未	14
乙未	乙丑	甲午	甲子	癸巳	壬戌	壬辰	辛酉	辛卯	庚申	辛卯	庚申	15
丙申	丙寅	乙未	乙丑	甲午	癸亥	癸巳	壬戌	壬辰	辛酉	壬辰	辛酉	16
十一月 丁酉	十月 丁卯	丙申	丙寅	乙未	甲子	甲午	癸亥	癸巳	壬戌	癸巳	壬戌	17
戊戌	戊辰	丁酉	丁卯	丙申	乙丑	乙未	甲子	甲午	癸亥	甲午	癸亥	18
己亥	己巳	九月 戊戌	八月 戊辰	丁酉	丙寅	丙申	乙丑	乙未	甲子	乙未	甲子	19
庚子	庚午	己亥	己巳	七月 戊戌	丁卯	丁酉	丙寅	丙申	乙丑	丙申	乙丑	20
辛丑	辛未	庚子	庚午	己亥	戊辰	戊戌	丁卯	丁酉	丙寅	丁酉	丙寅	21
壬寅	壬申	辛丑	辛未	庚子	六月 己巳	閏五月 己亥	戊辰	戊戌	丁卯	戊戌	丁卯	22
癸卯	癸酉	壬寅	壬申	辛丑	庚午	庚子	己巳	己亥	戊辰	己亥	戊辰	23
甲辰	甲戌	癸卯	癸酉	壬寅	辛未	辛丑	五月 庚午	四月 庚子	己巳	庚子	己巳	24
乙巳	乙亥	甲辰	甲戌	癸卯	壬申	壬寅	辛未	辛丑	庚午	二月 辛丑	庚午	25
丙午	丙子	乙巳	乙亥	甲辰	癸酉	癸卯	壬申	壬寅	三月 辛未	壬寅	辛未	26
丁未	丁丑	丙午	丙子	乙巳	甲戌	甲辰	癸酉	癸卯	壬申	癸卯	正月 壬申	27
戊申	戊寅	丁未	丁丑	丙午	乙亥	乙巳	甲戌	甲辰	癸酉	甲辰	癸酉	28
己酉	己卯	戊申	戊寅	丁未	丙子	丙午	乙亥	乙巳	甲戌	乙巳	甲戌	29
庚戌	庚辰	己酉	己卯	戊申	丁丑	丁未	丙子	丙午	乙亥		乙亥	30
辛亥		庚戌		己酉	戊寅		丁丑		丙子		丙子	31

農曆初一　農曆十五

出生日對照表

西曆一九五三年

12月	11月	10月	9月	8月	7月	6月	5月	4月	3月	2月	1月	月/日
丙戌	丙辰	乙酉	乙卯	甲申	癸丑	癸未	壬子	壬午	辛亥	癸未	壬子	1
丁亥	丁巳	丙戌	丙辰	乙酉	甲寅	甲申	癸丑	癸未	壬子	甲申	癸丑	2
戊子	戊午	丁亥	丁巳	丙戌	乙卯	乙酉	甲寅	甲申	癸丑	乙酉	甲寅	3
己丑	己未	戊子	戊午	丁亥	丙辰	丙戌	乙卯	乙酉	甲寅	丙戌	乙卯	4
庚寅	庚申	己丑	己未	戊子	丁巳	丁亥	丙辰	丙戌	乙卯	丁亥	丙辰	5
十一月 辛卯	辛酉	庚寅	庚申	己丑	戊午	戊子	丁巳	丁亥	丙辰	戊子	丁巳	6
壬辰	十月 壬戌	辛卯	辛酉	庚寅	己未	己丑	戊午	戊子	丁巳	己丑	戊午	7
癸巳	癸亥	九月 壬辰	八月 壬戌	辛卯	庚申	庚寅	己未	己丑	戊午	庚寅	己未	8
甲午	甲子	癸巳	癸亥	壬辰	辛酉	辛卯	庚申	庚寅	己未	辛卯	庚申	9
乙未	乙丑	甲午	甲子	七月 癸巳	壬戌	壬辰	辛酉	辛卯	庚申	壬辰	辛酉	10
丙申	丙寅	乙未	乙丑	甲午	六月 癸亥	五月 癸巳	壬戌	壬辰	辛酉	癸巳	壬戌	11
丁酉	丁卯	丙申	丙寅	乙未	甲子	甲午	癸亥	癸巳	壬戌	甲午	癸亥	12
戊戌	戊辰	丁酉	丁卯	丙申	乙丑	乙未	四月 甲子	甲午	癸亥	乙未	甲子	13
己亥	己巳	戊戌	戊辰	丁酉	丙寅	丙申	乙丑	三月 乙未	甲子	正月 丙申	乙丑	14
庚子	庚午	己亥	己巳	戊戌	丁卯	丁酉	丙寅	丙申	二月 乙丑	丁酉	十二月 丙寅	15
辛丑	辛未	庚子	庚午	己亥	戊辰	戊戌	丁卯	丁酉	丙寅	戊戌	丁卯	16
壬寅	壬申	辛丑	辛未	庚子	己巳	己亥	戊辰	戊戌	丁卯	己亥	戊辰	17
癸卯	癸酉	壬寅	壬申	辛丑	庚午	庚子	己巳	己亥	戊辰	庚子	己巳	18
甲辰	甲戌	癸卯	癸酉	壬寅	辛未	辛丑	庚午	庚子	己巳	辛丑	庚午	19
乙巳	乙亥	甲辰	甲戌	癸卯	壬申	壬寅	辛未	辛丑	庚午	壬寅	辛未	20
丙午	丙子	乙巳	乙亥	甲辰	癸酉	癸卯	壬申	壬寅	辛未	癸卯	壬申	21
丁未	丁丑	丙午	丙子	乙巳	甲戌	甲辰	癸酉	癸卯	壬申	甲辰	癸酉	22
戊申	戊寅	丁未	丁丑	丙午	乙亥	乙巳	甲戌	甲辰	癸酉	乙巳	甲戌	23
己酉	己卯	戊申	戊寅	丁未	丙子	丙午	乙亥	乙巳	甲戌	丙午	乙亥	24
庚戌	庚辰	己酉	己卯	戊申	丁丑	丁未	丙子	丙午	乙亥	丁未	丙子	25
辛亥	辛巳	庚戌	庚辰	己酉	戊寅	戊申	丁丑	丁未	丙子	戊申	丁丑	26
壬子	壬午	辛亥	辛巳	庚戌	己卯	己酉	戊寅	戊申	丁丑	己酉	戊寅	27
癸丑	癸未	壬子	壬午	辛亥	庚辰	庚戌	己卯	己酉	戊寅	庚戌	己卯	28
甲寅	甲申	癸丑	癸未	壬子	辛巳	辛亥	庚辰	庚戌	己卯		庚辰	29
乙卯	乙酉	甲寅	甲申	癸丑	壬午	壬子	辛巳	辛亥	庚辰		辛巳	30
丙辰		乙卯		甲寅	癸未		壬午		辛巳		壬午	31

農曆初一　農曆十五

西曆一九五四年

12月	11月	10月	9月	8月	7月	6月	5月	4月	3月	2月	1月	月/日
辛卯	辛酉	庚寅	庚申	己丑	戊午	戊子（五月）	丁巳	丁亥	丙辰	戊子	丁巳	1
壬辰	壬戌	辛卯	辛酉	庚寅	己未	己丑	戊午	戊子	丁巳	己丑	戊午	2
癸巳	癸亥	壬辰	壬戌	辛卯	庚申	庚寅	己未（四月）	己丑（三月）	戊午	庚寅（正月）	己未	3
甲午	甲子	癸巳	癸亥	壬辰	辛酉	辛卯	庚申	庚寅	己未	辛卯	庚申	4
乙未	乙丑	甲午	甲子	癸巳	壬戌	壬辰	辛酉	辛卯	庚申（二月）	壬辰	辛酉（十二月）	5
丙申	丙寅	乙未	乙丑	甲午	癸亥	癸巳	壬戌	壬辰	辛酉	癸巳	壬戌	6
丁酉	丁卯	丙申	丙寅	乙未	甲子	甲午	癸亥	癸巳	壬戌	甲午	癸亥	7
戊戌	戊辰	丁酉	丁卯	丙申	乙丑	乙未	甲子	甲午	癸亥	乙未	甲子	8
己亥	己巳	戊戌	戊辰	丁酉	丙寅	丙申	乙丑	乙未	甲子	丙申	乙丑	9
庚子	庚午	己亥	己巳	戊戌	丁卯	丁酉	丙寅	丙申	乙丑	丁酉	丙寅	10
辛丑	辛未	庚子	庚午	己亥	戊辰	戊戌	丁卯	丁酉	丙寅	戊戌	丁卯	11
壬寅	壬申	辛丑	辛未	庚子	己巳	己亥	戊辰	戊戌	丁卯	己亥	戊辰	12
癸卯	癸酉	壬寅	壬申	辛丑	庚午	庚子	己巳	己亥	戊辰	庚子	己巳	13
甲辰	甲戌	癸卯	癸酉	壬寅	辛未	辛丑	庚午	庚子	己巳	辛丑	庚午	14
乙巳	乙亥	甲辰	甲戌	癸卯	壬申	壬寅	辛未	辛丑	庚午	壬寅	辛未	15
丙午	丙子	乙巳	乙亥	甲辰	癸酉	癸卯	壬申	壬寅	辛未	癸卯	壬申	16
丁未	丁丑	丙午	丙子	乙巳	甲戌	甲辰	癸酉	癸卯	壬申	甲辰	癸酉	17
戊申	戊寅	丁未	丁丑	丙午	乙亥	乙巳	甲戌	甲辰	癸酉	乙巳	甲戌	18
己酉	己卯	戊申	戊寅	丁未	丙子	丙午	乙亥	乙巳	甲戌	丙午	乙亥	19
庚戌	庚辰	己酉	己卯	戊申	丁丑	丁未	丙子	丙午	乙亥	丁未	丙子	20
辛亥	辛巳	庚戌	庚辰	己酉	戊寅	戊申	丁丑	丁未	丙子	戊申	丁丑	21
壬子	壬午	辛亥	辛巳	庚戌	己卯	己酉	戊寅	戊申	丁丑	己酉	戊寅	22
癸丑	癸未	壬子	壬午	辛亥	庚辰	庚戌	己卯	己酉	戊寅	庚戌	己卯	23
甲寅	甲申	癸丑	癸未	壬子	辛巳	辛亥	庚辰	庚戌	己卯	辛亥	庚辰	24
乙卯（十二月）	乙酉（十一月）	甲寅	甲申	癸丑	壬午	壬子	辛巳	辛亥	庚辰	壬子	辛巳	25
丙辰	丙戌	乙卯	乙酉	甲寅	癸未	癸丑	壬午	壬子	辛巳	癸丑	壬午	26
丁巳	丁亥	丙辰（十月）	丙戌（九月）	乙卯	甲申	甲寅	癸未	癸丑	壬午	甲寅	癸未	27
戊午	戊子	丁巳	丁亥	丙辰（八月）	乙酉	乙卯	甲申	甲寅	癸未	乙卯	甲申	28
己未	己丑	戊午	戊子	丁巳	丙戌	丙辰	乙酉	乙卯	甲申		乙酉	29
庚申	庚寅	己未	己丑	戊午	丁亥（七月）	丁巳（六月）	丙戌	丙辰	乙酉		丙戌	30
辛酉		庚申		己未	戊子		丁亥		丙戌		丁亥	31

農曆初一　農曆十五

出生日對照表

西曆一九五五年

12月	11月	10月	9月	8月	7月	6月	5月	4月	3月	2月	1月	月／日
丙申	丙寅	乙未	乙丑	甲午	癸亥	癸巳	壬戌	壬辰	辛酉	癸巳	壬戌	1
丁酉	丁卯	丙申	丙寅	乙未	甲子	甲午	癸亥	癸巳	壬戌	甲午	癸亥	2
戊戌	戊辰	丁酉	丁卯	丙申	乙丑	乙未	甲子	甲午	癸亥	乙未	甲子	3
己亥	己巳	戊戌	戊辰	丁酉	丙寅	丙申	乙丑	乙未	甲子	丙申	乙丑	4
庚子	庚午	己亥	己巳	戊戌	丁卯	丁酉	丙寅	丙申	乙丑	丁酉	丙寅	5
辛丑	辛未	庚子	庚午	己亥	戊辰	戊戌	丁卯	丁酉	丙寅	戊戌	丁卯	6
壬寅	壬申	辛丑	辛未	庚子	己巳	己亥	戊辰	戊戌	丁卯	己亥	戊辰	7
癸卯	癸酉	壬寅	壬申	辛丑	庚午	庚子	己巳	己亥	戊辰	庚子	己巳	8
甲辰	甲戌	癸卯	癸酉	壬寅	辛未	辛丑	庚午	庚子	己巳	辛丑	庚午	9
乙巳	乙亥	甲辰	甲戌	癸卯	壬申	壬寅	辛未	辛丑	庚午	壬寅	辛未	10
丙午	丙子	乙巳	乙亥	甲辰	癸酉	癸卯	壬申	壬寅	辛未	癸卯	壬申	11
丁未	丁丑	丙午	丙子	乙巳	甲戌	甲辰	癸酉	癸卯	壬申	甲辰	癸酉	12
戊申	戊寅	丁未	丁丑	丙午	乙亥	乙巳	甲戌	甲辰	癸酉	乙巳	甲戌	13
十一月 己酉	十月 己卯	戊申	戊寅	丁未	丙子	丙午	乙亥	乙巳	甲戌	丙午	乙亥	14
庚戌	庚辰	己酉	己卯	戊申	丁丑	丁未	丙子	丙午	乙亥	丁未	丙子	15
辛亥	辛巳	九月 庚戌	八月 庚辰	己酉	戊寅	戊申	丁丑	丁未	丙子	戊申	丁丑	16
壬子	壬午	辛亥	辛巳	庚戌	己卯	己酉	戊寅	戊申	丁丑	己酉	戊寅	17
癸丑	癸未	壬子	壬午	七月 辛亥	庚辰	庚戌	己卯	己酉	戊寅	庚戌	己卯	18
甲寅	甲申	癸丑	癸未	壬子	六月 辛巳	辛亥	庚辰	庚戌	己卯	辛亥	庚辰	19
乙卯	乙酉	甲寅	甲申	癸丑	壬午	五月 壬子	辛巳	辛亥	庚辰	壬子	辛巳	20
丙辰	丙戌	乙卯	乙酉	甲寅	癸未	癸丑	壬午	壬子	辛巳	癸丑	壬午	21
丁巳	丁亥	丙辰	丙戌	乙卯	甲申	甲寅	四月 癸未	閏三月 癸丑	壬午	二月 甲寅	癸未	22
戊午	戊子	丁巳	丁亥	丙辰	乙酉	乙卯	甲申	甲寅	癸未	乙卯	甲申	23
己未	己丑	戊午	戊子	丁巳	丙戌	丙辰	乙酉	乙卯	三月 甲申	丙辰	正月 乙酉	24
庚申	庚寅	己未	己丑	戊午	丁亥	丁巳	丙戌	丙辰	乙酉	丁巳	丙戌	25
辛酉	辛卯	庚申	庚寅	己未	戊子	戊午	丁亥	丁巳	丙戌	戊午	丁亥	26
壬戌	壬辰	辛酉	辛卯	庚申	己丑	己未	戊子	戊午	丁亥	己未	戊子	27
癸亥	癸巳	壬戌	壬辰	辛酉	庚寅	庚申	己丑	己未	戊子	庚申	己丑	28
甲子	甲午	癸亥	癸巳	壬戌	辛卯	辛酉	庚寅	庚申	己丑		庚寅	29
乙丑	乙未	甲子	甲午	癸亥	壬辰	壬戌	辛卯	辛酉	庚寅		辛卯	30
丙寅		乙丑		甲子	癸巳		壬辰		辛卯		壬辰	31

農曆初一　農曆十五

西曆一九五六年

12月	11月	10月	9月	8月	7月	6月	5月	4月	3月	2月	1月	月/日
壬寅	壬申	辛丑	辛未	庚子	己巳	己亥	戊辰	戊戌	丁卯	戊戌	丁卯	1
十一月 癸卯	癸酉	壬寅	壬申	辛丑	庚午	庚子	己巳	己亥	戊辰	己亥	戊辰	2
甲辰	十月 甲戌	癸卯	癸酉	壬寅	辛未	辛丑	庚午	庚子	己巳	庚子	己巳	3
乙巳	乙亥	九月 甲辰	甲戌	癸卯	壬申	壬寅	辛未	辛丑	庚午	辛丑	庚午	4
丙午	丙子	乙巳	八月 乙亥	甲辰	癸酉	癸卯	壬申	壬寅	辛未	壬寅	辛未	5
丁未	丁丑	丙午	丙子	七月 乙巳	甲戌	甲辰	癸酉	癸卯	壬申	癸卯	壬申	6
戊申	戊寅	丁未	丁丑	丙午	乙亥	乙巳	甲戌	甲辰	癸酉	甲辰	癸酉	7
己酉	己卯	戊申	戊寅	丁未	六月 丙子	丙午	乙亥	乙巳	甲戌	乙巳	甲戌	8
庚戌	庚辰	己酉	己卯	戊申	丁丑	五月 丁未	丙子	丙午	乙亥	丙午	乙亥	9
辛亥	辛巳	庚戌	庚辰	己酉	戊寅	戊申	四月 丁丑	丁未	丙子	丁未	丙子	10
壬子	壬午	辛亥	辛巳	庚戌	己卯	己酉	戊寅	三月 戊申	丁丑	戊申	丁丑	11
癸丑	癸未	壬子	壬午	辛亥	庚辰	庚戌	己卯	己酉	二月 戊寅	正月 己酉	戊寅	12
甲寅	甲申	癸丑	癸未	壬子	辛巳	辛亥	庚辰	庚戌	己卯	庚戌	十二月 己卯	13
乙卯	乙酉	甲寅	甲申	癸丑	壬午	壬子	辛巳	辛亥	庚辰	辛亥	庚辰	14
丙辰	丙戌	乙卯	乙酉	甲寅	癸未	癸丑	壬午	壬子	辛巳	壬子	辛巳	15
丁巳	丁亥	丙辰	丙戌	乙卯	甲申	甲寅	癸未	癸丑	壬午	癸丑	壬午	16
戊午	戊子	丁巳	丁亥	丙辰	乙酉	乙卯	甲申	甲寅	癸未	甲寅	癸未	17
己未	己丑	戊午	戊子	丁巳	丙戌	丙辰	乙酉	乙卯	甲申	乙卯	甲申	18
庚申	庚寅	己未	己丑	戊午	丁亥	丁巳	丙戌	丙辰	乙酉	丙辰	乙酉	19
辛酉	辛卯	庚申	庚寅	己未	戊子	戊午	丁亥	丁巳	丙戌	丁巳	丙戌	20
壬戌	壬辰	辛酉	辛卯	庚申	己丑	己未	戊子	戊午	丁亥	戊午	丁亥	21
癸亥	癸巳	壬戌	壬辰	辛酉	庚寅	庚申	己丑	己未	戊子	己未	戊子	22
甲子	甲午	癸亥	癸巳	壬戌	辛卯	辛酉	庚寅	庚申	己丑	庚申	己丑	23
乙丑	乙未	甲子	甲午	癸亥	壬辰	壬戌	辛卯	辛酉	庚寅	辛酉	庚寅	24
丙寅	丙申	乙丑	乙未	甲子	癸巳	癸亥	壬辰	壬戌	辛卯	壬戌	辛卯	25
丁卯	丁酉	丙寅	丙申	乙丑	甲午	甲子	癸巳	癸亥	壬辰	癸亥	壬辰	26
戊辰	戊戌	丁卯	丁酉	丙寅	乙未	乙丑	甲午	甲子	癸巳	甲子	癸巳	27
己巳	己亥	戊辰	戊戌	丁卯	丙申	丙寅	乙未	乙丑	甲午	乙丑	甲午	28
庚午	庚子	己巳	己亥	戊辰	丁酉	丁卯	丙申	丙寅	乙未	丙寅	乙未	29
辛未	辛丑	庚午	庚子	己巳	戊戌	戊辰	丁酉	丁卯	丙申		丙申	30
壬申		辛未		庚午	己亥		戊戌		丁酉		丁酉	31

農曆初一　農曆十五

出生日對照表

西曆一九五七年

12月	11月	10月	9月	8月	7月	6月	5月	4月	3月	2月	1月	月／日
丁未	丁丑	丙午	丙子	乙巳	甲戌	甲辰	癸酉	癸卯	壬申	甲辰	十二月 癸酉	1
戊申	戊寅	丁未	丁丑	丙午	乙亥	乙巳	甲戌	甲辰	二月 癸酉	乙巳	甲戌	2
己酉	己卯	戊申	戊寅	丁未	丙子	丙午	乙亥	乙巳	甲戌	丙午	乙亥	3
庚戌	庚辰	己酉	己卯	戊申	丁丑	丁未	丙子	丙午	乙亥	丁未	丙子	4
辛亥	辛巳	庚戌	庚辰	己酉	戊寅	戊申	丁丑	丁未	丙子	戊申	丁丑	5
壬子	壬午	辛亥	辛巳	庚戌	己卯	己酉	戊寅	戊申	丁丑	己酉	戊寅	6
癸丑	癸未	壬子	壬午	辛亥	庚辰	庚戌	己卯	己酉	戊寅	庚戌	己卯	7
甲寅	甲申	癸丑	癸未	壬子	辛巳	辛亥	庚辰	庚戌	己卯	辛亥	庚辰	8
乙卯	乙酉	甲寅	甲申	癸丑	壬午	壬子	辛巳	辛亥	庚辰	壬子	辛巳	9
丙辰	丙戌	乙卯	乙酉	甲寅	癸未	癸丑	壬午	壬子	辛巳	癸丑	壬午	10
丁巳	丁亥	丙辰	丙戌	乙卯	甲申	甲寅	癸未	癸丑	壬午	甲寅	癸未	11
戊午	戊子	丁巳	丁亥	丙辰	乙酉	乙卯	甲申	甲寅	癸未	乙卯	甲申	12
己未	己丑	戊午	戊子	丁巳	丙戌	丙辰	乙酉	乙卯	甲申	丙辰	乙酉	13
庚申	庚寅	己未	己丑	戊午	丁亥	丁巳	丙戌	丙辰	乙酉	丁巳	丙戌	14
辛酉	辛卯	庚申	庚寅	己未	戊子	戊午	丁亥	丁巳	丙戌	戊午	丁亥	15
壬戌	壬辰	辛酉	辛卯	庚申	己丑	己未	戊子	戊午	丁亥	己未	戊子	16
癸亥	癸巳	壬戌	壬辰	辛酉	庚寅	庚申	己丑	己未	戊子	庚申	己丑	17
甲子	甲午	癸亥	癸巳	壬戌	辛卯	辛酉	庚寅	庚申	己丑	辛酉	庚寅	18
乙丑	乙未	甲子	甲午	癸亥	壬辰	壬戌	辛卯	辛酉	庚寅	壬戌	辛卯	19
丙寅	丙申	乙丑	乙未	甲子	癸巳	癸亥	壬辰	壬戌	辛卯	癸亥	壬辰	20
十一月 丁卯	丁酉	丙寅	丙申	乙丑	甲午	甲子	癸巳	癸亥	壬辰	甲子	癸巳	21
戊辰	十月 戊戌	丁卯	丁酉	丙寅	乙未	乙丑	甲午	甲子	癸巳	乙丑	甲午	22
己巳	己亥	九月 戊辰	戊戌	丁卯	丙申	丙寅	乙未	乙丑	甲午	丙寅	乙未	23
庚午	庚子	己巳	閏八月 己亥	戊辰	丁酉	丁卯	丙申	丙寅	乙未	丁卯	丙申	24
辛未	辛丑	庚午	庚子	八月 己巳	戊戌	戊辰	丁酉	丁卯	丙申	戊辰	丁酉	25
壬申	壬寅	辛未	辛丑	庚午	己亥	己巳	戊戌	戊辰	丁酉	己巳	戊戌	26
癸酉	癸卯	壬申	壬寅	辛未	七月 庚子	庚午	己亥	己巳	戊戌	庚午	己亥	27
甲戌	甲辰	癸酉	癸卯	壬申	辛丑	六月 辛未	庚子	庚午	己亥	辛未	庚子	28
乙亥	乙巳	甲戌	甲辰	癸酉	壬寅	壬申	五月 辛丑	辛未	庚子		辛丑	29
丙子	丙午	乙亥	乙巳	甲戌	癸卯	癸酉	壬寅	四月 壬申	辛丑		壬寅	30
丁丑		丙子		乙亥	甲辰		癸卯		三月 壬寅		正月 癸卯	31

農曆初一　農曆十五

西曆一九五八年

12月	11月	10月	9月	8月	7月	6月	5月	4月	3月	2月	1月	月/日
壬子	壬午	辛亥	辛巳	庚戌	己卯	己酉	戊寅	戊申	丁丑	己酉	戊寅	1
癸丑	癸未	壬子	壬午	辛亥	庚辰	庚戌	己卯	己酉	戊寅	庚戌	己卯	2
甲寅	甲申	癸丑	癸未	壬子	辛巳	辛亥	庚辰	庚戌	己卯	辛亥	庚辰	3
乙卯	乙酉	甲寅	甲申	癸丑	壬午	壬子	辛巳	辛亥	庚辰	壬子	辛巳	4
丙辰	丙戌	乙卯	乙酉	甲寅	癸未	癸丑	壬午	壬子	辛巳	癸丑	壬午	5
丁巳	丁亥	丙辰	丙戌	乙卯	甲申	甲寅	癸未	癸丑	壬午	甲寅	癸未	6
戊午	戊子	丁巳	丁亥	丙辰	乙酉	乙卯	甲申	甲寅	癸未	乙卯	甲申	7
己未	己丑	戊午	戊子	丁巳	丙戌	丙辰	乙酉	乙卯	甲申	丙辰	乙酉	8
庚申	庚寅	己未	己丑	戊午	丁亥	丁巳	丙戌	丙辰	乙酉	丁巳	丙戌	9
辛酉	辛卯	庚申	庚寅	己未	戊子	戊午	丁亥	丁巳	丙戌	戊午	丁亥	10
十一月 壬戌	十月 壬辰	辛酉	辛卯	庚申	己丑	己未	戊子	戊午	丁亥	己未	戊子	11
癸亥	癸巳	壬戌	壬辰	辛酉	庚寅	庚申	己丑	己未	戊子	庚申	己丑	12
甲子	甲午	九月 癸亥	八月 癸巳	壬戌	辛卯	辛酉	庚寅	庚申	己丑	辛酉	庚寅	13
乙丑	乙未	甲子	甲午	癸亥	壬辰	壬戌	辛卯	辛酉	庚寅	壬戌	辛卯	14
丙寅	丙申	乙丑	乙未	七月 甲子	癸巳	癸亥	壬辰	壬戌	辛卯	癸亥	壬辰	15
丁卯	丁酉	丙寅	丙申	乙丑	甲午	甲子	癸巳	癸亥	壬辰	甲子	癸巳	16
戊辰	戊戌	丁卯	丁酉	丙寅	六月 乙未	五月 乙丑	甲午	甲子	癸巳	乙丑	甲午	17
己巳	己亥	戊辰	戊戌	丁卯	丙申	丙寅	乙未	乙丑	甲午	正月 丙寅	乙未	18
庚午	庚子	己巳	己亥	戊辰	丁酉	丁卯	四月 丙申	三月 丙寅	乙未	丁卯	丙申	19
辛未	辛丑	庚午	庚子	己巳	戊戌	戊辰	丁酉	丁卯	二月 丙申	戊辰	十二月 丁酉	20
壬申	壬寅	辛未	辛丑	庚午	己亥	己巳	戊戌	戊辰	丁酉	己巳	戊戌	21
癸酉	癸卯	壬申	壬寅	辛未	庚子	庚午	己亥	己巳	戊戌	庚午	己亥	22
甲戌	甲辰	癸酉	癸卯	壬申	辛丑	辛未	庚子	庚午	己亥	辛未	庚子	23
乙亥	乙巳	甲戌	甲辰	癸酉	壬寅	壬申	辛丑	辛未	庚子	壬申	辛丑	24
丙子	丙午	乙亥	乙巳	甲戌	癸卯	癸酉	壬寅	壬申	辛丑	癸酉	壬寅	25
丁丑	丁未	丙子	丙午	乙亥	甲辰	甲戌	癸卯	癸酉	壬寅	甲戌	癸卯	26
戊寅	戊申	丁丑	丁未	丙子	乙巳	乙亥	甲辰	甲戌	癸卯	乙亥	甲辰	27
己卯	己酉	戊寅	戊申	丁丑	丙午	丙子	乙巳	乙亥	甲辰	丙子	乙巳	28
庚辰	庚戌	己卯	己酉	戊寅	丁未	丁丑	丙午	丙子	乙巳		丙午	29
辛巳	辛亥	庚辰	庚戌	己卯	戊申	戊寅	丁未	丁丑	丙午		丁未	30
壬午		辛巳		庚辰	己酉		戊申		丁未		戊申	31

農曆初一　農曆十五

出生日對照表

西曆一九五九年

12月	11月	10月	9月	8月	7月	6月	5月	4月	3月	2月	1月	月/日
丁巳	十月 丁亥	丙辰	丙戌	乙卯	甲申	甲寅	癸未	癸丑	壬午	甲寅	癸未	1
戊午	戊子	九月 丁巳	丁亥	丙辰	乙酉	乙卯	甲申	甲寅	癸未	乙卯	甲申	2
己未	己丑	戊午	八月 戊子	丁巳	丙戌	丙辰	乙酉	乙卯	甲申	丙辰	乙酉	3
庚申	庚寅	己未	己丑	七月 戊午	丁亥	丁巳	丙戌	丙辰	乙酉	丁巳	丙戌	4
辛酉	辛卯	庚申	庚寅	己未	戊子	戊午	丁亥	丁巳	丙戌	戊午	丁亥	5
壬戌	壬辰	辛酉	辛卯	庚申	六月 己丑	五月 己未	戊子	戊午	丁亥	己未	戊子	6
癸亥	癸巳	壬戌	壬辰	辛酉	庚寅	庚申	己丑	己未	戊子	庚申	己丑	7
甲子	甲午	癸亥	癸巳	壬戌	辛卯	辛酉	四月 庚寅	三月 庚申	己丑	正月 辛酉	庚寅	8
乙丑	乙未	甲子	甲午	癸亥	壬辰	壬戌	辛卯	辛酉	二月 庚寅	壬戌	十二月 辛卯	9
丙寅	丙申	乙丑	乙未	甲子	癸巳	癸亥	壬辰	壬戌	辛卯	癸亥	壬辰	10
丁卯	丁酉	丙寅	丙申	乙丑	甲午	甲子	癸巳	癸亥	壬辰	甲子	癸巳	11
戊辰	戊戌	丁卯	丁酉	丙寅	乙未	乙丑	甲午	甲子	癸巳	乙丑	甲午	12
己巳	己亥	戊辰	戊戌	丁卯	丙申	丙寅	乙未	乙丑	甲午	丙寅	乙未	13
庚午	庚子	己巳	己亥	戊辰	丁酉	丁卯	丙申	丙寅	乙未	丁卯	丙申	14
辛未	辛丑	庚午	庚子	己巳	戊戌	戊辰	丁酉	丁卯	丙申	戊辰	丁酉	15
壬申	壬寅	辛未	辛丑	庚午	己亥	己巳	戊戌	戊辰	丁酉	己巳	戊戌	16
癸酉	癸卯	壬申	壬寅	辛未	庚子	庚午	己亥	己巳	戊戌	庚午	己亥	17
甲戌	甲辰	癸酉	癸卯	壬申	辛丑	辛未	庚子	庚午	己亥	辛未	庚子	18
乙亥	乙巳	甲戌	甲辰	癸酉	壬寅	壬申	辛丑	辛未	庚子	壬申	辛丑	19
丙子	丙午	乙亥	乙巳	甲戌	癸卯	癸酉	壬寅	壬申	辛丑	癸酉	壬寅	20
丁丑	丁未	丙子	丙午	乙亥	甲辰	甲戌	癸卯	癸酉	壬寅	甲戌	癸卯	21
戊寅	戊申	丁丑	丁未	丙子	乙巳	乙亥	甲辰	甲戌	癸卯	乙亥	甲辰	22
己卯	己酉	戊寅	戊申	丁丑	丙午	丙子	乙巳	乙亥	甲辰	丙子	乙巳	23
庚辰	庚戌	己卯	己酉	戊寅	丁未	丁丑	丙午	丙子	乙巳	丁丑	丙午	24
辛巳	辛亥	庚辰	庚戌	己卯	戊申	戊寅	丁未	丁丑	丙午	戊寅	丁未	25
壬午	壬子	辛巳	辛亥	庚辰	己酉	己卯	戊申	戊寅	丁未	己卯	戊申	26
癸未	癸丑	壬午	壬子	辛巳	庚戌	庚辰	己酉	己卯	戊申	庚辰	己酉	27
甲申	甲寅	癸未	癸丑	壬午	辛亥	辛巳	庚戌	庚辰	己酉	辛巳	庚戌	28
乙酉	乙卯	甲申	甲寅	癸未	壬子	壬午	辛亥	辛巳	庚戌		辛亥	29
十二月 丙戌	十一月 丙辰	乙酉	乙卯	甲申	癸丑	癸未	壬子	壬午	辛亥		壬子	30
丁亥		丙戌		乙酉	甲寅		癸丑		壬子		癸丑	31

農曆初一　農曆十五

西曆一九六〇年

12月	11月	10月	9月	8月	7月	6月	5月	4月	3月	2月	1月	月/日
癸亥	癸巳	壬戌	壬辰	辛酉	庚寅	庚申	己丑	己未	戊子	己未	戊子	1
甲子	甲午	癸亥	癸巳	壬戌	辛卯	辛酉	庚寅	庚申	己丑	庚申	己丑	2
乙丑	乙未	甲子	甲午	癸亥	壬辰	壬戌	辛卯	辛酉	庚寅	辛酉	庚寅	3
丙寅	丙申	乙丑	乙未	甲子	癸巳	癸亥	壬辰	壬戌	辛卯	壬戌	辛卯	4
丁卯	丁酉	丙寅	丙申	乙丑	甲午	甲子	癸巳	癸亥	壬辰	癸亥	壬辰	5
戊辰	戊戌	丁卯	丁酉	丙寅	乙未	乙丑	甲午	甲子	癸巳	甲子	癸巳	6
己巳	己亥	戊辰	戊戌	丁卯	丙申	丙寅	乙未	乙丑	甲午	乙丑	甲午	7
庚午	庚子	己巳	己亥	戊辰	丁酉	丁卯	丙申	丙寅	乙未	丙寅	乙未	8
辛未	辛丑	庚午	庚子	己巳	戊戌	戊辰	丁酉	丁卯	丙申	丁卯	丙申	9
壬申	壬寅	辛未	辛丑	庚午	己亥	己巳	戊戌	戊辰	丁酉	戊辰	丁酉	10
癸酉	癸卯	壬申	壬寅	辛未	庚子	庚午	己亥	己巳	戊戌	己巳	戊戌	11
甲戌	甲辰	癸酉	癸卯	壬申	辛丑	辛未	庚子	庚午	己亥	庚午	己亥	12
乙亥	乙巳	甲戌	甲辰	癸酉	壬寅	壬申	辛丑	辛未	庚子	辛未	庚子	13
丙子	丙午	乙亥	乙巳	甲戌	癸卯	癸酉	壬寅	壬申	辛丑	壬申	辛丑	14
丁丑	丁未	丙子	丙午	乙亥	甲辰	甲戌	癸卯	癸酉	壬寅	癸酉	壬寅	15
戊寅	戊申	丁丑	丁未	丙子	乙巳	乙亥	甲辰	甲戌	癸卯	甲戌	癸卯	16
己卯	己酉	戊寅	戊申	丁丑	丙午	丙子	乙巳	乙亥	甲辰	乙亥	甲辰	17
十一月 庚辰	庚戌	己卯	己酉	戊寅	丁未	丁丑	丙午	丙子	乙巳	丙子	乙巳	18
辛巳	十月 辛亥	庚辰	庚戌	己卯	戊申	戊寅	丁未	丁丑	丙午	丁丑	丙午	19
壬午	壬子	九月 辛巳	辛亥	庚辰	己酉	己卯	戊申	戊寅	丁未	戊寅	丁未	20
癸未	癸丑	壬午	八月 壬子	辛巳	庚戌	庚辰	己酉	己卯	戊申	己卯	戊申	21
甲申	甲寅	癸未	癸丑	七月 壬午	辛亥	辛巳	庚戌	庚辰	己酉	庚辰	己酉	22
乙酉	乙卯	甲申	甲寅	癸未	壬子	壬午	辛亥	辛巳	庚戌	辛巳	庚戌	23
丙戌	丙辰	乙酉	乙卯	甲申	閏六月 癸丑	六月 癸未	壬子	壬午	辛亥	壬午	辛亥	24
丁亥	丁巳	丙戌	丙辰	乙酉	甲寅	甲申	五月 癸丑	癸未	壬子	癸未	壬子	25
戊子	戊午	丁亥	丁巳	丙戌	乙卯	乙酉	甲寅	四月 甲申	癸丑	甲申	癸丑	26
己丑	己未	戊子	戊午	丁亥	丙辰	丙戌	乙卯	乙酉	三月 甲寅	二月 乙酉	甲寅	27
庚寅	庚申	己丑	己未	戊子	丁巳	丁亥	丙辰	丙戌	乙卯	丙戌	正月 乙卯	28
辛卯	辛酉	庚寅	庚申	己丑	戊午	戊子	丁巳	丁亥	丙辰	丁亥	丙辰	29
壬辰	壬戌	辛卯	辛酉	庚寅	己未	己丑	戊午	戊子	丁巳		丁巳	30
癸巳		壬辰		辛卯	庚申		己未		戊午		戊午	31

農曆初一　農曆十五

出生日對照表

西曆一九六一年

12月	11月	10月	9月	8月	7月	6月	5月	4月	3月	2月	1月	月/日
戊辰	戊戌	丁卯	丁酉	丙寅	乙未	乙丑	甲午	甲子	癸巳	乙丑	甲午	1
己巳	己亥	戊辰	戊戌	丁卯	丙申	丙寅	乙未	乙丑	甲午	丙寅	乙未	2
庚午	庚子	己巳	己亥	戊辰	丁酉	丁卯	丙申	丙寅	乙未	丁卯	丙申	3
辛未	辛丑	庚午	庚子	己巳	戊戌	戊辰	丁酉	丁卯	丙申	戊辰	丁酉	4
壬申	壬寅	辛未	辛丑	庚午	己亥	己巳	戊戌	戊辰	丁酉	己巳	戊戌	5
癸酉	癸卯	壬申	壬寅	辛未	庚子	庚午	己亥	己巳	戊戌	庚午	己亥	6
甲戌	甲辰	癸酉	癸卯	壬申	辛丑	辛未	庚子	庚午	己亥	辛未	庚子	7
十一月 乙亥	十月 乙巳	甲戌	甲辰	癸酉	壬寅	壬申	辛丑	辛未	庚子	壬申	辛丑	8
丙子	丙午	乙亥	乙巳	甲戌	癸卯	癸酉	壬寅	壬申	辛丑	癸酉	壬寅	9
丁丑	丁未	九月 丙子	八月 丙午	乙亥	甲辰	甲戌	癸卯	癸酉	壬寅	甲戌	癸卯	10
戊寅	戊申	丁丑	丁未	七月 丙子	乙巳	乙亥	甲辰	甲戌	癸卯	乙亥	甲辰	11
己卯	己酉	戊寅	戊申	丁丑	丙午	丙子	乙巳	乙亥	甲辰	丙子	乙巳	12
庚辰	庚戌	己卯	己酉	戊寅	六月 丁未	五月 丁丑	丙午	丙子	乙巳	丁丑	丙午	13
辛巳	辛亥	庚辰	庚戌	己卯	戊申	戊寅	丁未	丁丑	丙午	戊寅	丁未	14
壬午	壬子	辛巳	辛亥	庚辰	己酉	己卯	四月 戊申	三月 戊寅	丁未	正月 己卯	戊申	15
癸未	癸丑	壬午	壬子	辛巳	庚戌	庚辰	己酉	己卯	戊申	庚辰	己酉	16
甲申	甲寅	癸未	癸丑	壬午	辛亥	辛巳	庚戌	庚辰	二月 己酉	辛巳	十二月 庚戌	17
乙酉	乙卯	甲申	甲寅	癸未	壬子	壬午	辛亥	辛巳	庚戌	壬午	辛亥	18
丙戌	丙辰	乙酉	乙卯	甲申	癸丑	癸未	壬子	壬午	辛亥	癸未	壬子	19
丁亥	丁巳	丙戌	丙辰	乙酉	甲寅	甲申	癸丑	癸未	壬子	甲申	癸丑	20
戊子	戊午	丁亥	丁巳	丙戌	乙卯	乙酉	甲寅	甲申	癸丑	乙酉	甲寅	21
己丑	己未	戊子	戊午	丁亥	丙辰	丙戌	乙卯	乙酉	甲寅	丙戌	乙卯	22
庚寅	庚申	己丑	己未	戊子	丁巳	丁亥	丙辰	丙戌	乙卯	丁亥	丙辰	23
辛卯	辛酉	庚寅	庚申	己丑	戊午	戊子	丁巳	丁亥	丙辰	戊子	丁巳	24
壬辰	壬戌	辛卯	辛酉	庚寅	己未	己丑	戊午	戊子	丁巳	己丑	戊午	25
癸巳	癸亥	壬辰	壬戌	辛卯	庚申	庚寅	己未	己丑	戊午	庚寅	己未	26
甲午	甲子	癸巳	癸亥	壬辰	辛酉	辛卯	庚申	庚寅	己未	辛卯	庚申	27
乙未	乙丑	甲午	甲子	癸巳	壬戌	壬辰	辛酉	辛卯	庚申	壬辰	辛酉	28
丙申	丙寅	乙未	乙丑	甲午	癸亥	癸巳	壬戌	壬辰	辛酉		壬戌	29
丁酉	丁卯	丙申	丙寅	乙未	甲子	甲午	癸亥	癸巳	壬戌		癸亥	30
戊戌		丁酉		丙申	乙丑		甲子		癸亥		甲子	31

農曆初一　農曆十五

西曆一九六二年

12月	11月	10月	9月	8月	7月	6月	5月	4月	3月	2月	1月	月/日
癸酉	癸卯	壬申	壬寅	辛未	庚子	庚午	己亥	己巳	戊戌	庚午	己亥	1
甲戌	甲辰	癸酉	癸卯	壬申	六月 辛丑	五月 辛未	庚子	庚午	己亥	辛未	庚子	2
乙亥	乙巳	甲戌	甲辰	癸酉	壬寅	壬申	辛丑	辛未	庚子	壬申	辛丑	3
丙子	丙午	乙亥	乙巳	甲戌	癸卯	癸酉	四月 壬寅	壬申	辛丑	癸酉	壬寅	4
丁丑	丁未	丙子	丙午	乙亥	甲辰	甲戌	癸卯	三月 癸酉	壬寅	正月 甲戌	癸卯	5
戊寅	戊申	丁丑	丁未	丙子	乙巳	乙亥	甲辰	甲戌	二月 癸卯	乙亥	十二月 甲辰	6
己卯	己酉	戊寅	戊申	丁丑	丙午	丙子	乙巳	乙亥	甲辰	丙子	乙巳	7
庚辰	庚戌	己卯	己酉	戊寅	丁未	丁丑	丙午	丙子	乙巳	丁丑	丙午	8
辛巳	辛亥	庚辰	庚戌	己卯	戊申	戊寅	丁未	丁丑	丙午	戊寅	丁未	9
壬午	壬子	辛巳	辛亥	庚辰	己酉	己卯	戊申	戊寅	丁未	己卯	戊申	10
癸未	癸丑	壬午	壬子	辛巳	庚戌	庚辰	己酉	己卯	戊申	庚辰	己酉	11
甲申	甲寅	癸未	癸丑	壬午	辛亥	辛巳	庚戌	庚辰	己酉	辛巳	庚戌	12
乙酉	乙卯	甲申	甲寅	癸未	壬子	壬午	辛亥	辛巳	庚戌	壬午	辛亥	13
丙戌	丙辰	乙酉	乙卯	甲申	癸丑	癸未	壬子	壬午	辛亥	癸未	壬子	14
丁亥	丁巳	丙戌	丙辰	乙酉	甲寅	甲申	癸丑	癸未	壬子	甲申	癸丑	15
戊子	戊午	丁亥	丁巳	丙戌	乙卯	乙酉	甲寅	甲申	癸丑	乙酉	甲寅	16
己丑	己未	戊子	戊午	丁亥	丙辰	丙戌	乙卯	乙酉	甲寅	丙戌	乙卯	17
庚寅	庚申	己丑	己未	戊子	丁巳	丁亥	丙辰	丙戌	乙卯	丁亥	丙辰	18
辛卯	辛酉	庚寅	庚申	己丑	戊午	戊子	丁巳	丁亥	丙辰	戊子	丁巳	19
壬辰	壬戌	辛卯	辛酉	庚寅	己未	己丑	戊午	戊子	丁巳	己丑	戊午	20
癸巳	癸亥	壬辰	壬戌	辛卯	庚申	庚寅	己未	己丑	戊午	庚寅	己未	21
甲午	甲子	癸巳	癸亥	壬辰	辛酉	辛卯	庚申	庚寅	己未	辛卯	庚申	22
乙未	乙丑	甲午	甲子	癸巳	壬戌	壬辰	辛酉	辛卯	庚申	壬辰	辛酉	23
丙申	丙寅	乙未	乙丑	甲午	癸亥	癸巳	壬戌	壬辰	辛酉	癸巳	壬戌	24
丁酉	丁卯	丙申	丙寅	乙未	甲子	甲午	癸亥	癸巳	壬戌	甲午	癸亥	25
戊戌	戊辰	丁酉	丁卯	丙申	乙丑	乙未	甲子	甲午	癸亥	乙未	甲子	26
十二月 己亥	十一月 己巳	戊戌	戊辰	丁酉	丙寅	丙申	乙丑	乙未	甲子	丙申	乙丑	27
庚子	庚午	十月 己亥	己巳	戊戌	丁卯	丁酉	丙寅	丙申	乙丑	丁酉	丙寅	28
辛丑	辛未	庚子	九月 庚午	己亥	戊辰	戊戌	丁卯	丁酉	丙寅		丁卯	29
壬寅	壬申	辛丑	辛未	八月 庚子	己巳	己亥	戊辰	戊戌	丁卯		戊辰	30
癸卯		壬寅		辛丑	七月 庚午		己巳		戊辰		己巳	31

農曆初一　農曆十五

出生日對照表

西曆一九六三年

12月	11月	10月	9月	8月	7月	6月	5月	4月	3月	2月	1月	月/日
戊寅	戊申	丁丑	丁未	丙子	乙巳	乙亥	甲辰	甲戌	癸卯	乙亥	甲辰	1
己卯	己酉	戊寅	戊申	丁丑	丙午	丙子	乙巳	乙亥	甲辰	丙子	乙巳	2
庚辰	庚戌	己卯	己酉	戊寅	丁未	丁丑	丙午	丙子	乙巳	丁丑	丙午	3
辛巳	辛亥	庚辰	庚戌	己卯	戊申	戊寅	丁未	丁丑	丙午	戊寅	丁未	4
壬午	壬子	辛巳	辛亥	庚辰	己酉	己卯	戊申	戊寅	丁未	己卯	戊申	5
癸未	癸丑	壬午	壬子	辛巳	庚戌	庚辰	己酉	己卯	戊申	庚辰	己酉	6
甲申	甲寅	癸未	癸丑	壬午	辛亥	辛巳	庚戌	庚辰	己酉	辛巳	庚戌	7
乙酉	乙卯	甲申	甲寅	癸未	壬子	壬午	辛亥	辛巳	庚戌	壬午	辛亥	8
丙戌	丙辰	乙酉	乙卯	甲申	癸丑	癸未	壬子	壬午	辛亥	癸未	壬子	9
丁亥	丁巳	丙戌	丙辰	乙酉	甲寅	甲申	癸丑	癸未	壬子	甲申	癸丑	10
戊子	戊午	丁亥	丁巳	丙戌	乙卯	乙酉	甲寅	甲申	癸丑	乙酉	甲寅	11
己丑	己未	戊子	戊午	丁亥	丙辰	丙戌	乙卯	乙酉	甲寅	丙戌	乙卯	12
庚寅	庚申	己丑	己未	戊子	丁巳	丁亥	丙辰	丙戌	乙卯	丁亥	丙辰	13
辛卯	辛酉	庚寅	庚申	己丑	戊午	戊子	丁巳	丁亥	丙辰	戊子	丁巳	14
壬辰	壬戌	辛卯	辛酉	庚寅	己未	己丑	戊午	戊子	丁巳	己丑	戊午	15
十一月 癸巳	十月 癸亥	壬辰	壬戌	辛卯	庚申	庚寅	己未	己丑	戊午	庚寅	己未	16
甲午	甲子	九月 癸巳	癸亥	壬辰	辛酉	辛卯	庚申	庚寅	己未	辛卯	庚申	17
乙未	乙丑	甲午	八月 甲子	癸巳	壬戌	壬辰	辛酉	辛卯	庚申	壬辰	辛酉	18
丙申	丙寅	乙未	乙丑	七月 甲午	癸亥	癸巳	壬戌	壬辰	辛酉	癸巳	壬戌	19
丁酉	丁卯	丙申	丙寅	乙未	甲子	甲午	癸亥	癸巳	壬戌	甲午	癸亥	20
戊戌	戊辰	丁酉	丁卯	丙申	六月 乙丑	五月 乙未	甲子	甲午	癸亥	乙未	甲子	21
己亥	己巳	戊戌	戊辰	丁酉	丙寅	丙申	乙丑	乙未	甲子	丙申	乙丑	22
庚子	庚午	己亥	己巳	戊戌	丁卯	丁酉	閏四月 丙寅	丙申	乙丑	丁酉	丙寅	23
辛丑	辛未	庚子	庚午	己亥	戊辰	戊戌	丁卯	四月 丁酉	丙寅	二月 戊戌	丁卯	24
壬寅	壬申	辛丑	辛未	庚子	己巳	己亥	戊辰	戊戌	三月 丁卯	己亥	正月 戊辰	25
癸卯	癸酉	壬寅	壬申	辛丑	庚午	庚子	己巳	己亥	戊辰	庚子	己巳	26
甲辰	甲戌	癸卯	癸酉	壬寅	辛未	辛丑	庚午	庚子	己巳	辛丑	庚午	27
乙巳	乙亥	甲辰	甲戌	癸卯	壬申	壬寅	辛未	辛丑	庚午	壬寅	辛未	28
丙午	丙子	乙巳	乙亥	甲辰	癸酉	癸卯	壬申	壬寅	辛未		壬申	29
丁未	丁丑	丙午	丙子	乙巳	甲戌	甲辰	癸酉	癸卯	壬申		癸酉	30
戊申		丁未		丙午	乙亥		甲戌		癸酉		甲戌	31

農曆初一　農曆十五

西曆一九六四年

12月	11月	10月	9月	8月	7月	6月	5月	4月	3月	2月	1月	月/日
甲申	甲寅	癸未	癸丑	壬午	辛亥	辛巳	庚戌	庚辰	己酉	庚辰	己酉	1
乙酉	乙卯	甲申	甲寅	癸未	壬子	壬午	辛亥	辛巳	庚戌	辛巳	庚戌	2
丙戌	丙辰	乙酉	乙卯	甲申	癸丑	癸未	壬子	壬午	辛亥	壬午	辛亥	3
丁亥（十一月）	丁巳（十月）	丙戌	丙辰	乙酉	甲寅	甲申	癸丑	癸未	壬子	癸未	壬子	4
戊子	戊午	丁亥	丁巳	丙戌	乙卯	乙酉	甲寅	甲申	癸丑	甲申	癸丑	5
己丑	己未	戊子（九月）	戊午（八月）	丁亥	丙辰	丙戌	乙卯	乙酉	甲寅	乙酉	甲寅	6
庚寅	庚申	己丑	己未	戊子	丁巳	丁亥	丙辰	丙戌	乙卯	丙戌	乙卯	7
辛卯	辛酉	庚寅	庚申	己丑（七月）	戊午	戊子	丁巳	丁亥	丙辰	丁亥	丙辰	8
壬辰	壬戌	辛卯	辛酉	庚寅	己未（六月）	己丑	戊午	戊子	丁巳	戊子	丁巳	9
癸巳	癸亥	壬辰	壬戌	辛卯	庚申	庚寅（五月）	己未	己丑	戊午	己丑	戊午	10
甲午	甲子	癸巳	癸亥	壬辰	辛酉	辛卯	庚申	庚寅	己未	庚寅	己未	11
乙未	乙丑	甲午	甲子	癸巳	壬戌	壬辰	辛酉（四月）	辛卯（三月）	庚申	辛卯	庚申	12
丙申	丙寅	乙未	乙丑	甲午	癸亥	癸巳	壬戌	壬辰	辛酉	壬辰（正月）	辛酉	13
丁酉	丁卯	丙申	丙寅	乙未	甲子	甲午	癸亥	癸巳	壬戌（二月）	癸巳	壬戌	14
戊戌	戊辰	丁酉	丁卯	丙申	乙丑	乙未	甲子	甲午	癸亥	甲午	癸亥（十二月）	15
己亥	己巳	戊戌	戊辰	丁酉	丙寅	丙申	乙丑	乙未	甲子	乙未	甲子	16
庚子	庚午	己亥	己巳	戊戌	丁卯	丁酉	丙寅	丙申	乙丑	丙申	乙丑	17
辛丑	辛未	庚子	庚午	己亥	戊辰	戊戌	丁卯	丁酉	丙寅	丁酉	丙寅	18
壬寅	壬申	辛丑	辛未	庚子	己巳	己亥	戊辰	戊戌	丁卯	戊戌	丁卯	19
癸卯	癸酉	壬寅	壬申	辛丑	庚午	庚子	己巳	己亥	戊辰	己亥	戊辰	20
甲辰	甲戌	癸卯	癸酉	壬寅	辛未	辛丑	庚午	庚子	己巳	庚子	己巳	21
乙巳	乙亥	甲辰	甲戌	癸卯	壬申	壬寅	辛未	辛丑	庚午	辛丑	庚午	22
丙午	丙子	乙巳	乙亥	甲辰	癸酉	癸卯	壬申	壬寅	辛未	壬寅	辛未	23
丁未	丁丑	丙午	丙子	乙巳	甲戌	甲辰	癸酉	癸卯	壬申	癸卯	壬申	24
戊申	戊寅	丁未	丁丑	丙午	乙亥	乙巳	甲戌	甲辰	癸酉	甲辰	癸酉	25
己酉	己卯	戊申	戊寅	丁未	丙子	丙午	乙亥	乙巳	甲戌	乙巳	甲戌	26
庚戌	庚辰	己酉	己卯	戊申	丁丑	丁未	丙子	丙午	乙亥	丙午	乙亥	27
辛亥	辛巳	庚戌	庚辰	己酉	戊寅	戊申	丁丑	丁未	丙子	丁未	丙子	28
壬子	壬午	辛亥	辛巳	庚戌	己卯	己酉	戊寅	戊申	丁丑	戊申	丁丑	29
癸丑	癸未	壬子	壬午	辛亥	庚辰	庚戌	己卯	己酉	戊寅		戊寅	30
甲寅		癸丑		壬子	辛巳		庚辰		己卯		己卯	31

農曆初一　農曆十五

出生日對照表

西曆一九六五年

12月	11月	10月	9月	8月	7月	6月	5月	4月	3月	2月	1月	月/日
己丑	己未	戊子	戊午	丁亥	丙辰	丙戌	四月 乙卯	乙酉	甲寅	丙戌	乙卯	1
庚寅	庚申	己丑	己未	戊子	丁巳	丁亥	丙辰	三月 丙戌	乙卯	正月 丁亥	丙辰	2
辛卯	辛酉	庚寅	庚申	己丑	戊午	戊子	丁巳	丁亥	二月 丙辰	戊子	十二月 丁巳	3
壬辰	壬戌	辛卯	辛酉	庚寅	己未	己丑	戊午	戊子	丁巳	己丑	戊午	4
癸巳	癸亥	壬辰	壬戌	辛卯	庚申	庚寅	己未	己丑	戊午	庚寅	己未	5
甲午	甲子	癸巳	癸亥	壬辰	辛酉	辛卯	庚申	庚寅	己未	辛卯	庚申	6
乙未	乙丑	甲午	甲子	癸巳	壬戌	壬辰	辛酉	辛卯	庚申	壬辰	辛酉	7
丙申	丙寅	乙未	乙丑	甲午	癸亥	癸巳	壬戌	壬辰	辛酉	癸巳	壬戌	8
丁酉	丁卯	丙申	丙寅	乙未	甲子	甲午	癸亥	癸巳	壬戌	甲午	癸亥	9
戊戌	戊辰	丁酉	丁卯	丙申	乙丑	乙未	甲子	甲午	癸亥	乙未	甲子	10
己亥	己巳	戊戌	戊辰	丁酉	丙寅	丙申	乙丑	乙未	甲子	丙申	乙丑	11
庚子	庚午	己亥	己巳	戊戌	丁卯	丁酉	丙寅	丙申	乙丑	丁酉	丙寅	12
辛丑	辛未	庚子	庚午	己亥	戊辰	戊戌	丁卯	丁酉	丙寅	戊戌	丁卯	13
壬寅	壬申	辛丑	辛未	庚子	己巳	己亥	戊辰	戊戌	丁卯	己亥	戊辰	14
癸卯	癸酉	壬寅	壬申	辛丑	庚午	庚子	己巳	己亥	戊辰	庚子	己巳	15
甲辰	甲戌	癸卯	癸酉	壬寅	辛未	辛丑	庚午	庚子	己巳	辛丑	庚午	16
乙巳	乙亥	甲辰	甲戌	癸卯	壬申	壬寅	辛未	辛丑	庚午	壬寅	辛未	17
丙午	丙子	乙巳	乙亥	甲辰	癸酉	癸卯	壬申	壬寅	辛未	癸卯	壬申	18
丁未	丁丑	丙午	丙子	乙巳	甲戌	甲辰	癸酉	癸卯	壬申	甲辰	癸酉	19
戊申	戊寅	丁未	丁丑	丙午	乙亥	乙巳	甲戌	甲辰	癸酉	乙巳	甲戌	20
己酉	己卯	戊申	戊寅	丁未	丙子	丙午	乙亥	乙巳	甲戌	丙午	乙亥	21
庚戌	庚辰	己酉	己卯	戊申	丁丑	丁未	丙子	丙午	乙亥	丁未	丙子	22
十二月 辛亥	十一月 辛巳	庚戌	庚辰	己酉	戊寅	戊申	丁丑	丁未	丙子	戊申	丁丑	23
壬子	壬午	十月 辛亥	辛巳	庚戌	己卯	己酉	戊寅	戊申	丁丑	己酉	戊寅	24
癸丑	癸未	壬子	九月 壬午	辛亥	庚辰	庚戌	己卯	己酉	戊寅	庚戌	己卯	25
甲寅	甲申	癸丑	癸未	壬子	辛巳	辛亥	庚辰	庚戌	己卯	辛亥	庚辰	26
乙卯	乙酉	甲寅	甲申	八月 癸丑	壬午	壬子	辛巳	辛亥	庚辰	壬子	辛巳	27
丙辰	丙戌	乙卯	乙酉	甲寅	七月 癸未	癸丑	壬午	壬子	辛巳	癸丑	壬午	28
丁巳	丁亥	丙辰	丙戌	乙卯	甲申	六月 甲寅	癸未	癸丑	壬午		癸未	29
戊午	戊子	丁巳	丁亥	丙辰	乙酉	乙卯	甲申	甲寅	癸未		甲申	30
己未		戊午		丁巳	丙戌		五月 乙酉		甲申		乙酉	31

農曆初一　農曆十五

西曆一九六六年

12月	11月	10月	9月	8月	7月	6月	5月	4月	3月	2月	1月	月/日
甲午	甲子	癸巳	癸亥	壬辰	辛酉	辛卯	庚申	庚寅	己未	辛卯	庚申	1
乙未	乙丑	甲午	甲子	癸巳	壬戌	壬辰	辛酉	辛卯	庚申	壬辰	辛酉	2
丙申	丙寅	乙未	乙丑	甲午	癸亥	癸巳	壬戌	壬辰	辛酉	癸巳	壬戌	3
丁酉	丁卯	丙申	丙寅	乙未	甲子	甲午	癸亥	癸巳	壬戌	甲午	癸亥	4
戊戌	戊辰	丁酉	丁卯	丙申	乙丑	乙未	甲子	甲午	癸亥	乙未	甲子	5
己亥	己巳	戊戌	戊辰	丁酉	丙寅	丙申	乙丑	乙未	甲子	丙申	乙丑	6
庚子	庚午	己亥	己巳	戊戌	丁卯	丁酉	丙寅	丙申	乙丑	丁酉	丙寅	7
辛丑	辛未	庚子	庚午	己亥	戊辰	戊戌	丁卯	丁酉	丙寅	戊戌	丁卯	8
壬寅	壬申	辛丑	辛未	庚子	己巳	己亥	戊辰	戊戌	丁卯	己亥	戊辰	9
癸卯	癸酉	壬寅	壬申	辛丑	庚午	庚子	己巳	己亥	戊辰	庚子	己巳	10
甲辰	甲戌	癸卯	癸酉	壬寅	辛未	辛丑	庚午	庚子	己巳	辛丑	庚午	11
十一月 乙巳	十月 乙亥	甲辰	甲戌	癸卯	壬申	壬寅	辛未	辛丑	庚午	壬寅	辛未	12
丙午	丙子	乙巳	乙亥	甲辰	癸酉	癸卯	壬申	壬寅	辛未	癸卯	壬申	13
丁未	丁丑	九月 丙午	丙子	乙巳	甲戌	甲辰	癸酉	癸卯	壬申	甲辰	癸酉	14
戊申	戊寅	丁未	八月 丁丑	丙午	乙亥	乙巳	甲戌	甲辰	癸酉	乙巳	甲戌	15
己酉	己卯	戊申	戊寅	七月 丁未	丙子	丙午	乙亥	乙巳	甲戌	丙午	乙亥	16
庚戌	庚辰	己酉	己卯	戊申	丁丑	丁未	丙子	丙午	乙亥	丁未	丙子	17
辛亥	辛巳	庚戌	庚辰	己酉	六月 戊寅	戊申	丁丑	丁未	丙子	戊申	丁丑	18
壬子	壬午	辛亥	辛巳	庚戌	己卯	五月 己酉	戊寅	戊申	丁丑	己酉	戊寅	19
癸丑	癸未	壬子	壬午	辛亥	庚辰	庚戌	四月 己卯	己酉	戊寅	二月 庚戌	己卯	20
甲寅	甲申	癸丑	癸未	壬子	辛巳	辛亥	庚辰	閏三月 庚戌	己卯	辛亥	正月 庚辰	21
乙卯	乙酉	甲寅	甲申	癸丑	壬午	壬子	辛巳	辛亥	三月 庚辰	壬子	辛巳	22
丙辰	丙戌	乙卯	乙酉	甲寅	癸未	癸丑	壬午	壬子	辛巳	癸丑	壬午	23
丁巳	丁亥	丙辰	丙戌	乙卯	甲申	甲寅	癸未	癸丑	壬午	甲寅	癸未	24
戊午	戊子	丁巳	丁亥	丙辰	乙酉	乙卯	甲申	甲寅	癸未	乙卯	甲申	25
己未	己丑	戊午	戊子	丁巳	丙戌	丙辰	乙酉	乙卯	甲申	丙辰	乙酉	26
庚申	庚寅	己未	己丑	戊午	丁亥	丁巳	丙戌	丙辰	乙酉	丁巳	丙戌	27
辛酉	辛卯	庚申	庚寅	己未	戊子	戊午	丁亥	丁巳	丙戌	戊午	丁亥	28
壬戌	壬辰	辛酉	辛卯	庚申	己丑	己未	戊子	戊午	丁亥		戊子	29
癸亥	癸巳	壬戌	壬辰	辛酉	庚寅	庚申	己丑	己未	戊子		己丑	30
甲子		癸亥		壬戌	辛卯		庚寅		己丑		庚寅	31

農曆初一　　農曆十五

出生日對照表

西曆一九六七年

12月	11月	10月	9月	8月	7月	6月	5月	4月	3月	2月	1月	月/日
己亥	己巳	戊戌	戊辰	丁酉	丙寅	丙申	乙丑	乙未	甲子	丙申	乙丑	1
十一月 庚子	十月 庚午	己亥	己巳	戊戌	丁卯	丁酉	丙寅	丙申	乙丑	丁酉	丙寅	2
辛丑	辛未	庚子	庚午	己亥	戊辰	戊戌	丁卯	丁酉	丙寅	戊戌	丁卯	3
壬寅	壬申	九月 辛丑	八月 辛未	庚子	己巳	己亥	戊辰	戊戌	丁卯	己亥	戊辰	4
癸卯	癸酉	壬寅	壬申	辛丑	庚午	庚子	己巳	己亥	戊辰	庚子	己巳	5
甲辰	甲戌	癸卯	癸酉	七月 壬寅	辛未	辛丑	庚午	庚子	己巳	辛丑	庚午	6
乙巳	乙亥	甲辰	甲戌	癸卯	壬申	壬寅	辛未	辛丑	庚午	壬寅	辛未	7
丙午	丙子	乙巳	乙亥	甲辰	六月 癸酉	五月 癸卯	壬申	壬寅	辛未	癸卯	壬申	8
丁未	丁丑	丙午	丙子	乙巳	甲戌	甲辰	四月 癸酉	癸卯	壬申	正月 甲辰	癸酉	9
戊申	戊寅	丁未	丁丑	丙午	乙亥	乙巳	甲戌	三月 甲辰	癸酉	乙巳	甲戌	10
己酉	己卯	戊申	戊寅	丁未	丙子	丙午	乙亥	乙巳	二月 甲戌	丙午	十二月 乙亥	11
庚戌	庚辰	己酉	己卯	戊申	丁丑	丁未	丙子	丙午	乙亥	丁未	丙子	12
辛亥	辛巳	庚戌	庚辰	己酉	戊寅	戊申	丁丑	丁未	丙子	戊申	丁丑	13
壬子	壬午	辛亥	辛巳	庚戌	己卯	己酉	戊寅	戊申	丁丑	己酉	戊寅	14
癸丑	癸未	壬子	壬午	辛亥	庚辰	庚戌	己卯	己酉	戊寅	庚戌	己卯	15
甲寅	甲申	癸丑	癸未	壬子	辛巳	辛亥	庚辰	庚戌	己卯	辛亥	庚辰	16
乙卯	乙酉	甲寅	甲申	癸丑	壬午	壬子	辛巳	辛亥	庚辰	壬子	辛巳	17
丙辰	丙戌	乙卯	乙酉	甲寅	癸未	癸丑	壬午	壬子	辛巳	癸丑	壬午	18
丁巳	丁亥	丙辰	丙戌	乙卯	甲申	甲寅	癸未	癸丑	壬午	甲寅	癸未	19
戊午	戊子	丁巳	丁亥	丙辰	乙酉	乙卯	甲申	甲寅	癸未	乙卯	甲申	20
己未	己丑	戊午	戊子	丁巳	丙戌	丙辰	乙酉	乙卯	甲申	丙辰	乙酉	21
庚申	庚寅	己未	己丑	戊午	丁亥	丁巳	丙戌	丙辰	乙酉	丁巳	丙戌	22
辛酉	辛卯	庚申	庚寅	己未	戊子	戊午	丁亥	丁巳	丙戌	戊午	丁亥	23
壬戌	壬辰	辛酉	辛卯	庚申	己丑	己未	戊子	戊午	丁亥	己未	戊子	24
癸亥	癸巳	壬戌	壬辰	辛酉	庚寅	庚申	己丑	己未	戊子	庚申	己丑	25
甲子	甲午	癸亥	癸巳	壬戌	辛卯	辛酉	庚寅	庚申	己丑	辛酉	庚寅	26
乙丑	乙未	甲子	甲午	癸亥	壬辰	壬戌	辛卯	辛酉	庚寅	壬戌	辛卯	27
丙寅	丙申	乙丑	乙未	甲子	癸巳	癸亥	壬辰	壬戌	辛卯	癸亥	壬辰	28
丁卯	丁酉	丙寅	丙申	乙丑	甲午	甲子	癸巳	癸亥	壬辰		癸巳	29
戊辰	戊戌	丁卯	丁酉	丙寅	乙未	乙丑	甲午	甲子	癸巳		甲午	30
十二月 己巳		戊辰		丁卯	丙申		乙未		甲午		乙未	31

農曆初一　農曆十五

西曆一九六八年

12月	11月	10月	9月	8月	7月	6月	5月	4月	3月	2月	1月	月/日
乙巳	乙亥	甲辰	甲戌	癸卯	壬申	壬寅	辛未	辛丑	庚午	辛丑	庚午	1
丙午	丙子	乙巳	乙亥	甲辰	癸酉	癸卯	壬申	壬寅	辛未	壬寅	辛未	2
丁未	丁丑	丙午	丙子	乙巳	甲戌	甲辰	癸酉	癸卯	壬申	癸卯	壬申	3
戊申	戊寅	丁未	丁丑	丙午	乙亥	乙巳	甲戌	甲辰	癸酉	甲辰	癸酉	4
己酉	己卯	戊申	戊寅	丁未	丙子	丙午	乙亥	乙巳	甲戌	乙巳	甲戌	5
庚戌	庚辰	己酉	己卯	戊申	丁丑	丁未	丙子	丙午	乙亥	丙午	乙亥	6
辛亥	辛巳	庚戌	庚辰	己酉	戊寅	戊申	丁丑	丁未	丙子	丁未	丙子	7
壬子	壬午	辛亥	辛巳	庚戌	己卯	己酉	戊寅	戊申	丁丑	戊申	丁丑	8
癸丑	癸未	壬子	壬午	辛亥	庚辰	庚戌	己卯	己酉	戊寅	己酉	戊寅	9
甲寅	甲申	癸丑	癸未	壬子	辛巳	辛亥	庚辰	庚戌	己卯	庚戌	己卯	10
乙卯	乙酉	甲寅	甲申	癸丑	壬午	壬子	辛巳	辛亥	庚辰	辛亥	庚辰	11
丙辰	丙戌	乙卯	乙酉	甲寅	癸未	癸丑	壬午	壬子	辛巳	壬子	辛巳	12
丁巳	丁亥	丙辰	丙戌	乙卯	甲申	甲寅	癸未	癸丑	壬午	癸丑	壬午	13
戊午	戊子	丁巳	丁亥	丙辰	乙酉	乙卯	甲申	甲寅	癸未	甲寅	癸未	14
己未	己丑	戊午	戊子	丁巳	丙戌	丙辰	乙酉	乙卯	甲申	乙卯	甲申	15
庚申	庚寅	己未	己丑	戊午	丁亥	丁巳	丙戌	丙辰	乙酉	丙辰	乙酉	16
辛酉	辛卯	庚申	庚寅	己未	戊子	戊午	丁亥	丁巳	丙戌	丁巳	丙戌	17
壬戌	壬辰	辛酉	辛卯	庚申	己丑	己未	戊子	戊午	丁亥	戊午	丁亥	18
癸亥	癸巳	壬戌	壬辰	辛酉	庚寅	庚申	己丑	己未	戊子	己未	戊子	19
十一月 甲子	十月 甲午	癸亥	癸巳	壬戌	辛卯	辛酉	庚寅	庚申	己丑	庚申	己丑	20
乙丑	乙未	甲子	甲午	癸亥	壬辰	壬戌	辛卯	辛酉	庚寅	辛酉	庚寅	21
丙寅	丙申	九月 乙丑	八月 乙未	甲子	癸巳	癸亥	壬辰	壬戌	辛卯	壬戌	辛卯	22
丁卯	丁酉	丙寅	丙申	乙丑	甲午	甲子	癸巳	癸亥	壬辰	癸亥	壬辰	23
戊辰	戊戌	丁卯	丁酉	閏七月 丙寅	乙未	乙丑	甲午	甲子	癸巳	甲子	癸巳	24
己巳	己亥	戊辰	戊戌	丁卯	七月 丙申	丙寅	乙未	乙丑	甲午	乙丑	甲午	25
庚午	庚子	己巳	己亥	戊辰	丁酉	六月 丁卯	丙申	丙寅	乙未	丙寅	乙未	26
辛未	辛丑	庚午	庚子	己巳	戊戌	戊辰	五月 丁酉	四月 丁卯	丙申	丁卯	丙申	27
壬申	壬寅	辛未	辛丑	庚午	己亥	己巳	戊戌	戊辰	丁酉	二月 戊辰	丁酉	28
癸酉	癸卯	壬申	壬寅	辛未	庚子	庚午	己亥	己巳	三月 戊戌	己巳	戊戌	29
甲戌	甲辰	癸酉	癸卯	壬申	辛丑	辛未	庚子	庚午	己亥		正月 己亥	30
乙亥		甲戌		癸酉	壬寅		辛丑		庚子		庚子	31

農曆初一　農曆十五

出生日對照表

西曆一九六九年

12月	11月	10月	9月	8月	7月	6月	5月	4月	3月	2月	1月	月／日
庚戌	庚辰	己酉	己卯	戊申	丁丑	丁未	丙子	丙午	乙亥	丁未	丙子	1
辛亥	辛巳	庚戌	庚辰	己酉	戊寅	戊申	丁丑	丁未	丙子	戊申	丁丑	2
壬子	壬午	辛亥	辛巳	庚戌	己卯	己酉	戊寅	戊申	丁丑	己酉	戊寅	3
癸丑	癸未	壬子	壬午	辛亥	庚辰	庚戌	己卯	己酉	戊寅	庚戌	己卯	4
甲寅	甲申	癸丑	癸未	壬子	辛巳	辛亥	庚辰	庚戌	己卯	辛亥	庚辰	5
乙卯	乙酉	甲寅	甲申	癸丑	壬午	壬子	辛巳	辛亥	庚辰	壬子	辛巳	6
丙辰	丙戌	乙卯	乙酉	甲寅	癸未	癸丑	壬午	壬子	辛巳	癸丑	壬午	7
丁巳	丁亥	丙辰	丙戌	乙卯	甲申	甲寅	癸未	癸丑	壬午	甲寅	癸未	8
十一月 戊午	戊子	丁巳	丁亥	丙辰	乙酉	乙卯	甲申	甲寅	癸未	乙卯	甲申	9
己未	十月 己丑	戊午	戊子	丁巳	丙戌	丙辰	乙酉	乙卯	甲申	丙辰	乙酉	10
庚申	庚寅	九月 己未	己丑	戊午	丁亥	丁巳	丙戌	丙辰	乙酉	丁巳	丙戌	11
辛酉	辛卯	庚申	八月 庚寅	己未	戊子	戊午	丁亥	丁巳	丙戌	戊午	丁亥	12
壬戌	壬辰	辛酉	辛卯	七月 庚申	己丑	己未	戊子	戊午	丁亥	己未	戊子	13
癸亥	癸巳	壬戌	壬辰	辛酉	六月 庚寅	庚申	己丑	己未	戊子	庚申	己丑	14
甲子	甲午	癸亥	癸巳	壬戌	辛卯	五月 辛酉	庚寅	庚申	己丑	辛酉	庚寅	15
乙丑	乙未	甲子	甲午	癸亥	壬辰	壬戌	四月 辛卯	辛酉	庚寅	壬戌	辛卯	16
丙寅	丙申	乙丑	乙未	甲子	癸巳	癸亥	壬辰	三月 壬戌	辛卯	正月 癸亥	壬辰	17
丁卯	丁酉	丙寅	丙申	乙丑	甲午	甲子	癸巳	癸亥	二月 壬辰	甲子	十二月 癸巳	18
戊辰	戊戌	丁卯	丁酉	丙寅	乙未	乙丑	甲午	甲子	癸巳	乙丑	甲午	19
己巳	己亥	戊辰	戊戌	丁卯	丙申	丙寅	乙未	乙丑	甲午	丙寅	乙未	20
庚午	庚子	己巳	己亥	戊辰	丁酉	丁卯	丙申	丙寅	乙未	丁卯	丙申	21
辛未	辛丑	庚午	庚子	己巳	戊戌	戊辰	丁酉	丁卯	丙申	戊辰	丁酉	22
壬申	壬寅	辛未	辛丑	庚午	己亥	己巳	戊戌	戊辰	丁酉	己巳	戊戌	23
癸酉	癸卯	壬申	壬寅	辛未	庚子	庚午	己亥	己巳	戊戌	庚午	己亥	24
甲戌	甲辰	癸酉	癸卯	壬申	辛丑	辛未	庚子	庚午	己亥	辛未	庚子	25
乙亥	乙巳	甲戌	甲辰	癸酉	壬寅	壬申	辛丑	辛未	庚子	壬申	辛丑	26
丙子	丙午	乙亥	乙巳	甲戌	癸卯	癸酉	壬寅	壬申	辛丑	癸酉	壬寅	27
丁丑	丁未	丙子	丙午	乙亥	甲辰	甲戌	癸卯	癸酉	壬寅	甲戌	癸卯	28
戊寅	戊申	丁丑	丁未	丙子	乙巳	乙亥	甲辰	甲戌	癸卯		甲辰	29
己卯	己酉	戊寅	戊申	丁丑	丙午	丙子	乙巳	乙亥	甲辰		乙巳	30
庚辰		己卯		戊寅	丁未		丙午		乙巳		丙午	31

農曆初一　農曆十五

西曆一九七〇年

12月	11月	10月	9月	8月	7月	6月	5月	4月	3月	2月	1月	月/日
乙卯	乙酉	甲寅	八月甲申	癸丑	壬午	壬子	辛巳	辛亥	庚辰	壬子	辛巳	1
丙辰	丙戌	乙卯	乙酉	七月甲寅	癸未	癸丑	壬午	壬子	辛巳	癸丑	壬午	2
丁巳	丁亥	丙辰	丙戌	乙卯	六月甲申	甲寅	癸未	癸丑	壬午	甲寅	癸未	3
戊午	戊子	丁巳	丁亥	丙辰	乙酉	五月乙卯	甲申	甲寅	癸未	乙卯	甲申	4
己未	己丑	戊午	戊子	丁巳	丙戌	丙辰	四月乙酉	乙卯	甲申	丙辰	乙酉	5
庚申	庚寅	己未	己丑	戊午	丁亥	丁巳	丙戌	三月丙辰	乙酉	正月丁巳	丙戌	6
辛酉	辛卯	庚申	庚寅	己未	戊子	戊午	丁亥	丁巳	丙戌	戊午	丁亥	7
壬戌	壬辰	辛酉	辛卯	庚申	己丑	己未	戊子	戊午	二月丁亥	己未	十二月戊子	8
癸亥	癸巳	壬戌	壬辰	辛酉	庚寅	庚申	己丑	己未	戊子	庚申	己丑	9
甲子	甲午	癸亥	癸巳	壬戌	辛卯	辛酉	庚寅	庚申	己丑	辛酉	庚寅	10
乙丑	乙未	甲子	甲午	癸亥	壬辰	壬戌	辛卯	辛酉	庚寅	壬戌	辛卯	11
丙寅	丙申	乙丑	乙未	甲子	癸巳	癸亥	壬辰	壬戌	辛卯	癸亥	壬辰	12
丁卯	丁酉	丙寅	丙申	乙丑	甲午	甲子	癸巳	癸亥	壬辰	甲子	癸巳	13
戊辰	戊戌	丁卯	丁酉	丙寅	乙未	乙丑	甲午	甲子	癸巳	乙丑	甲午	14
己巳	己亥	戊辰	戊戌	丁卯	丙申	丙寅	乙未	乙丑	甲午	丙寅	乙未	15
庚午	庚子	己巳	己亥	戊辰	丁酉	丁卯	丙申	丙寅	乙未	丁卯	丙申	16
辛未	辛丑	庚午	庚子	己巳	戊戌	戊辰	丁酉	丁卯	丙申	戊辰	丁酉	17
壬申	壬寅	辛未	辛丑	庚午	己亥	己巳	戊戌	戊辰	丁酉	己巳	戊戌	18
癸酉	癸卯	壬申	壬寅	辛未	庚子	庚午	己亥	己巳	戊戌	庚午	己亥	19
甲戌	甲辰	癸酉	癸卯	壬申	辛丑	辛未	庚子	庚午	己亥	辛未	庚子	20
乙亥	乙巳	甲戌	甲辰	癸酉	壬寅	壬申	辛丑	辛未	庚子	壬申	辛丑	21
丙子	丙午	乙亥	乙巳	甲戌	癸卯	癸酉	壬寅	壬申	辛丑	癸酉	壬寅	22
丁丑	丁未	丙子	丙午	乙亥	甲辰	甲戌	癸卯	癸酉	壬寅	甲戌	癸卯	23
戊寅	戊申	丁丑	丁未	丙子	乙巳	乙亥	甲辰	甲戌	癸卯	乙亥	甲辰	24
己卯	己酉	戊寅	戊申	丁丑	丙午	丙子	乙巳	乙亥	甲辰	丙子	乙巳	25
庚辰	庚戌	己卯	己酉	戊寅	丁未	丁丑	丙午	丙子	乙巳	丁丑	丙午	26
辛巳	辛亥	庚辰	庚戌	己卯	戊申	戊寅	丁未	丁丑	丙午	戊寅	丁未	27
十二月壬午	壬子	辛巳	辛亥	庚辰	己酉	己卯	戊申	戊寅	丁未	己卯	戊申	28
癸未	十一月癸丑	壬午	壬子	辛巳	庚戌	庚辰	己酉	己卯	戊申		己酉	29
甲申	甲寅	十月癸未	九月癸丑	壬午	辛亥	辛巳	庚戌	庚辰	己酉		庚戌	30
乙酉		甲申		癸未	壬子		辛亥		庚戌		辛亥	31

農曆初一　農曆十五

西曆一九七一年

12月	11月	10月	9月	8月	7月	6月	5月	4月	3月	2月	1月	月/日
庚申	庚寅	己未	己丑	戊午	丁亥	丁巳	丙戌	丙辰	乙酉	丁巳	丙戌	1
辛酉	辛卯	庚申	庚寅	己未	戊子	戊午	丁亥	丁巳	丙戌	戊午	丁亥	2
壬戌	壬辰	辛酉	辛卯	庚申	己丑	己未	戊子	戊午	丁亥	己未	戊子	3
癸亥	癸巳	壬戌	壬辰	辛酉	庚寅	庚申	己丑	己未	戊子	庚申	己丑	4
甲子	甲午	癸亥	癸巳	壬戌	辛卯	辛酉	庚寅	庚申	己丑	辛酉	庚寅	5
乙丑	乙未	甲子	甲午	癸亥	壬辰	壬戌	辛卯	辛酉	庚寅	壬戌	辛卯	6
丙寅	丙申	乙丑	乙未	甲子	癸巳	癸亥	壬辰	壬戌	辛卯	癸亥	壬辰	7
丁卯	丁酉	丙寅	丙申	乙丑	甲午	甲子	癸巳	癸亥	壬辰	甲子	癸巳	8
戊辰	戊戌	丁卯	丁酉	丙寅	乙未	乙丑	甲午	甲子	癸巳	乙丑	甲午	9
己巳	己亥	戊辰	戊戌	丁卯	丙申	丙寅	乙未	乙丑	甲午	丙寅	乙未	10
庚午	庚子	己巳	己亥	戊辰	丁酉	丁卯	丙申	丙寅	乙未	丁卯	丙申	11
辛未	辛丑	庚午	庚子	己巳	戊戌	戊辰	丁酉	丁卯	丙申	戊辰	丁酉	12
壬申	壬寅	辛未	辛丑	庚午	己亥	己巳	戊戌	戊辰	丁酉	己巳	戊戌	13
癸酉	癸卯	壬申	壬寅	辛未	庚子	庚午	己亥	己巳	戊戌	庚午	己亥	14
甲戌	甲辰	癸酉	癸卯	壬申	辛丑	辛未	庚子	庚午	己亥	辛未	庚子	15
乙亥	乙巳	甲戌	甲辰	癸酉	壬寅	壬申	辛丑	辛未	庚子	壬申	辛丑	16
丙子	丙午	乙亥	乙巳	甲戌	癸卯	癸酉	壬寅	壬申	辛丑	癸酉	壬寅	17
十一月 丁丑	十月 丁未	丙子	丙午	乙亥	甲辰	甲戌	癸卯	癸酉	壬寅	甲戌	癸卯	18
戊寅	戊申	九月 丁丑	八月 丁未	丙子	乙巳	乙亥	甲辰	甲戌	癸卯	乙亥	甲辰	19
己卯	己酉	戊寅	戊申	丁丑	丙午	丙子	乙巳	乙亥	甲辰	丙子	乙巳	20
庚辰	庚戌	己卯	己酉	七月 戊寅	丁未	丁丑	丙午	丙子	乙巳	丁丑	丙午	21
辛巳	辛亥	庚辰	庚戌	己卯	六月 戊申	戊寅	丁未	丁丑	丙午	戊寅	丁未	22
壬午	壬子	辛巳	辛亥	庚辰	己酉	閏五月 己卯	戊申	戊寅	丁未	己卯	戊申	23
癸未	癸丑	壬午	壬子	辛巳	庚戌	庚辰	五月 己酉	己卯	戊申	庚辰	己酉	24
甲申	甲寅	癸未	癸丑	壬午	辛亥	辛巳	庚戌	四月 庚辰	己酉	二月 辛巳	庚戌	25
乙酉	乙卯	甲申	甲寅	癸未	壬子	壬午	辛亥	辛巳	庚戌	壬午	辛亥	26
丙戌	丙辰	乙酉	乙卯	甲申	癸丑	癸未	壬子	壬午	三月 辛亥	癸未	正月 壬子	27
丁亥	丁巳	丙戌	丙辰	乙酉	甲寅	甲申	癸丑	癸未	壬子	甲申	癸丑	28
戊子	戊午	丁亥	丁巳	丙戌	乙卯	乙酉	甲寅	甲申	癸丑		甲寅	29
己丑	己未	戊子	戊午	丁亥	丙辰	丙戌	乙卯	乙酉	甲寅		乙卯	30
庚寅		己丑		戊子	丁巳		丙辰		乙卯		丙辰	31

農曆初一　農曆十五

西曆一九七二年

12月	11月	10月	9月	8月	7月	6月	5月	4月	3月	2月	1月	月/日
丙寅	丙申	乙丑	乙未	甲子	癸巳	癸亥	壬辰	壬戌	辛卯	壬戌	辛卯	1
丁卯	丁酉	丙寅	丙申	乙丑	甲午	甲子	癸巳	癸亥	壬辰	癸亥	壬辰	2
戊辰	戊戌	丁卯	丁酉	丙寅	乙未	乙丑	甲午	甲子	癸巳	甲子	癸巳	3
己巳	己亥	戊辰	戊戌	丁卯	丙申	丙寅	乙未	乙丑	甲午	乙丑	甲午	4
庚午	庚子	己巳	己亥	戊辰	丁酉	丁卯	丙申	丙寅	乙未	丙寅	乙未	5
十一月 辛未	十月 辛丑	庚午	庚子	己巳	戊戌	戊辰	丁酉	丁卯	丙申	丁卯	丙申	6
壬申	壬寅	九月 辛未	辛丑	庚午	己亥	己巳	戊戌	戊辰	丁酉	戊辰	丁酉	7
癸酉	癸卯	壬申	八月 壬寅	辛未	庚子	庚午	己亥	己巳	戊戌	己巳	戊戌	8
甲戌	甲辰	癸酉	癸卯	七月 壬申	辛丑	辛未	庚子	庚午	己亥	庚午	己亥	9
乙亥	乙巳	甲戌	甲辰	癸酉	壬寅	壬申	辛丑	辛未	庚子	辛未	庚子	10
丙子	丙午	乙亥	乙巳	甲戌	六月 癸卯	五月 癸酉	壬寅	壬申	辛丑	壬申	辛丑	11
丁丑	丁未	丙子	丙午	乙亥	甲辰	甲戌	癸卯	癸酉	壬寅	癸酉	壬寅	12
戊寅	戊申	丁丑	丁未	丙子	乙巳	乙亥	四月 甲辰	甲戌	癸卯	甲戌	癸卯	13
己卯	己酉	戊寅	戊申	丁丑	丙午	丙子	乙巳	三月 乙亥	甲辰	乙亥	甲辰	14
庚辰	庚戌	己卯	己酉	戊寅	丁未	丁丑	丙午	丙子	二月 乙巳	正月 丙子	乙巳	15
辛巳	辛亥	庚辰	庚戌	己卯	戊申	戊寅	丁未	丁丑	丙午	丁丑	十二月 丙午	16
壬午	壬子	辛巳	辛亥	庚辰	己酉	己卯	戊申	戊寅	丁未	戊寅	丁未	17
癸未	癸丑	壬午	壬子	辛巳	庚戌	庚辰	己酉	己卯	戊申	己卯	戊申	18
甲申	甲寅	癸未	癸丑	壬午	辛亥	辛巳	庚戌	庚辰	己酉	庚辰	己酉	19
乙酉	乙卯	甲申	甲寅	癸未	壬子	壬午	辛亥	辛巳	庚戌	辛巳	庚戌	20
丙戌	丙辰	乙酉	乙卯	甲申	癸丑	癸未	壬子	壬午	辛亥	壬午	辛亥	21
丁亥	丁巳	丙戌	丙辰	乙酉	甲寅	甲申	癸丑	癸未	壬子	癸未	壬子	22
戊子	戊午	丁亥	丁巳	丙戌	乙卯	乙酉	甲寅	甲申	癸丑	甲申	癸丑	23
己丑	己未	戊子	戊午	丁亥	丙辰	丙戌	乙卯	乙酉	甲寅	乙酉	甲寅	24
庚寅	庚申	己丑	己未	戊子	丁巳	丁亥	丙辰	丙戌	乙卯	丙戌	乙卯	25
辛卯	辛酉	庚寅	庚申	己丑	戊午	戊子	丁巳	丁亥	丙辰	丁亥	丙辰	26
壬辰	壬戌	辛卯	辛酉	庚寅	己未	己丑	戊午	戊子	丁巳	戊子	丁巳	27
癸巳	癸亥	壬辰	壬戌	辛卯	庚申	庚寅	己未	己丑	戊午	己丑	戊午	28
甲午	甲子	癸巳	癸亥	壬辰	辛酉	辛卯	庚申	庚寅	己未	庚寅	己未	29
乙未	乙丑	甲午	甲子	癸巳	壬戌	壬辰	辛酉	辛卯	庚申		庚申	30
丙申		乙未		甲午	癸亥		壬戌		辛酉		辛酉	31

農曆初一　農曆十五

出生日對照表

西曆一九七三年

12月	11月	10月	9月	8月	7月	6月	5月	4月	3月	2月	1月	月/日
辛未	辛丑	庚午	庚子	己巳	戊戌	五月 戊辰	丁酉	丁卯	丙申	戊辰	丁酉	1
壬申	壬寅	辛未	辛丑	庚午	己亥	己巳	戊戌	戊辰	丁酉	己巳	戊戌	2
癸酉	癸卯	壬申	壬寅	辛未	庚子	庚午	四月 己亥	三月 己巳	戊戌	正月 庚午	己亥	3
甲戌	甲辰	癸酉	癸卯	壬申	辛丑	辛未	庚子	庚午	己亥	辛未	十二月 庚子	4
乙亥	乙巳	甲戌	甲辰	癸酉	壬寅	壬申	辛丑	辛未	二月 庚子	壬申	辛丑	5
丙子	丙午	乙亥	乙巳	甲戌	癸卯	癸酉	壬寅	壬申	辛丑	癸酉	壬寅	6
丁丑	丁未	丙子	丙午	乙亥	甲辰	甲戌	癸卯	癸酉	壬寅	甲戌	癸卯	7
戊寅	戊申	丁丑	丁未	丙子	乙巳	乙亥	甲辰	甲戌	癸卯	乙亥	甲辰	8
己卯	己酉	戊寅	戊申	丁丑	丙午	丙子	乙巳	乙亥	甲辰	丙子	乙巳	9
庚辰	庚戌	己卯	己酉	戊寅	丁未	丁丑	丙午	丙子	乙巳	丁丑	丙午	10
辛巳	辛亥	庚辰	庚戌	己卯	戊申	戊寅	丁未	丁丑	丙午	戊寅	丁未	11
壬午	壬子	辛巳	辛亥	庚辰	己酉	己卯	戊申	戊寅	丁未	己卯	戊申	12
癸未	癸丑	壬午	壬子	辛巳	庚戌	庚辰	己酉	己卯	戊申	庚辰	己酉	13
甲申	甲寅	癸未	癸丑	壬午	辛亥	辛巳	庚戌	庚辰	己酉	辛巳	庚戌	14
乙酉	乙卯	甲申	甲寅	癸未	壬子	壬午	辛亥	辛巳	庚戌	壬午	辛亥	15
丙戌	丙辰	乙酉	乙卯	甲申	癸丑	癸未	壬子	壬午	辛亥	癸未	壬子	16
丁亥	丁巳	丙戌	丙辰	乙酉	甲寅	甲申	癸丑	癸未	壬子	甲申	癸丑	17
戊子	戊午	丁亥	丁巳	丙戌	乙卯	乙酉	甲寅	甲申	癸丑	乙酉	甲寅	18
己丑	己未	戊子	戊午	丁亥	丙辰	丙戌	乙卯	乙酉	甲寅	丙戌	乙卯	19
庚寅	庚申	己丑	己未	戊子	丁巳	丁亥	丙辰	丙戌	乙卯	丁亥	丙辰	20
辛卯	辛酉	庚寅	庚申	己丑	戊午	戊子	丁巳	丁亥	丙辰	戊子	丁巳	21
壬辰	壬戌	辛卯	辛酉	庚寅	己未	己丑	戊午	戊子	丁巳	己丑	戊午	22
癸巳	癸亥	壬辰	壬戌	辛卯	庚申	庚寅	己未	己丑	戊午	庚寅	己未	23
十二月 甲午	甲子	癸巳	癸亥	壬辰	辛酉	辛卯	庚申	庚寅	己未	辛卯	庚申	24
乙未	十一月 乙丑	甲午	甲子	癸巳	壬戌	壬辰	辛酉	辛卯	庚申	壬辰	辛酉	25
丙申	丙寅	十月 乙未	九月 乙丑	甲午	癸亥	癸巳	壬戌	壬辰	辛酉	癸巳	壬戌	26
丁酉	丁卯	丙申	丙寅	乙未	甲子	甲午	癸亥	癸巳	壬戌	甲午	癸亥	27
戊戌	戊辰	丁酉	丁卯	八月 丙申	乙丑	乙未	甲子	甲午	癸亥	乙未	甲子	28
己亥	己巳	戊戌	戊辰	丁酉	丙寅	丙申	乙丑	乙未	甲子		乙丑	29
庚子	庚午	己亥	己巳	戊戌	七月 丁卯	六月 丁酉	丙寅	丙申	乙丑		丙寅	30
辛丑		庚子		己亥	戊辰		丁卯		丙寅		丁卯	31

農曆初一　農曆十五

西曆一九七四年

12月	11月	10月	9月	8月	7月	6月	5月	4月	3月	2月	1月	月/日
丙子	丙午	乙亥	乙巳	甲戌	癸卯	癸酉	壬寅	壬申	辛丑	癸酉	壬寅	1
丁丑	丁未	丙子	丙午	乙亥	甲辰	甲戌	癸卯	癸酉	壬寅	甲戌	癸卯	2
戊寅	戊申	丁丑	丁未	丙子	乙巳	乙亥	甲辰	甲戌	癸卯	乙亥	甲辰	3
己卯	己酉	戊寅	戊申	丁丑	丙午	丙子	乙巳	乙亥	甲辰	丙子	乙巳	4
庚辰	庚戌	己卯	己酉	戊寅	丁未	丁丑	丙午	丙子	乙巳	丁丑	丙午	5
辛巳	辛亥	庚辰	庚戌	己卯	戊申	戊寅	丁未	丁丑	丙午	戊寅	丁未	6
壬午	壬子	辛巳	辛亥	庚辰	己酉	己卯	戊申	戊寅	丁未	己卯	戊申	7
癸未	癸丑	壬午	壬子	辛巳	庚戌	庚辰	己酉	己卯	戊申	庚辰	己酉	8
甲申	甲寅	癸未	癸丑	壬午	辛亥	辛巳	庚戌	庚辰	己酉	辛巳	庚戌	9
乙酉	乙卯	甲申	甲寅	癸未	壬子	壬午	辛亥	辛巳	庚戌	壬午	辛亥	10
丙戌	丙辰	乙酉	乙卯	甲申	癸丑	癸未	壬子	壬午	辛亥	癸未	壬子	11
丁亥	丁巳	丙戌	丙辰	乙酉	甲寅	甲申	癸丑	癸未	壬子	甲申	癸丑	12
戊子	戊午	丁亥	丁巳	丙戌	乙卯	乙酉	甲寅	甲申	癸丑	乙酉	甲寅	13
(十一月) 己丑	(十月) 己未	戊子	戊午	丁亥	丙辰	丙戌	乙卯	乙酉	甲寅	丙戌	乙卯	14
庚寅	庚申	(九月) 己丑	己未	戊子	丁巳	丁亥	丙辰	丙戌	乙卯	丁亥	丙辰	15
辛卯	辛酉	庚寅	(八月) 庚申	己丑	戊午	戊子	丁巳	丁亥	丙辰	戊子	丁巳	16
壬辰	壬戌	辛卯	辛酉	庚寅	己未	己丑	戊午	戊子	丁巳	己丑	戊午	17
癸巳	癸亥	壬辰	壬戌	(七月) 辛卯	庚申	庚寅	己未	己丑	戊午	庚寅	己未	18
甲午	甲子	癸巳	癸亥	壬辰	(六月) 辛酉	辛卯	庚申	庚寅	己未	辛卯	庚申	19
乙未	乙丑	甲午	甲子	癸巳	壬戌	(五月) 壬辰	辛酉	辛卯	庚申	壬辰	辛酉	20
丙申	丙寅	乙未	乙丑	甲午	癸亥	癸巳	壬戌	壬辰	辛酉	癸巳	壬戌	21
丁酉	丁卯	丙申	丙寅	乙未	甲子	甲午	(閏四月) 癸亥	(四月) 癸巳	壬戌	(二月) 甲午	癸亥	22
戊戌	戊辰	丁酉	丁卯	丙申	乙丑	乙未	甲子	甲午	癸亥	乙未	(正月) 甲子	23
己亥	己巳	戊戌	戊辰	丁酉	丙寅	丙申	乙丑	乙未	(三月) 甲子	丙申	乙丑	24
庚子	庚午	己亥	己巳	戊戌	丁卯	丁酉	丙寅	丙申	乙丑	丁酉	丙寅	25
辛丑	辛未	庚子	庚午	己亥	戊辰	戊戌	丁卯	丁酉	丙寅	戊戌	丁卯	26
壬寅	壬申	辛丑	辛未	庚子	己巳	己亥	戊辰	戊戌	丁卯	己亥	戊辰	27
癸卯	癸酉	壬寅	壬申	辛丑	庚午	庚子	己巳	己亥	戊辰	庚子	己巳	28
甲辰	甲戌	癸卯	癸酉	壬寅	辛未	辛丑	庚午	庚子	己巳		庚午	29
乙巳	乙亥	甲辰	甲戌	癸卯	壬申	壬寅	辛未	辛丑	庚午		辛未	30
丙午		乙巳		甲辰	癸酉		壬申		辛未		壬申	31

農曆初一　農曆十五

出生日對照表

西曆一九七五年

12月	11月	10月	9月	8月	7月	6月	5月	4月	3月	2月	1月	月／日
辛巳	辛亥	庚辰	庚戌	己卯	戊申	戊寅	丁未	丁丑	丙午	戊寅	丁未	1
壬午	壬子	辛巳	辛亥	庚辰	己酉	己卯	戊申	戊寅	丁未	己卯	戊申	2
十一月 癸未	十月 癸丑	壬午	壬子	辛巳	庚戌	庚辰	己酉	己卯	戊申	庚辰	己酉	3
甲申	甲寅	癸未	癸丑	壬午	辛亥	辛巳	庚戌	庚辰	己酉	辛巳	庚戌	4
乙酉	乙卯	九月 甲申	甲寅	癸未	壬子	壬午	辛亥	辛巳	庚戌	壬午	辛亥	5
丙戌	丙辰	乙酉	八月 乙卯	甲申	癸丑	癸未	壬子	壬午	辛亥	癸未	壬子	6
丁亥	丁巳	丙戌	丙辰	七月 乙酉	甲寅	甲申	癸丑	癸未	壬子	甲申	癸丑	7
戊子	戊午	丁亥	丁巳	丙戌	乙卯	乙酉	甲寅	甲申	癸丑	乙酉	甲寅	8
己丑	己未	戊子	戊午	丁亥	六月 丙辰	丙戌	乙卯	乙酉	甲寅	丙戌	乙卯	9
庚寅	庚申	己丑	己未	戊子	丁巳	五月 丁亥	丙辰	丙戌	乙卯	丁亥	丙辰	10
辛卯	辛酉	庚寅	庚申	己丑	戊午	戊子	四月 丁巳	丁亥	丙辰	正月 戊子	丁巳	11
壬辰	壬戌	辛卯	辛酉	庚寅	己未	己丑	戊午	三月 戊子	丁巳	己丑	十二月 戊午	12
癸巳	癸亥	壬辰	壬戌	辛卯	庚申	庚寅	己未	己丑	二月 戊午	庚寅	己未	13
甲午	甲子	癸巳	癸亥	壬辰	辛酉	辛卯	庚申	庚寅	己未	辛卯	庚申	14
乙未	乙丑	甲午	甲子	癸巳	壬戌	壬辰	辛酉	辛卯	庚申	壬辰	辛酉	15
丙申	丙寅	乙未	乙丑	甲午	癸亥	癸巳	壬戌	壬辰	辛酉	癸巳	壬戌	16
丁酉	丁卯	丙申	丙寅	乙未	甲子	甲午	癸亥	癸巳	壬戌	甲午	癸亥	17
戊戌	戊辰	丁酉	丁卯	丙申	乙丑	乙未	甲子	甲午	癸亥	乙未	甲子	18
己亥	己巳	戊戌	戊辰	丁酉	丙寅	丙申	乙丑	乙未	甲子	丙申	乙丑	19
庚子	庚午	己亥	己巳	戊戌	丁卯	丁酉	丙寅	丙申	乙丑	丁酉	丙寅	20
辛丑	辛未	庚子	庚午	己亥	戊辰	戊戌	丁卯	丁酉	丙寅	戊戌	丁卯	21
壬寅	壬申	辛丑	辛未	庚子	己巳	己亥	戊辰	戊戌	丁卯	己亥	戊辰	22
癸卯	癸酉	壬寅	壬申	辛丑	庚午	庚子	己巳	己亥	戊辰	庚子	己巳	23
甲辰	甲戌	癸卯	癸酉	壬寅	辛未	辛丑	庚午	庚子	己巳	辛丑	庚午	24
乙巳	乙亥	甲辰	甲戌	癸卯	壬申	壬寅	辛未	辛丑	庚午	壬寅	辛未	25
丙午	丙子	乙巳	乙亥	甲辰	癸酉	癸卯	壬申	壬寅	辛未	癸卯	壬申	26
丁未	丁丑	丙午	丙子	乙巳	甲戌	甲辰	癸酉	癸卯	壬申	甲辰	癸酉	27
戊申	戊寅	丁未	丁丑	丙午	乙亥	乙巳	甲戌	甲辰	癸酉	乙巳	甲戌	28
己酉	己卯	戊申	戊寅	丁未	丙子	丙午	乙亥	乙巳	甲戌		乙亥	29
庚戌	庚辰	己酉	己卯	戊申	丁丑	丁未	丙子	丙午	乙亥		丙子	30
辛亥		庚戌		己酉	戊寅		丁丑		丙子		丁丑	31

農曆初一　農曆十五

西曆一九七六年

12月	11月	10月	9月	8月	7月	6月	5月	4月	3月	2月	1月	月/日
丁亥	丁巳	丙戌	丙辰	乙酉	甲寅	甲申	癸丑	癸未	二月 壬子	癸未	十二月 壬子	1
戊子	戊午	丁亥	丁巳	丙戌	乙卯	乙酉	甲寅	甲申	癸丑	甲申	癸丑	2
己丑	己未	戊子	戊午	丁亥	丙辰	丙戌	乙卯	乙酉	甲寅	乙酉	甲寅	3
庚寅	庚申	己丑	己未	戊子	丁巳	丁亥	丙辰	丙戌	乙卯	丙戌	乙卯	4
辛卯	辛酉	庚寅	庚申	己丑	戊午	戊子	丁巳	丁亥	丙辰	丁亥	丙辰	5
壬辰	壬戌	辛卯	辛酉	庚寅	己未	己丑	戊午	戊子	丁巳	戊子	丁巳	6
癸巳	癸亥	壬辰	壬戌	辛卯	庚申	庚寅	己未	己丑	戊午	己丑	戊午	7
甲午	甲子	癸巳	癸亥	壬辰	辛酉	辛卯	庚申	庚寅	己未	庚寅	己未	8
乙未	乙丑	甲午	甲子	癸巳	壬戌	壬辰	辛酉	辛卯	庚申	辛卯	庚申	9
丙申	丙寅	乙未	乙丑	甲午	癸亥	癸巳	壬戌	壬辰	辛酉	壬辰	辛酉	10
丁酉	丁卯	丙申	丙寅	乙未	甲子	甲午	癸亥	癸巳	壬戌	癸巳	壬戌	11
戊戌	戊辰	丁酉	丁卯	丙申	乙丑	乙未	甲子	甲午	癸亥	甲午	癸亥	12
己亥	己巳	戊戌	戊辰	丁酉	丙寅	丙申	乙丑	乙未	甲子	乙未	甲子	13
庚子	庚午	己亥	己巳	戊戌	丁卯	丁酉	丙寅	丙申	乙丑	丙申	乙丑	14
辛丑	辛未	庚子	庚午	己亥	戊辰	戊戌	丁卯	丁酉	丙寅	丁酉	丙寅	15
壬寅	壬申	辛丑	辛未	庚子	己巳	己亥	戊辰	戊戌	丁卯	戊戌	丁卯	16
癸卯	癸酉	壬寅	壬申	辛丑	庚午	庚子	己巳	己亥	戊辰	己亥	戊辰	17
甲辰	甲戌	癸卯	癸酉	壬寅	辛未	辛丑	庚午	庚子	己巳	庚子	己巳	18
乙巳	乙亥	甲辰	甲戌	癸卯	壬申	壬寅	辛未	辛丑	庚午	辛丑	庚午	19
丙午	丙子	乙巳	乙亥	甲辰	癸酉	癸卯	壬申	壬寅	辛未	壬寅	辛未	20
十一月 丁未	十月 丁丑	丙午	丙子	乙巳	甲戌	甲辰	癸酉	癸卯	壬申	癸卯	壬申	21
戊申	戊寅	丁未	丁丑	丙午	乙亥	乙巳	甲戌	甲辰	癸酉	甲辰	癸酉	22
己酉	己卯	九月 戊申	戊寅	丁未	丙子	丙午	乙亥	乙巳	甲戌	乙巳	甲戌	23
庚戌	庚辰	己酉	閏八月 己卯	戊申	丁丑	丁未	丙子	丙午	乙亥	丙午	乙亥	24
辛亥	辛巳	庚戌	庚辰	八月 己酉	戊寅	戊申	丁丑	丁未	丙子	丁未	丙子	25
壬子	壬午	辛亥	辛巳	庚戌	己卯	己酉	戊寅	戊申	丁丑	戊申	丁丑	26
癸丑	癸未	壬子	壬午	辛亥	七月 庚辰	六月 庚戌	己卯	己酉	戊寅	己酉	戊寅	27
甲寅	甲申	癸丑	癸未	壬子	辛巳	辛亥	庚辰	庚戌	己卯	庚戌	己卯	28
乙卯	乙酉	甲寅	甲申	癸丑	壬午	壬子	五月 辛巳	四月 辛亥	庚辰	辛亥	庚辰	29
丙辰	丙戌	乙卯	乙酉	甲寅	癸未	癸丑	壬午	壬子	辛巳		辛巳	30
丁巳		丙辰		乙卯	甲申		癸未		三月 壬午		正月 壬午	31

農曆初一　農曆十五

出生日對照表

西曆一九七七年

12月	11月	10月	9月	8月	7月	6月	5月	4月	3月	2月	1月	月／日
壬辰	壬戌	辛卯	辛酉	庚寅	己未	己丑	戊午	戊子	丁巳	己丑	戊午	1
癸巳	癸亥	壬辰	壬戌	辛卯	庚申	庚寅	己未	己丑	戊午	庚寅	己未	2
甲午	甲子	癸巳	癸亥	壬辰	辛酉	辛卯	庚申	庚寅	己未	辛卯	庚申	3
乙未	乙丑	甲午	甲子	癸巳	壬戌	壬辰	辛酉	辛卯	庚申	壬辰	辛酉	4
丙申	丙寅	乙未	乙丑	甲午	癸亥	癸巳	壬戌	壬辰	辛酉	癸巳	壬戌	5
丁酉	丁卯	丙申	丙寅	乙未	甲子	甲午	癸亥	癸巳	壬戌	甲午	癸亥	6
戊戌	戊辰	丁酉	丁卯	丙申	乙丑	乙未	甲子	甲午	癸亥	乙未	甲子	7
己亥	己巳	戊戌	戊辰	丁酉	丙寅	丙申	乙丑	乙未	甲子	丙申	乙丑	8
庚子	庚午	己亥	己巳	戊戌	丁卯	丁酉	丙寅	丙申	乙丑	丁酉	丙寅	9
辛丑	辛未	庚子	庚午	己亥	戊辰	戊戌	丁卯	丁酉	丙寅	戊戌	丁卯	10
十一月 壬寅	十月 壬申	辛丑	辛未	庚子	己巳	己亥	戊辰	戊戌	丁卯	己亥	戊辰	11
癸卯	癸酉	壬寅	壬申	辛丑	庚午	庚子	己巳	己亥	戊辰	庚子	己巳	12
甲辰	甲戌	九月 癸卯	八月 癸酉	壬寅	辛未	辛丑	庚午	庚子	己巳	辛丑	庚午	13
乙巳	乙亥	甲辰	甲戌	癸卯	壬申	壬寅	辛未	辛丑	庚午	壬寅	辛未	14
丙午	丙子	乙巳	乙亥	七月 甲辰	癸酉	癸卯	壬申	壬寅	辛未	癸卯	壬申	15
丁未	丁丑	丙午	丙子	乙巳	六月 甲戌	甲辰	癸酉	癸卯	壬申	甲辰	癸酉	16
戊申	戊寅	丁未	丁丑	丙午	乙亥	五月 乙巳	甲戌	甲辰	癸酉	乙巳	甲戌	17
己酉	己卯	戊申	戊寅	丁未	丙子	丙午	四月 乙亥	三月 乙巳	甲戌	正月 丙午	乙亥	18
庚戌	庚辰	己酉	己卯	戊申	丁丑	丁未	丙子	丙午	乙亥	丁未	十二月 丙子	19
辛亥	辛巳	庚戌	庚辰	己酉	戊寅	戊申	丁丑	丁未	二月 丙子	戊申	丁丑	20
壬子	壬午	辛亥	辛巳	庚戌	己卯	己酉	戊寅	戊申	丁丑	己酉	戊寅	21
癸丑	癸未	壬子	壬午	辛亥	庚辰	庚戌	己卯	己酉	戊寅	庚戌	己卯	22
甲寅	甲申	癸丑	癸未	壬子	辛巳	辛亥	庚辰	庚戌	己卯	辛亥	庚辰	23
乙卯	乙酉	甲寅	甲申	癸丑	壬午	壬子	辛巳	辛亥	庚辰	壬子	辛巳	24
丙辰	丙戌	乙卯	乙酉	甲寅	癸未	癸丑	壬午	壬子	辛巳	癸丑	壬午	25
丁巳	丁亥	丙辰	丙戌	乙卯	甲申	甲寅	癸未	癸丑	壬午	甲寅	癸未	26
戊午	戊子	丁巳	丁亥	丙辰	乙酉	乙卯	甲申	甲寅	癸未	乙卯	甲申	27
己未	己丑	戊午	戊子	丁巳	丙戌	丙辰	乙酉	乙卯	甲申	丙辰	乙酉	28
庚申	庚寅	己未	己丑	戊午	丁亥	丁巳	丙戌	丙辰	乙酉		丙戌	29
辛酉	辛卯	庚申	庚寅	己未	戊子	戊午	丁亥	丁巳	丙戌		丁亥	30
壬戌		辛酉		庚申	己丑		戊子		丁亥		戊子	31

農曆初一　農曆十五

西曆一九七八年

12月	11月	10月	9月	8月	7月	6月	5月	4月	3月	2月	1月	月/日
丁酉	十月 丁卯	丙申	丙寅	乙未	甲子	甲午	癸亥	癸巳	壬戌	甲午	癸亥	1
戊戌	戊辰	九月 丁酉	丁卯	丙申	乙丑	乙未	甲子	甲午	癸亥	乙未	甲子	2
己亥	己巳	戊戌	八月 戊辰	丁酉	丙寅	丙申	乙丑	乙未	甲子	丙申	乙丑	3
庚子	庚午	己亥	己巳	七月 戊戌	丁卯	丁酉	丙寅	丙申	乙丑	丁酉	丙寅	4
辛丑	辛未	庚子	庚午	己亥	六月 戊辰	戊戌	丁卯	丁酉	丙寅	戊戌	丁卯	5
壬寅	壬申	辛丑	辛未	庚子	己巳	五月 己亥	戊辰	戊戌	丁卯	己亥	戊辰	6
癸卯	癸酉	壬寅	壬申	辛丑	庚午	庚子	四月 己巳	三月 己亥	戊辰	正月 庚子	己巳	7
甲辰	甲戌	癸卯	癸酉	壬寅	辛未	辛丑	庚午	庚子	己巳	辛丑	庚午	8
乙巳	乙亥	甲辰	甲戌	癸卯	壬申	壬寅	辛未	辛丑	二月 庚午	壬寅	十二月 辛未	9
丙午	丙子	乙巳	乙亥	甲辰	癸酉	癸卯	壬申	壬寅	辛未	癸卯	壬申	10
丁未	丁丑	丙午	丙子	乙巳	甲戌	甲辰	癸酉	癸卯	壬申	甲辰	癸酉	11
戊申	戊寅	丁未	丁丑	丙午	乙亥	乙巳	甲戌	甲辰	癸酉	乙巳	甲戌	12
己酉	己卯	戊申	戊寅	丁未	丙子	丙午	乙亥	乙巳	甲戌	丙午	乙亥	13
庚戌	庚辰	己酉	己卯	戊申	丁丑	丁未	丙子	丙午	乙亥	丁未	丙子	14
辛亥	辛巳	庚戌	庚辰	己酉	戊寅	戊申	丁丑	丁未	丙子	戊申	丁丑	15
壬子	壬午	辛亥	辛巳	庚戌	己卯	己酉	戊寅	戊申	丁丑	己酉	戊寅	16
癸丑	癸未	壬子	壬午	辛亥	庚辰	庚戌	己卯	己酉	戊寅	庚戌	己卯	17
甲寅	甲申	癸丑	癸未	壬子	辛巳	辛亥	庚辰	庚戌	己卯	辛亥	庚辰	18
乙卯	乙酉	甲寅	甲申	癸丑	壬午	壬子	辛巳	辛亥	庚辰	壬子	辛巳	19
丙辰	丙戌	乙卯	乙酉	甲寅	癸未	癸丑	壬午	壬子	辛巳	癸丑	壬午	20
丁巳	丁亥	丙辰	丙戌	乙卯	甲申	甲寅	癸未	癸丑	壬午	甲寅	癸未	21
戊午	戊子	丁巳	丁亥	丙辰	乙酉	乙卯	甲申	甲寅	癸未	乙卯	甲申	22
己未	己丑	戊午	戊子	丁巳	丙戌	丙辰	乙酉	乙卯	甲申	丙辰	乙酉	23
庚申	庚寅	己未	己丑	戊午	丁亥	丁巳	丙戌	丙辰	乙酉	丁巳	丙戌	24
辛酉	辛卯	庚申	庚寅	己未	戊子	戊午	丁亥	丁巳	丙戌	戊午	丁亥	25
壬戌	壬辰	辛酉	辛卯	庚申	己丑	己未	戊子	戊午	丁亥	己未	戊子	26
癸亥	癸巳	壬戌	壬辰	辛酉	庚寅	庚申	己丑	己未	戊子	庚申	己丑	27
甲子	甲午	癸亥	癸巳	壬戌	辛卯	辛酉	庚寅	庚申	己丑	辛酉	庚寅	28
乙丑	乙未	甲子	甲午	癸亥	壬辰	壬戌	辛卯	辛酉	庚寅		辛卯	29
十二月 丙寅	十一月 丙申	乙丑	乙未	甲子	癸巳	癸亥	壬辰	壬戌	辛卯		壬辰	30
丁卯		丙寅		乙丑	甲午		癸巳		壬辰		癸巳	31

農曆初一　農曆十五

出生日對照表

西曆一九七九年

12月	11月	10月	9月	8月	7月	6月	5月	4月	3月	2月	1月	月/日
壬寅	壬申	辛丑	辛未	庚子	己巳	己亥	戊辰	戊戌	丁卯	己亥	戊辰	1
癸卯	癸酉	壬寅	壬申	辛丑	庚午	庚子	己巳	己亥	戊辰	庚子	己巳	2
甲辰	甲戌	癸卯	癸酉	壬寅	辛未	辛丑	庚午	庚子	己巳	辛丑	庚午	3
乙巳	乙亥	甲辰	甲戌	癸卯	壬申	壬寅	辛未	辛丑	庚午	壬寅	辛未	4
丙午	丙子	乙巳	乙亥	甲辰	癸酉	癸卯	壬申	壬寅	辛未	癸卯	壬申	5
丁未	丁丑	丙午	丙子	乙巳	甲戌	甲辰	癸酉	癸卯	壬申	甲辰	癸酉	6
戊申	戊寅	丁未	丁丑	丙午	乙亥	乙巳	甲戌	甲辰	癸酉	乙巳	甲戌	7
己酉	己卯	戊申	戊寅	丁未	丙子	丙午	乙亥	乙巳	甲戌	丙午	乙亥	8
庚戌	庚辰	己酉	己卯	戊申	丁丑	丁未	丙子	丙午	乙亥	丁未	丙子	9
辛亥	辛巳	庚戌	庚辰	己酉	戊寅	戊申	丁丑	丁未	丙子	戊申	丁丑	10
壬子	壬午	辛亥	辛巳	庚戌	己卯	己酉	戊寅	戊申	丁丑	己酉	戊寅	11
癸丑	癸未	壬子	壬午	辛亥	庚辰	庚戌	己卯	己酉	戊寅	庚戌	己卯	12
甲寅	甲申	癸丑	癸未	壬子	辛巳	辛亥	庚辰	庚戌	己卯	辛亥	庚辰	13
乙卯	乙酉	甲寅	甲申	癸丑	壬午	壬子	辛巳	辛亥	庚辰	壬子	辛巳	14
丙辰	丙戌	乙卯	乙酉	甲寅	癸未	癸丑	壬午	壬子	辛巳	癸丑	壬午	15
丁巳	丁亥	丙辰	丙戌	乙卯	甲申	甲寅	癸未	癸丑	壬午	甲寅	癸未	16
戊午	戊子	丁巳	丁亥	丙辰	乙酉	乙卯	甲申	甲寅	癸未	乙卯	甲申	17
己未	己丑	戊午	戊子	丁巳	丙戌	丙辰	乙酉	乙卯	甲申	丙辰	乙酉	18
十一月 庚申	庚寅	己未	己丑	戊午	丁亥	丁巳	丙戌	丙辰	乙酉	丁巳	丙戌	19
辛酉	十月 辛卯	庚申	庚寅	己未	戊子	戊午	丁亥	丁巳	丙戌	戊午	丁亥	20
壬戌	壬辰	九月 辛酉	八月 辛卯	庚申	己丑	己未	戊子	戊午	丁亥	己未	戊子	21
癸亥	癸巳	壬戌	壬辰	辛酉	庚寅	庚申	己丑	己未	戊子	庚申	己丑	22
甲子	甲午	癸亥	癸巳	七月 壬戌	辛卯	辛酉	庚寅	庚申	己丑	辛酉	庚寅	23
乙丑	乙未	甲子	甲午	癸亥	閏六月 壬辰	六月 壬戌	辛卯	辛酉	庚寅	壬戌	辛卯	24
丙寅	丙申	乙丑	乙未	甲子	癸巳	癸亥	壬辰	壬戌	辛卯	癸亥	壬辰	25
丁卯	丁酉	丙寅	丙申	乙丑	甲午	甲子	五月 癸巳	四月 癸亥	壬辰	甲子	癸巳	26
戊辰	戊戌	丁卯	丁酉	丙寅	乙未	乙丑	甲午	甲子	癸巳	二月 乙丑	甲午	27
己巳	己亥	戊辰	戊戌	丁卯	丙申	丙寅	乙未	乙丑	三月 甲午	丙寅	正月 乙未	28
庚午	庚子	己巳	己亥	戊辰	丁酉	丁卯	丙申	丙寅	乙未		丙申	29
辛未	辛丑	庚午	庚子	己巳	戊戌	戊辰	丁酉	丁卯	丙申		丁酉	30
壬申		辛未		庚午	己亥		戊戌		丁酉		戊戌	31

農曆初一　農曆十五

西曆一九八〇年

12月	11月	10月	9月	8月	7月	6月	5月	4月	3月	2月	1月	月／日
戊申	戊寅	丁未	丁丑	丙午	乙亥	乙巳	甲戌	甲辰	癸酉	甲辰	癸酉	1
己酉	己卯	戊申	戊寅	丁未	丙子	丙午	乙亥	乙巳	甲戌	乙巳	甲戌	2
庚戌	庚辰	己酉	己卯	戊申	丁丑	丁未	丙子	丙午	乙亥	丙午	乙亥	3
辛亥	辛巳	庚戌	庚辰	己酉	戊寅	戊申	丁丑	丁未	丙子	丁未	丙子	4
壬子	壬午	辛亥	辛巳	庚戌	己卯	己酉	戊寅	戊申	丁丑	戊申	丁丑	5
癸丑	癸未	壬子	壬午	辛亥	庚辰	庚戌	己卯	己酉	戊寅	己酉	戊寅	6
十一月 甲寅	甲申	癸丑	癸未	壬子	辛巳	辛亥	庚辰	庚戌	己卯	庚戌	己卯	7
乙卯	十月 乙酉	甲寅	甲申	癸丑	壬午	壬子	辛巳	辛亥	庚辰	辛亥	庚辰	8
丙辰	丙戌	九月 乙卯	八月 乙酉	甲寅	癸未	癸丑	壬午	壬子	辛巳	壬子	辛巳	9
丁巳	丁亥	丙辰	丙戌	乙卯	甲申	甲寅	癸未	癸丑	壬午	癸丑	壬午	10
戊午	戊子	丁巳	丁亥	七月 丙辰	乙酉	乙卯	甲申	甲寅	癸未	甲寅	癸未	11
己未	己丑	戊午	戊子	丁巳	六月 丙戌	丙辰	乙酉	乙卯	甲申	乙卯	甲申	12
庚申	庚寅	己未	己丑	戊午	丁亥	五月 丁巳	丙戌	丙辰	乙酉	丙辰	乙酉	13
辛酉	辛卯	庚申	庚寅	己未	戊子	戊午	四月 丁亥	丁巳	丙戌	丁巳	丙戌	14
壬戌	壬辰	辛酉	辛卯	庚申	己丑	己未	戊子	三月 戊午	丁亥	戊午	丁亥	15
癸亥	癸巳	壬戌	壬辰	辛酉	庚寅	庚申	己丑	己未	戊子	正月 己未	戊子	16
甲子	甲午	癸亥	癸巳	壬戌	辛卯	辛酉	庚寅	庚申	二月 己丑	庚申	己丑	17
乙丑	乙未	甲子	甲午	癸亥	壬辰	壬戌	辛卯	辛酉	庚寅	辛酉	十二月 庚寅	18
丙寅	丙申	乙丑	乙未	甲子	癸巳	癸亥	壬辰	壬戌	辛卯	壬戌	辛卯	19
丁卯	丁酉	丙寅	丙申	乙丑	甲午	甲子	癸巳	癸亥	壬辰	癸亥	壬辰	20
戊辰	戊戌	丁卯	丁酉	丙寅	乙未	乙丑	甲午	甲子	癸巳	甲子	癸巳	21
己巳	己亥	戊辰	戊戌	丁卯	丙申	丙寅	乙未	乙丑	甲午	乙丑	甲午	22
庚午	庚子	己巳	己亥	戊辰	丁酉	丁卯	丙申	丙寅	乙未	丙寅	乙未	23
辛未	辛丑	庚午	庚子	己巳	戊戌	戊辰	丁酉	丁卯	丙申	丁卯	丙申	24
壬申	壬寅	辛未	辛丑	庚午	己亥	己巳	戊戌	戊辰	丁酉	戊辰	丁酉	25
癸酉	癸卯	壬申	壬寅	辛未	庚子	庚午	己亥	己巳	戊戌	己巳	戊戌	26
甲戌	甲辰	癸酉	癸卯	壬申	辛丑	辛未	庚子	庚午	己亥	庚午	己亥	27
乙亥	乙巳	甲戌	甲辰	癸酉	壬寅	壬申	辛丑	辛未	庚子	辛未	庚子	28
丙子	丙午	乙亥	乙巳	甲戌	癸卯	癸酉	壬寅	壬申	辛丑	壬申	辛丑	29
丁丑	丁未	丙子	丙午	乙亥	甲辰	甲戌	癸卯	癸酉	壬寅		壬寅	30
戊寅		丁丑		丙子	乙巳		甲辰		癸卯		癸卯	31

農曆初一　農曆十五

出生日對照表

西曆一九八一年

12月	11月	10月	9月	8月	7月	6月	5月	4月	3月	2月	1月	月/日
癸丑	癸未	壬子	壬午	辛亥	庚辰	庚戌	己卯	己酉	戊寅	庚戌	己卯	1
甲寅	甲申	癸丑	癸未	壬子	六月 辛巳	五月 辛亥	庚辰	庚戌	己卯	辛亥	庚辰	2
乙卯	乙酉	甲寅	甲申	癸丑	壬午	壬子	辛巳	辛亥	庚辰	壬子	辛巳	3
丙辰	丙戌	乙卯	乙酉	甲寅	癸未	癸丑	四月 壬午	壬子	辛巳	癸丑	壬午	4
丁巳	丁亥	丙辰	丙戌	乙卯	甲申	甲寅	癸未	三月 癸丑	壬午	正月 甲寅	癸未	5
戊午	戊子	丁巳	丁亥	丙辰	乙酉	乙卯	甲申	甲寅	二月 癸未	乙卯	十二月 甲申	6
己未	己丑	戊午	戊子	丁巳	丙戌	丙辰	乙酉	乙卯	甲申	丙辰	乙酉	7
庚申	庚寅	己未	己丑	戊午	丁亥	丁巳	丙戌	丙辰	乙酉	丁巳	丙戌	8
辛酉	辛卯	庚申	庚寅	己未	戊子	戊午	丁亥	丁巳	丙戌	戊午	丁亥	9
壬戌	壬辰	辛酉	辛卯	庚申	己丑	己未	戊子	戊午	丁亥	己未	戊子	10
癸亥	癸巳	壬戌	壬辰	辛酉	庚寅	庚申	己丑	己未	戊子	庚申	己丑	11
甲子	甲午	癸亥	癸巳	壬戌	辛卯	辛酉	庚寅	庚申	己丑	辛酉	庚寅	12
乙丑	乙未	甲子	甲午	癸亥	壬辰	壬戌	辛卯	辛酉	庚寅	壬戌	辛卯	13
丙寅	丙申	乙丑	乙未	甲子	癸巳	癸亥	壬辰	壬戌	辛卯	癸亥	壬辰	14
丁卯	丁酉	丙寅	丙申	乙丑	甲午	甲子	癸巳	癸亥	壬辰	甲子	癸巳	15
戊辰	戊戌	丁卯	丁酉	丙寅	乙未	乙丑	甲午	甲子	癸巳	乙丑	甲午	16
己巳	己亥	戊辰	戊戌	丁卯	丙申	丙寅	乙未	乙丑	甲午	丙寅	乙未	17
庚午	庚子	己巳	己亥	戊辰	丁酉	丁卯	丙申	丙寅	乙未	丁卯	丙申	18
辛未	辛丑	庚午	庚子	己巳	戊戌	戊辰	丁酉	丁卯	丙申	戊辰	丁酉	19
壬申	壬寅	辛未	辛丑	庚午	己亥	己巳	戊戌	戊辰	丁酉	己巳	戊戌	20
癸酉	癸卯	壬申	壬寅	辛未	庚子	庚午	己亥	己巳	戊戌	庚午	己亥	21
甲戌	甲辰	癸酉	癸卯	壬申	辛丑	辛未	庚子	庚午	己亥	辛未	庚子	22
乙亥	乙巳	甲戌	甲辰	癸酉	壬寅	壬申	辛丑	辛未	庚子	壬申	辛丑	23
丙子	丙午	乙亥	乙巳	甲戌	癸卯	癸酉	壬寅	壬申	辛丑	癸酉	壬寅	24
丁丑	丁未	丙子	丙午	乙亥	甲辰	甲戌	癸卯	癸酉	壬寅	甲戌	癸卯	25
十二月 戊寅	十一月 戊申	丁丑	丁未	丙子	乙巳	乙亥	甲辰	甲戌	癸卯	乙亥	甲辰	26
己卯	己酉	戊寅	戊申	丁丑	丙午	丙子	乙巳	乙亥	甲辰	丙子	乙巳	27
庚辰	庚戌	十月 己卯	九月 己酉	戊寅	丁未	丁丑	丙午	丙子	乙巳	丁丑	丙午	28
辛巳	辛亥	庚辰	庚戌	八月 己卯	戊申	戊寅	丁未	丁丑	丙午		丁未	29
壬午	壬子	辛巳	辛亥	庚辰	己酉	己卯	戊申	戊寅	丁未		戊申	30
癸未		壬午		辛巳	七月 庚戌		己酉		戊申		己酉	31

農曆初一　農曆十五

西曆一九八二年

12月	11月	10月	9月	8月	7月	6月	5月	4月	3月	2月	1月	月/日
戊午	戊子	丁巳	丁亥	丙辰	乙酉	乙卯	甲申	甲寅	癸未	乙卯	甲申	1
己未	己丑	戊午	戊子	丁巳	丙戌	丙辰	乙酉	乙卯	甲申	丙辰	乙酉	2
庚申	庚寅	己未	己丑	戊午	丁亥	丁巳	丙戌	丙辰	乙酉	丁巳	丙戌	3
辛酉	辛卯	庚申	庚寅	己未	戊子	戊午	丁亥	丁巳	丙戌	戊午	丁亥	4
壬戌	壬辰	辛酉	辛卯	庚申	己丑	己未	戊子	戊午	丁亥	己未	戊子	5
癸亥	癸巳	壬戌	壬辰	辛酉	庚寅	庚申	己丑	己未	戊子	庚申	己丑	6
甲子	甲午	癸亥	癸巳	壬戌	辛卯	辛酉	庚寅	庚申	己丑	辛酉	庚寅	7
乙丑	乙未	甲子	甲午	癸亥	壬辰	壬戌	辛卯	辛酉	庚寅	壬戌	辛卯	8
丙寅	丙申	乙丑	乙未	甲子	癸巳	癸亥	壬辰	壬戌	辛卯	癸亥	壬辰	9
丁卯	丁酉	丙寅	丙申	乙丑	甲午	甲子	癸巳	癸亥	壬辰	甲子	癸巳	10
戊辰	戊戌	丁卯	丁酉	丙寅	乙未	乙丑	甲午	甲子	癸巳	乙丑	甲午	11
己巳	己亥	戊辰	戊戌	丁卯	丙申	丙寅	乙未	乙丑	甲午	丙寅	乙未	12
庚午	庚子	己巳	己亥	戊辰	丁酉	丁卯	丙申	丙寅	乙未	丁卯	丙申	13
辛未	辛丑	庚午	庚子	己巳	戊戌	戊辰	丁酉	丁卯	丙申	戊辰	丁酉	14
(十一月) 壬申	(十月) 壬寅	辛未	辛丑	庚午	己亥	己巳	戊戌	戊辰	丁酉	己巳	戊戌	15
癸酉	癸卯	壬申	壬寅	辛未	庚子	庚午	己亥	己巳	戊戌	庚午	己亥	16
甲戌	甲辰	(九月) 癸酉	(八月) 癸卯	壬申	辛丑	辛未	庚子	庚午	己亥	辛未	庚子	17
乙亥	乙巳	甲戌	甲辰	癸酉	壬寅	壬申	辛丑	辛未	庚子	壬申	辛丑	18
丙子	丙午	乙亥	乙巳	(七月) 甲戌	癸卯	癸酉	壬寅	壬申	辛丑	癸酉	壬寅	19
丁丑	丁未	丙子	丙午	乙亥	甲辰	甲戌	癸卯	癸酉	壬寅	甲戌	癸卯	20
戊寅	戊申	丁丑	丁未	丙子	(六月) 乙巳	(五月) 乙亥	甲辰	甲戌	癸卯	乙亥	甲辰	21
己卯	己酉	戊寅	戊申	丁丑	丙午	丙子	乙巳	乙亥	甲辰	丙子	乙巳	22
庚辰	庚戌	己卯	己酉	戊寅	丁未	丁丑	(閏四月) 丙午	丙子	乙巳	丁丑	丙午	23
辛巳	辛亥	庚辰	庚戌	己卯	戊申	戊寅	丁未	(四月) 丁丑	丙午	(二月) 戊寅	丁未	24
壬午	壬子	辛巳	辛亥	庚辰	己酉	己卯	戊申	戊寅	(三月) 丁未	己卯	(正月) 戊申	25
癸未	癸丑	壬午	壬子	辛巳	庚戌	庚辰	己酉	己卯	戊申	庚辰	己酉	26
甲申	甲寅	癸未	癸丑	壬午	辛亥	辛巳	庚戌	庚辰	己酉	辛巳	庚戌	27
乙酉	乙卯	甲申	甲寅	癸未	壬子	壬午	辛亥	辛巳	庚戌	壬午	辛亥	28
丙戌	丙辰	乙酉	乙卯	甲申	癸丑	癸未	壬子	壬午	辛亥		壬子	29
丁亥	丁巳	丙戌	丙辰	乙酉	甲寅	甲申	癸丑	癸未	壬子		癸丑	30
戊子		丁亥		丙戌	乙卯		甲寅		癸丑		甲寅	31

農曆初一　農曆十五

出生日對照表

西曆一九八三年

12月	11月	10月	9月	8月	7月	6月	5月	4月	3月	2月	1月	月/日
癸亥	癸巳	壬戌	壬辰	辛酉	庚寅	庚申	己丑	己未	戊子	庚申	己丑	1
甲子	甲午	癸亥	癸巳	壬戌	辛卯	辛酉	庚寅	庚申	己丑	辛酉	庚寅	2
乙丑	乙未	甲子	甲午	癸亥	壬辰	壬戌	辛卯	辛酉	庚寅	壬戌	辛卯	3
十一月 丙寅	丙申	乙丑	乙未	甲子	癸巳	癸亥	壬辰	壬戌	辛卯	癸亥	壬辰	4
丁卯	十月 丁酉	丙寅	丙申	乙丑	甲午	甲子	癸巳	癸亥	壬辰	甲子	癸巳	5
戊辰	戊戌	九月 丁卯	丁酉	丙寅	乙未	乙丑	甲午	甲子	癸巳	乙丑	甲午	6
己巳	己亥	戊辰	八月 戊戌	丁卯	丙申	丙寅	乙未	乙丑	甲午	丙寅	乙未	7
庚午	庚子	己巳	己亥	戊辰	丁酉	丁卯	丙申	丙寅	乙未	丁卯	丙申	8
辛未	辛丑	庚午	庚子	七月 己巳	戊戌	戊辰	丁酉	丁卯	丙申	戊辰	丁酉	9
壬申	壬寅	辛未	辛丑	庚午	六月 己亥	己巳	戊戌	戊辰	丁酉	己巳	戊戌	10
癸酉	癸卯	壬申	壬寅	辛未	庚子	五月 庚午	己亥	己巳	戊戌	庚午	己亥	11
甲戌	甲辰	癸酉	癸卯	壬申	辛丑	辛未	庚子	庚午	己亥	辛未	庚子	12
乙亥	乙巳	甲戌	甲辰	癸酉	壬寅	壬申	四月 辛丑	三月 辛未	庚子	正月 壬申	辛丑	13
丙子	丙午	乙亥	乙巳	甲戌	癸卯	癸酉	壬寅	壬申	辛丑	癸酉	十二月 壬寅	14
丁丑	丁未	丙子	丙午	乙亥	甲辰	甲戌	癸卯	癸酉	二月 壬寅	甲戌	癸卯	15
戊寅	戊申	丁丑	丁未	丙子	乙巳	乙亥	甲辰	甲戌	癸卯	乙亥	甲辰	16
己卯	己酉	戊寅	戊申	丁丑	丙午	丙子	乙巳	乙亥	甲辰	丙子	乙巳	17
庚辰	庚戌	己卯	己酉	戊寅	丁未	丁丑	丙午	丙子	乙巳	丁丑	丙午	18
辛巳	辛亥	庚辰	庚戌	己卯	戊申	戊寅	丁未	丁丑	丙午	戊寅	丁未	19
壬午	壬子	辛巳	辛亥	庚辰	己酉	己卯	戊申	戊寅	丁未	己卯	戊申	20
癸未	癸丑	壬午	壬子	辛巳	庚戌	庚辰	己酉	己卯	戊申	庚辰	己酉	21
甲申	甲寅	癸未	癸丑	壬午	辛亥	辛巳	庚戌	庚辰	己酉	辛巳	庚戌	22
乙酉	乙卯	甲申	甲寅	癸未	壬子	壬午	辛亥	辛巳	庚戌	壬午	辛亥	23
丙戌	丙辰	乙酉	乙卯	甲申	癸丑	癸未	壬子	壬午	辛亥	癸未	壬子	24
丁亥	丁巳	丙戌	丙辰	乙酉	甲寅	甲申	癸丑	癸未	壬子	甲申	癸丑	25
戊子	戊午	丁亥	丁巳	丙戌	乙卯	乙酉	甲寅	甲申	癸丑	乙酉	甲寅	26
己丑	己未	戊子	戊午	丁亥	丙辰	丙戌	乙卯	乙酉	甲寅	丙戌	乙卯	27
庚寅	庚申	己丑	己未	戊子	丁巳	丁亥	丙辰	丙戌	乙卯	丁亥	丙辰	28
辛卯	辛酉	庚寅	庚申	己丑	戊午	戊子	丁巳	丁亥	丙辰		丁巳	29
壬辰	壬戌	辛卯	辛酉	庚寅	己未	己丑	戊午	戊子	丁巳		戊午	30
癸巳		壬辰		辛卯	庚申		己未		戊午		己未	31

農曆初一　農曆十五

西曆一九八四年

12月	11月	10月	9月	8月	7月	6月	5月	4月	3月	2月	1月	月/日
己巳	己亥	戊辰	戊戌	丁卯	丙申	丙寅	(四月)乙未	(三月)乙丑	甲午	乙丑	甲午	1
庚午	庚子	己巳	己亥	戊辰	丁酉	丁卯	丙申	丙寅	乙未	(正月)丙寅	乙未	2
辛未	辛丑	庚午	庚子	己巳	戊戌	戊辰	丁酉	丁卯	(二月)丙申	丁卯	(十二月)丙申	3
壬申	壬寅	辛未	辛丑	庚午	己亥	己巳	戊戌	戊辰	丁酉	戊辰	丁酉	4
癸酉	癸卯	壬申	壬寅	辛未	庚子	庚午	己亥	己巳	戊戌	己巳	戊戌	5
甲戌	甲辰	癸酉	癸卯	壬申	辛丑	辛未	庚子	庚午	己亥	庚午	己亥	6
乙亥	乙巳	甲戌	甲辰	癸酉	壬寅	壬申	辛丑	辛未	庚子	辛未	庚子	7
丙子	丙午	乙亥	乙巳	甲戌	癸卯	癸酉	壬寅	壬申	辛丑	壬申	辛丑	8
丁丑	丁未	丙子	丙午	乙亥	甲辰	甲戌	癸卯	癸酉	壬寅	癸酉	壬寅	9
戊寅	戊申	丁丑	丁未	丙子	乙巳	乙亥	甲辰	甲戌	癸卯	甲戌	癸卯	10
己卯	己酉	戊寅	戊申	丁丑	丙午	丙子	乙巳	乙亥	甲辰	乙亥	甲辰	11
庚辰	庚戌	己卯	己酉	戊寅	丁未	丁丑	丙午	丙子	乙巳	丙子	乙巳	12
辛巳	辛亥	庚辰	庚戌	己卯	戊申	戊寅	丁未	丁丑	丙午	丁丑	丙午	13
壬午	壬子	辛巳	辛亥	庚辰	己酉	己卯	戊申	戊寅	丁未	戊寅	丁未	14
癸未	癸丑	壬午	壬子	辛巳	庚戌	庚辰	己酉	己卯	戊申	己卯	戊申	15
甲申	甲寅	癸未	癸丑	壬午	辛亥	辛巳	庚戌	庚辰	己酉	庚辰	己酉	16
乙酉	乙卯	甲申	甲寅	癸未	壬子	壬午	辛亥	辛巳	庚戌	辛巳	庚戌	17
丙戌	丙辰	乙酉	乙卯	甲申	癸丑	癸未	壬子	壬午	辛亥	壬午	辛亥	18
丁亥	丁巳	丙戌	丙辰	乙酉	甲寅	甲申	癸丑	癸未	壬子	癸未	壬子	19
戊子	戊午	丁亥	丁巳	丙戌	乙卯	乙酉	甲寅	甲申	癸丑	甲申	癸丑	20
己丑	己未	戊子	戊午	丁亥	丙辰	丙戌	乙卯	乙酉	甲寅	乙酉	甲寅	21
(十一月)庚寅	庚申	己丑	己未	戊子	丁巳	丁亥	丙辰	丙戌	乙卯	丙戌	乙卯	22
辛卯	(閏十月)辛酉	庚寅	庚申	己丑	戊午	戊子	丁巳	丁亥	丙辰	丁亥	丙辰	23
壬辰	壬戌	(十月)辛卯	辛酉	庚寅	己未	己丑	戊午	戊子	丁巳	戊子	丁巳	24
癸巳	癸亥	壬辰	(九月)壬戌	辛卯	庚申	庚寅	己未	己丑	戊午	己丑	戊午	25
甲午	甲子	癸巳	癸亥	壬辰	辛酉	辛卯	庚申	庚寅	己未	庚寅	己未	26
乙未	乙丑	甲午	甲子	(八月)癸巳	壬戌	壬辰	辛酉	辛卯	庚申	辛卯	庚申	27
丙申	丙寅	乙未	乙丑	甲午	(七月)癸亥	癸巳	壬戌	壬辰	辛酉	壬辰	辛酉	28
丁酉	丁卯	丙申	丙寅	乙未	甲子	(六月)甲午	癸亥	癸巳	壬戌	癸巳	壬戌	29
戊戌	戊辰	丁酉	丁卯	丙申	乙丑	乙未	甲子	甲午	癸亥		癸亥	30
己亥		戊戌		丁酉	丙寅		(五月)乙丑		甲子		甲子	31

農曆初一　農曆十五

出生日對照表

西曆一九八五年

12月	11月	10月	9月	8月	7月	6月	5月	4月	3月	2月	1月	月/日
甲戌	甲辰	癸酉	癸卯	壬申	辛丑	辛未	庚子	庚午	己亥	辛未	庚子	1
乙亥	乙巳	甲戌	甲辰	癸酉	壬寅	壬申	辛丑	辛未	庚子	壬申	辛丑	2
丙子	丙午	乙亥	乙巳	甲戌	癸卯	癸酉	壬寅	壬申	辛丑	癸酉	壬寅	3
丁丑	丁未	丙子	丙午	乙亥	甲辰	甲戌	癸卯	癸酉	壬寅	甲戌	癸卯	4
戊寅	戊申	丁丑	丁未	丙子	乙巳	乙亥	甲辰	甲戌	癸卯	乙亥	甲辰	5
己卯	己酉	戊寅	戊申	丁丑	丙午	丙子	乙巳	乙亥	甲辰	丙子	乙巳	6
庚辰	庚戌	己卯	己酉	戊寅	丁未	丁丑	丙午	丙子	乙巳	丁丑	丙午	7
辛巳	辛亥	庚辰	庚戌	己卯	戊申	戊寅	丁未	丁丑	丙午	戊寅	丁未	8
壬午	壬子	辛巳	辛亥	庚辰	己酉	己卯	戊申	戊寅	丁未	己卯	戊申	9
癸未	癸丑	壬午	壬子	辛巳	庚戌	庚辰	己酉	己卯	戊申	庚辰	己酉	10
甲申	甲寅	癸未	癸丑	壬午	辛亥	辛巳	庚戌	庚辰	己酉	辛巳	庚戌	11
(十一月) 乙酉	(十月) 乙卯	甲申	甲寅	癸未	壬子	壬午	辛亥	辛巳	庚戌	壬午	辛亥	12
丙戌	丙辰	乙酉	乙卯	甲申	癸丑	癸未	壬子	壬午	辛亥	癸未	壬子	13
丁亥	丁巳	(九月) 丙戌	丙辰	乙酉	甲寅	甲申	癸丑	癸未	壬子	甲申	癸丑	14
戊子	戊午	丁亥	(八月) 丁巳	丙戌	乙卯	乙酉	甲寅	甲申	癸丑	乙酉	甲寅	15
己丑	己未	戊子	戊午	(七月) 丁亥	丙辰	丙戌	乙卯	乙酉	甲寅	丙戌	乙卯	16
庚寅	庚申	己丑	己未	戊子	丁巳	丁亥	丙辰	丙戌	乙卯	丁亥	丙辰	17
辛卯	辛酉	庚寅	庚申	己丑	(六月) 戊午	(五月) 戊子	丁巳	丁亥	丙辰	戊子	丁巳	18
壬辰	壬戌	辛卯	辛酉	庚寅	己未	己丑	戊午	戊子	丁巳	己丑	戊午	19
癸巳	癸亥	壬辰	壬戌	辛卯	庚申	庚寅	(四月) 己未	(三月) 己丑	戊午	(正月) 庚寅	己未	20
甲午	甲子	癸巳	癸亥	壬辰	辛酉	辛卯	庚申	庚寅	(二月) 己未	辛卯	(十二月) 庚申	21
乙未	乙丑	甲午	甲子	癸巳	壬戌	壬辰	辛酉	辛卯	庚申	壬辰	辛酉	22
丙申	丙寅	乙未	乙丑	甲午	癸亥	癸巳	壬戌	壬辰	辛酉	癸巳	壬戌	23
丁酉	丁卯	丙申	丙寅	乙未	甲子	甲午	癸亥	癸巳	壬戌	甲午	癸亥	24
戊戌	戊辰	丁酉	丁卯	丙申	乙丑	乙未	甲子	甲午	癸亥	乙未	甲子	25
己亥	己巳	戊戌	戊辰	丁酉	丙寅	丙申	乙丑	乙未	甲子	丙申	乙丑	26
庚子	庚午	己亥	己巳	戊戌	丁卯	丁酉	丙寅	丙申	乙丑	丁酉	丙寅	27
辛丑	辛未	庚子	庚午	己亥	戊辰	戊戌	丁卯	丁酉	丙寅	戊戌	丁卯	28
壬寅	壬申	辛丑	辛未	庚子	己巳	己亥	戊辰	戊戌	丁卯		戊辰	29
癸卯	癸酉	壬寅	壬申	辛丑	庚午	庚子	己巳	己亥	戊辰		己巳	30
甲辰		癸卯		壬寅	辛未		庚午		己巳		庚午	31

農曆初一　農曆十五

西曆一九八六年

12月	11月	10月	9月	8月	7月	6月	5月	4月	3月	2月	1月	月/日
己卯	己酉	戊寅	戊申	丁丑	丙午	丙子	乙巳	乙亥	甲辰	丙子	乙巳	1
十一月 庚辰	十月 庚戌	己卯	己酉	戊寅	丁未	丁丑	丙午	丙子	乙巳	丁丑	丙午	2
辛巳	辛亥	庚辰	庚戌	己卯	戊申	戊寅	丁未	丁丑	丙午	戊寅	丁未	3
壬午	壬子	九月 辛巳	八月 辛亥	庚辰	己酉	己卯	戊申	戊寅	丁未	己卯	戊申	4
癸未	癸丑	壬午	壬子	辛巳	庚戌	庚辰	己酉	己卯	戊申	庚辰	己酉	5
甲申	甲寅	癸未	癸丑	七月 壬午	辛亥	辛巳	庚戌	庚辰	己酉	辛巳	庚戌	6
乙酉	乙卯	甲申	甲寅	癸未	六月 壬子	五月 壬午	辛亥	辛巳	庚戌	壬午	辛亥	7
丙戌	丙辰	乙酉	乙卯	甲申	癸丑	癸未	壬子	壬午	辛亥	癸未	壬子	8
丁亥	丁巳	丙戌	丙辰	乙酉	甲寅	甲申	四月 癸丑	三月 癸未	壬子	正月 甲申	癸丑	9
戊子	戊午	丁亥	丁巳	丙戌	乙卯	乙酉	甲寅	甲申	二月 癸丑	乙酉	十二月 甲寅	10
己丑	己未	戊子	戊午	丁亥	丙辰	丙戌	乙卯	乙酉	甲寅	丙戌	乙卯	11
庚寅	庚申	己丑	己未	戊子	丁巳	丁亥	丙辰	丙戌	乙卯	丁亥	丙辰	12
辛卯	辛酉	庚寅	庚申	己丑	戊午	戊子	丁巳	丁亥	丙辰	戊子	丁巳	13
壬辰	壬戌	辛卯	辛酉	庚寅	己未	己丑	戊午	戊子	丁巳	己丑	戊午	14
癸巳	癸亥	壬辰	壬戌	辛卯	庚申	庚寅	己未	己丑	戊午	庚寅	己未	15
甲午	甲子	癸巳	癸亥	壬辰	辛酉	辛卯	庚申	庚寅	己未	辛卯	庚申	16
乙未	乙丑	甲午	甲子	癸巳	壬戌	壬辰	辛酉	辛卯	庚申	壬辰	辛酉	17
丙申	丙寅	乙未	乙丑	甲午	癸亥	癸巳	壬戌	壬辰	辛酉	癸巳	壬戌	18
丁酉	丁卯	丙申	丙寅	乙未	甲子	甲午	癸亥	癸巳	壬戌	甲午	癸亥	19
戊戌	戊辰	丁酉	丁卯	丙申	乙丑	乙未	甲子	甲午	癸亥	乙未	甲子	20
己亥	己巳	戊戌	戊辰	丁酉	丙寅	丙申	乙丑	乙未	甲子	丙申	乙丑	21
庚子	庚午	己亥	己巳	戊戌	丁卯	丁酉	丙寅	丙申	乙丑	丁酉	丙寅	22
辛丑	辛未	庚子	庚午	己亥	戊辰	戊戌	丁卯	丁酉	丙寅	戊戌	丁卯	23
壬寅	壬申	辛丑	辛未	庚子	己巳	己亥	戊辰	戊戌	丁卯	己亥	戊辰	24
癸卯	癸酉	壬寅	壬申	辛丑	庚午	庚子	己巳	己亥	戊辰	庚子	己巳	25
甲辰	甲戌	癸卯	癸酉	壬寅	辛未	辛丑	庚午	庚子	己巳	辛丑	庚午	26
乙巳	乙亥	甲辰	甲戌	癸卯	壬申	壬寅	辛未	辛丑	庚午	壬寅	辛未	27
丙午	丙子	乙巳	乙亥	甲辰	癸酉	癸卯	壬申	壬寅	辛未	癸卯	壬申	28
丁未	丁丑	丙午	丙子	乙巳	甲戌	甲辰	癸酉	癸卯	壬申		癸酉	29
戊申	戊寅	丁未	丁丑	丙午	乙亥	乙巳	甲戌	甲辰	癸酉		甲戌	30
十二月 己酉		戊申		丁未	丙子		乙亥		甲戌		乙亥	31

農曆初一　農曆十五

西曆一九八七年

12月	11月	10月	9月	8月	7月	6月	5月	4月	3月	2月	1月	月/日
甲申	甲寅	癸未	癸丑	壬午	辛亥	辛巳	庚戌	庚辰	己酉	辛巳	庚戌	1
乙酉	乙卯	甲申	甲寅	癸未	壬子	壬午	辛亥	辛巳	庚戌	壬午	辛亥	2
丙戌	丙辰	乙酉	乙卯	甲申	癸丑	癸未	壬子	壬午	辛亥	癸未	壬子	3
丁亥	丁巳	丙戌	丙辰	乙酉	甲寅	甲申	癸丑	癸未	壬子	甲申	癸丑	4
戊子	戊午	丁亥	丁巳	丙戌	乙卯	乙酉	甲寅	甲申	癸丑	乙酉	甲寅	5
己丑	己未	戊子	戊午	丁亥	丙辰	丙戌	乙卯	乙酉	甲寅	丙戌	乙卯	6
庚寅	庚申	己丑	己未	戊子	丁巳	丁亥	丙辰	丙戌	乙卯	丁亥	丙辰	7
辛卯	辛酉	庚寅	庚申	己丑	戊午	戊子	丁巳	丁亥	丙辰	戊子	丁巳	8
壬辰	壬戌	辛卯	辛酉	庚寅	己未	己丑	戊午	戊子	丁巳	己丑	戊午	9
癸巳	癸亥	壬辰	壬戌	辛卯	庚申	庚寅	己未	己丑	戊午	庚寅	己未	10
甲午	甲子	癸巳	癸亥	壬辰	辛酉	辛卯	庚申	庚寅	己未	辛卯	庚申	11
乙未	乙丑	甲午	甲子	癸巳	壬戌	壬辰	辛酉	辛卯	庚申	壬辰	辛酉	12
丙申	丙寅	乙未	乙丑	甲午	癸亥	癸巳	壬戌	壬辰	辛酉	癸巳	壬戌	13
丁酉	丁卯	丙申	丙寅	乙未	甲子	甲午	癸亥	癸巳	壬戌	甲午	癸亥	14
戊戌	戊辰	丁酉	丁卯	丙申	乙丑	乙未	甲子	甲午	癸亥	乙未	甲子	15
己亥	己巳	戊戌	戊辰	丁酉	丙寅	丙申	乙丑	乙未	甲子	丙申	乙丑	16
庚子	庚午	己亥	己巳	戊戌	丁卯	丁酉	丙寅	丙申	乙丑	丁酉	丙寅	17
辛丑	辛未	庚子	庚午	己亥	戊辰	戊戌	丁卯	丁酉	丙寅	戊戌	丁卯	18
壬寅	壬申	辛丑	辛未	庚子	己巳	己亥	戊辰	戊戌	丁卯	己亥	戊辰	19
癸卯	癸酉	壬寅	壬申	辛丑	庚午	庚子	己巳	己亥	戊辰	庚子	己巳	20
十一月 甲辰	十月 甲戌	癸卯	癸酉	壬寅	辛未	辛丑	庚午	庚子	己巳	辛丑	庚午	21
乙巳	乙亥	甲辰	甲戌	癸卯	壬申	壬寅	辛未	辛丑	庚午	壬寅	辛未	22
丙午	丙子	九月 乙巳	八月 乙亥	甲辰	癸酉	癸卯	壬申	壬寅	辛未	癸卯	壬申	23
丁未	丁丑	丙午	丙子	七月 乙巳	甲戌	甲辰	癸酉	癸卯	壬申	甲辰	癸酉	24
戊申	戊寅	丁未	丁丑	丙午	乙亥	乙巳	甲戌	甲辰	癸酉	乙巳	甲戌	25
己酉	己卯	戊申	戊寅	丁未	閏六月 丙子	六月 丙午	乙亥	乙巳	甲戌	丙午	乙亥	26
庚戌	庚辰	己酉	己卯	戊申	丁丑	丁未	五月 丙子	丙午	乙亥	丁未	丙子	27
辛亥	辛巳	庚戌	庚辰	己酉	戊寅	戊申	丁丑	四月 丁未	丙子	二月 戊申	丁丑	28
壬子	壬午	辛亥	辛巳	庚戌	己卯	己酉	戊寅	戊申	三月 丁丑		正月 戊寅	29
癸丑	癸未	壬子	壬午	辛亥	庚辰	庚戌	己卯	己酉	戊寅		己卯	30
甲寅		癸丑		壬子	辛巳		庚辰		己卯		庚辰	31

農曆初一　農曆十五

西曆一九八八年

12月	11月	10月	9月	8月	7月	6月	5月	4月	3月	2月	1月	月/日
庚寅	庚申	己丑	己未	戊子	丁巳	丁亥	丙辰	丙戌	乙卯	丙戌	乙卯	1
辛卯	辛酉	庚寅	庚申	己丑	戊午	戊子	丁巳	丁亥	丙辰	丁亥	丙辰	2
壬辰	壬戌	辛卯	辛酉	庚寅	己未	己丑	戊午	戊子	丁巳	戊子	丁巳	3
癸巳	癸亥	壬辰	壬戌	辛卯	庚申	庚寅	己未	己丑	戊午	己丑	戊午	4
甲午	甲子	癸巳	癸亥	壬辰	辛酉	辛卯	庚申	庚寅	己未	庚寅	己未	5
乙未	乙丑	甲午	甲子	癸巳	壬戌	壬辰	辛酉	辛卯	庚申	辛卯	庚申	6
丙申	丙寅	乙未	乙丑	甲午	癸亥	癸巳	壬戌	壬辰	辛酉	壬辰	辛酉	7
丁酉	丁卯	丙申	丙寅	乙未	甲子	甲午	癸亥	癸巳	壬戌	癸巳	壬戌	8
十一月 戊戌	十月 戊辰	丁酉	丁卯	丙申	乙丑	乙未	甲子	甲午	癸亥	甲午	癸亥	9
己亥	己巳	戊戌	戊辰	丁酉	丙寅	丙申	乙丑	乙未	甲子	乙未	甲子	10
庚子	庚午	九月 己亥	八月 己巳	戊戌	丁卯	丁酉	丙寅	丙申	乙丑	丙申	乙丑	11
辛丑	辛未	庚子	庚午	七月 己亥	戊辰	戊戌	丁卯	丁酉	丙寅	丁酉	丙寅	12
壬寅	壬申	辛丑	辛未	庚子	己巳	己亥	戊辰	戊戌	丁卯	戊戌	丁卯	13
癸卯	癸酉	壬寅	壬申	辛丑	六月 庚午	五月 庚子	己巳	己亥	戊辰	己亥	戊辰	14
甲辰	甲戌	癸卯	癸酉	壬寅	辛未	辛丑	庚午	庚子	己巳	庚子	己巳	15
乙巳	乙亥	甲辰	甲戌	癸卯	壬申	壬寅	四月 辛未	三月 辛丑	庚午	辛丑	庚午	16
丙午	丙子	乙巳	乙亥	甲辰	癸酉	癸卯	壬申	壬寅	辛未	正月 壬寅	辛未	17
丁未	丁丑	丙午	丙子	乙巳	甲戌	甲辰	癸酉	癸卯	二月 壬申	癸卯	壬申	18
戊申	戊寅	丁未	丁丑	丙午	乙亥	乙巳	甲戌	甲辰	癸酉	甲辰	十二月 癸酉	19
己酉	己卯	戊申	戊寅	丁未	丙子	丙午	乙亥	乙巳	甲戌	乙巳	甲戌	20
庚戌	庚辰	己酉	己卯	戊申	丁丑	丁未	丙子	丙午	乙亥	丙午	乙亥	21
辛亥	辛巳	庚戌	庚辰	己酉	戊寅	戊申	丁丑	丁未	丙子	丁未	丙子	22
壬子	壬午	辛亥	辛巳	庚戌	己卯	己酉	戊寅	戊申	丁丑	戊申	丁丑	23
癸丑	癸未	壬子	壬午	辛亥	庚辰	庚戌	己卯	己酉	戊寅	己酉	戊寅	24
甲寅	甲申	癸丑	癸未	壬子	辛巳	辛亥	庚辰	庚戌	己卯	庚戌	己卯	25
乙卯	乙酉	甲寅	甲申	癸丑	壬午	壬子	辛巳	辛亥	庚辰	辛亥	庚辰	26
丙辰	丙戌	乙卯	乙酉	甲寅	癸未	癸丑	壬午	壬子	辛巳	壬子	辛巳	27
丁巳	丁亥	丙辰	丙戌	乙卯	甲申	甲寅	癸未	癸丑	壬午	癸丑	壬午	28
戊午	戊子	丁巳	丁亥	丙辰	乙酉	乙卯	甲申	甲寅	癸未	甲寅	癸未	29
己未	己丑	戊午	戊子	丁巳	丙戌	丙辰	乙酉	乙卯	甲申		甲申	30
庚申		己未		戊午	丁亥		丙戌		乙酉		乙酉	31

農曆初一　農曆十五

出生日對照表

西曆一九八九年

12月	11月	10月	9月	8月	7月	6月	5月	4月	3月	2月	1月	月／日
乙未	乙丑	甲午	甲子	七月 癸巳	壬戌	壬辰	辛酉	辛卯	庚申	壬辰	辛酉	1
丙申	丙寅	乙未	乙丑	甲午	癸亥	癸巳	壬戌	壬辰	辛酉	癸巳	壬戌	2
丁酉	丁卯	丙申	丙寅	乙未	六月 甲子	甲午	癸亥	癸巳	壬戌	甲午	癸亥	3
戊戌	戊辰	丁酉	丁卯	丙申	乙丑	五月 乙未	甲子	甲午	癸亥	乙未	甲子	4
己亥	己巳	戊戌	戊辰	丁酉	丙寅	丙申	四月 乙丑	乙未	甲子	丙申	乙丑	5
庚子	庚午	己亥	己巳	戊戌	丁卯	丁酉	丙寅	三月 丙申	乙丑	正月 丁酉	丙寅	6
辛丑	辛未	庚子	庚午	己亥	戊辰	戊戌	丁卯	丁酉	丙寅	戊戌	丁卯	7
壬寅	壬申	辛丑	辛未	庚子	己巳	己亥	戊辰	戊戌	二月 丁卯	己亥	十二月 戊辰	8
癸卯	癸酉	壬寅	壬申	辛丑	庚午	庚子	己巳	己亥	戊辰	庚子	己巳	9
甲辰	甲戌	癸卯	癸酉	壬寅	辛未	辛丑	庚午	庚子	己巳	辛丑	庚午	10
乙巳	乙亥	甲辰	甲戌	癸卯	壬申	壬寅	辛未	辛丑	庚午	壬寅	辛未	11
丙午	丙子	乙巳	乙亥	甲辰	癸酉	癸卯	壬申	壬寅	辛未	癸卯	壬申	12
丁未	丁丑	丙午	丙子	乙巳	甲戌	甲辰	癸酉	癸卯	壬申	甲辰	癸酉	13
戊申	戊寅	丁未	丁丑	丙午	乙亥	乙巳	甲戌	甲辰	癸酉	乙巳	甲戌	14
己酉	己卯	戊申	戊寅	丁未	丙子	丙午	乙亥	乙巳	甲戌	丙午	乙亥	15
庚戌	庚辰	己酉	己卯	戊申	丁丑	丁未	丙子	丙午	乙亥	丁未	丙子	16
辛亥	辛巳	庚戌	庚辰	己酉	戊寅	戊申	丁丑	丁未	丙子	戊申	丁丑	17
壬子	壬午	辛亥	辛巳	庚戌	己卯	己酉	戊寅	戊申	丁丑	己酉	戊寅	18
癸丑	癸未	壬子	壬午	辛亥	庚辰	庚戌	己卯	己酉	戊寅	庚戌	己卯	19
甲寅	甲申	癸丑	癸未	壬子	辛巳	辛亥	庚辰	庚戌	己卯	辛亥	庚辰	20
乙卯	乙酉	甲寅	甲申	癸丑	壬午	壬子	辛巳	辛亥	庚辰	壬子	辛巳	21
丙辰	丙戌	乙卯	乙酉	甲寅	癸未	癸丑	壬午	壬子	辛巳	癸丑	壬午	22
丁巳	丁亥	丙辰	丙戌	乙卯	甲申	甲寅	癸未	癸丑	壬午	甲寅	癸未	23
戊午	戊子	丁巳	丁亥	丙辰	乙酉	乙卯	甲申	甲寅	癸未	乙卯	甲申	24
己未	己丑	戊午	戊子	丁巳	丙戌	丙辰	乙酉	乙卯	甲申	丙辰	乙酉	25
庚申	庚寅	己未	己丑	戊午	丁亥	丁巳	丙戌	丙辰	乙酉	丁巳	丙戌	26
辛酉	辛卯	庚申	庚寅	己未	戊子	戊午	丁亥	丁巳	丙戌	戊午	丁亥	27
十二月 壬戌	十一月 壬辰	辛酉	辛卯	庚申	己丑	己未	戊子	戊午	丁亥	己未	戊子	28
癸亥	癸巳	十月 壬戌	壬辰	辛酉	庚寅	庚申	己丑	己未	戊子		己丑	29
甲子	甲午	癸亥	九月 癸巳	壬戌	辛卯	辛酉	庚寅	庚申	己丑		庚寅	30
乙丑		甲子		八月 癸亥	壬辰		辛卯		庚寅		辛卯	31

農曆初一　農曆十五

西曆一九九〇年

12月	11月	10月	9月	8月	7月	6月	5月	4月	3月	2月	1月	月／日
庚子	庚午	己亥	己巳	戊戌	丁卯	丁酉	丙寅	丙申	乙丑	丁酉	丙寅	1
辛丑	辛未	庚子	庚午	己亥	戊辰	戊戌	丁卯	丁酉	丙寅	戊戌	丁卯	2
壬寅	壬申	辛丑	辛未	庚子	己巳	己亥	戊辰	戊戌	丁卯	己亥	戊辰	3
癸卯	癸酉	壬寅	壬申	辛丑	庚午	庚子	己巳	己亥	戊辰	庚子	己巳	4
甲辰	甲戌	癸卯	癸酉	壬寅	辛未	辛丑	庚午	庚子	己巳	辛丑	庚午	5
乙巳	乙亥	甲辰	甲戌	癸卯	壬申	壬寅	辛未	辛丑	庚午	壬寅	辛未	6
丙午	丙子	乙巳	乙亥	甲辰	癸酉	癸卯	壬申	壬寅	辛未	癸卯	壬申	7
丁未	丁丑	丙午	丙子	乙巳	甲戌	甲辰	癸酉	癸卯	壬申	甲辰	癸酉	8
戊申	戊寅	丁未	丁丑	丙午	乙亥	乙巳	甲戌	甲辰	癸酉	乙巳	甲戌	9
己酉	己卯	戊申	戊寅	丁未	丙子	丙午	乙亥	乙巳	甲戌	丙午	乙亥	10
庚戌	庚辰	己酉	己卯	戊申	丁丑	丁未	丙子	丙午	乙亥	丁未	丙子	11
辛亥	辛巳	庚戌	庚辰	己酉	戊寅	戊申	丁丑	丁未	丙子	戊申	丁丑	12
壬子	壬午	辛亥	辛巳	庚戌	己卯	己酉	戊寅	戊申	丁丑	己酉	戊寅	13
癸丑	癸未	壬子	壬午	辛亥	庚辰	庚戌	己卯	己酉	戊寅	庚戌	己卯	14
甲寅	甲申	癸丑	癸未	壬子	辛巳	辛亥	庚辰	庚戌	己卯	辛亥	庚辰	15
乙卯	乙酉	甲寅	甲申	癸丑	壬午	壬子	辛巳	辛亥	庚辰	壬子	辛巳	16
十一月 丙辰	十月 丙戌	乙卯	乙酉	甲寅	癸未	癸丑	壬午	壬子	辛巳	癸丑	壬午	17
丁巳	丁亥	九月 丙辰	丙戌	乙卯	甲申	甲寅	癸未	癸丑	壬午	甲寅	癸未	18
戊午	戊子	丁巳	八月 丁亥	丙辰	乙酉	乙卯	甲申	甲寅	癸未	乙卯	甲申	19
己未	己丑	戊午	戊子	七月 丁巳	丙戌	丙辰	乙酉	乙卯	甲申	丙辰	乙酉	20
庚申	庚寅	己未	己丑	戊午	丁亥	丁巳	丙戌	丙辰	乙酉	丁巳	丙戌	21
辛酉	辛卯	庚申	庚寅	己未	六月 戊子	戊午	丁亥	丁巳	丙戌	戊午	丁亥	22
壬戌	壬辰	辛酉	辛卯	庚申	己丑	閏五月 己未	戊子	戊午	丁亥	己未	戊子	23
癸亥	癸巳	壬戌	壬辰	辛酉	庚寅	庚申	五月 己丑	己未	戊子	庚申	己丑	24
甲子	甲午	癸亥	癸巳	壬戌	辛卯	辛酉	庚寅	四月 庚申	己丑	二月 辛酉	庚寅	25
乙丑	乙未	甲子	甲午	癸亥	壬辰	壬戌	辛卯	辛酉	庚寅	壬戌	辛卯	26
丙寅	丙申	乙丑	乙未	甲子	癸巳	癸亥	壬辰	壬戌	三月 辛卯	癸亥	正月 壬辰	27
丁卯	丁酉	丙寅	丙申	乙丑	甲午	甲子	癸巳	癸亥	壬辰	甲子	癸巳	28
戊辰	戊戌	丁卯	丁酉	丙寅	乙未	乙丑	甲午	甲子	癸巳		甲午	29
己巳	己亥	戊辰	戊戌	丁卯	丙申	丙寅	乙未	乙丑	甲午		乙未	30
庚午		己巳		戊辰	丁酉		丙申		乙未		丙申	31

農曆初一　農曆十五

西曆一九九一年

12月	11月	10月	9月	8月	7月	6月	5月	4月	3月	2月	1月	月/日
乙巳	乙亥	甲辰	甲戌	癸卯	壬申	壬寅	辛未	辛丑	庚午	壬寅	辛未	1
丙午	丙子	乙巳	乙亥	甲辰	癸酉	癸卯	壬申	壬寅	辛未	癸卯	壬申	2
丁未	丁丑	丙午	丙子	乙巳	甲戌	甲辰	癸酉	癸卯	壬申	甲辰	癸酉	3
戊申	戊寅	丁未	丁丑	丙午	乙亥	乙巳	甲戌	甲辰	癸酉	乙巳	甲戌	4
己酉	己卯	戊申	戊寅	丁未	丙子	丙午	乙亥	乙巳	甲戌	丙午	乙亥	5
十一月 庚戌	十月 庚辰	己酉	己卯	戊申	丁丑	丁未	丙子	丙午	乙亥	丁未	丙子	6
辛亥	辛巳	庚戌	庚辰	己酉	戊寅	戊申	丁丑	丁未	丙子	戊申	丁丑	7
壬子	壬午	九月 辛亥	八月 辛巳	庚戌	己卯	己酉	戊寅	戊申	丁丑	己酉	戊寅	8
癸丑	癸未	壬子	壬午	辛亥	庚辰	庚戌	己卯	己酉	戊寅	庚戌	己卯	9
甲寅	甲申	癸丑	癸未	七月 壬子	辛巳	辛亥	庚辰	庚戌	己卯	辛亥	庚辰	10
乙卯	乙酉	甲寅	甲申	癸丑	壬午	壬子	辛巳	辛亥	庚辰	壬子	辛巳	11
丙辰	丙戌	乙卯	乙酉	甲寅	六月 癸未	五月 癸丑	壬午	壬子	辛巳	癸丑	壬午	12
丁巳	丁亥	丙辰	丙戌	乙卯	甲申	甲寅	癸未	癸丑	壬午	甲寅	癸未	13
戊午	戊子	丁巳	丁亥	丙辰	乙酉	乙卯	四月 甲申	甲寅	癸未	乙卯	甲申	14
己未	己丑	戊午	戊子	丁巳	丙戌	丙辰	乙酉	三月 乙卯	甲申	正月 丙辰	乙酉	15
庚申	庚寅	己未	己丑	戊午	丁亥	丁巳	丙戌	丙辰	二月 乙酉	丁巳	十二月 丙戌	16
辛酉	辛卯	庚申	庚寅	己未	戊子	戊午	丁亥	丁巳	丙戌	戊午	丁亥	17
壬戌	壬辰	辛酉	辛卯	庚申	己丑	己未	戊子	戊午	丁亥	己未	戊子	18
癸亥	癸巳	壬戌	壬辰	辛酉	庚寅	庚申	己丑	己未	戊子	庚申	己丑	19
甲子	甲午	癸亥	癸巳	壬戌	辛卯	辛酉	庚寅	庚申	己丑	辛酉	庚寅	20
乙丑	乙未	甲子	甲午	癸亥	壬辰	壬戌	辛卯	辛酉	庚寅	壬戌	辛卯	21
丙寅	丙申	乙丑	乙未	甲子	癸巳	癸亥	壬辰	壬戌	辛卯	癸亥	壬辰	22
丁卯	丁酉	丙寅	丙申	乙丑	甲午	甲子	癸巳	癸亥	壬辰	甲子	癸巳	23
戊辰	戊戌	丁卯	丁酉	丙寅	乙未	乙丑	甲午	甲子	癸巳	乙丑	甲午	24
己巳	己亥	戊辰	戊戌	丁卯	丙申	丙寅	乙未	乙丑	甲午	丙寅	乙未	25
庚午	庚子	己巳	己亥	戊辰	丁酉	丁卯	丙申	丙寅	乙未	丁卯	丙申	26
辛未	辛丑	庚午	庚子	己巳	戊戌	戊辰	丁酉	丁卯	丙申	戊辰	丁酉	27
壬申	壬寅	辛未	辛丑	庚午	己亥	己巳	戊戌	戊辰	丁酉	己巳	戊戌	28
癸酉	癸卯	壬申	壬寅	辛未	庚子	庚午	己亥	己巳	戊戌		己亥	29
甲戌	甲辰	癸酉	癸卯	壬申	辛丑	辛未	庚子	庚午	己亥		庚子	30
乙亥		甲戌		癸酉	壬寅		辛丑		庚子		辛丑	31

農曆初一　農曆十五

西曆一九九二年

12月	11月	10月	9月	8月	7月	6月	5月	4月	3月	2月	1月	月／日
辛亥	辛巳	庚戌	庚辰	己酉	戊寅	五月 戊申	丁丑	丁未	丙子	丁未	丙子	1
壬子	壬午	辛亥	辛巳	庚戌	己卯	己酉	戊寅	戊申	丁丑	戊申	丁丑	2
癸丑	癸未	壬子	壬午	辛亥	庚辰	庚戌	四月 己卯	三月 己酉	戊寅	己酉	戊寅	3
甲寅	甲申	癸丑	癸未	壬子	辛巳	辛亥	庚辰	庚戌	二月 己卯	正月 庚戌	己卯	4
乙卯	乙酉	甲寅	甲申	癸丑	壬午	壬子	辛巳	辛亥	庚辰	辛亥	十二月 庚辰	5
丙辰	丙戌	乙卯	乙酉	甲寅	癸未	癸丑	壬午	壬子	辛巳	壬子	辛巳	6
丁巳	丁亥	丙辰	丙戌	乙卯	甲申	甲寅	癸未	癸丑	壬午	癸丑	壬午	7
戊午	戊子	丁巳	丁亥	丙辰	乙酉	乙卯	甲申	甲寅	癸未	甲寅	癸未	8
己未	己丑	戊午	戊子	丁巳	丙戌	丙辰	乙酉	乙卯	甲申	乙卯	甲申	9
庚申	庚寅	己未	己丑	戊午	丁亥	丁巳	丙戌	丙辰	乙酉	丙辰	乙酉	10
辛酉	辛卯	庚申	庚寅	己未	戊子	戊午	丁亥	丁巳	丙戌	丁巳	丙戌	11
壬戌	壬辰	辛酉	辛卯	庚申	己丑	己未	戊子	戊午	丁亥	戊午	丁亥	12
癸亥	癸巳	壬戌	壬辰	辛酉	庚寅	庚申	己丑	己未	戊子	己未	戊子	13
甲子	甲午	癸亥	癸巳	壬戌	辛卯	辛酉	庚寅	庚申	己丑	庚申	己丑	14
乙丑	乙未	甲子	甲午	癸亥	壬辰	壬戌	辛卯	辛酉	庚寅	辛酉	庚寅	15
丙寅	丙申	乙丑	乙未	甲子	癸巳	癸亥	壬辰	壬戌	辛卯	壬戌	辛卯	16
丁卯	丁酉	丙寅	丙申	乙丑	甲午	甲子	癸巳	癸亥	壬辰	癸亥	壬辰	17
戊辰	戊戌	丁卯	丁酉	丙寅	乙未	乙丑	甲午	甲子	癸巳	甲子	癸巳	18
己巳	己亥	戊辰	戊戌	丁卯	丙申	丙寅	乙未	乙丑	甲午	乙丑	甲午	19
庚午	庚子	己巳	己亥	戊辰	丁酉	丁卯	丙申	丙寅	乙未	丙寅	乙未	20
辛未	辛丑	庚午	庚子	己巳	戊戌	戊辰	丁酉	丁卯	丙申	丁卯	丙申	21
壬申	壬寅	辛未	辛丑	庚午	己亥	己巳	戊戌	戊辰	丁酉	戊辰	丁酉	22
癸酉	癸卯	壬申	壬寅	辛未	庚子	庚午	己亥	己巳	戊戌	己巳	戊戌	23
十二月 甲戌	十一月 甲辰	癸酉	癸卯	壬申	辛丑	辛未	庚子	庚午	己亥	庚午	己亥	24
乙亥	乙巳	甲戌	甲辰	癸酉	壬寅	壬申	辛丑	辛未	庚子	辛未	庚子	25
丙子	丙午	十月 乙亥	九月 乙巳	甲戌	癸卯	癸酉	壬寅	壬申	辛丑	壬申	辛丑	26
丁丑	丁未	丙子	丙午	乙亥	甲辰	甲戌	癸卯	癸酉	壬寅	癸酉	壬寅	27
戊寅	戊申	丁丑	丁未	八月 丙子	乙巳	乙亥	甲辰	甲戌	癸卯	甲戌	癸卯	28
己卯	己酉	戊寅	戊申	丁丑	丙午	丙子	乙巳	乙亥	甲辰	乙亥	甲辰	29
庚辰	庚戌	己卯	己酉	戊寅	七月 丁未	六月 丁丑	丙午	丙子	乙巳		乙巳	30
辛巳		庚辰		己卯	戊申		丁未		丙午		丙午	31

農曆初一　農曆十五

出生日對照表

西曆一九九三年

12月	11月	10月	9月	8月	7月	6月	5月	4月	3月	2月	1月	月/日
丙辰	丙戌	乙卯	乙酉	甲寅	癸未	癸丑	壬午	壬子	辛巳	癸丑	壬午	1
丁巳	丁亥	丙辰	丙戌	乙卯	甲申	甲寅	癸未	癸丑	壬午	甲寅	癸未	2
戊午	戊子	丁巳	丁亥	丙辰	乙酉	乙卯	甲申	甲寅	癸未	乙卯	甲申	3
己未	己丑	戊午	戊子	丁巳	丙戌	丙辰	乙酉	乙卯	甲申	丙辰	乙酉	4
庚申	庚寅	己未	己丑	戊午	丁亥	丁巳	丙戌	丙辰	乙酉	丁巳	丙戌	5
辛酉	辛卯	庚申	庚寅	己未	戊子	戊午	丁亥	丁巳	丙戌	戊午	丁亥	6
壬戌	壬辰	辛酉	辛卯	庚申	己丑	己未	戊子	戊午	丁亥	己未	戊子	7
癸亥	癸巳	壬戌	壬辰	辛酉	庚寅	庚申	己丑	己未	戊子	庚申	己丑	8
甲子	甲午	癸亥	癸巳	壬戌	辛卯	辛酉	庚寅	庚申	己丑	辛酉	庚寅	9
乙丑	乙未	甲子	甲午	癸亥	壬辰	壬戌	辛卯	辛酉	庚寅	壬戌	辛卯	10
丙寅	丙申	乙丑	乙未	甲子	癸巳	癸亥	壬辰	壬戌	辛卯	癸亥	壬辰	11
丁卯	丁酉	丙寅	丙申	乙丑	甲午	甲子	癸巳	癸亥	壬辰	甲子	癸巳	12
十一月 戊辰	戊戌	丁卯	丁酉	丙寅	乙未	乙丑	甲午	甲子	癸巳	乙丑	甲午	13
己巳	十月 己亥	戊辰	戊戌	丁卯	丙申	丙寅	乙未	乙丑	甲午	丙寅	乙未	14
庚午	庚子	九月 己巳	己亥	戊辰	丁酉	丁卯	丙申	丙寅	乙未	丁卯	丙申	15
辛未	辛丑	庚午	八月 庚子	己巳	戊戌	戊辰	丁酉	丁卯	丙申	戊辰	丁酉	16
壬申	壬寅	辛未	辛丑	庚午	己亥	己巳	戊戌	戊辰	丁酉	己巳	戊戌	17
癸酉	癸卯	壬申	壬寅	七月 辛未	庚子	庚午	己亥	己巳	戊戌	庚午	己亥	18
甲戌	甲辰	癸酉	癸卯	壬申	六月 辛丑	辛未	庚子	庚午	己亥	辛未	庚子	19
乙亥	乙巳	甲戌	甲辰	癸酉	壬寅	五月 壬申	辛丑	辛未	庚子	壬申	辛丑	20
丙子	丙午	乙亥	乙巳	甲戌	癸卯	癸酉	四月 壬寅	壬申	辛丑	二月 癸酉	壬寅	21
丁丑	丁未	丙子	丙午	乙亥	甲辰	甲戌	癸卯	閏三月 癸酉	壬寅	甲戌	癸卯	22
戊寅	戊申	丁丑	丁未	丙子	乙巳	乙亥	甲辰	甲戌	三月 癸卯	乙亥	正月 甲辰	23
己卯	己酉	戊寅	戊申	丁丑	丙午	丙子	乙巳	乙亥	甲辰	丙子	乙巳	24
庚辰	庚戌	己卯	己酉	戊寅	丁未	丁丑	丙午	丙子	乙巳	丁丑	丙午	25
辛巳	辛亥	庚辰	庚戌	己卯	戊申	戊寅	丁未	丁丑	丙午	戊寅	丁未	26
壬午	壬子	辛巳	辛亥	庚辰	己酉	己卯	戊申	戊寅	丁未	己卯	戊申	27
癸未	癸丑	壬午	壬子	辛巳	庚戌	庚辰	己酉	己卯	戊申	庚辰	己酉	28
甲申	甲寅	癸未	癸丑	壬午	辛亥	辛巳	庚戌	庚辰	己酉		庚戌	29
乙酉	乙卯	甲申	甲寅	癸未	壬子	壬午	辛亥	辛巳	庚戌		辛亥	30
丙戌		乙酉		甲申	癸丑		壬子		辛亥		壬子	31

農曆初一　農曆十五

西曆一九九四年

12月	11月	10月	9月	8月	7月	6月	5月	4月	3月	2月	1月	月/日
辛酉	辛卯	庚申	庚寅	己未	戊子	戊午	丁亥	丁巳	丙戌	戊午	丁亥	1
壬戌	壬辰	辛酉	辛卯	庚申	己丑	己未	戊子	戊午	丁亥	己未	戊子	2
(十一月) 癸亥	(十月) 癸巳	壬戌	壬辰	辛酉	庚寅	庚申	己丑	己未	戊子	庚申	己丑	3
甲子	甲午	癸亥	癸巳	壬戌	辛卯	辛酉	庚寅	庚申	己丑	辛酉	庚寅	4
乙丑	乙未	(九月) 甲子	甲午	癸亥	壬辰	壬戌	辛卯	辛酉	庚寅	壬戌	辛卯	5
丙寅	丙申	乙丑	(八月) 乙未	甲子	癸巳	癸亥	壬辰	壬戌	辛卯	癸亥	壬辰	6
丁卯	丁酉	丙寅	丙申	(七月) 乙丑	甲午	甲子	癸巳	癸亥	壬辰	甲子	癸巳	7
戊辰	戊戌	丁卯	丁酉	丙寅	乙未	乙丑	甲午	甲子	癸巳	乙丑	甲午	8
己巳	己亥	戊辰	戊戌	丁卯	(六月) 丙申	(五月) 丙寅	乙未	乙丑	甲午	丙寅	乙未	9
庚午	庚子	己巳	己亥	戊辰	丁酉	丁卯	丙申	丙寅	乙未	(正月) 丁卯	丙申	10
辛未	辛丑	庚午	庚子	己巳	戊戌	戊辰	(四月) 丁酉	(三月) 丁卯	丙申	戊辰	丁酉	11
壬申	壬寅	辛未	辛丑	庚午	己亥	己巳	戊戌	戊辰	(二月) 丁酉	己巳	(十二月) 戊戌	12
癸酉	癸卯	壬申	壬寅	辛未	庚子	庚午	己亥	己巳	戊戌	庚午	己亥	13
甲戌	甲辰	癸酉	癸卯	壬申	辛丑	辛未	庚子	庚午	己亥	辛未	庚子	14
乙亥	乙巳	甲戌	甲辰	癸酉	壬寅	壬申	辛丑	辛未	庚子	壬申	辛丑	15
丙子	丙午	乙亥	乙巳	甲戌	癸卯	癸酉	壬寅	壬申	辛丑	癸酉	壬寅	16
丁丑	丁未	丙子	丙午	乙亥	甲辰	甲戌	癸卯	癸酉	壬寅	甲戌	癸卯	17
戊寅	戊申	丁丑	丁未	丙子	乙巳	乙亥	甲辰	甲戌	癸卯	乙亥	甲辰	18
己卯	己酉	戊寅	戊申	丁丑	丙午	丙子	乙巳	乙亥	甲辰	丙子	乙巳	19
庚辰	庚戌	己卯	己酉	戊寅	丁未	丁丑	丙午	丙子	乙巳	丁丑	丙午	20
辛巳	辛亥	庚辰	庚戌	己卯	戊申	戊寅	丁未	丁丑	丙午	戊寅	丁未	21
壬午	壬子	辛巳	辛亥	庚辰	己酉	己卯	戊申	戊寅	丁未	己卯	戊申	22
癸未	癸丑	壬午	壬子	辛巳	庚戌	庚辰	己酉	己卯	戊申	庚辰	己酉	23
甲申	甲寅	癸未	癸丑	壬午	辛亥	辛巳	庚戌	庚辰	己酉	辛巳	庚戌	24
乙酉	乙卯	甲申	甲寅	癸未	壬子	壬午	辛亥	辛巳	庚戌	壬午	辛亥	25
丙戌	丙辰	乙酉	乙卯	甲申	癸丑	癸未	壬子	壬午	辛亥	癸未	壬子	26
丁亥	丁巳	丙戌	丙辰	乙酉	甲寅	甲申	癸丑	癸未	壬子	甲申	癸丑	27
戊子	戊午	丁亥	丁巳	丙戌	乙卯	乙酉	甲寅	甲申	癸丑	乙酉	甲寅	28
己丑	己未	戊子	戊午	丁亥	丙辰	丙戌	乙卯	乙酉	甲寅		乙卯	29
庚寅	庚申	己丑	己未	戊子	丁巳	丁亥	丙辰	丙戌	乙卯		丙辰	30
辛卯		庚寅		己丑	戊午		丁巳		丙辰		丁巳	31

農曆初一　農曆十五

西曆一九九五年

12月	11月	10月	9月	8月	7月	6月	5月	4月	3月	2月	1月	月/日
丙寅	丙申	乙丑	乙未	甲子	癸巳	癸亥	壬辰	壬戌	二月 辛卯	癸亥	十二月 壬辰	1
丁卯	丁酉	丙寅	丙申	乙丑	甲午	甲子	癸巳	癸亥	壬辰	甲子	癸巳	2
戊辰	戊戌	丁卯	丁酉	丙寅	乙未	乙丑	甲午	甲子	癸巳	乙丑	甲午	3
己巳	己亥	戊辰	戊戌	丁卯	丙申	丙寅	乙未	乙丑	甲午	丙寅	乙未	4
庚午	庚子	己巳	己亥	戊辰	丁酉	丁卯	丙申	丙寅	乙未	丁卯	丙申	5
辛未	辛丑	庚午	庚子	己巳	戊戌	戊辰	丁酉	丁卯	丙申	戊辰	丁酉	6
壬申	壬寅	辛未	辛丑	庚午	己亥	己巳	戊戌	戊辰	丁酉	己巳	戊戌	7
癸酉	癸卯	壬申	壬寅	辛未	庚子	庚午	己亥	己巳	戊戌	庚午	己亥	8
甲戌	甲辰	癸酉	癸卯	壬申	辛丑	辛未	庚子	庚午	己亥	辛未	庚子	9
乙亥	乙巳	甲戌	甲辰	癸酉	壬寅	壬申	辛丑	辛未	庚子	壬申	辛丑	10
丙子	丙午	乙亥	乙巳	甲戌	癸卯	癸酉	壬寅	壬申	辛丑	癸酉	壬寅	11
丁丑	丁未	丙子	丙午	乙亥	甲辰	甲戌	癸卯	癸酉	壬寅	甲戌	癸卯	12
戊寅	戊申	丁丑	丁未	丙子	乙巳	乙亥	甲辰	甲戌	癸卯	乙亥	甲辰	13
己卯	己酉	戊寅	戊申	丁丑	丙午	丙子	乙巳	乙亥	甲辰	丙子	乙巳	14
庚辰	庚戌	己卯	己酉	戊寅	丁未	丁丑	丙午	丙子	乙巳	丁丑	丙午	15
辛巳	辛亥	庚辰	庚戌	己卯	戊申	戊寅	丁未	丁丑	丙午	戊寅	丁未	16
壬午	壬子	辛巳	辛亥	庚辰	己酉	己卯	戊申	戊寅	丁未	己卯	戊申	17
癸未	癸丑	壬午	壬子	辛巳	庚戌	庚辰	己酉	己卯	戊申	庚辰	己酉	18
甲申	甲寅	癸未	癸丑	壬午	辛亥	辛巳	庚戌	庚辰	己酉	辛巳	庚戌	19
乙酉	乙卯	甲申	甲寅	癸未	壬子	壬午	辛亥	辛巳	庚戌	壬午	辛亥	20
丙戌	丙辰	乙酉	乙卯	甲申	癸丑	癸未	壬子	壬午	辛亥	癸未	壬子	21
十一月 丁亥	十月 丁巳	丙戌	丙辰	乙酉	甲寅	甲申	癸丑	癸未	壬子	甲申	癸丑	22
戊子	戊午	丁亥	丁巳	丙戌	乙卯	乙酉	甲寅	甲申	癸丑	乙酉	甲寅	23
己丑	己未	九月 戊子	戊午	丁亥	丙辰	丙戌	乙卯	乙酉	甲寅	丙戌	乙卯	24
庚寅	庚申	己丑	閏八月 己未	戊子	丁巳	丁亥	丙辰	丙戌	乙卯	丁亥	丙辰	25
辛卯	辛酉	庚寅	庚申	八月 己丑	戊午	戊子	丁巳	丁亥	丙辰	戊子	丁巳	26
壬辰	壬戌	辛卯	辛酉	庚寅	七月 己未	己丑	戊午	戊子	丁巳	己丑	戊午	27
癸巳	癸亥	壬辰	壬戌	辛卯	庚申	六月 庚寅	己未	己丑	戊午	庚寅	己未	28
甲午	甲子	癸巳	癸亥	壬辰	辛酉	辛卯	五月 庚申	庚寅	己未		庚申	29
乙未	乙丑	甲午	甲子	癸巳	壬戌	壬辰	辛酉	四月 辛卯	庚申		辛酉	30
丙申		乙未		甲午	癸亥		壬戌		三月 辛酉		正月 壬戌	31

農曆初一　農曆十五

西曆一九九六年

12月	11月	10月	9月	8月	7月	6月	5月	4月	3月	2月	1月	月/日
壬申	壬寅	辛未	辛丑	庚午	己亥	己巳	戊戌	戊辰	丁酉	戊辰	丁酉	1
癸酉	癸卯	壬申	壬寅	辛未	庚子	庚午	己亥	己巳	戊戌	己巳	戊戌	2
甲戌	甲辰	癸酉	癸卯	壬申	辛丑	辛未	庚子	庚午	己亥	庚午	己亥	3
乙亥	乙巳	甲戌	甲辰	癸酉	壬寅	壬申	辛丑	辛未	庚子	辛未	庚子	4
丙子	丙午	乙亥	乙巳	甲戌	癸卯	癸酉	壬寅	壬申	辛丑	壬申	辛丑	5
丁丑	丁未	丙子	丙午	乙亥	甲辰	甲戌	癸卯	癸酉	壬寅	癸酉	壬寅	6
戊寅	戊申	丁丑	丁未	丙子	乙巳	乙亥	甲辰	甲戌	癸卯	甲戌	癸卯	7
己卯	己酉	戊寅	戊申	丁丑	丙午	丙子	乙巳	乙亥	甲辰	乙亥	甲辰	8
庚辰	庚戌	己卯	己酉	戊寅	丁未	丁丑	丙午	丙子	乙巳	丙子	乙巳	9
辛巳	辛亥	庚辰	庚戌	己卯	戊申	戊寅	丁未	丁丑	丙午	丁丑	丙午	10
十一月 壬午	十月 壬子	辛巳	辛亥	庚辰	己酉	己卯	戊申	戊寅	丁未	戊寅	丁未	11
癸未	癸丑	九月 壬午	壬子	辛巳	庚戌	庚辰	己酉	己卯	戊申	己卯	戊申	12
甲申	甲寅	癸未	八月 癸丑	壬午	辛亥	辛巳	庚戌	庚辰	己酉	庚辰	己酉	13
乙酉	乙卯	甲申	甲寅	七月 癸未	壬子	壬午	辛亥	辛巳	庚戌	辛巳	庚戌	14
丙戌	丙辰	乙酉	乙卯	甲申	癸丑	癸未	壬子	壬午	辛亥	壬午	辛亥	15
丁亥	丁巳	丙戌	丙辰	乙酉	六月 甲寅	五月 甲申	癸丑	癸未	壬子	癸未	壬子	16
戊子	戊午	丁亥	丁巳	丙戌	乙卯	乙酉	四月 甲寅	甲申	癸丑	甲申	癸丑	17
己丑	己未	戊子	戊午	丁亥	丙辰	丙戌	乙卯	三月 乙酉	甲寅	乙酉	甲寅	18
庚寅	庚申	己丑	己未	戊子	丁巳	丁亥	丙辰	丙戌	二月 乙卯	正月 丙戌	乙卯	19
辛卯	辛酉	庚寅	庚申	己丑	戊午	戊子	丁巳	丁亥	丙辰	丁亥	十二月 丙辰	20
壬辰	壬戌	辛卯	辛酉	庚寅	己未	己丑	戊午	戊子	丁巳	戊子	丁巳	21
癸巳	癸亥	壬辰	壬戌	辛卯	庚申	庚寅	己未	己丑	戊午	己丑	戊午	22
甲午	甲子	癸巳	癸亥	壬辰	辛酉	辛卯	庚申	庚寅	己未	庚寅	己未	23
乙未	乙丑	甲午	甲子	癸巳	壬戌	壬辰	辛酉	辛卯	庚申	辛卯	庚申	24
丙申	丙寅	乙未	乙丑	甲午	癸亥	癸巳	壬戌	壬辰	辛酉	壬辰	辛酉	25
丁酉	丁卯	丙申	丙寅	乙未	甲子	甲午	癸亥	癸巳	壬戌	癸巳	壬戌	26
戊戌	戊辰	丁酉	丁卯	丙申	乙丑	乙未	甲子	甲午	癸亥	甲午	癸亥	27
己亥	己巳	戊戌	戊辰	丁酉	丙寅	丙申	乙丑	乙未	甲子	乙未	甲子	28
庚子	庚午	己亥	己巳	戊戌	丁卯	丁酉	丙寅	丙申	乙丑	丙申	乙丑	29
辛丑	辛未	庚子	庚午	己亥	戊辰	戊戌	丁卯	丁酉	丙寅		丙寅	30
壬寅		辛丑		庚子	己巳		戊辰		丁卯		丁卯	31

農曆初一　農曆十五

西曆一九九七年

12月	11月	10月	9月	8月	7月	6月	5月	4月	3月	2月	1月	月/日
丁丑	丁未	丙子	丙午	乙亥	甲辰	甲戌	癸卯	癸酉	壬寅	甲戌	癸卯	1
戊寅	戊申	九月 丁丑	八月 丁未	丙子	乙巳	乙亥	甲辰	甲戌	癸卯	乙亥	甲辰	2
己卯	己酉	戊寅	戊申	七月 丁丑	丙午	丙子	乙巳	乙亥	甲辰	丙子	乙巳	3
庚辰	庚戌	己卯	己酉	戊寅	丁未	丁丑	丙午	丙子	乙巳	丁丑	丙午	4
辛巳	辛亥	庚辰	庚戌	己卯	六月 戊申	五月 戊寅	丁未	丁丑	丙午	戊寅	丁未	5
壬午	壬子	辛巳	辛亥	庚辰	己酉	己卯	戊申	戊寅	丁未	己卯	戊申	6
癸未	癸丑	壬午	壬子	辛巳	庚戌	庚辰	四月 己酉	三月 己卯	戊申	正月 庚辰	己酉	7
甲申	甲寅	癸未	癸丑	壬午	辛亥	辛巳	庚戌	庚辰	己酉	辛巳	庚戌	8
乙酉	乙卯	甲申	甲寅	癸未	壬子	壬午	辛亥	辛巳	二月 庚戌	壬午	十二月 辛亥	9
丙戌	丙辰	乙酉	乙卯	甲申	癸丑	癸未	壬子	壬午	辛亥	癸未	壬子	10
丁亥	丁巳	丙戌	丙辰	乙酉	甲寅	甲申	癸丑	癸未	壬子	甲申	癸丑	11
戊子	戊午	丁亥	丁巳	丙戌	乙卯	乙酉	甲寅	甲申	癸丑	乙酉	甲寅	12
己丑	己未	戊子	戊午	丁亥	丙辰	丙戌	乙卯	乙酉	甲寅	丙戌	乙卯	13
庚寅	庚申	己丑	己未	戊子	丁巳	丁亥	丙辰	丙戌	乙卯	丁亥	丙辰	14
辛卯	辛酉	庚寅	庚申	己丑	戊午	戊子	丁巳	丁亥	丙辰	戊子	丁巳	15
壬辰	壬戌	辛卯	辛酉	庚寅	己未	己丑	戊午	戊子	丁巳	己丑	戊午	16
癸巳	癸亥	壬辰	壬戌	辛卯	庚申	庚寅	己未	己丑	戊午	庚寅	己未	17
甲午	甲子	癸巳	癸亥	壬辰	辛酉	辛卯	庚申	庚寅	己未	辛卯	庚申	18
乙未	乙丑	甲午	甲子	癸巳	壬戌	壬辰	辛酉	辛卯	庚申	壬辰	辛酉	19
丙申	丙寅	乙未	乙丑	甲午	癸亥	癸巳	壬戌	壬辰	辛酉	癸巳	壬戌	20
丁酉	丁卯	丙申	丙寅	乙未	甲子	甲午	癸亥	癸巳	壬戌	甲午	癸亥	21
戊戌	戊辰	丁酉	丁卯	丙申	乙丑	乙未	甲子	甲午	癸亥	乙未	甲子	22
己亥	己巳	戊戌	戊辰	丁酉	丙寅	丙申	乙丑	乙未	甲子	丙申	乙丑	23
庚子	庚午	己亥	己巳	戊戌	丁卯	丁酉	丙寅	丙申	乙丑	丁酉	丙寅	24
辛丑	辛未	庚子	庚午	己亥	戊辰	戊戌	丁卯	丁酉	丙寅	戊戌	丁卯	25
壬寅	壬申	辛丑	辛未	庚子	己巳	己亥	戊辰	戊戌	丁卯	己亥	戊辰	26
癸卯	癸酉	壬寅	壬申	辛丑	庚午	庚子	己巳	己亥	戊辰	庚子	己巳	27
甲辰	甲戌	癸卯	癸酉	壬寅	辛未	辛丑	庚午	庚子	己巳	辛丑	庚午	28
乙巳	乙亥	甲辰	甲戌	癸卯	壬申	壬寅	辛未	辛丑	庚午		辛未	29
十二月 丙午	十一月 丙子	乙巳	乙亥	甲辰	癸酉	癸卯	壬申	壬寅	辛未		壬申	30
丁未		十月 丙午		乙巳	甲戌		癸酉		壬申		癸酉	31

農曆初一　農曆十五

西曆一九九八年

12月	11月	10月	9月	8月	7月	6月	5月	4月	3月	2月	1月	月/日
壬午	壬子	辛巳	辛亥	庚辰	己酉	己卯	戊申	戊寅	丁未	己卯	戊申	1
癸未	癸丑	壬午	壬子	辛巳	庚戌	庚辰	己酉	己卯	戊申	庚辰	己酉	2
甲申	甲寅	癸未	癸丑	壬午	辛亥	辛巳	庚戌	庚辰	己酉	辛巳	庚戌	3
乙酉	乙卯	甲申	甲寅	癸未	壬子	壬午	辛亥	辛巳	庚戌	壬午	辛亥	4
丙戌	丙辰	乙酉	乙卯	甲申	癸丑	癸未	壬子	壬午	辛亥	癸未	壬子	5
丁亥	丁巳	丙戌	丙辰	乙酉	甲寅	甲申	癸丑	癸未	壬子	甲申	癸丑	6
戊子	戊午	丁亥	丁巳	丙戌	乙卯	乙酉	甲寅	甲申	癸丑	乙酉	甲寅	7
己丑	己未	戊子	戊午	丁亥	丙辰	丙戌	乙卯	乙酉	甲寅	丙戌	乙卯	8
庚寅	庚申	己丑	己未	戊子	丁巳	丁亥	丙辰	丙戌	乙卯	丁亥	丙辰	9
辛卯	辛酉	庚寅	庚申	己丑	戊午	戊子	丁巳	丁亥	丙辰	戊子	丁巳	10
壬辰	壬戌	辛卯	辛酉	庚寅	己未	己丑	戊午	戊子	丁巳	己丑	戊午	11
癸巳	癸亥	壬辰	壬戌	辛卯	庚申	庚寅	己未	己丑	戊午	庚寅	己未	12
甲午	甲子	癸巳	癸亥	壬辰	辛酉	辛卯	庚申	庚寅	己未	辛卯	庚申	13
乙未	乙丑	甲午	甲子	癸巳	壬戌	壬辰	辛酉	辛卯	庚申	壬辰	辛酉	14
丙申	丙寅	乙未	乙丑	甲午	癸亥	癸巳	壬戌	壬辰	辛酉	癸巳	壬戌	15
丁酉	丁卯	丙申	丙寅	乙未	甲子	甲午	癸亥	癸巳	壬戌	甲午	癸亥	16
戊戌	戊辰	丁酉	丁卯	丙申	乙丑	乙未	甲子	甲午	癸亥	乙未	甲子	17
己亥	己巳	戊戌	戊辰	丁酉	丙寅	丙申	乙丑	乙未	甲子	丙申	乙丑	18
十一月 庚子	十月 庚午	己亥	己巳	戊戌	丁卯	丁酉	丙寅	丙申	乙丑	丁酉	丙寅	19
辛丑	辛未	九月 庚子	庚午	己亥	戊辰	戊戌	丁卯	丁酉	丙寅	戊戌	丁卯	20
壬寅	壬申	辛丑	八月 辛未	庚子	己巳	己亥	戊辰	戊戌	丁卯	己亥	戊辰	21
癸卯	癸酉	壬寅	壬申	七月 辛丑	庚午	庚子	己巳	己亥	戊辰	庚子	己巳	22
甲辰	甲戌	癸卯	癸酉	壬寅	六月 辛未	辛丑	庚午	庚子	己巳	辛丑	庚午	23
乙巳	乙亥	甲辰	甲戌	癸卯	壬申	閏五月 壬寅	辛未	辛丑	庚午	壬寅	辛未	24
丙午	丙子	乙巳	乙亥	甲辰	癸酉	癸卯	壬申	壬寅	辛未	癸卯	壬申	25
丁未	丁丑	丙午	丙子	乙巳	甲戌	甲辰	五月 癸酉	四月 癸卯	壬申	甲辰	癸酉	26
戊申	戊寅	丁未	丁丑	丙午	乙亥	乙巳	甲戌	甲辰	癸酉	二月 乙巳	甲戌	27
己酉	己卯	戊申	戊寅	丁未	丙子	丙午	乙亥	乙巳	三月 甲戌	丙午	正月 乙亥	28
庚戌	庚辰	己酉	己卯	戊申	丁丑	丁未	丙子	丙午	乙亥		丙子	29
辛亥	辛巳	庚戌	庚辰	己酉	戊寅	戊申	丁丑	丁未	丙子		丁丑	30
壬子		辛亥		庚戌	己卯		戊寅		丁丑		戊寅	31

農曆初一　農曆十五

出生日對照表

西曆一九九九年

12月	11月	10月	9月	8月	7月	6月	5月	4月	3月	2月	1月	月/日
丁亥	丁巳	丙戌	丙辰	乙酉	甲寅	甲申	癸丑	癸未	壬子	甲申	癸丑	1
戊子	戊午	丁亥	丁巳	丙戌	乙卯	乙酉	甲寅	甲申	癸丑	乙酉	甲寅	2
己丑	己未	戊子	戊午	丁亥	丙辰	丙戌	乙卯	乙酉	甲寅	丙戌	乙卯	3
庚寅	庚申	己丑	己未	戊子	丁巳	丁亥	丙辰	丙戌	乙卯	丁亥	丙辰	4
辛卯	辛酉	庚寅	庚申	己丑	戊午	戊子	丁巳	丁亥	丙辰	戊子	丁巳	5
壬辰	壬戌	辛卯	辛酉	庚寅	己未	己丑	戊午	戊子	丁巳	己丑	戊午	6
癸巳	癸亥	壬辰	壬戌	辛卯	庚申	庚寅	己未	己丑	戊午	庚寅	己未	7
(十一月) 甲午	(十月) 甲子	癸巳	癸亥	壬辰	辛酉	辛卯	庚申	庚寅	己未	辛卯	庚申	8
乙未	乙丑	(九月) 甲午	甲子	癸巳	壬戌	壬辰	辛酉	辛卯	庚申	壬辰	辛酉	9
丙申	丙寅	乙未	(八月) 乙丑	甲午	癸亥	癸巳	壬戌	壬辰	辛酉	癸巳	壬戌	10
丁酉	丁卯	丙申	丙寅	(七月) 乙未	甲子	甲午	癸亥	癸巳	壬戌	甲午	癸亥	11
戊戌	戊辰	丁酉	丁卯	丙申	乙丑	乙未	甲子	甲午	癸亥	乙未	甲子	12
己亥	己巳	戊戌	戊辰	丁酉	(六月) 丙寅	丙申	乙丑	乙未	甲子	丙申	乙丑	13
庚子	庚午	己亥	己巳	戊戌	丁卯	(五月) 丁酉	丙寅	丙申	乙丑	丁酉	丙寅	14
辛丑	辛未	庚子	庚午	己亥	戊辰	戊戌	(四月) 丁卯	丁酉	丙寅	戊戌	丁卯	15
壬寅	壬申	辛丑	辛未	庚子	己巳	己亥	戊辰	(三月) 戊戌	丁卯	(正月) 己亥	戊辰	16
癸卯	癸酉	壬寅	壬申	辛丑	庚午	庚子	己巳	己亥	戊辰	庚子	(十二月) 己巳	17
甲辰	甲戌	癸卯	癸酉	壬寅	辛未	辛丑	庚午	庚子	(二月) 己巳	辛丑	庚午	18
乙巳	乙亥	甲辰	甲戌	癸卯	壬申	壬寅	辛未	辛丑	庚午	壬寅	辛未	19
丙午	丙子	乙巳	乙亥	甲辰	癸酉	癸卯	壬申	壬寅	辛未	癸卯	壬申	20
丁未	丁丑	丙午	丙子	乙巳	甲戌	甲辰	癸酉	癸卯	壬申	甲辰	癸酉	21
戊申	戊寅	丁未	丁丑	丙午	乙亥	乙巳	甲戌	甲辰	癸酉	乙巳	甲戌	22
己酉	己卯	戊申	戊寅	丁未	丙子	丙午	乙亥	乙巳	甲戌	丙午	乙亥	23
庚戌	庚辰	己酉	己卯	戊申	丁丑	丁未	丙子	丙午	乙亥	丁未	丙子	24
辛亥	辛巳	庚戌	庚辰	己酉	戊寅	戊申	丁丑	丁未	丙子	戊申	丁丑	25
壬子	壬午	辛亥	辛巳	庚戌	己卯	己酉	戊寅	戊申	丁丑	己酉	戊寅	26
癸丑	癸未	壬子	壬午	辛亥	庚辰	庚戌	己卯	己酉	戊寅	庚戌	己卯	27
甲寅	甲申	癸丑	癸未	壬子	辛巳	辛亥	庚辰	庚戌	己卯	辛亥	庚辰	28
乙卯	乙酉	甲寅	甲申	癸丑	壬午	壬子	辛巳	辛亥	庚辰		辛巳	29
丙辰	丙戌	乙卯	乙酉	甲寅	癸未	癸丑	壬午	壬子	辛巳		壬午	30
丁巳		丙辰		乙卯	甲申		癸未				癸未	31

農曆初一　農曆十五

西曆二〇〇〇年

12月	11月	10月	9月	8月	7月	6月	5月	4月	3月	2月	1月	月/日
癸巳	癸亥	壬辰	壬戌	辛卯	庚申	庚寅	己未	己丑	戊午	己丑	戊午	1
甲午	甲子	癸巳	癸亥	壬辰	六月 辛酉	五月 辛卯	庚申	庚寅	己未	庚寅	己未	2
乙未	乙丑	甲午	甲子	癸巳	壬戌	壬辰	辛酉	辛卯	庚申	辛卯	庚申	3
丙申	丙寅	乙未	乙丑	甲午	癸亥	癸巳	四月 壬戌	壬辰	辛酉	壬辰	辛酉	4
丁酉	丁卯	丙申	丙寅	乙未	甲子	甲午	癸亥	三月 癸巳	壬戌	正月 癸巳	壬戌	5
戊戌	戊辰	丁酉	丁卯	丙申	乙丑	乙未	甲子	甲午	二月 癸亥	甲午	癸亥	6
己亥	己巳	戊戌	戊辰	丁酉	丙寅	丙申	乙丑	乙未	甲子	乙未	十二月 甲子	7
庚子	庚午	己亥	己巳	戊戌	丁卯	丁酉	丙寅	丙申	乙丑	丙申	乙丑	8
辛丑	辛未	庚子	庚午	己亥	戊辰	戊戌	丁卯	丁酉	丙寅	丁酉	丙寅	9
壬寅	壬申	辛丑	辛未	庚子	己巳	己亥	戊辰	戊戌	丁卯	戊戌	丁卯	10
癸卯	癸酉	壬寅	壬申	辛丑	庚午	庚子	己巳	己亥	戊辰	己亥	戊辰	11
甲辰	甲戌	癸卯	癸酉	壬寅	辛未	辛丑	庚午	庚子	己巳	庚子	己巳	12
乙巳	乙亥	甲辰	甲戌	癸卯	壬申	壬寅	辛未	辛丑	庚午	辛丑	庚午	13
丙午	丙子	乙巳	乙亥	甲辰	癸酉	癸卯	壬申	壬寅	辛未	壬寅	辛未	14
丁未	丁丑	丙午	丙子	乙巳	甲戌	甲辰	癸酉	癸卯	壬申	癸卯	壬申	15
戊申	戊寅	丁未	丁丑	丙午	乙亥	乙巳	甲戌	甲辰	癸酉	甲辰	癸酉	16
己酉	己卯	戊申	戊寅	丁未	丙子	丙午	乙亥	乙巳	甲戌	乙巳	甲戌	17
庚戌	庚辰	己酉	己卯	戊申	丁丑	丁未	丙子	丙午	乙亥	丙午	乙亥	18
辛亥	辛巳	庚戌	庚辰	己酉	戊寅	戊申	丁丑	丁未	丙子	丁未	丙子	19
壬子	壬午	辛亥	辛巳	庚戌	己卯	己酉	戊寅	戊申	丁丑	戊申	丁丑	20
癸丑	癸未	壬子	壬午	辛亥	庚辰	庚戌	己卯	己酉	戊寅	己酉	戊寅	21
甲寅	甲申	癸丑	癸未	壬子	辛巳	辛亥	庚辰	庚戌	己卯	庚戌	己卯	22
乙卯	乙酉	甲寅	甲申	癸丑	壬午	壬子	辛巳	辛亥	庚辰	辛亥	庚辰	23
丙辰	丙戌	乙卯	乙酉	甲寅	癸未	癸丑	壬午	壬子	辛巳	壬子	辛巳	24
丁巳	丁亥	丙辰	丙戌	乙卯	甲申	甲寅	癸未	癸丑	壬午	癸丑	壬午	25
十二月 戊午	十一月 戊子	丁巳	丁亥	丙辰	乙酉	乙卯	甲申	甲寅	癸未	甲寅	癸未	26
己未	己丑	十月 戊午	戊子	丁巳	丙戌	丙辰	乙酉	乙卯	甲申	乙卯	甲申	27
庚申	庚寅	己未	九月 己丑	戊午	丁亥	丁巳	丙戌	丙辰	乙酉	丙辰	乙酉	28
辛酉	辛卯	庚申	庚寅	八月 己未	戊子	戊午	丁亥	丁巳	丙戌	丁巳	丙戌	29
壬戌	壬辰	辛酉	辛卯	庚申	己丑	己未	戊子	戊午	丁亥		丁亥	30
癸亥		壬戌		辛酉	七月 庚寅		己丑		戊子		戊子	31

農曆初一　農曆十五

出生日對照表

西曆二〇〇一年

12月	11月	10月	9月	8月	7月	6月	5月	4月	3月	2月	1月	月/日
戊戌	戊辰	丁酉	丁卯	丙申	乙丑	乙未	甲子	甲午	癸亥	乙未	甲子	1
己亥	己巳	戊戌	戊辰	丁酉	丙寅	丙申	乙丑	乙未	甲子	丙申	乙丑	2
庚子	庚午	己亥	己巳	戊戌	丁卯	丁酉	丙寅	丙申	乙丑	丁酉	丙寅	3
辛丑	辛未	庚子	庚午	己亥	戊辰	戊戌	丁卯	丁酉	丙寅	戊戌	丁卯	4
壬寅	壬申	辛丑	辛未	庚子	己巳	己亥	戊辰	戊戌	丁卯	己亥	戊辰	5
癸卯	癸酉	壬寅	壬申	辛丑	庚午	庚子	己巳	己亥	戊辰	庚子	己巳	6
甲辰	甲戌	癸卯	癸酉	壬寅	辛未	辛丑	庚午	庚子	己巳	辛丑	庚午	7
乙巳	乙亥	甲辰	甲戌	癸卯	壬申	壬寅	辛未	辛丑	庚午	壬寅	辛未	8
丙午	丙子	乙巳	乙亥	甲辰	癸酉	癸卯	壬申	壬寅	辛未	癸卯	壬申	9
丁未	丁丑	丙午	丙子	乙巳	甲戌	甲辰	癸酉	癸卯	壬申	甲辰	癸酉	10
戊申	戊寅	丁未	丁丑	丙午	乙亥	乙巳	甲戌	甲辰	癸酉	乙巳	甲戌	11
己酉	己卯	戊申	戊寅	丁未	丙子	丙午	乙亥	乙巳	甲戌	丙午	乙亥	12
庚戌	庚辰	己酉	己卯	戊申	丁丑	丁未	丙子	丙午	乙亥	丁未	丙子	13
辛亥	辛巳	庚戌	庚辰	己酉	戊寅	戊申	丁丑	丁未	丙子	戊申	丁丑	14
壬子(十一月)	壬午(十月)	辛亥	辛巳	庚戌	己卯	己酉	戊寅	戊申	丁丑	己酉	戊寅	15
癸丑	癸未	壬子	壬午	辛亥	庚辰	庚戌	己卯	己酉	戊寅	庚戌	己卯	16
甲寅	甲申	癸丑(九月)	癸未(八月)	壬子	辛巳	辛亥	庚辰	庚戌	己卯	辛亥	庚辰	17
乙卯	乙酉	甲寅	甲申	癸丑	壬午	壬子	辛巳	辛亥	庚辰	壬子	辛巳	18
丙辰	丙戌	乙卯	乙酉	甲寅(七月)	癸未	癸丑	壬午	壬子	辛巳	癸丑	壬午	19
丁巳	丁亥	丙辰	丙戌	乙卯	甲申	甲寅	癸未	癸丑	壬午	甲寅	癸未	20
戊午	戊子	丁巳	丁亥	丙辰	乙酉(六月)	乙卯(五月)	甲申	甲寅	癸未	乙卯	甲申	21
己未	己丑	戊午	戊子	丁巳	丙戌	丙辰	乙酉	乙卯	甲申	丙辰	乙酉	22
庚申	庚寅	己未	己丑	戊午	丁亥	丁巳	丙戌(閏四月)	丙辰(四月)	乙酉	丁巳(二月)	丙戌	23
辛酉	辛卯	庚申	庚寅	己未	戊子	戊午	丁亥	丁巳	丙戌	戊午	丁亥(正月)	24
壬戌	壬辰	辛酉	辛卯	庚申	己丑	己未	戊子	戊午	丁亥(三月)	己未	戊子	25
癸亥	癸巳	壬戌	壬辰	辛酉	庚寅	庚申	己丑	己未	戊子	庚申	己丑	26
甲子	甲午	癸亥	癸巳	壬戌	辛卯	辛酉	庚寅	庚申	己丑	辛酉	庚寅	27
乙丑	乙未	甲子	甲午	癸亥	壬辰	壬戌	辛卯	辛酉	庚寅	壬戌	辛卯	28
丙寅	丙申	乙丑	乙未	甲子	癸巳	癸亥	壬辰	壬戌	辛卯		壬辰	29
丁卯	丁酉	丙寅	丙申	乙丑	甲午	甲子	癸巳	癸亥	壬辰		癸巳	30
戊辰		丁卯		丙寅	乙未		甲午		癸巳		甲午	31

農曆初一　農曆十五

西曆二〇〇二年

12月	11月	10月	9月	8月	7月	6月	5月	4月	3月	2月	1月	月/日
癸卯	癸酉	壬寅	壬申	辛丑	庚午	庚子	己巳	己亥	戊辰	庚子	己巳	1
甲辰	甲戌	癸卯	癸酉	壬寅	辛未	辛丑	庚午	庚子	己巳	辛丑	庚午	2
乙巳	乙亥	甲辰	甲戌	癸卯	壬申	壬寅	辛未	辛丑	庚午	壬寅	辛未	3
十一月 丙午	丙子	乙巳	乙亥	甲辰	癸酉	癸卯	壬申	壬寅	辛未	癸卯	壬申	4
丁未	十月 丁丑	丙午	丙子	乙巳	甲戌	甲辰	癸酉	癸卯	壬申	甲辰	癸酉	5
戊申	戊寅	九月 丁未	丁丑	丙午	乙亥	乙巳	甲戌	甲辰	癸酉	乙巳	甲戌	6
己酉	己卯	戊申	八月 戊寅	丁未	丙子	丙午	乙亥	乙巳	甲戌	丙午	乙亥	7
庚戌	庚辰	己酉	己卯	戊申	丁丑	丁未	丙子	丙午	乙亥	丁未	丙子	8
辛亥	辛巳	庚戌	庚辰	七月 己酉	戊寅	戊申	丁丑	丁未	丙子	戊申	丁丑	9
壬子	壬午	辛亥	辛巳	庚戌	六月 己卯	己酉	戊寅	戊申	丁丑	己酉	戊寅	10
癸丑	癸未	壬子	壬午	辛亥	庚辰	五月 庚戌	己卯	己酉	戊寅	庚戌	己卯	11
甲寅	甲申	癸丑	癸未	壬子	辛巳	辛亥	四月 庚辰	庚戌	己卯	正月 辛亥	戊辰	12
乙卯	乙酉	甲寅	甲申	癸丑	壬午	壬子	辛巳	三月 辛亥	庚辰	壬子	十二月 辛巳	13
丙辰	丙戌	乙卯	乙酉	甲寅	癸未	癸丑	壬午	壬子	二月 辛巳	癸丑	壬午	14
丁巳	丁亥	丙辰	丙戌	乙卯	甲申	甲寅	癸未	癸丑	壬午	甲寅	癸未	15
戊午	戊子	丁巳	丁亥	丙辰	乙酉	乙卯	甲申	甲寅	癸未	乙卯	甲申	16
己未	己丑	戊午	戊子	丁巳	丙戌	丙辰	乙酉	乙卯	甲申	丙辰	乙酉	17
庚申	庚寅	己未	己丑	戊午	丁亥	丁巳	丙戌	丙辰	乙酉	丁巳	丙戌	18
辛酉	辛卯	庚申	庚寅	己未	戊子	戊午	丁亥	丁巳	丙戌	戊午	丁亥	19
壬戌	壬辰	辛酉	辛卯	庚申	己丑	己未	戊子	戊午	丁亥	己未	戊子	20
癸亥	癸巳	壬戌	壬辰	辛酉	庚寅	庚申	己丑	己未	戊子	庚申	己丑	21
甲子	甲午	癸亥	癸巳	壬戌	辛卯	辛酉	庚寅	庚申	己丑	辛酉	庚寅	22
乙丑	乙未	甲子	甲午	癸亥	壬辰	壬戌	辛卯	辛酉	庚寅	壬戌	辛卯	23
丙寅	丙申	乙丑	乙未	甲子	癸巳	癸亥	壬辰	壬戌	辛卯	癸亥	壬辰	24
丁卯	丁酉	丙寅	丙申	乙丑	甲午	甲子	癸巳	癸亥	壬辰	甲子	癸巳	25
戊辰	戊戌	丁卯	丁酉	丙寅	乙未	乙丑	甲午	甲子	癸巳	乙丑	甲午	26
己巳	己亥	戊辰	戊戌	丁卯	丙申	丙寅	乙未	乙丑	甲午	丙寅	乙未	27
庚午	庚子	己巳	己亥	戊辰	丁酉	丁卯	丙申	丙寅	乙未	丁卯	丙申	28
辛未	辛丑	庚午	庚子	己巳	戊戌	戊辰	丁酉	丁卯	丙申		丁酉	29
壬申	壬寅	辛未	辛丑	庚午	己亥	己巳	戊戌	戊辰	丁酉		戊戌	30
癸酉		壬申		辛未	庚子		己亥		戊戌		己亥	31

農曆初一　農曆十五

出生日對照表

西曆二〇〇三年

12月	11月	10月	9月	8月	7月	6月	5月	4月	3月	2月	1月	月/日
戊申	戊寅	丁未	丁丑	丙午	乙亥	乙巳	四月 甲戌	甲辰	癸酉	正月 乙巳	甲戌	1
己酉	己卯	戊申	戊寅	丁未	丙子	丙午	乙亥	三月 乙巳	甲戌	丙午	乙亥	2
庚戌	庚辰	己酉	己卯	戊申	丁丑	丁未	丙子	丙午	二月 乙亥	丁未	十二月 丙子	3
辛亥	辛巳	庚戌	庚辰	己酉	戊寅	戊申	丁丑	丁未	丙子	戊申	丁丑	4
壬子	壬午	辛亥	辛巳	庚戌	己卯	己酉	戊寅	戊申	丁丑	己酉	戊寅	5
癸丑	癸未	壬子	壬午	辛亥	庚辰	庚戌	己卯	己酉	戊寅	庚戌	己卯	6
甲寅	甲申	癸丑	癸未	壬子	辛巳	辛亥	庚辰	庚戌	己卯	辛亥	庚辰	7
乙卯	乙酉	甲寅	甲申	癸丑	壬午	壬子	辛巳	辛亥	庚辰	壬子	辛巳	8
丙辰	丙戌	乙卯	乙酉	甲寅	癸未	癸丑	壬午	壬子	辛巳	癸丑	壬午	9
丁巳	丁亥	丙辰	丙戌	乙卯	甲申	甲寅	癸未	癸丑	壬午	甲寅	癸未	10
戊午	戊子	丁巳	丁亥	丙辰	乙酉	乙卯	甲申	甲寅	癸未	乙卯	甲申	11
己未	己丑	戊午	戊子	丁巳	丙戌	丙辰	乙酉	乙卯	甲申	丙辰	乙酉	12
庚申	庚寅	己未	己丑	戊午	丁亥	丁巳	丙戌	丙辰	乙酉	丁巳	丙戌	13
辛酉	辛卯	庚申	庚寅	己未	戊子	戊午	丁亥	丁巳	丙戌	戊午	丁亥	14
壬戌	壬辰	辛酉	辛卯	庚申	己丑	己未	戊子	戊午	丁亥	己未	戊子	15
癸亥	癸巳	壬戌	壬辰	辛酉	庚寅	庚申	己丑	己未	戊子	庚申	己丑	16
甲子	甲午	癸亥	癸巳	壬戌	辛卯	辛酉	庚寅	庚申	己丑	辛酉	庚寅	17
乙丑	乙未	甲子	甲午	癸亥	壬辰	壬戌	辛卯	辛酉	庚寅	壬戌	辛卯	18
丙寅	丙申	乙丑	乙未	甲子	癸巳	癸亥	壬辰	壬戌	辛卯	癸亥	壬辰	19
丁卯	丁酉	丙寅	丙申	乙丑	甲午	甲子	癸巳	癸亥	壬辰	甲子	癸巳	20
戊辰	戊戌	丁卯	丁酉	丙寅	乙未	乙丑	甲午	甲子	癸巳	乙丑	甲午	21
己巳	己亥	戊辰	戊戌	丁卯	丙申	丙寅	乙未	乙丑	甲午	丙寅	乙未	22
十二月 庚午	庚子	己巳	己亥	戊辰	丁酉	丁卯	丙申	丙寅	乙未	丁卯	丙申	23
辛未	十一月 辛丑	庚午	庚子	己巳	戊戌	戊辰	丁酉	丁卯	丙申	戊辰	丁酉	24
壬申	壬寅	十月 辛未	辛丑	庚午	己亥	己巳	戊戌	戊辰	丁酉	己巳	戊戌	25
癸酉	癸卯	壬申	九月 壬寅	辛未	庚子	庚午	己亥	己巳	戊戌	庚午	己亥	26
甲戌	甲辰	癸酉	癸卯	壬申	辛丑	辛未	庚子	庚午	己亥	辛未	庚子	27
乙亥	乙巳	甲戌	甲辰	八月 癸酉	壬寅	壬申	辛丑	辛未	庚子	壬申	辛丑	28
丙子	丙午	乙亥	乙巳	甲戌	七月 癸卯	癸酉	壬寅	壬申	辛丑		壬寅	29
丁丑	丁未	丙子	丙午	乙亥	甲辰	六月 甲戌	癸卯	癸酉	壬寅		癸卯	30
戊寅		丁丑		丙子	乙巳		五月 甲辰		癸卯		甲辰	31

農曆初一　農曆十五

西曆二〇〇四年

12月	11月	10月	9月	8月	7月	6月	5月	4月	3月	2月	1月	月／日
甲寅	甲申	癸丑	癸未	壬子	辛巳	辛亥	庚辰	庚戌	己卯	庚戌	己卯	1
乙卯	乙酉	甲寅	甲申	癸丑	壬午	壬子	辛巳	辛亥	庚辰	辛亥	庚辰	2
丙辰	丙戌	乙卯	乙酉	甲寅	癸未	癸丑	壬午	壬子	辛巳	壬子	辛巳	3
丁巳	丁亥	丙辰	丙戌	乙卯	甲申	甲寅	癸未	癸丑	壬午	癸丑	壬午	4
戊午	戊子	丁巳	丁亥	丙辰	乙酉	乙卯	甲申	甲寅	癸未	甲寅	癸未	5
己未	己丑	戊午	戊子	丁巳	丙戌	丙辰	乙酉	乙卯	甲申	乙卯	甲申	6
庚申	庚寅	己未	己丑	戊午	丁亥	丁巳	丙戌	丙辰	乙酉	丙辰	乙酉	7
辛酉	辛卯	庚申	庚寅	己未	戊子	戊午	丁亥	丁巳	丙戌	丁巳	丙戌	8
壬戌	壬辰	辛酉	辛卯	庚申	己丑	己未	戊子	戊午	丁亥	戊午	丁亥	9
癸亥	癸巳	壬戌	壬辰	辛酉	庚寅	庚申	己丑	己未	戊子	己未	戊子	10
甲子	甲午	癸亥	癸巳	壬戌	辛卯	辛酉	庚寅	庚申	己丑	庚申	己丑	11
十一月 乙丑	十月 乙未	甲子	甲午	癸亥	壬辰	壬戌	辛卯	辛酉	庚寅	辛酉	庚寅	12
丙寅	丙申	乙丑	乙未	甲子	癸巳	癸亥	壬辰	壬戌	辛卯	壬戌	辛卯	13
丁卯	丁酉	九月 丙寅	八月 丙申	乙丑	甲午	甲子	癸巳	癸亥	壬辰	癸亥	壬辰	14
戊辰	戊戌	丁卯	丁酉	丙寅	乙未	乙丑	甲午	甲子	癸巳	甲子	癸巳	15
己巳	己亥	戊辰	戊戌	七月 丁卯	丙申	丙寅	乙未	乙丑	甲午	乙丑	甲午	16
庚午	庚子	己巳	己亥	戊辰	六月 丁酉	丁卯	丙申	丙寅	乙未	丙寅	乙未	17
辛未	辛丑	庚午	庚子	己巳	戊戌	五月 戊辰	丁酉	丁卯	丙申	丁卯	丙申	18
壬申	壬寅	辛未	辛丑	庚午	己亥	己巳	四月 戊戌	三月 戊辰	丁酉	戊辰	丁酉	19
癸酉	癸卯	壬申	壬寅	辛未	庚子	庚午	己亥	己巳	戊戌	二月 己巳	戊戌	20
甲戌	甲辰	癸酉	癸卯	壬申	辛丑	辛未	庚子	庚午	閏二月 己亥	庚午	己亥	21
乙亥	乙巳	甲戌	甲辰	癸酉	壬寅	壬申	辛丑	辛未	庚子	辛未	正月 庚子	22
丙子	丙午	乙亥	乙巳	甲戌	癸卯	癸酉	壬寅	壬申	辛丑	壬申	辛丑	23
丁丑	丁未	丙子	丙午	乙亥	甲辰	甲戌	癸卯	癸酉	壬寅	癸酉	壬寅	24
戊寅	戊申	丁丑	丁未	丙子	乙巳	乙亥	甲辰	甲戌	癸卯	甲戌	癸卯	25
己卯	己酉	戊寅	戊申	丁丑	丙午	丙子	乙巳	乙亥	甲辰	乙亥	甲辰	26
庚辰	庚戌	己卯	己酉	戊寅	丁未	丁丑	丙午	丙子	乙巳	丙子	乙巳	27
辛巳	辛亥	庚辰	庚戌	己卯	戊申	戊寅	丁未	丁丑	丙午	丁丑	丙午	28
壬午	壬子	辛巳	辛亥	庚辰	己酉	己卯	戊申	戊寅	丁未	戊寅	丁未	29
癸未	癸丑	壬午	壬子	辛巳	庚戌	庚辰	己酉	己卯	戊申		戊申	30
甲申		癸未		壬午	辛亥		庚戌		己酉		己酉	31

農曆初一　農曆十五

出生日對照表

西曆二〇〇五年

12月	11月	10月	9月	8月	7月	6月	5月	4月	3月	2月	1月	月/日
十一月 己未	己丑	戊午	戊子	丁巳	丙戌	丙辰	乙酉	乙卯	甲申	丙辰	乙酉	1
庚申	十月 庚寅	己未	己丑	戊午	丁亥	丁巳	丙戌	丙辰	乙酉	丁巳	丙戌	2
辛酉	辛卯	九月 庚申	庚寅	己未	戊子	戊午	丁亥	丁巳	丙戌	戊午	丁亥	3
壬戌	壬辰	辛酉	八月 辛卯	庚申	己丑	己未	戊子	戊午	丁亥	己未	戊子	4
癸亥	癸巳	壬戌	壬辰	七月 辛酉	庚寅	庚申	己丑	己未	戊子	庚申	己丑	5
甲子	甲午	癸亥	癸巳	壬戌	六月 辛卯	辛酉	庚寅	庚申	己丑	辛酉	庚寅	6
乙丑	乙未	甲子	甲午	癸亥	壬辰	五月 壬戌	辛卯	辛酉	庚寅	壬戌	辛卯	7
丙寅	丙申	乙丑	乙未	甲子	癸巳	癸亥	四月 壬辰	壬戌	辛卯	癸亥	壬辰	8
丁卯	丁酉	丙寅	丙申	乙丑	甲午	甲子	癸巳	三月 癸亥	壬辰	正月 甲子	癸巳	9
戊辰	戊戌	丁卯	丁酉	丙寅	乙未	乙丑	甲午	甲子	二月 癸巳	乙丑	十二月 甲午	10
己巳	己亥	戊辰	戊戌	丁卯	丙申	丙寅	乙未	乙丑	甲午	丙寅	乙未	11
庚午	庚子	己巳	己亥	戊辰	丁酉	丁卯	丙申	丙寅	乙未	丁卯	丙申	12
辛未	辛丑	庚午	庚子	己巳	戊戌	戊辰	丁酉	丁卯	丙申	戊辰	丁酉	13
壬申	壬寅	辛未	辛丑	庚午	己亥	己巳	戊戌	戊辰	丁酉	己巳	戊戌	14
癸酉	癸卯	壬申	壬寅	辛未	庚子	庚午	己亥	己巳	戊戌	庚午	己亥	15
甲戌	甲辰	癸酉	癸卯	壬申	辛丑	辛未	庚子	庚午	己亥	辛未	庚子	16
乙亥	乙巳	甲戌	甲辰	癸酉	壬寅	壬申	辛丑	辛未	庚子	壬申	辛丑	17
丙子	丙午	乙亥	乙巳	甲戌	癸卯	癸酉	壬寅	壬申	辛丑	癸酉	壬寅	18
丁丑	丁未	丙子	丙午	乙亥	甲辰	甲戌	癸卯	癸酉	壬寅	甲戌	癸卯	19
戊寅	戊申	丁丑	丁未	丙子	乙巳	乙亥	甲辰	甲戌	癸卯	乙亥	甲辰	20
己卯	己酉	戊寅	戊申	丁丑	丙午	丙子	乙巳	乙亥	甲辰	丙子	乙巳	21
庚辰	庚戌	己卯	己酉	戊寅	丁未	丁丑	丙午	丙子	乙巳	丁丑	丙午	22
辛巳	辛亥	庚辰	庚戌	己卯	戊申	戊寅	丁未	丁丑	丙午	戊寅	丁未	23
壬午	壬子	辛巳	辛亥	庚辰	己酉	己卯	戊申	戊寅	丁未	己卯	戊申	24
癸未	癸丑	壬午	壬子	辛巳	庚戌	庚辰	己酉	己卯	戊申	庚辰	己酉	25
甲申	甲寅	癸未	癸丑	壬午	辛亥	辛巳	庚戌	庚辰	己酉	辛巳	庚戌	26
乙酉	乙卯	甲申	甲寅	癸未	壬子	壬午	辛亥	辛巳	庚戌	壬午	辛亥	27
丙戌	丙辰	乙酉	乙卯	甲申	癸丑	癸未	壬子	壬午	辛亥	癸未	壬子	28
丁亥	丁巳	丙戌	丙辰	乙酉	甲寅	甲申	癸丑	癸未	壬子		癸丑	29
戊子	戊午	丁亥	丁巳	丙戌	乙卯	乙酉	甲寅	甲申	癸丑		甲寅	30
十二月 己丑		戊子		丁亥	丙辰		乙卯		甲寅		乙卯	31

農曆初一　農曆十五

西曆二〇〇六年

12月	11月	10月	9月	8月	7月	6月	5月	4月	3月	2月	1月	月/日
甲子	甲午	癸亥	癸巳	壬戌	辛卯	辛酉	庚寅	庚申	己丑	辛酉	庚寅	1
乙丑	乙未	甲子	甲午	癸亥	壬辰	壬戌	辛卯	辛酉	庚寅	壬戌	辛卯	2
丙寅	丙申	乙丑	乙未	甲子	癸巳	癸亥	壬辰	壬戌	辛卯	癸亥	壬辰	3
丁卯	丁酉	丙寅	丙申	乙丑	甲午	甲子	癸巳	癸亥	壬辰	甲子	癸巳	4
戊辰	戊戌	丁卯	丁酉	丙寅	乙未	乙丑	甲午	甲子	癸巳	乙丑	甲午	5
己巳	己亥	戊辰	戊戌	丁卯	丙申	丙寅	乙未	乙丑	甲午	丙寅	乙未	6
庚午	庚子	己巳	己亥	戊辰	丁酉	丁卯	丙申	丙寅	乙未	丁卯	丙申	7
辛未	辛丑	庚午	庚子	己巳	戊戌	戊辰	丁酉	丁卯	丙申	戊辰	丁酉	8
壬申	壬寅	辛未	辛丑	庚午	己亥	己巳	戊戌	戊辰	丁酉	己巳	戊戌	9
癸酉	癸卯	壬申	壬寅	辛未	庚子	庚午	己亥	己巳	戊戌	庚午	己亥	10
甲戌	甲辰	癸酉	癸卯	壬申	辛丑	辛未	庚子	庚午	己亥	辛未	庚子	11
乙亥	乙巳	甲戌	甲辰	癸酉	壬寅	壬申	辛丑	辛未	庚子	壬申	辛丑	12
丙子	丙午	乙亥	乙巳	甲戌	癸卯	癸酉	壬寅	壬申	辛丑	癸酉	壬寅	13
丁丑	丁未	丙子	丙午	乙亥	甲辰	甲戌	癸卯	癸酉	壬寅	甲戌	癸卯	14
戊寅	戊申	丁丑	丁未	丙子	乙巳	乙亥	甲辰	甲戌	癸卯	乙亥	甲辰	15
己卯	己酉	戊寅	戊申	丁丑	丙午	丙子	乙巳	乙亥	甲辰	丙子	乙巳	16
庚辰	庚戌	己卯	己酉	戊寅	丁未	丁丑	丙午	丙子	乙巳	丁丑	丙午	17
辛巳	辛亥	庚辰	庚戌	己卯	戊申	戊寅	丁未	丁丑	丙午	戊寅	丁未	18
壬午	壬子	辛巳	辛亥	庚辰	己酉	己卯	戊申	戊寅	丁未	己卯	戊申	19
十一月 癸未	癸丑	壬午	壬子	辛巳	庚戌	庚辰	己酉	己卯	戊申	庚辰	己酉	20
甲申	十月 甲寅	癸未	癸丑	壬午	辛亥	辛巳	庚戌	庚辰	己酉	辛巳	庚戌	21
乙酉	乙卯	九月 甲申	八月 甲寅	癸未	壬子	壬午	辛亥	辛巳	庚戌	壬午	辛亥	22
丙戌	丙辰	乙酉	乙卯	甲申	癸丑	癸未	壬子	壬午	辛亥	癸未	壬子	23
丁亥	丁巳	丙戌	丙辰	閏七月 乙酉	甲寅	甲申	癸丑	癸未	壬子	甲申	癸丑	24
戊子	戊午	丁亥	丁巳	丙戌	七月 乙卯	乙酉	甲寅	甲申	癸丑	乙酉	甲寅	25
己丑	己未	戊子	戊午	丁亥	丙辰	六月 丙戌	乙卯	乙酉	甲寅	丙戌	乙卯	26
庚寅	庚申	己丑	己未	戊子	丁巳	丁亥	五月 丙辰	丙戌	乙卯	丁亥	丙辰	27
辛卯	辛酉	庚寅	庚申	己丑	戊午	戊子	丁巳	四月 丁亥	丙辰	二月 戊子	丁巳	28
壬辰	壬戌	辛卯	辛酉	庚寅	己未	己丑	戊午	戊子	三月 丁巳		正月 戊午	29
癸巳	癸亥	壬辰	壬戌	辛卯	庚申	庚寅	己未	己丑	戊午		己未	30
甲午		癸巳		壬辰	辛酉		庚申		己未		庚申	31

農曆初一　農曆十五

出生日對照表

西曆二〇〇七年

12月	11月	10月	9月	8月	7月	6月	5月	4月	3月	2月	1月	月/日
己巳	己亥	戊辰	戊戌	丁卯	丙申	丙寅	乙未	乙丑	甲午	丙寅	乙未	1
庚午	庚子	己巳	己亥	戊辰	丁酉	丁卯	丙申	丙寅	乙未	丁卯	丙申	2
辛未	辛丑	庚午	庚子	己巳	戊戌	戊辰	丁酉	丁卯	丙申	戊辰	丁酉	3
壬申	壬寅	辛未	辛丑	庚午	己亥	己巳	戊戌	戊辰	丁酉	己巳	戊戌	4
癸酉	癸卯	壬申	壬寅	辛未	庚子	庚午	己亥	己巳	戊戌	庚午	己亥	5
甲戌	甲辰	癸酉	癸卯	壬申	辛丑	辛未	庚子	庚午	己亥	辛未	庚子	6
乙亥	乙巳	甲戌	甲辰	癸酉	壬寅	壬申	辛丑	辛未	庚子	壬申	辛丑	7
丙子	丙午	乙亥	乙巳	甲戌	癸卯	癸酉	壬寅	壬申	辛丑	癸酉	壬寅	8
丁丑	丁未	丙子	丙午	乙亥	甲辰	甲戌	癸卯	癸酉	壬寅	甲戌	癸卯	9
十一月 戊寅	十月 戊申	丁丑	丁未	丙子	乙巳	乙亥	甲辰	甲戌	癸卯	乙亥	甲辰	10
己卯	己酉	九月 戊寅	八月 戊申	丁丑	丙午	丙子	乙巳	乙亥	甲辰	丙子	乙巳	11
庚辰	庚戌	己卯	己酉	戊寅	丁未	丁丑	丙午	丙子	乙巳	丁丑	丙午	12
辛巳	辛亥	庚辰	庚戌	七月 己卯	戊申	戊寅	丁未	丁丑	丙午	戊寅	丁未	13
壬午	壬子	辛巳	辛亥	庚辰	六月 己酉	己卯	戊申	戊寅	丁未	己卯	戊申	14
癸未	癸丑	壬午	壬子	辛巳	庚戌	五月 庚辰	己酉	己卯	戊申	庚辰	己酉	15
甲申	甲寅	癸未	癸丑	壬午	辛亥	辛巳	庚戌	庚辰	己酉	辛巳	庚戌	16
乙酉	乙卯	甲申	甲寅	癸未	壬子	壬午	四月 辛亥	三月 辛巳	庚戌	壬午	辛亥	17
丙戌	丙辰	乙酉	乙卯	甲申	癸丑	癸未	壬子	壬午	辛亥	正月 癸未	壬子	18
丁亥	丁巳	丙戌	丙辰	乙酉	甲寅	甲申	癸丑	癸未	二月 壬子	甲申	十二月 癸丑	19
戊子	戊午	丁亥	丁巳	丙戌	乙卯	乙酉	甲寅	甲申	癸丑	乙酉	甲寅	20
己丑	己未	戊子	戊午	丁亥	丙辰	丙戌	乙卯	乙酉	甲寅	丙戌	乙卯	21
庚寅	庚申	己丑	己未	戊子	丁巳	丁亥	丙辰	丙戌	乙卯	丁亥	丙辰	22
辛卯	辛酉	庚寅	庚申	己丑	戊午	戊子	丁巳	丁亥	丙辰	戊子	丁巳	23
壬辰	壬戌	辛卯	辛酉	庚寅	己未	己丑	戊午	戊子	丁巳	己丑	戊午	24
癸巳	癸亥	壬辰	壬戌	辛卯	庚申	庚寅	己未	己丑	戊午	庚寅	己未	25
甲午	甲子	癸巳	癸亥	壬辰	辛酉	辛卯	庚申	庚寅	己未	辛卯	庚申	26
乙未	乙丑	甲午	甲子	癸巳	壬戌	壬辰	辛酉	辛卯	庚申	壬辰	辛酉	27
丙申	丙寅	乙未	乙丑	甲午	癸亥	癸巳	壬戌	壬辰	辛酉	癸巳	壬戌	28
丁酉	丁卯	丙申	丙寅	乙未	甲子	甲午	癸亥	癸巳	壬戌		癸亥	29
戊戌	戊辰	丁酉	丁卯	丙申	乙丑	乙未	甲子	甲午	癸亥		甲子	30
己亥		戊戌		丁酉	丙寅		乙丑		甲子		乙丑	31

農曆初一　農曆十五

西曆二〇〇八年

12月	11月	10月	9月	8月	7月	6月	5月	4月	3月	2月	1月	月/日
乙亥	乙巳	甲戌	甲辰	(七月)癸酉	壬寅	壬申	辛丑	辛未	庚子	辛未	庚子	1
丙子	丙午	乙亥	乙巳	甲戌	癸卯	癸酉	壬寅	壬申	辛丑	壬申	辛丑	2
丁丑	丁未	丙子	丙午	乙亥	(六月)甲辰	甲戌	癸卯	癸酉	壬寅	癸酉	壬寅	3
戊寅	戊申	丁丑	丁未	丙子	乙巳	(五月)乙亥	甲辰	甲戌	癸卯	甲戌	癸卯	4
己卯	己酉	戊寅	戊申	丁丑	丙午	丙子	(四月)乙巳	乙亥	甲辰	乙亥	甲辰	5
庚辰	庚戌	己卯	己酉	戊寅	丁未	丁丑	丙午	(三月)丙子	乙巳	丙子	乙巳	6
辛巳	辛亥	庚辰	庚戌	己卯	戊申	戊寅	丁未	丁丑	丙午	(正月)丁丑	丙午	7
壬午	壬子	辛巳	辛亥	庚辰	己酉	己卯	戊申	戊寅	(二月)丁未	戊寅	(十二月)丁未	8
癸未	癸丑	壬午	壬子	辛巳	庚戌	庚辰	己酉	己卯	戊申	己卯	戊申	9
甲申	甲寅	癸未	癸丑	壬午	辛亥	辛巳	庚戌	庚辰	己酉	庚辰	己酉	10
乙酉	乙卯	甲申	甲寅	癸未	壬子	壬午	辛亥	辛巳	庚戌	辛巳	庚戌	11
丙戌	丙辰	乙酉	乙卯	甲申	癸丑	癸未	壬子	壬午	辛亥	壬午	辛亥	12
丁亥	丁巳	丙戌	丙辰	乙酉	甲寅	甲申	癸丑	癸未	壬子	癸未	壬子	13
戊子	戊午	丁亥	丁巳	丙戌	乙卯	乙酉	甲寅	甲申	癸丑	甲申	癸丑	14
己丑	己未	戊子	戊午	丁亥	丙辰	丙戌	乙卯	乙酉	甲寅	乙酉	甲寅	15
庚寅	庚申	己丑	己未	戊子	丁巳	丁亥	丙辰	丙戌	乙卯	丙戌	乙卯	16
辛卯	辛酉	庚寅	庚申	己丑	戊午	戊子	丁巳	丁亥	丙辰	丁亥	丙辰	17
壬辰	壬戌	辛卯	辛酉	庚寅	己未	己丑	戊午	戊子	丁巳	戊子	丁巳	18
癸巳	癸亥	壬辰	壬戌	辛卯	庚申	庚寅	己未	己丑	戊午	己丑	戊午	19
甲午	甲子	癸巳	癸亥	壬辰	辛酉	辛卯	庚申	庚寅	己未	庚寅	己未	20
乙未	乙丑	甲午	甲子	癸巳	壬戌	壬辰	辛酉	辛卯	庚申	辛卯	庚申	21
丙申	丙寅	乙未	乙丑	甲午	癸亥	癸巳	壬戌	壬辰	辛酉	壬辰	辛酉	22
丁酉	丁卯	丙申	丙寅	乙未	甲子	甲午	癸亥	癸巳	壬戌	癸巳	壬戌	23
戊戌	戊辰	丁酉	丁卯	丙申	乙丑	乙未	甲子	甲午	癸亥	甲午	癸亥	24
己亥	己巳	戊戌	戊辰	丁酉	丙寅	丙申	乙丑	乙未	甲子	乙未	甲子	25
庚子	庚午	己亥	己巳	戊戌	丁卯	丁酉	丙寅	丙申	乙丑	丙申	乙丑	26
(十二月)辛丑	辛未	庚子	庚午	己亥	戊辰	戊戌	丁卯	丁酉	丙寅	丁酉	丙寅	27
壬寅	(十一月)壬申	辛丑	辛未	庚子	己巳	己亥	戊辰	戊戌	丁卯	戊戌	丁卯	28
癸卯	癸酉	(十月)壬寅	(九月)壬申	辛丑	庚午	庚子	己巳	己亥	戊辰	己亥	戊辰	29
甲辰	甲戌	癸卯	癸酉	壬寅	辛未	辛丑	庚午	庚子	己巳		己巳	30
乙巳		甲辰		(八月)癸卯	壬申		辛未		庚午		庚午	31

農曆初一　農曆十五

出生日對照表

西曆二〇〇九年

12月	11月	10月	9月	8月	7月	6月	5月	4月	3月	2月	1月	月/日
庚辰	庚戌	己卯	己酉	戊寅	丁未	丁丑	丙午	丙子	乙巳	丁丑	丙午	1
辛巳	辛亥	庚辰	庚戌	己卯	戊申	戊寅	丁未	丁丑	丙午	戊寅	丁未	2
壬午	壬子	辛巳	辛亥	庚辰	己酉	己卯	戊申	戊寅	丁未	己卯	戊申	3
癸未	癸丑	壬午	壬子	辛巳	庚戌	庚辰	己酉	己卯	戊申	庚辰	己酉	4
甲申	甲寅	癸未	癸丑	壬午	辛亥	辛巳	庚戌	庚辰	己酉	辛巳	庚戌	5
乙酉	乙卯	甲申	甲寅	癸未	壬子	壬午	辛亥	辛巳	庚戌	壬午	辛亥	6
丙戌	丙辰	乙酉	乙卯	甲申	癸丑	癸未	壬子	壬午	辛亥	癸未	壬子	7
丁亥	丁巳	丙戌	丙辰	乙酉	甲寅	甲申	癸丑	癸未	壬子	甲申	癸丑	8
戊子	戊午	丁亥	丁巳	丙戌	乙卯	乙酉	甲寅	甲申	癸丑	乙酉	甲寅	9
己丑	己未	戊子	戊午	丁亥	丙辰	丙戌	乙卯	乙酉	甲寅	丙戌	乙卯	10
庚寅	庚申	己丑	己未	戊子	丁巳	丁亥	丙辰	丙戌	乙卯	丁亥	丙辰	11
辛卯	辛酉	庚寅	庚申	己丑	戊午	戊子	丁巳	丁亥	丙辰	戊子	丁巳	12
壬辰	壬戌	辛卯	辛酉	庚寅	己未	己丑	戊午	戊子	丁巳	己丑	戊午	13
癸巳	癸亥	壬辰	壬戌	辛卯	庚申	庚寅	己未	己丑	戊午	庚寅	己未	14
甲午	甲子	癸巳	癸亥	壬辰	辛酉	辛卯	庚申	庚寅	己未	辛卯	庚申	15
十一月乙未	乙丑	甲午	甲子	癸巳	壬戌	壬辰	辛酉	辛卯	庚申	壬辰	辛酉	16
丙申	十月丙寅	乙未	乙丑	甲午	癸亥	癸巳	壬戌	壬辰	辛酉	癸巳	壬戌	17
丁酉	丁卯	九月丙申	丙寅	乙未	甲子	甲午	癸亥	癸巳	壬戌	甲午	癸亥	18
戊戌	戊辰	丁酉	八月丁卯	丙申	乙丑	乙未	甲子	甲午	癸亥	乙未	甲子	19
己亥	己巳	戊戌	戊辰	七月丁酉	丙寅	丙申	乙丑	乙未	甲子	丙申	乙丑	20
庚子	庚午	己亥	己巳	戊戌	丁卯	丁酉	丙寅	丙申	乙丑	丁酉	丙寅	21
辛丑	辛未	庚子	庚午	己亥	六月戊辰	戊戌	丁卯	丁酉	丙寅	戊戌	丁卯	22
壬寅	壬申	辛丑	辛未	庚子	己巳	閏五月己亥	戊辰	戊戌	丁卯	己亥	戊辰	23
癸卯	癸酉	壬寅	壬申	辛丑	庚午	庚子	五月己巳	己亥	戊辰	庚子	己巳	24
甲辰	甲戌	癸卯	癸酉	壬寅	辛未	辛丑	庚午	四月庚子	己巳	二月辛丑	庚午	25
乙巳	乙亥	甲辰	甲戌	癸卯	壬申	壬寅	辛未	辛丑	庚午	壬寅	正月辛未	26
丙午	丙子	乙巳	乙亥	甲辰	癸酉	癸卯	壬申	壬寅	三月辛未	癸卯	壬申	27
丁未	丁丑	丙午	丙子	乙巳	甲戌	甲辰	癸酉	癸卯	壬申	甲辰	癸酉	28
戊申	戊寅	丁未	丁丑	丙午	乙亥	乙巳	甲戌	甲辰	癸酉		甲戌	29
己酉	己卯	戊申	戊寅	丁未	丙子	丙午	乙亥	乙巳	甲戌		乙亥	30
庚戌		己酉		戊申	丁丑		丙子		乙亥		丙子	31

農曆初一　農曆十五

西曆二〇一〇年

12月	11月	10月	9月	8月	7月	6月	5月	4月	3月	2月	1月	月／日
乙酉	乙卯	甲申	甲寅	癸未	壬子	壬午	辛亥	辛巳	庚戌	壬午	辛亥	1
丙戌	丙辰	乙酉	乙卯	甲申	癸丑	癸未	壬子	壬午	辛亥	癸未	壬子	2
丁亥	丁巳	丙戌	丙辰	乙酉	甲寅	甲申	癸丑	癸未	壬子	甲申	癸丑	3
戊子	戊午	丁亥	丁巳	丙戌	乙卯	乙酉	甲寅	甲申	癸丑	乙酉	甲寅	4
己丑	己未	戊子	戊午	丁亥	丙辰	丙戌	乙卯	乙酉	甲寅	丙戌	乙卯	5
十一月 庚寅	十月 庚申	己丑	己未	戊子	丁巳	丁亥	丙辰	丙戌	乙卯	丁亥	丙辰	6
辛卯	辛酉	庚寅	庚申	己丑	戊午	戊子	丁巳	丁亥	丙辰	戊子	丁巳	7
壬辰	壬戌	九月 辛卯	八月 辛酉	庚寅	己未	己丑	戊午	戊子	丁巳	己丑	戊午	8
癸巳	癸亥	壬辰	壬戌	辛卯	庚申	庚寅	己未	己丑	戊午	庚寅	己未	9
甲午	甲子	癸巳	癸亥	七月 壬辰	辛酉	辛卯	庚申	庚寅	己未	辛卯	庚申	10
乙未	乙丑	甲午	甲子	癸巳	壬戌	壬辰	辛酉	辛卯	庚申	壬辰	辛酉	11
丙申	丙寅	乙未	乙丑	甲午	六月 癸亥	五月 癸巳	壬戌	壬辰	辛酉	癸巳	壬戌	12
丁酉	丁卯	丙申	丙寅	乙未	甲子	甲午	癸亥	癸巳	壬戌	甲午	癸亥	13
戊戌	戊辰	丁酉	丁卯	丙申	乙丑	乙未	四月 甲子	三月 甲午	癸亥	正月 乙未	甲子	14
己亥	己巳	戊戌	戊辰	丁酉	丙寅	丙申	乙丑	乙未	甲子	丙申	十二月 乙丑	15
庚子	庚午	己亥	己巳	戊戌	丁卯	丁酉	丙寅	丙申	二月 乙丑	丁酉	丙寅	16
辛丑	辛未	庚子	庚午	己亥	戊辰	戊戌	丁卯	丁酉	丙寅	戊戌	丁卯	17
壬寅	壬申	辛丑	辛未	庚子	己巳	己亥	戊辰	戊戌	丁卯	己亥	戊辰	18
癸卯	癸酉	壬寅	壬申	辛丑	庚午	庚子	己巳	己亥	戊辰	庚子	己巳	19
甲辰	甲戌	癸卯	癸酉	壬寅	辛未	辛丑	庚午	庚子	己巳	辛丑	庚午	20
乙巳	乙亥	甲辰	甲戌	癸卯	壬申	壬寅	辛未	辛丑	庚午	壬寅	辛未	21
丙午	丙子	乙巳	乙亥	甲辰	癸酉	癸卯	壬申	壬寅	辛未	癸卯	壬申	22
丁未	丁丑	丙午	丙子	乙巳	甲戌	甲辰	癸酉	癸卯	壬申	甲辰	癸酉	23
戊申	戊寅	丁未	丁丑	丙午	乙亥	乙巳	甲戌	甲辰	癸酉	乙巳	甲戌	24
己酉	己卯	戊申	戊寅	丁未	丙子	丙午	乙亥	乙巳	甲戌	丙午	乙亥	25
庚戌	庚辰	己酉	己卯	戊申	丁丑	丁未	丙子	丙午	乙亥	丁未	丙子	26
辛亥	辛巳	庚戌	庚辰	己酉	戊寅	戊申	丁丑	丁未	丙子	戊申	丁丑	27
壬子	壬午	辛亥	辛巳	庚戌	己卯	己酉	戊寅	戊申	丁丑	己酉	戊寅	28
癸丑	癸未	壬子	壬午	辛亥	庚辰	庚戌	己卯	己酉	戊寅		己卯	29
甲寅	甲申	癸丑	癸未	壬子	辛巳	辛亥	庚辰	庚戌	己卯		庚辰	30
乙卯		甲寅		癸丑	壬午		辛巳		庚辰		辛巳	31

農曆初一　農曆十五

出生日對照表

西曆二〇一一年

12月	11月	10月	9月	8月	7月	6月	5月	4月	3月	2月	1月	月／日
庚寅	庚申	己丑	己未	戊子	六月 丁巳	丁亥	丙辰	丙戌	乙卯	丁亥	丙辰	1
辛卯	辛酉	庚寅	庚申	己丑	戊午	五月 戊子	丁巳	丁亥	丙辰	戊子	丁巳	2
壬辰	壬戌	辛卯	辛酉	庚寅	己未	己丑	四月 戊午	三月 戊子	丁巳	正月 己丑	戊午	3
癸巳	癸亥	壬辰	壬戌	辛卯	庚申	庚寅	己未	己丑	戊午	庚寅	十二月 己未	4
甲午	甲子	癸巳	癸亥	壬辰	辛酉	辛卯	庚申	庚寅	二月 己未	辛卯	庚申	5
乙未	乙丑	甲午	甲子	癸巳	壬戌	壬辰	辛酉	辛卯	庚申	壬辰	辛酉	6
丙申	丙寅	乙未	乙丑	甲午	癸亥	癸巳	壬戌	壬辰	辛酉	癸巳	壬戌	7
丁酉	丁卯	丙申	丙寅	乙未	甲子	甲午	癸亥	癸巳	壬戌	甲午	癸亥	8
戊戌	戊辰	丁酉	丁卯	丙申	乙丑	乙未	甲子	甲午	癸亥	乙未	甲子	9
己亥	己巳	戊戌	戊辰	丁酉	丙寅	丙申	乙丑	乙未	甲子	丙申	乙丑	10
庚子	庚午	己亥	己巳	戊戌	丁卯	丁酉	丙寅	丙申	乙丑	丁酉	丙寅	11
辛丑	辛未	庚子	庚午	己亥	戊辰	戊戌	丁卯	丁酉	丙寅	戊戌	丁卯	12
壬寅	壬申	辛丑	辛未	庚子	己巳	己亥	戊辰	戊戌	丁卯	己亥	戊辰	13
癸卯	癸酉	壬寅	壬申	辛丑	庚午	庚子	己巳	己亥	戊辰	庚子	己巳	14
甲辰	甲戌	癸卯	癸酉	壬寅	辛未	辛丑	庚午	庚子	己巳	辛丑	庚午	15
乙巳	乙亥	甲辰	甲戌	癸卯	壬申	壬寅	辛未	辛丑	庚午	壬寅	辛未	16
丙午	丙子	乙巳	乙亥	甲辰	癸酉	癸卯	壬申	壬寅	辛未	癸卯	壬申	17
丁未	丁丑	丙午	丙子	乙巳	甲戌	甲辰	癸酉	癸卯	壬申	甲辰	癸酉	18
戊申	戊寅	丁未	丁丑	丙午	乙亥	乙巳	甲戌	甲辰	癸酉	乙巳	甲戌	19
己酉	己卯	戊申	戊寅	丁未	丙子	丙午	乙亥	乙巳	甲戌	丙午	乙亥	20
庚戌	庚辰	己酉	己卯	戊申	丁丑	丁未	丙子	丙午	乙亥	丁未	丙子	21
辛亥	辛巳	庚戌	庚辰	己酉	戊寅	戊申	丁丑	丁未	丙子	戊申	丁丑	22
壬子	壬午	辛亥	辛巳	庚戌	己卯	己酉	戊寅	戊申	丁丑	己酉	戊寅	23
癸丑	癸未	壬子	壬午	辛亥	庚辰	庚戌	己卯	己酉	戊寅	庚戌	己卯	24
十二月 甲寅	十一月 甲申	癸丑	癸未	壬子	辛巳	辛亥	庚辰	庚戌	己卯	辛亥	庚辰	25
乙卯	乙酉	甲寅	甲申	癸丑	壬午	壬子	辛巳	辛亥	庚辰	壬子	辛巳	26
丙辰	丙戌	十月 乙卯	九月 乙酉	甲寅	癸未	癸丑	壬午	壬子	辛巳	癸丑	壬午	27
丁巳	丁亥	丙辰	丙戌	乙卯	甲申	甲寅	癸未	癸丑	壬午	甲寅	癸未	28
戊午	戊子	丁巳	丁亥	八月 丙辰	乙酉	乙卯	甲申	甲寅	癸未		甲申	29
己未	己丑	戊午	戊子	丁巳	丙戌	丙辰	乙酉	乙卯	甲申		乙酉	30
庚申		己未		戊午	七月 丁亥		丙戌		乙酉		丙戌	31

農曆初一　農曆十五

西曆二〇一二年

12月	11月	10月	9月	8月	7月	6月	5月	4月	3月	2月	1月	月/日
丙申	丙寅	乙未	乙丑	甲午	癸亥	癸巳	壬戌	壬辰	辛酉	壬辰	辛酉	1
丁酉	丁卯	丙申	丙寅	乙未	甲子	甲午	癸亥	癸巳	壬戌	癸巳	壬戌	2
戊戌	戊辰	丁酉	丁卯	丙申	乙丑	乙未	甲子	甲午	癸亥	甲午	癸亥	3
己亥	己巳	戊戌	戊辰	丁酉	丙寅	丙申	乙丑	乙未	甲子	乙未	甲子	4
庚子	庚午	己亥	己巳	戊戌	丁卯	丁酉	丙寅	丙申	乙丑	丙申	乙丑	5
辛丑	辛未	庚子	庚午	己亥	戊辰	戊戌	丁卯	丁酉	丙寅	丁酉	丙寅	6
壬寅	壬申	辛丑	辛未	庚子	己巳	己亥	戊辰	戊戌	丁卯	戊戌	丁卯	7
癸卯	癸酉	壬寅	壬申	辛丑	庚午	庚子	己巳	己亥	戊辰	己亥	戊辰	8
甲辰	甲戌	癸卯	癸酉	壬寅	辛未	辛丑	庚午	庚子	己巳	庚子	己巳	9
乙巳	乙亥	甲辰	甲戌	癸卯	壬申	壬寅	辛未	辛丑	庚午	辛丑	庚午	10
丙午	丙子	乙巳	乙亥	甲辰	癸酉	癸卯	壬申	壬寅	辛未	壬寅	辛未	11
丁未	丁丑	丙午	丙子	乙巳	甲戌	甲辰	癸酉	癸卯	壬申	癸卯	壬申	12
十一月 戊申	戊寅	丁未	丁丑	丙午	乙亥	乙巳	甲戌	甲辰	癸酉	甲辰	癸酉	13
己酉	十月 己卯	戊申	戊寅	丁未	丙子	丙午	乙亥	乙巳	甲戌	乙巳	甲戌	14
庚戌	庚辰	九月 己酉	己卯	戊申	丁丑	丁未	丙子	丙午	乙亥	丙午	乙亥	15
辛亥	辛巳	庚戌	八月 庚辰	己酉	戊寅	戊申	丁丑	丁未	丙子	丁未	丙子	16
壬子	壬午	辛亥	辛巳	七月 庚戌	己卯	己酉	戊寅	戊申	丁丑	戊申	丁丑	17
癸丑	癸未	壬子	壬午	辛亥	庚辰	庚戌	己卯	己酉	戊寅	己酉	戊寅	18
甲寅	甲申	癸丑	癸未	壬子	六月 辛巳	五月 辛亥	庚辰	庚戌	己卯	庚戌	己卯	19
乙卯	乙酉	甲寅	甲申	癸丑	壬午	壬子	辛巳	辛亥	庚辰	辛亥	庚辰	20
丙辰	丙戌	乙卯	乙酉	甲寅	癸未	癸丑	閏四月 壬午	四月 壬子	辛巳	壬子	辛巳	21
丁巳	丁亥	丙辰	丙戌	乙卯	甲申	甲寅	癸未	癸丑	三月 壬午	二月 癸丑	壬午	22
戊午	戊子	丁巳	丁亥	丙辰	乙酉	乙卯	甲申	甲寅	癸未	甲寅	正月 癸未	23
己未	己丑	戊午	戊子	丁巳	丙戌	丙辰	乙酉	乙卯	甲申	乙卯	甲申	24
庚申	庚寅	己未	己丑	戊午	丁亥	丁巳	丙戌	丙辰	乙酉	丙辰	乙酉	25
辛酉	辛卯	庚申	庚寅	己未	戊子	戊午	丁亥	丁巳	丙戌	丁巳	丙戌	26
壬戌	壬辰	辛酉	辛卯	庚申	己丑	己未	戊子	戊午	丁亥	戊午	丁亥	27
癸亥	癸巳	壬戌	壬辰	辛酉	庚寅	庚申	己丑	己未	戊子	己未	戊子	28
甲子	甲午	癸亥	癸巳	壬戌	辛卯	辛酉	庚寅	庚申	己丑	庚申	己丑	29
乙丑	乙未	甲子	甲午	癸亥	壬辰	壬戌	辛卯	辛酉	庚寅		庚寅	30
丙寅		乙丑		甲子	癸巳		壬辰		辛卯		辛卯	31

農曆初一　農曆十五

出生日對照表

西曆二〇一三年

12月	11月	10月	9月	8月	7月	6月	5月	4月	3月	2月	1月	月/日
辛丑	辛未	庚子	庚午	己亥	戊辰	戊戌	丁卯	丁酉	丙寅	戊戌	丁卯	1
壬寅	壬申	辛丑	辛未	庚子	己巳	己亥	戊辰	戊戌	丁卯	己亥	戊辰	2
癸卯 [十一月]	癸酉 [十月]	壬寅	壬申	辛丑	庚午	庚子	己巳	己亥	戊辰	庚子	己巳	3
甲辰	甲戌	癸卯	癸酉	壬寅	辛未	辛丑	庚午	庚子	己巳	辛丑	庚午	4
乙巳	乙亥	甲辰 [九月]	甲戌 [八月]	癸卯	壬申	壬寅	辛未	辛丑	庚午	壬寅	辛未	5
丙午	丙子	乙巳	乙亥	甲辰	癸酉	癸卯	壬申	壬寅	辛未	癸卯	壬申	6
丁未	丁丑	丙午	丙子	乙巳 [七月]	甲戌	甲辰	癸酉	癸卯	壬申	甲辰	癸酉	7
戊申	戊寅	丁未	丁丑	丙午	乙亥 [六月]	乙巳 [五月]	甲戌	甲辰	癸酉	乙巳	甲戌	8
己酉	己卯	戊申	戊寅	丁未	丙子	丙午	乙亥	乙巳	甲戌	丙午	乙亥	9
庚戌	庚辰	己酉	己卯	戊申	丁丑	丁未	丙子 [四月]	丙午 [三月]	乙亥	丁未 [正月]	丙子	10
辛亥	辛巳	庚戌	庚辰	己酉	戊寅	戊申	丁丑	丁未	丙子	戊申	丁丑	11
壬子	壬午	辛亥	辛巳	庚戌	己卯	己酉	戊寅	戊申	丁丑 [二月]	己酉	戊寅 [十二月]	12
癸丑	癸未	壬子	壬午	辛亥	庚辰	庚戌	己卯	己酉	戊寅	庚戌	己卯	13
甲寅	甲申	癸丑	癸未	壬子	辛巳	辛亥	庚辰	庚戌	己卯	辛亥	庚辰	14
乙卯	乙酉	甲寅	甲申	癸丑	壬午	壬子	辛巳	辛亥	庚辰	壬子	辛巳	15
丙辰	丙戌	乙卯	乙酉	甲寅	癸未	癸丑	壬午	壬子	辛巳	癸丑	壬午	16
丁巳	丁亥	丙辰	丙戌	乙卯	甲申	甲寅	癸未	癸丑	壬午	甲寅	癸未	17
戊午	戊子	丁巳	丁亥	丙辰	乙酉	乙卯	甲申	甲寅	癸未	乙卯	甲申	18
己未	己丑	戊午	戊子	丁巳	丙戌	丙辰	乙酉	乙卯	甲申	丙辰	乙酉	19
庚申	庚寅	己未	己丑	戊午	丁亥	丁巳	丙戌	丙辰	乙酉	丁巳	丙戌	20
辛酉	辛卯	庚申	庚寅	己未	戊子	戊午	丁亥	丁巳	丙戌	戊午	丁亥	21
壬戌	壬辰	辛酉	辛卯	庚申	己丑	己未	戊子	戊午	丁亥	己未	戊子	22
癸亥	癸巳	壬戌	壬辰	辛酉	庚寅	庚申	己丑	己未	戊子	庚申	己丑	23
甲子	甲午	癸亥	癸巳	壬戌	辛卯	辛酉	庚寅	庚申	己丑	辛酉	庚寅	24
乙丑	乙未	甲子	甲午	癸亥	壬辰	壬戌	辛卯	辛酉	庚寅	壬戌	辛卯	25
丙寅	丙申	乙丑	乙未	甲子	癸巳	癸亥	壬辰	壬戌	辛卯	癸亥	壬辰	26
丁卯	丁酉	丙寅	丙申	乙丑	甲午	甲子	癸巳	癸亥	壬辰	甲子	癸巳	27
戊辰	戊戌	丁卯	丁酉	丙寅	乙未	乙丑	甲午	甲子	癸巳	乙丑	甲午	28
己巳	己亥	戊辰	戊戌	丁卯	丙申	丙寅	乙未	乙丑	甲午		乙未	29
庚午	庚子	己巳	己亥	戊辰	丁酉	丁卯	丙申	丙寅	乙未		丙申	30
辛未		庚午		己巳	戊戌		丁酉		丙申		丁酉	31

農曆初一　農曆十五

1.【甲子日】運勢趨順 冬季出生較夏季佳

甲子日出生者在二〇一三癸巳蛇年的運勢比往年順遂，惟夏季及冬季出生者的運勢有明顯差別。若生於夏天（農曆四月至六月）命格基本不利火，然而二〇一三流年地支「巳」屬火，所以夏季出生者在蛇年便有火上加火之象，做事感到頗為吃力。相反若生於冬季（農曆十月至十二月），命格基本上利火，所以遇上流年地支屬火的癸巳蛇年，反而令五行更平均，做事自然更得心應手。

其實無論生於哪一個季節，因流年天干「癸水」通根至個人出生日的地支「子水」，有利思考及創作，但同時也容易胡思亂想或焦慮不安。另外，蛇年也是貴人相助之年，雖然長輩或貴人的控制力強，難以讓你隨心所欲發揮，但對方確實可在關鍵時刻助你一把，遇有困難不妨採納對方意見。

財運方面 癸巳蛇年因有財星關照，流年財運不俗，尤其從事創作或藝術工作者，蛇年的收入會更樂觀。除了正財，甲子日出生者在蛇年也有偏財進帳之機會，不過所旺之偏財並非短炒投機，而是較低風險的中長線投資。若有一筆儲備現金可作投資的話，蛇年是理想的起步點，但切勿急功近利，宜至少選取兩年以上的投資計劃作參考，應有不錯的回報。

事業方面 因流年有利思考，所以蛇年事業運尚算不錯，例如從事廣告、寫作、設計或演藝等行業，蛇年的發揮空間更大。不過蛇年也是容易招口舌是非的年份，人際關係宜格外留神。幸好蛇年有貴人、長輩扶持，事業有望更上一層樓，升職加薪有望。雖然工作壓力也倍增，有時甚至覺得付出與收穫不成正比，但長遠來說仍是向好發展，所以事業上的目光宜遠大一點。

感情方面 男士們桃花運頗佳，尤其有利遇上異地情緣，所以不論對方是在外地出生或旅途中碰到的女孩子，單身男士不妨多加注意。不過由於蛇年容易思想混亂，所以要避免遇到理想對象時過於猶豫不決，以致錯失機會。其實甲子日男性的桃花運暢旺，只要敢於走出第一步，成功機會大增。至於女士們的桃花運僅屬一般，不太有利單身女性尋覓對象；戀愛中的則大多原地踏步，感情生活較平淡。

健康方面 蛇年除了要特別注意與牙齒相關的疾病外，整體上沒有嚴重的健康問題。但由於工作繁重，所以精神壓力不少，容易因遲遲未能解決一些棘手問題而坐立不安，受到情緒上的困擾。另外，蛇年也常有多疑多慮之情況，更甚者有「疑病」的傾向，終日懷疑自己的身體狀況欠佳，但實際上沒有什麼大問題。其實蛇年最好多做運動或外遊，紓緩身心，有助減輕情緒困擾。

❤ 農曆正月
工作壓力不小，兼有破財的迹象，但同事可助你解決當前疑難。

❤ 農曆二月
人際關係方面出現變化，身邊或會遇上小人，宜少說話多做事。

❤ 農曆三月
財運不俗，本月作投資應有不錯的回報，但需注意風險。

❤ 農曆四月
財運依然不俗，但此月易招口舌是非，要多加注意人際關係。

❤ 農曆五月
不論拍拖或已結成夫婦的男女均易有爭執，凡事宜多加忍讓。

❤ 農曆六月
人際關係欠佳，工作上出現明爭暗鬥；除了精神壓力，也要當心手腳受傷。

❤ 農曆七月
事業運轉強，但易得小病痛如傷風、感冒等，有打針吃藥之象。

❤ 農曆八月
桃花運轉旺，不過乃霧水情緣。此月亦有輕微受傷之象，宜加倍提防。

❤ 農曆九月
財運不錯，但要注意長輩之健康，容易因家人之醫療開支而財來財去。

❤ 農曆十月
此乃多憂多慮的月份，容易胡思亂想，宜找朋友傾訴，解開心裏鬱結。

❤ 農曆十一月
備受困擾之月，看似困難重重，不過只需給予耐性，問題總可迎刃而解。

❤ 農曆十二月
此月與人有新的合作機會，不過合作的內容還是要謹慎處理，並提防破財。

	正月	二月	三月	四月	五月	六月	七月	八月	九月	十月	十一月	十二月
吉			▲									
中吉				▲				▲				
平	▲				▲		▲		▲			▲
凶		▲				▲				▲	▲	

每月運勢西曆日子請參閱頁348上的對照表

2.【乙丑日】貴人暗中支持　新機遇助旺發展

癸巳蛇年對乙丑日出生者來說，乃不錯的一年，財運平穩向上，事業上也有不少新機遇，若一直覺得發展未如理想，蛇年更可以視作一個重新開始之年份。

乙丑日出生者在二〇一二壬辰龍年容易心情煩悶，因為龍年出現「丑辰相破」的現象，此乃輕微的日犯太歲，故心情也較易受影響。但踏入二〇一三癸巳蛇年，因蛇年地支的「巳」與乙丑日出生者的地支「丑」有暗中的會合，寓意做人處事會得到一些暗中的支持，有不少人願意拔刀相助，令你的運勢更為順遂，所以蛇年的運勢比龍年較順遂，心情也轉趨平穩。即使在年中時遇上一些困阻，最終總會迎刃而解，事情可以愈做愈好。尤其遇上有人向你提出新的合作條件，不妨放膽一試，結果會比預期更佳。

財運方面　因自己的出生日柱與蛇年的地支相合，出現一顆比較強的財星，所以蛇年的財運會比龍年更為順利。惟要注意的是由於蛇年沒有偏財運，不宜抱着投機之心態做事，錢財之進帳主要得靠自己親力親為，簡言之是多勞多得。此外，由於流年運勢有暗中的會合，除可得貴人相助，也會有人向自己提出請求，凡事宜量力而為，最好避免借貸擔保，以免招致損失。

事業方面　流年事業不過不失，雖然有貴人、長輩扶持，也有新的合作機遇，但運勢不算特別強。打工一族的薪酬或花紅可望提升，但蛇年卻沒有很強的升職運，故大多只能保持舊有職銜，所以蛇年還是專心賺錢為佳，升職大概不在此時。蛇年也較容易感受到同事之間的競爭，為你帶來不少工作壓力，幸好個人思路清晰，能找出一個大方向，花多一點時間和心機便可應付。

感情方面　由於日腳「丑」與流年地支「巳」有會合之象，感情關係變得複雜，如入萬里霧雲中，不甚清晰。單身人士雖有機會遇上心儀對象，卻因摸不清對方想法或自覺條件不能配合對方，故不敢再踏前一步，停留於朋友與情侶之間，關係曖昧。已有另一半者也容易出現心大心細之情況，未能判斷對方是否自己的終身伴侶。建議蛇年多互作深入了解或培養共同興趣，為感情的樽頸位尋求突破之機會。

健康方面 若一向有做運動的話，蛇年應分外小心，皆因今年較易有腳部的傷患，其中與關節和骨骼有關的傷病更要提防，也要盡量減少會勞損腳部關節的活動。此外由於在工作上需面對與人競爭的壓力，或會出現心情低落及失眠之象，宜多找三五知己共聚，閒談日常生活，有助紓緩內心的不安和壓力。

❤農曆正月 秋天（農曆七月至九月）出生者財運不俗，春季（農曆正月至三月）出生者則有破財之象。

❤農曆二月 容易受傷的月份，尤其是手腳易有損傷，做運動時要多加留神。

❤農曆三月 財運不俗，不過要慎防人際關係出現變化，以免招致損失。

❤農曆四月 感情關係趨向複雜，有很多外在的誘惑，已婚者宜格外小心克制。

❤農曆五月 正財及偏財運皆不錯，惟工作辛勞，應酬難免較多，要注意身體狀況。

❤農曆六月 屬變動的月份，或會與人出現爭拗，外遊較合適。

❤農曆七月 事業向前邁進，但壓力也頗大，易精神緊張甚至失眠。

❤農曆八月 天干相沖之月份，雖有利女士桃花，但同時容易出現人事紛爭，也要提防損傷。

❤農曆九月 人際關係不算理想，同輩之間有輕微的競爭，但有貴人可協助渡過難關。

❤農曆十月 有利往外走動的月份，適宜旅遊或到外地公幹賺錢。

❤農曆十一月 此月有利新的突破，容易與他人開始新的合作，但也要提防錢財上的損失。

❤農曆十二月 天干地支與自己出生的日子相同，故此月心情上落不定，宜以靜制動方為上策。

	正月	二月	三月	四月	五月	六月	七月	八月	九月	十月	十一月	十二月
吉					▲		▲					
中吉			▲							▲	▲	
平	▲					▲			▲			
凶		▲		▲				▲				▲

每月運勢西曆日子請參閱頁348上的對照表

3.【丙寅日】事倍功半 身心欠順事業還可

丙寅日出生者踏入二〇一三癸巳蛇年後，容易感到諸事不順，只因其出生日柱之地支「寅」與流年地支「巳」呈現相剋之情況，代表有「日犯太歲」之象，所以丙寅日的朋友在蛇年做起事來總有事倍功半的感覺。

正因流年地支出現刑剋之象，故蛇年的健康、情緒和人際關係方面皆不甚理想，尤其人際關係上感覺頗為無助，經常也要單打獨鬥。可幸蛇年的整體事業運其實不錯，雖然人際關係受到困擾，做事也有不少困阻，但奮鬥過後卻有不錯之回報，最終仍會得到別人認同。所以丙寅日出生者在蛇年要多加努力，別被一時三刻的困難所嚇怕；若碰上人事紛爭或其他困難，只要多加忍讓和加強決心，事情總會向光明一面發展。

財運方面 蛇年的財運主要以正財為主，也即是依靠自己付出之汗水得到回報，不宜投機或投資，以免因錯誤決定而有所損失，一切還是保守務實為佳。經商者在蛇年只宜穩守，不宜過度擴張生意，以免因小失大。尤其是伙拍朋友一起經營生意者，蛇年容易出現與拍檔不和的危機，建議多作良好溝通，切勿意氣用事，最好取得共識才落實計劃，否則對生意或人際關係也會帶來負面影響。

事業方面 雖然丙寅日出生者在其他範疇的運勢欠佳，但事業運卻不太差，打工一族更有晉升的機會，只是職位或與你預期有落差，薪酬的漲幅也未如心中所想。蛇年的人際關係也是焦點，自己與平輩和下屬的協調不足，甚至出現孤立無援的情況，所以有必要多花時間與工作伙伴溝通，減少發生衝突的機會。幸好蛇年會得到上司和老闆賞識，故事業仍趨向好的方面穩步上揚。

感情方面 單身者有新發展機會，尤其有利女士之姻緣，可望遇上不錯的對象。不過這段戀情仍然不穩，有聚少離多之象，宜互相多作諒解。已有另一半者，蛇年則較易發生爭執，甚至將對方的缺點無限放大，故此蛇年相處得不算太過甜蜜愉快；建議蛇年各自尋找自己的興趣，偶爾「小別勝新婚」比朝夕相對更佳。此外，蛇年與伴侶的家長和朋友也容易生爭執，故如非必要還是避免相見太多。

健康方面　丙寅日出生者在癸巳蛇年特別容易手腳受損，如果本身已有關節毛病，蛇年更呈惡化，故此要格外留意舊患復發，避免作太多勞損手腳關節的活動，攀登運動亦可免則免。駕車的人士也要格外留意道路安全，駕駛時以不急不躁為上，甚至不妨減少駕車的次數；若本身有意考取車牌，蛇年也不太有利，宜順延計劃為佳。

♥農曆正月
工作順遂，更有貴人幫助，不過家宅運不穩定，尤其注意長輩的健康。

♥農曆二月
易與他人有合作機會，但切勿盡信別人，凡事要細心思量才實踐為佳。

♥農曆三月
屬破財的月份，切忌投機投資，以免招致損失。

♥農曆四月
此乃容易受傷的月份，尤以關節痛症為甚，駕車和運動時也要格外小心。

♥農曆五月
火旺之月，心情欠佳，日常服飾上宜多選用藍色衣物或前往寒冷的地方旅遊。

♥農曆六月
是非口舌之月，不妨多讀書、多學習，少惹爭執。

♥農曆七月
財運不錯，但與另一半易有紛爭，宜多花時間了解問題所在，以免積存心病。

♥農曆八月
備受感情困擾，並要多加注意氣管、喉嚨等呼吸系統之毛病。

♥農曆九月
相沖之月，慎防頭部受傷；工作上得到發揮機會，收入也不俗。

♥農曆十月
工作運提升，但壓力較大，官非運也強，處理文件、合約方面要分外小心。

♥農曆十一月
工作運持續強勢，但家宅方面容易帶來困擾。

♥農曆十二月
有貴人相助之象，可借助對方的力量，令事業再踏前一步。

	正月	二月	三月	四月	五月	六月	七月	八月	九月	十月	十一月	十二月
吉												▲
中吉	▲						▲					
平		▲			▲	▲			▲		▲	
凶			▲	▲				▲		▲		

每月運勢西曆日子請參閱頁348上的對照表

4.【丁卯日】工作人事轉順　有轉職機遇

二〇一二壬辰龍年因出現「卯辰相害」，此乃「日犯太歲」的一種，所以人際關係欠佳，工作上亦容易出現小人阻攔。踏入二〇一三癸巳蛇年後，事業和工作上則比龍年順利得多，尤其是冬天（農曆十至十二月）出生者，蛇年運勢轉旺，不論工作或人際關係都較順遂。不過夏天（農曆四至六月）出生者，事業運勢便不如冬季出生者理想。整體來說，蛇年雖不算是很大的進步年，但相對龍年的事業和情緒皆好轉過來，值得欣喜。

此外，因蛇年的天干「癸」與自己出生日柱天干「丁」相沖，代表事業會出現變化，因此有意轉工的朋友在蛇年確實有不少機會，宜好好把握。另外「癸丁相沖」也會導致心臟和眼睛方面易生毛病，要格外注意。

財運方面　蛇年正財和偏財算是不過不失，但要特別留意財政安排，因癸巳蛇年地支屬火，遇着「丁卯」會變得更強，有增加開支之象，尤其農曆四至六月出生的丁卯日人士，支出更較明顯，而且大多屬無謂的花費。投資、投機方面也宜傾向保守，還是靜待良機，不宜作新嘗試；尤其農曆十至十二月出生者，若遇上朋友借貸擔保之情況，還是可免則免。

事業方面　蛇年事業運勢不俗，職位有提升之象，但總體屬表面風光，因為薪酬未必跟隨職位調升，予人有名無實之感。另外，由於蛇年有「癸丁沖」，正好代表事業上的變動，故有轉工甚至轉行的機會；如果在龍年工作得不太如意，蛇年可落實轉工計劃，轉換環境後也會比之前的理想。要注意的是新工作還需時間適應，故要有心理準備承受一段時間的工作壓力，但新工作有助開闊視野，故辛苦還是值得。

感情方面　男士們在蛇年的感情運較一般，反而女士們則有不錯的發展。單身男士心情欠佳，凡事懶洋洋，對尋找另一半總是提不起勁；拍拖中的則不太願意花心思在另一半身上，因此蛇年的感情運總是停留在膠着狀態。單身女士在蛇年只要積極一點，會遇到一些質素不錯的對象，尤以生於冬季（農曆十至十二月）的女性發展更理想，但夏季（農曆四至六月）出生者的對象只是曇花一現，多屬短暫情緣。

健康方面 龍年因與日腳有刑剋，變化較多，故健康也不太穩定，但踏入蛇年作息可望變得較有規律，故身體問題不大，惟要注意是由於應酬比往年多，加上流年火旺，飲酒宜量力而為，否則會影響心臟和肝臟功能。此外亦要提防眼睛發炎或退化等毛病，故不論平日使用日常用品、外遊公幹或游泳時，都要記得做好護眼的措施。

❤ 農曆正月
工作辛勞，應酬不少，要量力而為；家宅方面也有少許麻煩，宜放鬆心情應付。

❤ 農曆二月
工作運不俗，惟感覺工作壓力不少，不妨多做運動減壓。

❤ 農曆三月
劫財的月份，投機投資均不適宜，持盈保本為上。

❤ 農曆四月
財運持續不濟，故不宜在此月開展新生意，也要提防眼睛出現毛病。

❤ 農曆五月
工作上得到不少助力，以前積累的問題開始有解決之象，一切持續改善中。

❤ 農曆六月
學習運開始轉強，可以選擇適合自己的課程進修，惟小心口舌招尤。

❤ 農曆七月
財運和事業運持續不俗，大有機會可發揮自己所長，宜好好把握良機。

❤ 農曆八月
財運仍理想，且屬桃花旺的月份，已有伴侶者則要提防爭執。

❤ 農曆九月
天合地合之月，工作易節外生枝，故宜作兩手準備，若無喜事不妨外遊以改善運勢。

❤ 農曆十月
事業運旺，有轉工的機會，不過工作壓力亦隨之倍增。

❤ 農曆十一月
人際關係比較複雜的月份，宜少說話多做事。

❤ 農曆十二月
無論工作或家庭皆算安定，惟注意長輩的健康及彼此的相處。

	正月	二月	三月	四月	五月	六月	七月	八月	九月	十月	十一月	十二月
吉					▲		▲					
中吉		▲				▲		▲		▲		
平	▲											▲
凶			▲	▲					▲		▲	

每月運勢西曆日子請參閱頁348上的對照表

5.【戊辰日】健康人際轉佳 惟易胡思亂想

受到出生日及流年地支陷入「辰辰相刑」的影響，戊辰日出生者在二〇一二壬辰龍年運勢受到一定困擾，包括腸胃容易出現毛病，人際關係也有較多困阻，可幸踏入二〇一三癸巳蛇年後，健康和人際關係均較龍年改善不少。尤其因為貴人運不俗，兼有財星配合，即使間中運勢有點起伏，但整體運勢還是得多於失，事業發展更是理想，值得加倍把握。

不過，因自己的出生日柱天干「戊」與流年天干「癸」相合，「戊癸會合」的現象會容易引致胡思亂想，常有不必要的擔心焦慮，嚴重者或會有失眠、神經衰弱的情況。所以戊辰日出生者在蛇年宜多加注意作息時間，遇上工作壓力不要鑽牛角尖，宜多找朋友傾訴，或做適量的運動減壓，皆有助自己放鬆心情。

財運方面　蛇年有「戊癸會合」的幫助，故此可帶來多元化的事業路向和財路。假若是生意人，蛇年會有更廣闊的發展空間，不過蛇年之財運有「吉中藏凶」之象，屬吉凶參半的年份，表面上不少事情皆向好的方面發展，但實際上仍多暗湧，所以還是謹慎為上，尤其在投資方面不宜過分進取。若有重要的財務決定，也宜留待入秋後作實，因為蛇年下半年的財運相對較上半年為佳。

事業方面　蛇年雖不是有很強的升職運，但總算是正在進步中的運勢。其實蛇年的貴人運甚佳，老闆、上司愛護有加，能和你維持良好關係，不過自己有求變之心，不想再原地踏步，故有想轉工、轉行業的念頭。可是蛇年對戊辰日出生者來說卻是宜守不宜攻的年份，不適宜作任何轉變，所謂「做生不如做熟」，蛇年留在原有地方發展會較轉工為佳。

感情方面　不論男女，蛇年感情運均是一般，更因有感處於樽頸位，容易出現分手的危機，或會重新思考對方是否真正適合自己。其實感情不穩之象主要在上半年發生，只要互相遷就，下半年的感情多能維持下去。單身者在蛇年易有一段霧水情緣，但女性的桃花運相對偏弱，要非常主動才有望結識到投緣之異性，但始終有快來快去之象，所以專注事業發展反而更佳。

健康方面　健康運相比龍年較好，尤其腸胃毛病在蛇年時可減輕，惟要注意自己因工作上過於焦慮，而令精神常常處於緊張狀態，以致影響睡眠質素。另外蛇年因情緒不穩，加上工作壓力問題，令飲食時多時少，體重上落幅度自然也較大。所以戊辰日出生者不妨在蛇年多出門旅遊，或到戶外接觸大自然，可大大改善健康狀況。

❤農曆正月
事業運不俗，但官非運較強，駕駛人士易被票控，故要加倍留神。

❤農曆二月
本月是全年桃花運最暢旺時機，尤其有利女性，有意者便要把握良機。

❤農曆三月
屬破財月，不適宜作投機、投資，暫時還是按兵不動為上。

❤農曆四月
貴人運甚佳，無論工作或家庭上都事事順利。

❤農曆五月
破財之月，易受兄弟姊妹或親朋戚友的拖累，而出現錢銀轇轕。

❤農曆六月
仍屬損財的月份，但由於有同輩的襄助，整體運勢仍算順意。

❤農曆七月
學習運強，不過有機會惹來是非口舌，影響心情，宜少説話多做事。

❤農曆八月
桃花運稍為提升，事業也有新的合作機會，但並非發展良機；另需注意飲食，提防腸胃不適。

❤農曆九月
此月財運不錯，但要慎防與伴侶爭吵不斷。

❤農曆十月
財運續佳，雖工作上的憂慮頗多，但大多屬虛驚一場而已。

❤農曆十一月
女性有利發展異地情緣，投資運也有好轉之象。

❤農曆十二月
家宅運不佳，易為家中問題煩惱，甚至因而破財。

	正月	二月	三月	四月	五月	六月	七月	八月	九月	十月	十一月	十二月
吉		▲		▲							▲	
中吉						▲	▲			▲		
平	▲							▲	▲			
凶			▲		▲							▲

每月運勢西曆日子請參閱頁348上的對照表

6.【己巳日】工作勞碌 慎防腳傷扭損

踏入二〇一三癸巳蛇年後，己巳日出生者在工作上宜有心理準備，因工作必定較龍年辛苦，波折也較多，以致令自己的心情備受困擾，變得情緒化，容易覺得運勢有大幅度的倒退。

尤其因己巳日出生者本身已受「曲腳煞」的困擾，雙腳較其他人容易扭損受傷，遇上蛇年的地支「巳」令此情況更甚，故雙腳較以往更容易受傷，駕車的朋友也要加緊提防碰撞等意外。雖然己巳日出生者在蛇年工作時舉步維艱，特別多困阻，工作壓力也頗大，但整體並非想像中壞；蛇年屬於先難後易、需給予耐性的年份，辛勞過後成果也不俗，所以別老是被情緒牽着鼻子走，只要有頑強的意志和恆心，總能完成任務。

財運方面 蛇年屬辛苦得財之年份，收入得靠一己之努力；尤其打工一族的投資運欠佳，故投機短炒一律免問，至少也要選擇兩年以上的穩健投資。做生意者在蛇年也不宜擴展業務，原因並非生意額倒退，而是蛇年的開支有超額之象，最好想方法開源節流，應花才花；更好的是預備一筆流動資金，以作應急之用。若可好好控制開支，蛇年的財運也無大問題。

事業方面 蛇年的工作運確實艱辛，也要面對不少新挑戰，但由於工作團隊之通力合作，加上個人的奮鬥之心，大多能逐一完成艱巨任務。此外，蛇年雖然不屬升職的年份，但有加薪之象，而且幅度也頗理想，所以付出之汗水與心機不會白費，辛苦過後也覺值得。此外蛇年也有不少出外工作的機會，甚至往外地發展，成果不俗，所以整體事業運其實是向上發展，不要輕言氣餒。

感情方面 蛇年特別有利己巳日出生者發展異地姻緣，異地姻緣泛指彼此在不同地方出生、在外地遇上對象，或是遇上一位長居外地再回流本土的伴侶，皆屬異地姻緣。蛇年所發展之姻緣不屬於熱戀形式，反而傾向細水長流，雖然一開始感覺不太強烈，但細心經營卻有望修成正果。此外，男性遇到的對象多是帶點女強人本色；女性遇上的對象則容易覺得安全感不足，要多花時間觀察。

健康方面 受曲腳煞影響，己巳日出生者在蛇年務必多加留意健康，除要注意腸胃方面的問題，更要加緊慎防腳部扭損撞傷，以及與關節骨骼相關的毛病。一向有關節舊患的人士在蛇年自然要更加留神，其中腳跟、膝頭比其他腳部部位更加容易在蛇年受損，故此做運動時宜選擇一些對身體衝擊力較小的活動，令關節受損耗的機會減至最少。

❤ 農曆正月

此月犯「寅巳刑」，人際關係特別多困擾。

❤ 農曆二月

事業運不俗，有進步的空間，上司有賞識和提攜之象。

❤ 農曆三月

屬破財的月份，易招錢銀上的損失，不宜投機或投資，保守持盈為上。

❤ 農曆四月

長輩和貴人運不俗，但傾向破財之象，也要小心關節扭損。

❤ 農曆五月

財政上容易受到兄弟姊妹或親戚朋友的拖累，切忌做借貸擔保人。

❤ 農曆六月

工作壓力頗大，容易悶悶不樂，多找身邊朋友傾訴可紓緩壓力。

❤ 農曆七月

事業較前順暢，亦有很強的學習運，可以考慮選擇對事業有幫助的課程進修。

❤ 農曆八月

家有兒女的話易為他們煩憂，但工作上有新機會，可好好掌握。

❤ 農曆九月

正財收入理想，但同時暗地破財，為免財來財去，最好將現金轉成實物保值。

❤ 農曆十月

相沖之月，驛馬星動，故適宜往外跑，也不妨把握機會發展異地姻緣。

❤ 農曆十一月

女士桃花運佳，而且對象質素不俗；不過工作壓力亦大，容易出錯，宜謹慎行事。

❤ 農曆十二月

感情關係變得複雜或爭執頻生，以致心情欠佳，不妨聚少離多，有助化解爭拗。

	正月	二月	三月	四月	五月	六月	七月	八月	九月	十月	十一月	十二月
吉		▲					▲					
中吉				▲				▲		▲	▲	
平						▲			▲			
凶	▲		▲		▲							▲

每月運勢西曆日子請參閱頁348上的對照表

7.【庚午日】較龍年艱辛　秋天出生運勢佳

庚午日出生者在蛇年的運勢較龍年辛勞，因出生日柱的天干為「庚金」，地支為「午火」，遇上癸巳流年，有火過旺而剋金之象，所以大部分生於庚午日的人士在蛇年難免感到壓力特別大，工作也較往年奔波勞碌。而又因金受到剋制，肺部和皮膚也較易受損，若本身已有相關問題，蛇年更要多加留意。

庚午日出生者中，尤以生於夏天（農曆四月至六月）的人士問題特別多，蛇年有火上加火之象，要有心理準備迎接倍增之工作量。不過如生於秋天（農曆七月至九月）的話，火氣稍作調和，又加強了金之力量，所以生活壓力較其他季節出生者為輕，運勢也較順暢。雖然整體而言工作壓力較龍年沉重，但事業走勢仍屬向上，有望升遷或愈來愈得到公司器重，對事業來說屬正面發展。

財運方面　所謂「力不到不為財」，正是庚午日出生者的蛇年財運寫照，除了不宜投機炒賣，即使身為管理階層甚或公司老闆，因蛇年的下屬運不佳，故不少事情都需要親自出馬，方可有所回報。此外蛇年也有犯官非的機會，故此處理文件、合約時要更加謹慎，借貸方面更是可免則免，否則容易招致損失。若與對方交情匪淺，則要有對方難在短期內清還的心理準備。

事業方面　蛇年的事業運不俗，打工一族有機會升職，雖然僅屬職位調升，加薪幅度稍低，但依然是值得高興的事。不過升職後工作量有大增之象，承受壓力亦大，故此格外辛苦，不妨多向前輩請教，他們的經驗有助工作更加順遂。蛇年若想轉職的話也可，但上半年不宜實行，農曆四月至六月尤其不利，最快也要等待入秋後，運勢轉順後才可考慮付諸行動。

感情方面　女性感情運不俗，一方面有利遇到心儀對象，但卻忐忑不安，另一方面也容易有人喜歡自己，可惜對方卻不合自己心意，教人有追追逐逐、若即若離之感。至於男性則有原地踏步之象，感情運不算順暢；已有伴侶者更因太注重事業，欠心思與另一半拍拖，以致惹來對方不滿。總括而言，單身者在蛇年尚未遇到真正合適的對象，宜多給一點耐性。

健康方面 蛇年要特別關注與「金」相關的身體部位，即要提防引發肺部或呼吸系統等毛病。由於庚午日出生者在蛇年特別容易咳嗽，肺功能也較弱，有抽煙習慣者不妨積極考慮在蛇年戒煙。此外火剋金亦寓意皮膚容易敏感，故此要多加注意日常用品的衛生。蛇年也不可輕視工作壓力，由於作息時間不規律，蛇年或容易失眠頻頻，宜透過運動或到郊外呼吸新鮮空氣，調節身心。

❤ 農曆正月
本月有輕微相沖之象，容易發怒和生氣，與朋友易有爭執。

❤ 農曆二月
精神緊張的月份，容易神經衰弱，睡眠質素欠佳，但財運稱得上順遂。

❤ 農曆三月
開始感受到工作壓力，有點透不過氣，要注意身體狀況。

❤ 農曆四月
工作壓力持續，但運作開始順暢，且有貴人扶持。

❤ 農曆五月
工作運不俗，但要小心文件合約容易出錯，宜多花時間核對。

❤ 農曆六月
工作出現波折，不妨在本月往外出勤或外遊，反而有助穩定運勢。

❤ 農曆七月
事業運有好轉之象，不過錢財暗地裏有流失的傾向，理財宜更加謹慎。

❤ 農曆八月
不論男女的桃花運皆暢旺，若有心儀對象，可在本月積極發展。

❤ 農曆九月
心情轉佳，亦遇上新的合作機會，從前洽談的項目也開始有眉目，宜多加努力。

❤ 農曆十月
事業運和愛情運皆理想，宜好好把握機會。

❤ 農曆十一月
天干和地支皆相沖，此月易有人事紛爭，適宜出門、出差，遠離是非之地。

❤ 農曆十二月
留心健康，尤其是工作壓力帶來的失眠以及其他輕微病痛，宜多找友人傾訴。

	正月	二月	三月	四月	五月	六月	七月	八月	九月	十月	十一月	十二月
吉								▲	▲	▲		
中吉				▲			▲					
平		▲			▲	▲						
凶	▲		▲								▲	▲

每月運勢西曆日子請參閱頁348上的對照表

8.【辛未日】正財為主 出生月份定好壞

生於辛未日的人士，因出生日柱天干屬金、地支屬土，一方面受到流年火運之助，故癸巳蛇年的事業運有上升之象；另一方面，由於自己命格的「火土」較重，而流年癸巳的「巳火」加強了「火土」的氣勢，所以相對來說工作也較往年辛苦，工作壓力亦隨之增加，至於整體運勢，則要視乎於哪個月份出生。

農曆七月至八月出世者，蛇年是有利名利雙收的年份，升職加薪在望。但若生於「土」重之月（農曆三、六、九或十二月）的話，工作上則會遇到不少掣肘，即使事業好轉，仍然感到壓力很大。若生於農曆十月至十一月，雖是非口舌較多，但事業運不俗，尤其有利從事創作的行業，因蛇年的靈感特別豐富，表現自然更佳。若生於農曆正月至二月者，則屬不過不失，並要稍加注意健康。

財運方面 蛇年以正財為主，並事事要親力親為。做生意的朋友，蛇年亦不算十分順暢，較易惹上官非，除了駕駛人士被票控機會提升，凡是文件、合約方面也宜花多些時間核實清楚，否則或要額外花錢解決。蛇年「火剋金」的局面，也令身體易有輕微毛病，所以保健及醫療的開支也較龍年多。整體而言，正財還是在上升的軌道上，至於偏財只算不過不失，往日的投資可繼續，不過若在蛇年投資的話則宜以保守為上。

事業方面 事業運不俗，職位或有調升，權責亦較去年多，雖然加薪幅度有限，但由於老闆加以賞識，也得到同事間的認同，自己仍是滿心歡喜。此外亦可考慮轉換新的工作環境，而轉工後事業仍在進步中。惟蛇年要注意工作壓力較大，有時應付得會較吃力。其實蛇年的學習運不俗，工餘時再作進修，反而有助長遠地減輕工作壓力，對仕途更有幫助。

感情方面 女士在蛇年的桃花運較旺，容易遇到心儀對象，不過結識後不宜過於急進，皆因感情萌芽需時，太急進或會壞事。反之男士在蛇年沒心機談戀愛，原本有伴侶的人士由於工作太忙的關係，或讓對方有一點被冷落的感覺。其實多忙也好，也應抽一點時間陪伴對方，自己也要慎防因壓力太大，無意中把負面情緒發泄在伴侶身上。

健康方面　蛇年的健康運僅屬一般，因流年地支「巳」與自己日柱之地支「未」屬南方的火運，而到了農曆五月「巳午未」更成一個火局，與「火」相應的喉嚨、氣管、呼吸系統會變差，特別是咳嗽較多。整體來說，上半年（農曆正月至六月）出生者身體在蛇年較弱，適宜穿戴金飾，或多穿米、白、淺藍等色的衣服去補命格之不足，另外也可多往自己出生地的西面旅行，均有助提升健康運。

❤ **農曆正月**
財運一得一失或有財來財去的現象，難有餘錢儲蓄。

❤ **農曆二月**
頭部與手部較易受傷，另與伴侶紛爭頗多，宜互相多作體諒。

❤ **農曆三月**
呼吸系統毛病較多之月份，工作也遇上輕微波折停滯，要多予耐性應付。

❤ **農曆四月**
事業運轉強，有升職的機會，惟工作壓力頗大。

❤ **農曆五月**
工作遇上困難，不妨向有經驗的前輩請教，有望協助解決難題。

❤ **農曆六月**
情緒低落，找人傾訴或到外地旅行都是解決鬱悶的良方。

❤ **農曆七月**
貴人運依然良好，不過要注意健康；財運方面，本月則易有輕微損失。

❤ **農曆八月**
呼吸系統特別差的月份，而且兄弟姊妹或親戚朋友或向你求助，宜量力而為。

❤ **農曆九月**
工作上有困阻，不過屬先難後易之象，多花時間終可找到解決方法。

❤ **農曆十月**
學習運強，有利進修；人際關係宜多加留意，注意與家人及同事之相處。

❤ **農曆十一月**
財運不錯，不過自己的心情轉差，宜找朋友開解。

❤ **農曆十二月**
天干、地支相沖之月，事情多節外生枝，也易與伴侶爭執，宜往外地走走。

	正月	二月	三月	四月	五月	六月	七月	八月	九月	十月	十一月	十二月
吉												
中吉				▲	▲					▲		
平	▲					▲	▲		▲		▲	
凶		▲	▲					▲				▲

每月運勢西曆日子請參閱頁348上的對照表

9.【壬申日】財運不俗 但易節外生枝

踏入癸巳蛇年，財運及事業皆不俗，但宜有心理準備工作較為辛苦，因流年地支「巳」與出生日的地支「申」會合，凡是「合日腳」的年份麻煩較多，精神壓力頗大，家宅運也不穩，容易節外生枝。整體來說，癸巳蛇年運勢有點反覆，看起來可輕鬆過關之事，最終卻屢生波折；有些事看起來棘手難解，最後卻可順利解決，所以凡事宜有兩手準備，以保萬全。

「合日腳」之年也有較多應酬機會，出現不少新的合作機遇。但正因處於變化狀態，即使協議合作後也不一定成事。蛇年只宜以「刀仔鋸大樹」的策略來參與新的合作項目，反之如大幅投資，則很可能招致損失。總言之，壬申日出生者在蛇年之付出不會白費，雖然中途會有波折，但最終還是會達致成功。

財運方面　蛇年的正財運不俗，更有一點偏財運，當中尤以冬天（農曆十至十二月）出生者財運最理想，加上偏財運之助，只要不過於貪心，投機、投資皆會有所收穫。但蛇年應避免借貸或作擔保，否則容易因財失義或「一借無回頭」。至於經商者在蛇年有不少新的合作機會，但只宜小試牛刀，並要好好計劃支出，避免不必要的開支為上。

事業方面　蛇年乃事業提升的階段，公司管理階層之變動會為自己帶來正面影響，讓事業發展更上一層樓。雖然新變動或需一段時間磨合，過程令人懊惱，但蛇年的事業運整體向上，而且同事亦算合作，所以總括來說乃向正面發展。蛇年亦有機會遇上一些較麻煩的客人，宜花多點時間和耐性，終可解決問題。若有其他公司挖角，建議還是留在原來的公司較佳，因為轉工後的發展未必如自己預期般理想。

感情方面　男性在蛇年有機會遇上一些年齡較自己大的女性，若不介意姊弟戀的話，此段感情頗值得發展。女性則較易遇上個性較飄忽的對象，雖然對方有所示意，但自己難以完全掌握對方心意，無法真正邁步向前。至於已婚人士在蛇年有較多爭吵，而自己也有不少應酬活動，霧水桃花較多，要多靠一點定力來維繫原有關係。另外此日柱的女性在蛇年也易懷孕，若已婚女性有此喜事沖喜，反而有利雙方感情。

出生日流年運勢

健康方面　蛇年宜特別注意關節毛病，尤其是平日有腰骨、膝頭舊患的話更要加倍留意。若有運動習慣的朋友，蛇年則要避免做太劇烈的運動，如攀岩、越野單車等應盡量避免，以防關節創傷。此外由於工作關係，蛇年的應酬頻繁，為避免出現失眠和精神緊張的情況，應更加注意作息時間，以免精神健康受到影響。

❤農曆正月
本月宜多加注意道路安全，駕車人士要打醒十二分精神，維修車子機會也較大。

❤農曆二月
學習運強，有利進修；工作方面靈感頗強，從事創作工作者特別有利。

❤農曆三月
本月易頭痛，應酬亦比較多，要注意腸胃方面健康，飲食宜多加節制。

❤農曆四月
天合地合的月份，容易有麻煩事發生，要有心理準備比前數月辛苦。

❤農曆五月
財運不錯，尤其是偏財方面尤佳，可以比平日更進取。

❤農曆六月
工作壓力頗大，而且官非運重，處理文件合約要格外留神，免生是非。

❤農曆七月
易胡思亂想之月，幸得貴人扶持，有助解決當前難關。

❤農曆八月
桃花比較重的月份，不論男女都容易遇到一些合適的對象。

❤農曆九月
屬劫財的月份，不宜投機投資，亦不宜借錢予他人。

❤農曆十月
破財運持續，亦容易受傷扭損，宜少做劇烈運動。

❤農曆十一月
醫療開支有上升之象，除自己健康外，也要注意家中長者的身體狀況。

❤農曆十二月
各方面開始回穩，事業更有向上提升之佳象。

	正月	二月	三月	四月	五月	六月	七月	八月	九月	十月	十一月	十二月
吉		▲			▲							▲
中吉							▲	▲				
平	▲		▲								▲	
凶				▲		▲			▲	▲		

每月運勢西曆日子請參閱頁348上的對照表

10.【癸酉日】劫財之象 幸得貴人匡扶

癸酉日出生者因在癸巳蛇年遇上天干相同之「癸水」，此乃劫財之象，因此宜有心理準備在蛇年的日常支出較以往多。但整體來說，癸酉日出生者的運勢好壞，是以出生月份來決定。

屬「水」旺的冬季（農曆十至十二月）出世者，雖然蛇年的支出不少，但整體運勢最佳，所以仍可應付自如。生於農曆三、六、九、十二月的話，由於命格「土」重「水」少的關係，遇上癸巳蛇年之火運，工作較吃力，承受的壓力不少，情緒容易低落。雖然蛇年也有不少新的挑戰和合作機會，但始終多勞少得，幸好貴人之扶助也不弱，所以不妨把蛇年視作播種期，多加耐性，長遠應有更理想的收成。

財運方面 蛇年因有劫財之象，花費特別多，除了無謂的開支，有時也可能因家庭關係或應急需要而要作額外支出，因此蛇年適宜預留一筆應急錢，並要加倍謹慎理財。投資方面也應避免高風險投資，與其平白在蛇年破財，不如減少資金流動；不妨選擇中長線投資，或將錢放在樓房、貴重金屬等可保值的不動產上，回報相對較佳。此外，經商者在蛇年也不宜開展新的生意，維持原有的生意為佳。

事業方面 蛇年工作壓力較大，故有意轉換工作環境，不過成功機會不大，而且留守原位未必是壞事，皆因貴人運不錯，同事、上司和下屬之間的協調和支援也算足夠。其實蛇年也有升職的機會，加薪幅度也算不錯，加上蛇年的運勢對自己不算太有利，轉工或讓人有欲速則不達之感。若工作上有麻煩，不如找同事或前輩詢問，應可助你解決困難。

感情方面 不論男女在蛇年皆易有三角關係，由於感情問題較複雜，容易帶來困擾，甚至有分手的危機，所以還是專注事業為佳。已婚者宜尋找新的興趣發展，蛇年若與伴侶聚少離多，關係反而更理想，否則只會惹來更多無謂的爭吵。單身人士即使在蛇年開始一段新戀情，但也屬不穩定之桃花，甚至有曇花一現的狀況，發展未如理想。

健康方面　蛇年的健康狀況比龍年佳，小病小痛比龍年減少，不過由於火土困水，令自己日常生活容易過於焦慮，總覺得有點動彈不得，令精神特別緊張，更有失眠等狀況。加上癸酉日出生者在蛇年的應酬也頗多，所以更加要注意作息時間。蛇年不妨多接觸大自然、出門旅行或做運動，這些活動皆有益身心，而且減壓過後工作表現也會更理想。

❤農曆正月
工作比較辛苦，易招是非口舌，宜互相忍讓。

❤農曆二月
若已有子女，本月易為孩子而煩惱，與伴侶也有口角之爭。

❤農曆三月
身體出現小毛病，特別留意腸胃方面，若外遊慎防水土不服。

❤農曆四月
本月有輕微的感情困擾，也要注意眼睛方面的問題。

❤農曆五月
雖然本月有升職機會，但工作壓力很大，宜多做運動或向外走走。

❤農曆六月
工作壓力持續沉重，且易惹上官非，必須小心處理文件、合約。

❤農曆七月
貴人運暢旺，工作比之前順利不少。

❤農曆八月
桃花運稍有提升，但容易損傷，特別要留心手腳。

❤農曆九月
一得一失，工作上遇到波折，但同時也有新的機遇；另要提防金錢損失。

❤農曆十月
容易受傷扭損，甚至有輕微的破相或做手術的可能，常接觸金屬利器或駕車人士要格外小心。

❤農曆十一月
屬破財的月份，但學習運亦很強，不妨在此月進修增值。

❤農曆十二月
家宅運有變動，或因此而拿出一筆金錢應急，謹記量力而為。

	正月	二月	三月	四月	五月	六月	七月	八月	九月	十月	十一月	十二月
吉							▲					
中吉											▲	
平			▲		▲			▲	▲			▲
凶	▲	▲		▲		▲				▲		

每月運勢西曆日子請參閱頁348上的對照表

11.【甲戌日】表面風光　困難中運勢轉好

甲戌日出生者在癸巳蛇年的運勢屬於表面風光，實際上只是不過不失。甲戌日出生者因在龍年出現「辰戌相沖」，生活自然較奔波忙碌；踏入癸巳蛇年後，工作雖漸趨穩定，但收入不甚理想，所以只是表面看起來比龍年好而已，實際上仍有不少困難。

若生於農曆正月至三月或十月至十二月的話，蛇年運程較佳；反之農曆四月至六月出生者則比較艱苦，因本身命格已屬弱木火旺，流年還要行火運，是故工作會更勞碌。農曆七月至九月出生者在蛇年也不特別有利，身體容易出問題。所以整體來說，蛇年只屬輕微的進步，與預期仍有一段距離；其實只要做足心理準備，不要有太多不切實際的幻想，明白蛇年的運勢正漸漸好轉，總比龍年過得愉快。

財運方面　蛇年有輕微的偏財運，也有貴人運，喜歡投資、投機者，蛇年容易遇上有心人幫助分析研究，不妨以「刀仔鋸大樹」方式投資，應有不錯回報。不過由於蛇年不是開創性的年份，還是宜守不宜攻，避免作大額的新投資，且要量力而行，至於舊有的投資則可以持續。經商者要多加注意財政，因蛇年有「借錢不還」之象，凡事宜量力而為。

事業方面　原則上蛇年的職銜和權責也有上升之走勢，但實際收入未如想像般理想，薪金和福利有原地踏步之象，因此蛇年的事業運只能稱得上邁進一小步。不過蛇年也不是有利開創性之年份，所以也不適宜轉工，留守原有地方反而較好。其實蛇年的下屬運不俗，假若為管理階層，蛇年會遇上性格不錯且有能力的下屬幫忙；若為基層員工，也易得上司之認同。

感情方面　整體而言，甲戌日出生者的感情運在蛇年有明顯改善。單身男士容易遇上不錯的對象，感情有落實之象；有伴侶的男士則宜與另一半多點深入溝通，有望在蛇年關係更進一步。至於單身女士想認識心儀對象的話，建議向長輩或年紀較自己大的前輩求助，透過他們介紹更能事半功倍。已婚者在蛇年的感情運則比龍年更穩定，可以和諧共處。

健康方面 蛇年的健康問題不大，只是農曆七月至九月出生者較易染上傷風咳嗽或喉嚨痛等毛病，關節也易有小問題。至於農曆四月至六月出生的人士則要多加留意肝臟，若有飲酒習慣也宜淺嘗即止。年初或年尾出生的則沒有大毛病纏身，但由於「土木相剋」，關節易有問題，並要提防舊患復發，不宜做過度劇烈的運動，做家務或搬運大件物品時也要加倍小心，慎防跌倒受傷。

❤ **農曆正月**
容易破財，不宜作投資或投機，以免招致損失。

❤ **農曆二月**
應酬頻繁，工作亦相對辛苦，更有一些人事爭拗，宜互相體諒忍讓。

❤ **農曆三月**
有突破之象，工作運開始好轉，下屬的幫忙也事半功倍。

❤ **農曆四月**
易招來輕微的是非口舌，但本月學習運強，有利進修。

❤ **農曆五月**
偏財運不錯，想投資者可以小試牛刀；是非持續較多，宜少說話多做事。

❤ **農曆六月**
容易受傷的月份，尤其是手腳部位；事業運反覆，凡事宜有兩手準備。

❤ **農曆七月**
事業運強勢，但有傷風感冒等小病，宜保重身體。

❤ **農曆八月**
女性桃花運較強，不妨留意身邊是否有追求者出現。

❤ **農曆九月**
財運相當不錯，貴人運亦理想，要好好把握。

❤ **農曆十月**
此月有利外地發展，外勤或出門旅行皆合適；另要注意家中女性長輩的健康。

❤ **農曆十一月**
破財月份，無可避免要花掉一筆錢，例如親人或好友要求金錢上的幫助。

❤ **農曆十二月**
運勢平平，但心情低落，宜多找朋友傾訴，紓解鬱悶。

吉		▲	▲					▲	▲			
中吉				▲			▲			▲		
平					▲							▲
凶	▲					▲					▲	
	正月	二月	三月	四月	五月	六月	七月	八月	九月	十月	十一月	十二月

每月運勢西曆日子請參閱頁348上的對照表

12.【乙亥日】水泛木漂 愈動愈有利

乙亥日出生者在癸巳蛇年有沖日腳之象，此屬「驛馬相沖」，乃日犯太歲的一種。其實乙亥日出生者的命格本有漂泊之兆，因為出生日的天干「乙木」及地支「亥水」正是處於「水泛木漂」的狀態；遇上蛇年天干的「癸水」，通往自己日腳的「亥水」便有「通根」之象，令水更呈氾濫，因此乙亥日出生者在蛇年必然較奔波，不時需要往外走動。

承接流年運勢，蛇年乃愈動愈有利之年份，多出勤或從事賺外地錢的工作會較理想，若勉強自己長期動也不動，反而運勢更差。另外，乙亥日出生者蛇年人事紛爭會較以往多，容易動氣，故蛇年凡事忍讓，與人以和為貴為佳，以免因一時意氣而破壞人際關係。

財運方面 做生意或常要出勤的員工，蛇年的財運更有利，皆因蛇年是動中生財的年份；愈走動得多，財運愈好，反之則愈差。從事外貿生意者，蛇年的財運更理想，但出門期間要多注意交通安全，慎防意外發生。若在農曆正月至三月出生，蛇年還有餘錢作儲蓄；若生於冬天（農曆十月至十二月），便可能更奔波、更辛苦，宜有心理準備。

事業方面 蛇年是變動的年份，如果公司調派出差的話值得一試，甚至比往日更進取，主動爭取往外調遷也無妨，若能在外地駐守，事業運更趨理想。公司方面也有機會出現人事變動，但對自己影響不大。此外，蛇年格外有利從事創作的朋友，因為蛇年的靈感特別豐富，可盡情發揮才華，加上蛇年的長輩運也不錯，長輩的提攜有望令事業更順利。

感情方面 因為蛇年沖日腳，亦沖夫妻宮，不論男女的感情皆不太穩定，尤其已婚者宜多加忍讓，否則吵架頻生，或會有分離的危機；其實蛇年適宜聚少離多，感情反而更佳。單身者在蛇年則十分有利發展一段海外情緣，不論是前赴外地公幹或旅遊途中認識的，或在本地認識的一些外國出生或回流本地居住的對象，皆屬此列。

健康方面受到「巳亥相沖」的影響，雙腳尤其是膝蓋部位較易受傷，若有舊患更要多加注意。另外蛇年要更注意道路安全，駕車人士在蛇年的碰撞或較多，維修問題也不少，不如主動為車子更換一些新裝置，有助穩定運勢；出門時也要多加留意行李和財物，以免招致損失。此外蛇年是思想年，想法比較多，壓力太大時易鑽牛角尖；另外要留意家中女性長輩的健康，勿因出門工作而長期忽略對方。

❤ 農曆正月

破財之月，避免作任何投資、投機，並要留心自己的開支。

❤ 農曆二月

易招損失的月份，但工作表現尚算不俗。

❤ 農曆三月

財運不俗，偏財運頗佳，可有輕微的收穫。

❤ 農曆四月

相沖的月份，容易受傷，運動時要多加留意。

❤ 農曆五月

財運、名氣運都相當不錯，要好好把握良機。

❤ 農曆六月

承接上月運勢，財運、事業運皆不錯，但要留心男性長輩的健康。

❤ 農曆七月

易惹官非的月份，處理合約文件宜加倍謹慎，駕車被票控的機會亦較大。

❤ 農曆八月

工作壓力大，但有升職、升遷的機會，辛苦工作終有回報。

❤ 農曆九月

財運順遂，貴人運強勁，乃運勢不錯的月份。

❤ 農曆十月

此月運勢動盪，特別適宜往外走動；此外要留心長輩的健康，尤以女性長輩為甚。

❤ 農曆十一月

運勢轉順，工作也較順遂，而早前積存的難題都有望在此月解決。

❤ 農曆十二月

財運一得一失，不宜帶過多的現金傍身，投資保值的資產如黃金等更實際。

	正月	二月	三月	四月	五月	六月	七月	八月	九月	十月	十一月	十二月
吉			▲		▲				▲			
中吉						▲		▲			▲	
平		▲										▲
凶	▲			▲			▲			▲		

每月運勢西曆日子請參閱頁348上的對照表

13.【丙子日】平穩向上 事業財運俱佳

大部分丙子日出生者在癸巳蛇年的運程都相當不錯，財運平穩向上，而且容易有盈餘，事業運也向好發展，實在是頗為理想的一年。不過，夏季（農曆四月至六月）出生的丙子日人士，運勢卻有點艱辛。因為夏天出生的丙子日人士，不論月柱和日柱也火旺，遇上亦旺火運的癸巳蛇年，自己的流年運便有火過旺之象；如此一來，夏季出生的丙子日人士在蛇年便會特別辛勞，雖然整體也是向好發展，但做起事來總覺得特別吃力，有萬事起頭難之感。

至於其他月份出生的丙子日人士，因為命格本身需要「火」的支援，以補命格上的不足，而蛇年正正是行火運，因此蛇年的事業或財運皆全面向好，正財和偏財都有不俗的收穫，宜好好把握，勇往直前。

財運方面　因為流年有火運相助，丙子日出生者在蛇年較容易累積財富；雖然不至於暴富，但有可觀的餘錢作儲蓄，投資的穩定性更比龍年為佳。整體而言，理財能力於蛇年有所改善，懂得如何花得其所，令財富比往年更充裕。經商者的客源也充足，發展漸趨平穩向上；如欲發展新業務，不妨在蛇年一試，不過要注意處理文件合約，慎防因此而破財，令自己額外花去一筆金錢解決問題。

事業方面　丙子日出生者在蛇年喜獲「官星」關照，特別有利加強官運，也象徵事業運向上攀升，因此蛇年的升職加薪機會大增，尤其任職紀律部隊或大機構者，事業運更佳，積極進取必有所成。惟要注意的是權責增加後，工作壓力也更大，但整體上還能應付。如想在蛇年轉工也可一試，新工作的運勢發展不俗，農曆五月尤其有利。總言之，蛇年的紀律性和決心都比以往增強，只要目標清晰，自會闖出好成績。

感情方面　桃花運不俗，但因事業運佳，自己較專注工作，已有伴侶者有忽略感情關係之象。單身女性在蛇年容易遇上性格較強、脾氣較固執的對象，對方個性較自我，若自己能接受此類型異性的話，這段感情的發展也屬平穩。單身男性也有利遇上合意對象，但仍屬摸索階段，徘徊在朋友和情侶之間，不妨多邀約對方參加大伙兒的活動，有利拉近彼此關係。

健康方面　整體健康尚可，但因蛇年「水火相沖」，要加倍留意心臟、血管方面的問題。另外也要多加留意皮膚問題，慎防皮膚敏感，日常用品如牀單、被鋪、護膚用品、及清潔用品等等，皆要加倍注意衛生。另外，由於蛇年事業運強，有時工作壓力也教人吃不消，睡眠不足的情況較易發生；不妨多做運動或到大自然呼吸新鮮空氣，有助減壓之餘，也可改善睡眠質素。

❤農曆正月
貴人運強，工作方面助力頗大，同事和上司均可信賴。

❤農曆二月
容易牽涉入人事糾紛當中，小心惹來口舌是非，切忌擔當調解人的角色。

❤農曆三月
劫財之月，投機炒賣可免則免；應酬頗多，容易休息不足。

❤農曆四月
財運一得一失，正財運不錯，偏財卻呈損耗之象，投資方面要格外小心。

❤農曆五月
已有子女者容易為家事困擾，甚或因此而與家人爭執；另要提防受金屬利器所傷。

❤農曆六月
注意人際關係，提防小人作梗；財務宜謹慎，避免做借貸擔保人的角色。

❤農曆七月
財運不錯，但宜加緊注意家中男性長輩的健康。

❤農曆八月
桃花、財運俱旺的月份，但喉嚨、氣管等呼吸系統較弱。

❤農曆九月
學習運強勁，有利進修或考核工作表現。

❤農曆十月
事業運強勁，升遷機會特別高，但工作壓力同時增加，宜多接觸大自然減壓。

❤農曆十一月
事業運持續理想，而且本月有利走動，外勤或公幹對運勢更佳。

❤農曆十二月
工作較多困阻，更有節外生枝之象，遇有問題不妨向長輩或舊同事請教。

	正月	二月	三月	四月	五月	六月	七月	八月	九月	十月	十一月	十二月
吉	▲							▲	▲		▲	
中吉										▲		
平				▲		▲	▲					▲
凶		▲	▲		▲							

每月運勢西曆日子請參閱頁348上的對照表

14.【丁丑日】天干相沖　健康事業屢有變數

丁丑日出生者踏入癸巳蛇年後，因流年天干的「癸水」與自己出生日柱的天干「丁火」相沖，代表蛇年運勢多變，尤其有兩方面的事情宜特別留意。首先，丁丑日人士的眼睛狀況容易於蛇年轉差，如眼睛發炎甚或接受與眼睛相關的手術，幸好最後也無大礙，不必過於憂慮。另外由於「癸丁沖」，事業的變化也特別大，穩定性不高，求變心強，升遷、轉工機會皆大增。

丁丑日出生者在龍年因為「丁壬合」，心情容易煩躁不安，思想較負面，容易引致對未來運勢的忐忑不安。但踏入蛇年後，情緒將可逐步改善，所以整體的生活也過得比龍年愉快。總言之，丁丑日出生者在蛇年的運勢雖然比較動盪，健康容易有小毛病，但整體運勢並非轉壞，尚可放心。

財運方面　蛇年的收入以正財為主，雖然沒有破大財之象，但流年僅有輕微的偏財運，所以投資、投機方面還是小試牛刀為上，如此才有機會得到小額的意外之財。其實丁丑日出生者於蛇年的工作運正穩步上揚，事事親力親為，財運會更佳。做生意者則不適宜尋求開創或突破，維持現有的生意反而更有利；即使有人主動提出合作要求，蛇年也非理想時機，還是靜心等候良機吧。

事業方面　蛇年的工作運不俗，若留守原位，易有升遷的機會，不過處身運勢多變的蛇年，自己會特別想轉換工作環境。雖然主動求變也有利，但最好留待農曆四月至六月才落實，因為下半年的轉工運會比上半年更佳。若年初便按捺不住的話，或要有心理準備在下半年多轉一次，因此不宜太過急進，亂石投林只會令自己的事業發展更亂；有意轉工的話，透過舊上司或同事推介之工作更值得一試。

感情方面　丁丑日出生者在蛇年的感情運相對較差，尤其是女性，與伴侶的爭吵較多，甚至有外來的衝擊令關係破裂，所以本身感情基礎不穩固者，蛇年易有分手之象。若想維繫下去的話，除了互相忍讓，不要動輒小事化大外，雙方減少見面也有幫助。男性雖然有望開展一段新情緣，但感情不穩，不宜過分投入。已婚者也容易因瑣碎事情而與枕邊人各執一詞，所以更應避免捲入他人的糾紛之中。

健康方面 蛇年特別容易出現與眼睛相關的毛病，若以往曾考慮動手術消除近視，蛇年不妨落實做矯視手術，主動應驗流年運勢。若難以主動應驗，便要加緊提防視力退化或染上眼疾，總之若眼睛出現輕微不適，也應及早求醫，切勿輕視。另外，蛇年的腸胃也較弱，特別容易感到不適，故此應避免吃太多冰凍或衛生情況欠佳的食物，出門也要注意飲食，以免水土不服。

❤ **農曆正月**
貴人運不錯，得到長輩及上司的提攜，宜好好把握。

❤ **農曆二月**
承接上月的運勢，工作順利，且有貴人幫助，財運亦算順利。

❤ **農曆三月**
腸胃比較差的月份，出門用膳要小心，否則有水土不服的機會。

❤ **農曆四月**
屬劫財的月份，不適宜投機投資，以免加重破財之象。

❤ **農曆五月**
是非口舌較多，提防因失言而得失親友或同事，一切慎言為上，以免影響運勢。

❤ **農曆六月**
下屬運有變動，而自己在本月也適宜向外走動，不妨主動出門，運程會更理想。

❤ **農曆七月**
財運不俗，工作方面亦算順遂，投資投機均可，可小試牛刀。

❤ **農曆八月**
應酬較多，易有新的合作機會，投資額不大的話，不妨一試。

❤ **農曆九月**
心情欠佳，不時悶悶不樂，更易受家事困擾。

❤ **農曆十月**
事業運順遂，但提防惹上官非或被票控。

❤ **農曆十一月**
有家宅變動之象，除搬遷外，本月也有利裝修或添置較大型的家品。

❤ **農曆十二月**
財運順遂的月份，正財偏財皆不錯。

	正月	二月	三月	四月	五月	六月	七月	八月	九月	十月	十一月	十二月
吉	▲	▲					▲					▲
中吉						▲		▲				
平					▲					▲	▲	
凶			▲	▲					▲			

每月運勢西曆日子請參閱頁348上的對照表

15.【戊寅日】運勢尚可　注意情緒及健康

生於戊寅日者，由於出生日的天干「戊」與癸巳蛇年的天干「癸」呈相合之象，所以蛇年常帶着悲觀情緒，甚至終日疑神疑鬼。除了天干出現「戊癸相合」，地支也陷入「寅巳相刑」的局面，此乃「日犯太歲」的一種，故此蛇年不論人際關係或健康均較易出現問題，身體問題方面又以關節、膝頭和腰骨的毛病為主。

幸好，戊寅日出生者在其他方面的流年運勢還算過得去，尤其是冬天（農曆十月至十二月）出生者，蛇年應有不錯收穫。其實縱觀蛇年運勢，不論財運或工作運都不俗，唯獨常受到自己的悲觀情緒影響，以致心情反覆不定。建議凡事應抱着隨遇而安的心態，杞人憂天或急功近利都於事無補，反而容易鑽進牛角尖；不妨多出門放鬆身心，萬事自可逢凶化吉。

財運方面　蛇年財運以正財為主，若生於夏天（農曆四月至六月）因火土較旺，破財之象較大；經商者也應多加注意與拍檔之關係，因蛇年人事糾紛較多，拍檔或下屬的問題容易引發內憂外患，影響財運。生於冬天（農曆十月至十二月）則較理想，因命格利火，而蛇年乃火運之年，加上天干有水「通根」至出生的月份上，補助了先天命格之不足，所以賺錢和儲蓄能力同樣理想，財運不俗。

事業方面　打工一族的薪酬有提升之象，雖然幅度不大，職位也屬原地踏步，但蛇年不宜轉工，留守原有崗位會更佳。其實蛇年最需注意的是人際關係，不論與上司或下屬的關係都呈倒退之象；若不擅與人溝通協商之道，蛇年難免常要單打獨鬥。基本上蛇年的工作表現尚可，主要是人事問題令你疲於奔命，雖然仍可應付，但難免辛苦，只要好好處理上司和下屬的關係，便可大大把問題減輕。

感情方面　男士有一點桃花運，單身者可望找到合眼緣對象，但情緣暫時不太穩定，有曇花一現之感，所以不宜過分投入。有伴侶者的感情關係則容易翻起漣漪，若有結婚計劃，蛇年為此而爭執的瑣碎事情較多，慎防小事化大。女士在蛇年的感情運也有追追逐逐之象，合眼緣者發展下去有點不太滿意，真正滿意的那一位卻大多早有愛侶，難以和自己發展。總之無論是單身或已婚，蛇年也要避免因疑慮過多而影響感情關係。

健康方面　蛇年要多加注意痛症問題，尤其腰和膝之部位，有舊患者更要提防問題復發。所以蛇年宜避免參加易令關節勞損之活動，劇烈運動更是可免則免。另外，蛇年的情緒問題也頗明顯，容易焦慮過多和精神緊張，所以應該不時注意情緒的起落，保持心境開朗為佳；若有宗教信仰，也可藉此尋求心靈上的平安。不過若對健康問題感到不安，主動透過身體檢查消除疑慮更實際。

❤農曆正月
事業運強，工作壓力亦大，但有新的發展機會，要好好把握。

❤農曆二月
文件合約容易出錯，駕車人士更要加倍注意道路安全，並慎防被票控。

❤農曆三月
財運好轉，更有輕微的偏財運，有利儲蓄。

❤農曆四月
人際關係倒退的月份，易有是非口舌，有被孤立之感。

❤農曆五月
劫財之月，容易有錢財的損失。

❤農曆六月
運勢稍為回穩，但財運依然欠佳，務必注意收支平衡。

❤農曆七月
驛馬星動，有利外勤或公幹，可望動中生財。

❤農曆八月
創作靈感豐富，若從事與創意有關的工作，此月可盡情發揮。

❤農曆九月
財運一得一失，雖有不錯的收入，但開支也大。

❤農曆十月
天合地合，乃全年最反覆之月，容易節外生枝，不妨出門旅遊，有助改善運勢。

❤農曆十一月
工作運開始順暢，不過情緒仍然低落，不妨找朋友傾訴釋懷。

❤農曆十二月
各方面都比較順利，事業運和財運均有好轉的迹象。

	正月	二月	三月	四月	五月	六月	七月	八月	九月	十月	十一月	十二月
吉			▲									▲
中吉	▲						▲	▲			▲	
平						▲			▲			
凶		▲		▲	▲					▲		

每月運勢西曆日子請參閱頁348上的對照表

16. 【己卯日】貴人運強　提防表面風光

生於己卯日者，日柱天干「己」屬土，地支「卯」屬木，因為木剋土的緣故，除非是生於土旺之月（農曆三月、六月、九月或十二月），否則命格便呈弱土之象。不過適逢癸巳蛇年，此乃火土運暢之流年，能補命格之不足，所以大部分己卯日出生者在蛇年的運勢也不錯，流年有利，貴人運特別強，可得到不少人的幫助。

不過若生於農曆三、六、九或十二月的話，因出生月份土旺，遇上癸巳蛇年便有土過旺之象，流年不算有利之餘，還有輕微劫財的情況。可幸蛇年始終是貴人運暢旺的一年，即使工作辛苦，但最終也能借助外力克服困難。但要注意，己卯日出生者在蛇年的運勢也有表面風光之象，看似在進步中，實際上未必帶來很多收益，理財方面特別要謹慎一點。

財運方面　己卯日出生者中，以生於農曆十月至十一月者財運最佳。因為兩月水重，遇上蛇年的天干「癸水」有「通根」之效，財運自然比他人稍勝一籌，因此蛇年可爭取不少新客源，財路也較以往廣泛。至於其他月份出生者，蛇年收入也不錯，但因要兼顧很多無謂開支，形成財來財去之局，蛇年宜有較周詳的理財計劃。正財之外，蛇年也有輕微的偏財運，只要不是太貪心的話，投資上也有小成。

事業方面　蛇年的長輩運不俗，老闆、上司認同自己的表現，而且更有升遷的機會擺在眼前，宜好好把握。雖然工作辛苦，要付出不少汗水，但上司和下屬的助力相當大，各方面的協調也不錯，所以大部分事情也能順利辦妥。惟自己在蛇年較為急進，也容易動怒及發脾氣，有小事化大之象。如能適當調節自己的情緒，蛇年的工作自然更開心暢快。

感情方面　單身男士容易遇到年齡比自己略大的對象，而且屬於較穩定的情緣，不妨一試。單身女士也有利遇上理想對象，但發展得較慢，而這段感情很大機會是異地姻緣；雖然發展上存有一點障礙，但蛇年乃感情萌芽的階段，不妨靜候突破關口之良機。已有伴侶者，蛇年的感情運相對較穩定，沒有很大的衝擊，是平平穩穩的年份。

健康方面對己卯日出生者來說，蛇年是較容易受傷的年份，除了要加倍提防關節受損，也要注意內分泌失調、牙齒或神經系統相關的毛病。不過這些都不屬於大問題，只要及時就醫便可逐步解決。反而蛇年因工作緊張，要承受不少沉重壓力，不妨多做一些有助放鬆身心的運動，如柔軟體操、瑜伽、太極或游泳等，避免選擇一些容易扭傷關節的運動為佳。

❤ 農曆正月
天合地合的月份，波折及變化較多，而且容易因小失大，宜以平常心應對。

❤ 農曆二月
桃花運頗強，但要注意人際關係，提防是非口舌纏身。

❤ 農曆三月
注意腸胃，小心飲食，出外用膳更要注意衛生。

❤ 農曆四月
手腳容易扭損的月份，但個人運勢不俗。

❤ 農曆五月
屬劫財的月份，不利投機投資，否則容易破財。

❤ 農曆六月
財運依然疲弱，若有人要求借錢的話，宜量力而為。

❤ 農曆七月
事業轉為順暢，工作運算是不錯，有機會表現自己。

❤ 農曆八月
桃花頗旺，但此段感情多屬霧水情緣。

❤ 農曆九月
合作機會頗多，財運亦算不俗，不過容易與朋友產生誤會，並要注意作息。

❤ 農曆十月
財運亨通，有利投機、投資，但也要注意家中男性長輩的健康。

❤ 農曆十一月
此月雙手特別容易受傷，人際關係也有點複雜，提防受三角關係糾纏。

❤ 農曆十二月
各方面漸趨穩定，事業上有升遷的機會。

	正月	二月	三月	四月	五月	六月	七月	八月	九月	十月	十一月	十二月
吉							▲					▲
中吉								▲		▲		
平		▲		▲					▲			
凶	▲		▲		▲	▲					▲	

每月運勢西曆日子請參閱頁348上的對照表

17.【庚辰日】創作力佳 慎防無辜受牽連

庚辰日出生者在蛇年有穩步上揚之運勢，財運平穩，事業方面則有不錯的升職機會，所以打工一族之事業運比做生意者更佳。若從事與創作相關的工作，例如設計、藝術或演藝界等，蛇年因靈感特別佳，所以表現也會更出眾。惟人際關係有倒退之象，容易惹來口舌是非，最好避免擔當中介或調停人之角色，以免捲入漩渦，受到他人之責怪或牽連。

庚辰日出生者中，以生於農曆十月至十二月的人士要加倍注意各種人際關係，而且特別需要留意兩件事。第一，已婚及有子女者，蛇年容易因小朋友問題而操心，有時甚至顯得煩躁不安；第二，若為管理階層，蛇年的下屬運較弱，容易因下屬的過失而被拖累，所以工作上不宜太假手於人。

財運方面 蛇年的財運屬於不過不失，但如果從事自由度高的職業，尤其是需要思考、策劃事情的工作，如公關、編劇、作家等等，因蛇年靈感豐富，容易受到讚賞，所以收入也較理想。經商者於蛇年之業績中規中矩，並要多加注意文件合約之處理，因為蛇年的官非運較強，提防因訴訟而招致輕微破財。所以凡是簽訂任何合約，務必多加注意細節。若有意投資，最少也要選擇兩年以上的投資期，不宜短炒。

事業方面 蛇年事業運不俗，因為流年正值進步運勢，鬥心比較強，做事也較勤奮，可主動爭取升職的機會。若從事「武職」工作，例如警察、消防員、海關等紀律部隊，蛇年更應好好把握。若為上司或老闆，蛇年的下屬運較弱，下屬未必滿意自己的決定，因而提出不滿；建議多與下屬深入溝通，了解他們想法，也認真考慮同事們的意見，事業或可更為順暢。

感情方面 單身女士的桃花運比男士稍強，但容易遇上一些年紀比自己小的對象，若不介意姊弟戀的話也可一試。男士在蛇年的桃花運只屬平平，已有伴侶者感情平穩，若為單身，蛇年則較難開展一段新戀情，有原地踏步之象。已婚人士在蛇年容易因子女問題而意見不合，建議先平心靜氣地討論，避免意氣用事，否則事情將一發不可收拾。

健康方面 龍年因有「辰辰相刑」之象，腸胃問題較嚴重，踏入蛇年則有好轉現象，病痛相對較少。不過由於癸巳蛇年屬「火剋金」的年份，容易引致庚辰日出生者的肺功能減弱，呼吸系統毛病如喉嚨痛、咳嗽、氣管炎等機會也增加。若本身有鼻敏感的話則更要留心，宜注意工作環境及家居的空氣質素，不妨多接觸空氣清新的大自然。若有抽煙習慣，最好積極戒除煙癮，以免進一步損害肺功能。

❤農曆正月
容易與人爭執，手部也易受創傷，宜避免做太劇烈的運動。

❤農曆二月
精神緊張之月，容易神經衰弱、睡眠失調，凡事不宜鑽牛角尖。

❤農曆三月
悶悶不樂，人際關係也較疲弱，宜多找朋友傾訴心事。

❤農曆四月
事業運強，有升職機會，不過工作壓力較大，要適當分配作息的時間。

❤農曆五月
此月官非運比較強，要看清楚文件合約才簽訂，慎防出錯。

❤農曆六月
貴人運強，不過在上司或老闆面前表現的機會不多，不妨主動努力尋找機會。

❤農曆七月
劫財的月份，切忌盲目投資，而且不宜與他人開展新的合作，否則容易破財。

❤農曆八月
仍然略有破財之象，工作方面也有出現一點波折，要投放更多的心思解決。

❤農曆九月
本月有利往外走動或搬遷裝修，即使無搬遷機會，也適宜稍為改變家居佈置。

❤農曆十月
學習運強，靈感豐富，宜把握機會實力；但也要留心子女或下屬方面出現問題。

❤農曆十一月
相沖之月，爭執較多，忌當中間人，以免受到牽連。

❤農曆十二月
工作壓力雖大，容易精神緊張，但事業運持續向上，發展理想。

	正月	二月	三月	四月	五月	六月	七月	八月	九月	十月	十一月	十二月
吉				▲								
中吉						▲				▲		▲
平	▲		▲						▲			
凶		▲			▲		▲	▲			▲	

每月運勢西曆日子請參閱頁348上的對照表

18.【辛巳日】工作辛勞　克服困難有望升職

除非是生於冬天，其他季節出生的辛巳日人士踏入癸巳蛇年後，因為本身日柱地支的「巳火」剋着天干的「辛金」，遇上這個行火運的蛇年便出現「火上加火」之局面，令流年運勢受到負面衝擊，工作方面尤其辛勞。當中又以夏天（農曆四月至六月）出生者的事業運最艱苦，工作壓力很大，有點透不過氣來，甚或因此而弄壞身體。

話雖如此，辛巳日出生者在蛇年的整體事業運仍在上升軌道上，只是過程中必須付出汗水和決心；若能咬緊牙關克服困難，打工一族於蛇年則有望升職，運勢比做生意的辛巳日出生者更佳。至於生於冬天（農曆十月至十二月）的辛巳日人士，因命格利火，遇上蛇年之火運反而有助提升運勢，大部分事情也能應付自如，走勢在一眾辛巳日出生者中最為理想。

財運方面　做生意的朋友在蛇年的官非運比較旺，加上蛇年容易受到財政拖累，所以應避免延長別人之還款期，新客戶的背景也應了解清楚才合作。蛇年也較易出現官非訴訟，舉凡文件、合約等要審慎覆核，否則容易招致破財。整體上，蛇年以正財為主，偏財運相對較一般，所以應避免大額投資或投放金錢在不熟悉的產品上。若想保值現金，可考慮中長線投資，以兩年或三年以上的投資期為佳。

事業方面　蛇年事業運向好，除了適宜多作外勤，也有利轉工。基本上蛇年是有望升職的年份，雖然薪金增加幅度不高，但職權比以往重，也得到公司同儕間的認同，上司和下屬均覺得自己做得不錯。惟工作量愈益增大，壓力也隨之增加。此外，同事之間也存在激烈的競爭，令你覺得辛苦難當。其實蛇年算是多勞多得的年份，辛苦得來還是會見成果，而且事業仍有進步的空間，不妨加把勁向前衝。

感情方面　單身男士處於一個原地踏步的狀況，較難遇上理想對象。單身女士則有望開展一段異地姻緣，雖然因地域所限，發展起來有一定難度，但戀情走勢仍算順利。不過心儀對象似乎本身已有一位穩定伴侶，且感情開始出現裂痕，而你的加入會變成三角關係的糾纏。已婚者在蛇年容易有喜，如想添丁可在蛇年加把勁。此外也要留意伴侶的健康，並避免因事業太忙而忽略雙方的感情。

健康方面 蛇年的健康運稍弱，先說身體方面，除呼吸系統較弱，容易患上氣管毛病外，又因流年犯「曲腳煞」，雙腳在蛇年特別容易受傷扭損；所以膝蓋、腰骨、關節等部位要加緊注意，有舊患者更要分外小心。精神健康方面，蛇年因工作壓力頗為沉重，常為不同事情操心，所以失眠情況也較常見。不妨多接近大自然，或抽空出門遠行減壓，回到工作崗位上表現反可令人眼前一亮。

❤ 農曆正月
注意人際關係，小心因說話而引發一些誤會，故此慎言為上。

❤ 農曆二月
提防雙手受傷，但財運不錯。

❤ 農曆三月
喉嚨、呼吸系統較差的月份，必須注意健康及避免到空氣混濁的地方流連。

❤ 農曆四月
事業運很強，但工作壓力很大，宜注意調節身心。

❤ 農曆五月
官非運強，要留心文件合約方面的事宜。

❤ 農曆六月
情緒比較低落，感覺難以尋求突破，悶悶不樂時不妨多找朋友傾訴。

❤ 農曆七月
屬劫財的月份，不宜投機投資，否則錢財有損失機會。

❤ 農曆八月
桃花運較旺，單身人士宜多加留意身邊的男女，從中把握機會開展新感情。

❤ 農曆九月
一切順遂，事業和財運都不錯，值得欣喜。

❤ 農曆十月
驛馬之月，適宜出外走動，公幹或旅遊皆有助運勢，但要提防受傷及注意道路安全。

❤ 農曆十一月
財運不錯，若身處異地更佳，有利賺取外地金錢或對外貿易。

❤ 農曆十二月
此月容易面臨感情抉擇之關口或身陷三角關係之糾纏，心情備受煩擾。

	正月	二月	三月	四月	五月	六月	七月	八月	九月	十月	十一月	十二月
吉								▲	▲		▲	
中吉				▲						▲		
平		▲										
凶	▲		▲		▲	▲	▲					▲

每月運勢西曆日子請參閱頁348上的對照表

19.【壬午日】財運回穩 調整心態部署發展

整體而言，壬午日出生者的事業運和財運在蛇年屬於不錯。壬午日出生者在壬辰龍年因受劫財運影響，難免覺得有財困之象。但踏入癸巳蛇年，壬午日出生者的財運將逐步改善，運勢開始回穩；與龍年相比，不但財運較佳，賺錢的門路也較多。事業方面的走勢也平穩向上，只不過自己覺得處於樽頸位，總想有一番突破，奈何蛇年不是適宜轉變的年份，只適宜為未來部署和綢繆，所以還是謹守崗位為佳。

壬午日出生者中，又以冬天（農曆十月至十二月）出生的人士運勢特別好，流年的火運可以進一步扶助自己之財運。但夏天（農曆四月至六月）出生者在蛇年卻出現「土困水」之象，如處身於困局中，局限了自己的發揮；雖然蛇年也有利賺取錢財，但同時有財來財去的情況。

財運方面 蛇年的收入有上升的趨勢，財運處於進步的年份。不過也要留心開支，因蛇年也略呈現破財之象，尤其做生意的朋友，慎防客戶借錢後一去不還，令你蒙受損失。因此壬午日出生者在蛇年要更小心處理借貸擔保的事情，不能掉以輕心。投資運方面也算不錯，但下半年運勢較理想，故此不論短炒還是中長線投資，皆宜選擇在入秋後進行，成功的機會較上半年大。

事業方面 事業運不錯，自己在蛇年也急於求變，例如轉換工作環境。但蛇年並非有利轉工之年份，留守原有公司，雖然工作壓力較大，反而升職有望。此外，蛇年的貴人運不算強，很多事情要依靠一己之力來完成，有時情緒難免有點低落，宜多找朋友傾訴，有助紓緩壓力。公司的管理階層也容易在蛇年出現變動，但影響有限，不用擔憂，整體事業走勢算不俗。

感情方面 男士們的感情生活較為多姿多彩，蛇年的桃花有眼花撩亂之感，自己也心大心細，不知如何選擇。已有伴侶的話，則要慎防外在引誘，令自己和另一半備受困擾。女士們在蛇年亦有患得患失的感覺，因為心儀對象似乎未有進一步的示意，有裹足不前之象；不妨找其他朋友幫忙，一同見面和活動，或可為感情困局帶來突破。已婚人士在蛇年則算順遂，沒有很大的衝擊，屬平穩的年份。

健康方面　由於水受土困，呈水火相沖之局，因此如果本身心臟、血管比較弱的話，蛇年更要多加調理。此外蛇年的體重上落幅度也比較大，宜多留意一些慢性疾病，尤其是與肥胖相關的隱疾，若等待問題呈現才處理，影響將更大。另外，蛇年也要多關注家人的健康，家人的小病小痛令你增添不少煩憂，尤其長者的健康問題更不應忽視，宜及早就醫以求安心。

❤ 農曆正月　學習運比較強，有利進修，但是非亦比較多。

❤ 農曆二月　桃花運比較旺的月份，容易出現新感情。

❤ 農曆三月　屬相沖的月份，人際關係有倒退的現象，容易與人爭執吵架。

❤ 農曆四月　工作壓力較大，且有失眠的情況，宜好好調節作息時間。

❤ 農曆五月　事業運不俗，雖然過程辛苦，但多勞多得，更有助增加升職機會。

❤ 農曆六月　官非運比較重，要留意文件合約方面的事，宜多加核對才作實。

❤ 農曆七月　工作比較順遂，創意行業尤其有利，宜抓緊機會展現才華。

❤ 農曆八月　家庭有困擾之象，宜多關心家人的問題，了解他們的需要。

❤ 農曆九月　此月有暗地破財之象，雖有新的合作機會，但空談居多，不宜輕信別人。

❤ 農曆十月　事業和財運皆順遂，更適宜往外走動，有利動中生財，但稍要留心健康。

❤ 農曆十一月　仍屬動盪之月，除出門或外勤，也可主動裝修家居或更換家俬，皆有助加強運勢。

❤ 農曆十二月　容易受傷的月份，慎防碰傷撞損，劇烈運動可免則免。

	正月	二月	三月	四月	五月	六月	七月	八月	九月	十月	十一月	十二月
吉		▲					▲			▲		
中吉	▲				▲						▲	
平												▲
凶			▲	▲		▲		▲	▲			

每月運勢西曆日子請參閱頁348上的對照表

20.【癸未日】進五退四 財運上落反覆

癸未日出生者在癸巳蛇年的運勢有一得一失之象，因日柱天干「癸」屬水，而蛇年有火運相助，變成行財運之年，此乃「一得」。然而出生日柱和流年之天干皆為「癸」，玄學稱為「比劫」，屬劫財之局，此乃「一失」。所以癸未日出生者在蛇年的整體運勢屬進五退四，程度輕重則視乎命格而定。

生於農曆十月至十二月者，命格屬「身強」，蛇年尚有餘錢儲蓄。但其他月份的癸未日出生者皆屬「身弱」，蛇年只是表面風光，即使收入不錯，最後還是財來財去。因此若有不急用的流動資金，不妨作穩健投資，如房地產或黃金等為佳。蛇年的工作壓力也大，加上兄弟姊妹和親戚朋友出現相求之象，因此要有心理準備賺到的財富，容易因不同事件而被蒸發一半。

財運方面 蛇年的正財收入不俗，但如前文所述會財來財去，支出甚多。要控制收支平衡的同時，也應避免做借貸擔保人，以免加強劫財之象。雖然蛇年的財富有曇花一現之象，各方面的開支也大，但始終財路比龍年開闊，為長遠的賺錢計劃打好根基。投資方面也不宜太冒險，但也不宜保留太多現金，以免白白因事流失；建議多購買有長遠保值能力的穩健資產，主動應驗劫財之象為佳。

事業方面 打工一族的薪酬加幅不錯，雖然工作辛苦壓力大，令人疲憊不堪，但能力上總算可以應付。蛇年整體競爭頗大，同事之間或公司之間都呈現輕微的明爭暗鬥，令人頗傷腦筋。不過，人際關係始終比龍年為佳，情緒也有進一步改善。整體而言，癸未日出生者事業運屬穩步上揚，雖然與自己理想預期仍有一段距離，但只要懂得知足，蛇年也是工作理想的年份。

感情方面 感情運變動之年，有伴侶的男士容易在蛇年出現新戀情，及有糾纏之象，新歡的出現讓你有意結束舊有關係。然而新戀情不算穩定，對方也是心大心細，所以不宜太過急進。至於女士方面，不論單身還是已有伴侶，也容易出現新桃花，但同樣也難以穩定發展。反而已婚人士在蛇年比較穩定，只不過因工作太忙，容易冷落對方，宜將時間好好分配，感情便可趨穩定。

健康方面　蛇年的最大問題出現在眼睛上，容易患上眼疾，如眼睛發炎、紅眼症等等，所以應加緊注意個人衛生。癸未日出生者的情緒在蛇年較低落，雖然已比龍年有所改善，但始終不時感到鬱悶，所以不妨多做運動，或約大伙兒去大自然舒展身心。另外蛇年也要注意腸胃問題，少吃生冷或煎炸食物，出門旅行時要注意當地食肆的衛生，慎防水土不服，出現肚瀉吃藥之象。

❤ 農曆正月
學習運不俗，但下屬運較弱，已婚人士容易為子女煩惱。

❤ 農曆二月
工作上較多應酬，所以休息較少；略有是非口舌，慎言為佳。

❤ 農曆三月
財運不俗，但要留意官非，注意文件合約之簽訂。

❤ 農曆四月
此月較易患上眼疾，而且工作壓力很大，情緒亦較低落。

❤ 農曆五月
天合地合的月份，心情較煩擾，凡事宜有兩手準備。

❤ 農曆六月
事業運強，但工作壓力亦大，並多注意文件合約之處理。

❤ 農曆七月
貴人運強，宜把握機會，盡情發揮所長。

❤ 農曆八月
工作依然順暢，更有望解決之前積存的問題。

❤ 農曆九月
人際關係變得複雜，易有人事紛爭，應避免做中間人或介紹人，以免被責怪。

❤ 農曆十月
屬劫財的月份，財運一得一失，錢財有損失但又會有賺錢的機會。

❤ 農曆十一月
此月容易受傷，平日常做運動的人士要注意，小心手腳扭損。

❤ 農曆十二月
適宜往外地走動或出外公幹，不妨選擇與家人一起旅遊。

	正月	二月	三月	四月	五月	六月	七月	八月	九月	十月	十一月	十二月
吉							▲	▲				
中吉			▲			▲						▲
平	▲	▲							▲	▲		
凶				▲	▲						▲	

每月運勢西曆日子請參閱頁348上的對照表

21.【甲申日】巳申相合　工作人事反覆多變

甲申日出生者癸巳蛇年宜有心理準備，因為蛇年將是變化較多的年份。由於出生日與流年的地支有「巳申相合」之象，屬於「合日腳」或所謂的「日犯太歲」，比「年犯太歲」影響更大。

蛇年的事業星因被「合走」，故甲申日出生者在蛇年容易出現工作上的重大變化，例如上司或老闆的人事變動，或因公司之間的收購合併而波及自己的工作運。既然蛇年主有事業變動，所以打工一族也可積極考慮轉工，不過因流年運勢始終比較反覆，下決定前應深思熟慮。可幸的是，流年「巳申相合」也帶來貴人的幫助，所以危中有救。另外，「合日腳」之年同時有人事糾紛之象，夫妻之間也易生口角；如能在蛇年主動舉辦喜事，如結婚、添丁或置業等，皆有助把「合日腳」帶來的動盪減至最低。

財運方面　若與龍年比較，蛇年賺錢及儲蓄的能力皆比龍年遜色。因為「合日腳」的年份屬於吉中藏凶，雖然有一點偏財運，但投機、投資方面只宜以小額方式來「刀仔鋸大樹」；若大肆投資的話，往往會失敗收場，更容易出現「三更窮、五更富」的情況。但如果能穩打穩扎地工作，偏財方面也不太貪心，蛇年的整體財運還是大致順暢的。另外，蛇年不宜作任何借貸擔保，否則很大機會招致損失。

事業方面　因為掌管事業的流年官星被「合走」，所以甲申日出生者在蛇年出現明顯的事業變動。例如新上司登場後，要與自己磨合一段時期才可順暢地合作，又或者公司出現重組，令你的職權也有所變動。蛇年是特別想轉工的年份，但上半年的運勢對轉工不太有利，建議入秋後才落實為佳。另要注意，最好確保新公司正式聘請自己才請辭，否則辭職後新公司才有變動，屆時便令你進退兩難了。

感情方面　單身男士在蛇年有不少新桃花，甚或有女士主動向自己示好；雖然感情生活多姿多彩，但戀情穩定性不高。已婚人士在蛇年的爭拗特別頻繁，易因小事吵架或外在引誘而引發三角關係。女士的感情運更明顯，甚至有輕微的分手運，所以拍拖中的女士與伴侶之關係容易變得緊張。此外，蛇年也要留心伴侶的健康，宜予對方多一點關心，或抽空一起去旅行，有助鞏固感情。

健康方面 甲申日出生者在龍年特別多小毛病，如傷風感冒、頭痛咳嗽等等，打針吃藥的情況比較多。踏入蛇年，健康運有所改善，但要留心關節方面的問題，尤其膝頭、腰骨等部位較易扭傷撞損。若平日有做運動的習慣，則更要慎防手腳等關節部位勞損；最好避免做一些大幅度扭動關節的劇烈運動，寧願選一些比較輕巧的柔軟運動，總之健康安全為上。

❤ 農曆正月
健康運稍弱，但毛病可短時間內痊癒；另要注意道路安全，駕車人士要更加謹慎。

❤ 農曆二月
有貴人幫助，工作方面算是順遂，但同時略有破財之象。

❤ 農曆三月
財運不錯，偏財運也有提升，可作投機投資，不過仍要量力而為。

❤ 農曆四月
事業變化的月份，職務或有變動，宜有心理準備加以適應。

❤ 農曆五月
是非口舌較多，要留心人事方面的問題。

❤ 農曆六月
正財不俗，但財運一得一失；男士桃花運暢旺，單身者宜好好把握。

❤ 農曆七月
爭吵較多，工作辛苦，因而承受不少壓力，凡事以和為貴。

❤ 農曆八月
事業運還算理想，桃花也有不少，但要提防陷入三角關係。

❤ 農曆九月
財運不俗，貴人運也理想，可在職場上盡情發揮自己所長。

❤ 農曆十月
多思多慮之月，常常鑽牛角尖，不妨多找三五知己傾訴心聲。

❤ 農曆十一月
工作尚算順遂，但容易損失金錢，宜好好控制開支。

❤ 農曆十二月
財運回穩，更有向上之勢，不過需多留意家中長者的健康狀況。

吉									▲			
中吉		▲	▲									▲
平				▲		▲		▲		▲	▲	
凶	▲				▲		▲					
	正月	二月	三月	四月	五月	六月	七月	八月	九月	十月	十一月	十二月

每月運勢西曆日子請參閱頁348上的對照表

22.【乙酉日】健康好轉 事業愛情皆順意

乙酉日出生者在龍年因為受到「辰酉相合」影響，身體方面容易出現一些小毛病，事業和感情運也有小波折，需要花點時間和精力去解決。但踏入癸巳蛇年後，健康狀況已有所改善，事業運也較龍年好轉，只不過人事上仍有一些糾纏和紛爭，幸好問題不算嚴重，整體仍屬順意的一年。

乙酉日出生者蛇年工作和感情都較為順暢，而且容易出現不少新的合作機會，有助開拓視野，增進見識，令事業有所提升，連財運也漸趨進步。雖然運勢頗佳，也有貴人的幫助，但自己對新的工作或挑戰比較陌生，有時會擔憂難以應付而受到困擾。另外，人際關係也出現一些是非口舌，令你更添煩亂。其實只要耐着性子處理，問題便可慢慢消散，不必太杞人憂天。

財運方面 蛇年的事業運因為出現新方向，帶動財運也有上升之象。尤其做生意者在蛇年會有較多新的商機和合作，也有較大機會可以取得成功，令收入提升。惟要留心人事方面的紛爭，管理方面或會出現一些小問題，下屬不是味兒之餘，自己也有點生氣。但整體而言，蛇年的收入頗可觀，也有餘錢作儲蓄，加上貴人運頗暢旺，連帶蛇年的偏財運也理想，不妨作適量的投機、投資，可進一步增加收入。

事業方面 蛇年出現頗理想的晉升機會，身邊也有不少貴人相扶，令自己在新工作上更為揮灑自如。雖然有時工作量頗大，但上司總算對自己不錯，提供有力支持。反觀與下屬合作方面或會出現問題，有必要加強溝通。蛇年也適宜進修，宜選擇合適課程鞏固自己事業的基礎。但蛇年的工作運不適宜主動求變，所以留守原來的公司，運勢會比轉職更為理想。

感情方面 女士在蛇年的桃花運比男士較強，多是從朋友圈子裏認識合眼緣的對象，再進一步發展成為情侶。至於男士也有一些新的發展機會，不妨多留意工作上經常接觸的異性。已婚人士在蛇年或會出現一些小風波，問題多是源於自己或伴侶家人、朋友的閒言閒語，所以已有伴侶者在蛇年應避免捲入對方的其他生活圈子，也盡量與對方的家人保持距離為佳。

健康方面 龍年時受「辰酉相合」的影響，較大機會出現腸胃毛病；蛇年的腸胃問題減輕不少，但要留心氣管、呼吸系統、肺部方面的毛病。若一向呼吸系統較弱或有長期吸煙習慣的話，蛇年則要加倍注意相關問題；下定決心在蛇年戒掉煙癮，對蛇年的健康運有很大幫助。此外有鼻敏感的人士，問題也有加劇之象，宜少到空氣混濁的地方，多到郊外呼吸新鮮空氣為佳。

❤ 農曆正月
財運還算理想，但轉瞬間便花掉，呈一得一失的現象。

❤ 農曆二月
桃花運較旺，但同屬有人事紛爭的月份，夫妻間慎防小事化大。

❤ 農曆三月
出現新的合作機會，但新舊工作交接令你加添壓力，需多花時間專注。

❤ 農曆四月
大致延續上月的運勢，工作上仍多新機遇，雖難以全部落實，但情況已有改善。

❤ 農曆五月
財運不俗，正偏財皆頗理想，有餘錢的話更可作投機、投資。

❤ 農曆六月
財運有一得一失的情況，收入增加，但很快又破財。

❤ 農曆七月
煩惱特別多，出現不少波折，宜有兩手準備應付突發問題。

❤ 農曆八月
健康較差，身體容易患上小毛病，駕駛人士要多注意道路安全。

❤ 農曆九月
貴人運轉強，但應酬較多，以至作息容易失調，影響休息質素。

❤ 農曆十月
驛馬運強，適宜到外地公幹，賺異地錢，或在本月出遊也對運勢更有利。

❤ 農曆十一月
貴人運佳，有來自兄弟姊妹或親戚朋友的幫忙，令工作更順利。

❤ 農曆十二月
有破財的機會，不宜投機、投資，也要慎防口舌是非方面的問題。

	正月	二月	三月	四月	五月	六月	七月	八月	九月	十月	十一月	十二月
吉					▲					▲	▲	
中吉				▲					▲			
平	▲	▲	▲			▲						
凶							▲	▲				▲

每月運勢西曆日子請參閱頁348上的對照表

23.【丙戌日】重上軌道　安穩度過「火」旺年

丙戌日出生者在癸巳蛇年之前連續經歷了兩年的動盪，幸好踏入蛇年，運勢終於回穩，一切可重新起步。丙戌日出生者在二〇一一兔年時先受「天合地合」的影響，到二〇一二龍年時又遇上「天剋地沖」，象徵這兩年的運勢皆十分多變。如果在二〇一一至二〇一二年計劃及落實喜事，如結婚、添丁、置業等等的話，則可把運勢推向正面的變化，否則會有不少意料之外的問題，令你深受困擾。

蛇年是重新開始的年份，各方面皆重上軌道，雖然因為流年火旺，容易有金錢上的損失，但整體比過去兩年安穩，有利重新掌握自己的發展方向。總言之，蛇年的財運、事業運、感情運和健康運都屬於大致平穩，即使偶爾有問題出現，自己也可應付過去，不會面對太大難題。

財運方面　蛇年的收入中規中矩，但因屬破財的年份，所以開支方面要加緊留意。尤其做生意者有必要加強控制成本，將額外的花費減至最少，並要預留儲備作意外開支之用，以免財運的上落太大。投資方面，農曆十月至十一月出生者可作小額嘗試，但其他月份出生者的偏財運較差，尤其農曆四月至五月出生者，投機、投資可免則免。總之蛇年是難以剩錢的年份，總體收入能維持正常已不錯。

事業方面　打工一族屬表面風光，職權雖有提升之象，但薪酬加幅不太理想，變相只是工作量增加。可是蛇年並非變化年，不宜在蛇年轉工；尤其若龍年已轉了工，蛇年便屬穩定發展期，雖然要辛勞工作，但同事和上司之間的合作尚算協調，能夠提供足夠的助力讓你克服工作上的困難。因此蛇年留守現有公司工作，反而有慢慢進步之象，比向外闖更佳。

感情方面　單身女士在蛇年有很大機會找到心儀的異性，對方的背景和學識也不俗，惟對方有點舉棋不定，令彼此關係難以突破，總在朋友與情人之間徘徊。至於單身男士，假若兔年或龍年皆沒有喜事沖喜，那麼蛇年的感情運還是處於重新開始的運勢，仍有機會遇到心儀對象；不過關係未算穩定，不宜太過投入。已婚者的關係則屬平穩，動盪過後，蛇年更能體會平淡是福。

健康方面 蛇年的健康運同樣比前兩年安定，但「火旺土重」之年，丙戌日出生者必須注意腸胃問題，尤其蛇年出門公幹或旅行容易水土不服，要更注意當地食肆的衛生。蛇年也屬「水弱」之年，丙戌日出生者要留心膀胱、腎臟這類與水相應的器官，並要慎防患上眼疾。幸好，即使有健康毛病皆是小病小痛為多，問題不算嚴重，只要及早就醫便可逐步痊癒。

❤ 農曆正月
貴人運不俗，長輩運亦強，宜專注工作，表現會更理想。

❤ 農曆二月
此月財星有被合走之象，稍一不慎容易招致損失，並要提防有借無還。

❤ 農曆三月
天干出現比劫，地支則受沖，破財之象大增，人事摩擦也較多，宜以和為貴。

❤ 農曆四月
財運持續疲弱，宜避免投機、投資，謹慎理財為佳。

❤ 農曆五月
容易受傷的月份，駕車人士要特別注意路面安全；學習運強，但小心口舌。

❤ 農曆六月
此月下屬失誤容易波及自己，故應在事前多作審核，將出錯的機會減至最少。

❤ 農曆七月
財運順遂，可作較進取的投機或投資。

❤ 農曆八月
天合地合之月，容易出現感情煩惱，而且諸事阻滯不斷，處事宜有兩手準備。

❤ 農曆九月
屬輕微相沖的月份，容易頭痛及心情低落，適宜找朋友傾訴開解。

❤ 農曆十月
事業運轉強，工作發展上出現新的局面，讓你有更多選擇。

❤ 農曆十一月
事業依然旺盛，不過工作壓力很大，不妨多做運動或到大自然舒展身心。

❤ 農曆十二月
人事較多問題，宜找中間人作調解，幫忙解決與人際關係有關的紛爭。

	正月	二月	三月	四月	五月	六月	七月	八月	九月	十月	十一月	十二月
吉	▲						▲			▲		
中吉					▲						▲	
平				▲								
凶		▲	▲			▲		▲	▲			▲

每月運勢西曆日子請參閱頁348上的對照表

24.【丁亥日】天沖地沖　結婚買樓有助化解

丁亥日出生者在癸巳蛇年會遇上天干、地支同時相沖之象。這種相沖是六十年一遇，所以要有心理準備蛇年的變動會特別多。其實天沖地沖不一定代表運勢變差，只不過是處於變化、不穩定的狀況。如果在天沖地沖的前一年，即壬辰龍年舉行喜事，如結婚、添丁或置業等等來沖喜，則有利癸巳蛇年的運勢向正面發展。

如龍年未有舉辦喜事，也可於蛇年積極籌辦，或於蛇年落實有關計劃而於翌年（馬年）舉行，也可化解「雙沖」帶來的波動。如果始終沒有發生任何喜事，那麼蛇年便有充滿意料之外的變化。但謹記「沖」屬中性，不代表運程欠佳，只意味事情產生變化，例如突發性地轉工、搬屋或感情上離離合合等。總之蛇年乃動盪之年，如能主動求變則可減低其他突發性的衝擊機會。

財運方面　正財一般，而「天沖地沖」之年也不適宜作大額投資。但如有意轉投從商之路，或做生意者想拓展一盤新生意，創業也算是沖喜的一種，可以一試。但提防運勢「吉中藏凶」，即使眼前形勢不俗，也以保守謹慎為上，不宜盲目投放大量資金。如投資金額有限，在自己能力範圍以內，也值得一試。此外若與他人合作經營，蛇年容易出現與拍檔之間的爭拗，宜謹慎處理。

事業方面　蛇年驛馬運較強，若公司讓你到外地出勤或駐守海外分公司的話，固然是比較理想，但自己主動要求出差也不失為好事，因為「不動不動還需動」，蛇年是愈動愈起勁的年份，不宜長期處於公司內，否則或受「雙沖」的影響而備受困擾，甚至人際關係也受到衝擊。若有意轉工，蛇年也可一試，不過轉工後或未如心中所想，易有新不如舊的感覺，宜有心理準備。

感情方面　踏進關口之年，感情出現「不結即分」之象，計劃結婚乃最理想的「沖關」方法，否則要有心理準備蛇年會有分手危機。已婚人士若於龍年或蛇年有喜，則應驗了變化之象，否則便要慎防與伴侶出現嚴重爭執，甚或有第三者入侵。總之蛇年最好與伴侶聚少離多，感情反而更佳。單身者則有利遇上異地姻緣，奈何「天沖地沖」的年份裏的多是短暫情緣，若想天長地久的話，還需苦心經營。

健康方面「天沖地沖」對健康運的衝擊特別大，萬事皆要小心，最好趁龍年尚未過，先做一個詳細的全身檢查，若有問題也可早日解決。無論如何，蛇年的健康運始終較弱，其中最易撞傷跌倒，劇烈運動可免則免。駕駛人士也因「巳亥沖」而多機會出現碰撞情況，要更注意道路安全。蛇年出門也容易遺失財物如行李，所以務必購買旅遊和意外保險。「雙沖」之年不妨捐血洗牙，助人助己，有利穩定運勢。

❤ 農曆正月

屬「合日腳」的月份，麻煩事情較多，亦容易動氣，並要注意家中長輩之健康。

❤ 農曆二月

貴人運漸漸轉強，在長輩或朋友扶持下，工作開始順遂。

❤ 農曆三月

屬劫財的月份，不適宜投機投資，還是持盈保泰更佳。

❤ 農曆四月

容易破財，或有機會出現工作或家宅上的變動，適宜往外地公幹或旅遊。

❤ 農曆五月

事業運有好轉迹象，工作漸上軌道，發展前景不俗。

❤ 農曆六月

有是非口舌方面的爭執，宜少說話多做事。

❤ 農曆七月

財運不錯，不過要留意家中男性長輩的身體健康。

❤ 農曆八月

感情多姿多彩，但要慎防誘惑，有伴侶的人士或會出現三角關係。

❤ 農曆九月

工作壓力大，容易失眠、焦慮，但事業穩步上揚，辛苦得來有價值。

❤ 農曆十月

此月有利走動，工作運強，容易動中生財。但官非運也強，要多注意文件合約的細節。

❤ 農曆十一月

有貴人扶持，遇有問題多向長輩或朋友請教，自然可助你解決困難。

❤ 農曆十二月

運勢平穩，而且財運順遂，打工或做生意者的收入也不俗。

	正月	二月	三月	四月	五月	六月	七月	八月	九月	十月	十一月	十二月
吉		▲			▲						▲	▲
中吉							▲			▲		
平				▲				▲	▲			
凶	▲		▲			▲						

每月運勢西曆日子請參閱頁348上的對照表

25.【戊子日】整體向上 凡事平常心看待

戊子日出生者，本身命格水旺，癸巳蛇年因「火土」較旺，正好與出生日命格起互補的作用，有助蛇年的運勢，令多方面皆有進步。除了財運有提升之勢，貴人運也比以往強勁，帶動事業有明顯的躍進。

雖然運勢順暢，但戊子日出生者因與癸巳蛇年的天干呈「戊癸相合」之象，對情緒帶來影響，容易出現精神緊張和神經衰弱。即使明明運勢發展理想，但自己在蛇年總容易為各種小事而過度焦慮，以至常常患得患失。其實癸巳蛇年沒有特別大的困阻，建議時常提醒自己放鬆心情，凡事以平常心看待，即使偶爾遇上波折和變化，也切忌心浮氣躁。若情緒受困，不妨多找身邊的朋友傾訴；始終蛇年有貴人鼎力支援之象，應可助你解決問題，度過開心愉快的一年。

財運方面 由於流年天干「癸水」通根至個人出生日的日腳「子水」中，寓意打通財路，財富有不錯的增長，更容易有賞識自己的人士提出合作要求。從商者在蛇年的發展空間更大，正財收入可觀，也有餘錢可作儲蓄。所以有意拓展生意的人士不妨在蛇年大展拳腳，積極進取一點。惟要注意蛇年容易因計算過度而作出錯誤判斷，建議以輕鬆心態面對抉擇，反而會有意料之外的收穫。

事業方面 從事經常接觸客戶的營銷工作或公關的朋友，蛇年的發揮較佳，更因貴人前輩的關顧帶來不俗的收入。至於行政管理人員，雖然事業運不俗，也有頗理想的加薪幅度，但同時需面對不少人事上的煩惱，令你自覺工作備受掣肘，進退維谷，甚至萌生轉工的念頭。其實打工一族在蛇年留守原有崗位較佳，即使略有人事問題及職位未有調升，但工作表現仍是會受到上司讚賞。

感情方面 單身男士或因遇上女士主動表白而無所適從。其實對方背景不錯，即使不是最喜歡的類型，性格也比較強，但若感情一直落空，不妨跟她嘗試發展。單身女士也有機會在蛇年遇上投緣對象，儘管對方在某些方面不符合自己的擇偶條件，但也值得一試。當然，若要開花結果則仍需時間培養，始終蛇年對感情的態度較多有懷疑。已有伴侶者的感情生活較穩定，已婚者更有機會在年內添丁。

健康方面 由於對事業過度焦慮和擔心，故失眠情況常常出現，更甚者時常疑神疑鬼，總覺自己健康出現問題。其實大部分問題皆因過慮造成，建議可在踏入蛇年前先做身體檢查，以求心安理得。蛇年出現「水過旺」之象，女士要特別關注婦科、皮膚方面的問題，化妝及護膚品要謹慎使用，以免過敏。已婚男士則要多加留意妻子的健康，伴侶在蛇年的小毛病較多，容易令你操心。

❤農曆正月
事業發展不錯，職位或有輕微調升，惟工作壓力較大，要注意作息時間。

❤農曆二月
人際關係方面出現倒退，小心得罪別人。

❤農曆三月
工作運不錯，財運亦算穩定。

❤農曆四月
貴人運強，不過略有破財之象。

❤農曆五月
此月有較多變化，適宜往外走動，可選擇出門旅遊；伴侶之間易有摩擦，慎防小事化大。

❤農曆六月
陷入「土困水」的局面，財政或出現困難，宜及早做好理財策劃。

❤農曆七月
是非口舌比較多，但事業運的表現不錯，職場上有發揮的空間。

❤農曆八月
感情路上或會出現誘惑，需自我克制，以免覆水難收。

❤農曆九月
財運順遂，事業運亦不錯，不妨好好把握機會，一展所長。

❤農曆十月
焦慮煩惱的月份，容易鑽牛角尖，宜多找三五知己傾訴。

❤農曆十一月
財運和事業運都不錯，正財收入理想。

❤農曆十二月
破財之月，與別人合作容易出現錢財糾紛，小心因財失義。

	正月	二月	三月	四月	五月	六月	七月	八月	九月	十月	十一月	十二月
吉			▲						▲		▲	
中吉	▲						▲					
平				▲	▲					▲		
凶		▲				▲		▲				▲

每月運勢西曆日子請參閱頁348上的對照表

26.【己丑日】貴人運強　夏冬出生運勢各不同

己丑日出生者的命格屬土，而大部分人的命格用神皆需要火，遇上癸巳蛇年，因得「巳火」之助，原則上對大部分己丑日出生者的運勢皆有利。尤其下半年出生者，出生時因天氣已轉涼，若生於農曆十月至十二月的話，命格更需火來照暖，所以癸巳蛇年的運勢更佳，事業及財運會較為理想。

相反，若於上半年出生，尤其是農曆四月至六月的人士，因命格「火土」較多，踏入蛇年縱然有貴人扶持，惟財運欠佳，得益不算理想，只稱得上不過不失。幸好，己丑日出生者的地支「丑」與流年地支「巳」有暗會合之象，寓意與人合作的機會湧現，不論任何季節的出生者在事業上也可尋求突破，期間更得到貴人幫忙，得以在新的業務領域有順遂的開端，發展所長。

財運方面　做生意者有「巳丑相合」之助，可擴展自己的業務版圖，財路更廣，加上舊有客戶的支持，生意可望有所增長。不過別人提出的合作建議或需時落實，洽商中途出現拉鋸之象，要有心理準備需經一段頗長時間的洽商，才可將合作落實。偏財運亦可，但需花時間和精神研究，不能單靠幸運而得財，尤其別聽信小道消息炒賣。蛇年謹記量入為出，以免因無謂的開支而失去預算。

事業方面　己丑日出生者在蛇年的人緣特別不錯，對「以口得財」的銷售人員最為有利，親身與客戶會面，成功機會率更高。打工一族升職有望，但職銜的提升不代表職權的改變，未必如想像般理想，稱不上有大幅度進步。幸好有長輩的支持，同事、老闆與自己的關係也算不錯，工作尚算開心滿意。另外，蛇年並非適宜轉換工作的年份，不如專心留在公司發展，靜待另一次升遷機遇。

感情方面　單身男士有機會在自己的生活社交圈子裏，遇上彼此心儀的對象，由於此段戀情由好感開始醞釀，基礎穩固，開花結果的成數較高。女士的桃花則屬曇花一現，對男伴底蘊不太清楚，也不知是否已有女友；即使對方為單身，也不清楚他是否願意與自己發展，令自己陷入疑幻疑真之中，備受困擾。已婚人士感情關係則屬穩定，可度過開心甜蜜的一年。

健康方面「火土」較重的年份，要注意與「水」相應的器官，包括腎臟、膀胱等出現的痛症，腸胃也比較弱，不宜進食生冷及煎炸食物，出門旅遊也宜盡量選擇一些較衛生的食肆光顧，以免增加腸胃病的風險。此外也要提防一些小病小痛，如傷風、感冒、咳嗽、牙痛等困擾，不過原則上並無大礙，可以平穩度過。但除了自身的健康外，蛇年也要多加關注家人的健康。

❤ 農曆正月
官非運比較旺，要看清楚文件合約的內容，以免失財。

❤ 農曆二月
事業運強，有升職機會。

❤ 農曆三月
破財的月份，容易招致損失，要小心支出的方向。

❤ 農曆四月
受人事關係方面困擾，戀情上也容易出現三角關係，易生煩惱。

❤ 農曆五月
貴人運強，但此月又現破財之象，必須謹慎理財。

❤ 農曆六月
親朋戚友容易帶來麻煩，凡事量力而為較佳，不妨多向外走動，有助改善運勢。

❤ 農曆七月
學習運強，但容易招惹是非口舌，勿做中間人角色，以免兩面不討好。

❤ 農曆八月
下屬運疲弱，最好加倍監督下屬的工作，讓出錯的機會減至最少。

❤ 農曆九月
心情煩躁的月份，可以考慮往外走動，會令自己運勢更為順遂。

❤ 農曆十月
身體比較差，但財運和事業運大概保持順境。

❤ 農曆十一月
天合地合的月份，易有不同變化，例如為家事而煩惱，工作運也較反覆，需加倍用耐心處理。

❤ 農曆十二月
事業運好轉，但工作壓力比較大，不妨多找朋友同事傾訴，有助紓緩壓力。

	正月	二月	三月	四月	五月	六月	七月	八月	九月	十月	十一月	十二月
吉		▲										
中吉							▲			▲		▲
平					▲	▲			▲			
凶	▲		▲	▲				▲			▲	

每月運勢西曆日子請參閱頁348上的對照表

27.【庚寅日】日犯太歲　健康欠佳事業尚算順暢

踏入二〇一三癸巳蛇年，庚寅日出生者因自己出生日的地支「寅」與流年地支「巳」形成「寅巳相刑」之象，屬於「日犯太歲」的一種，要有心理準備發展上會較多阻滯，運勢也有反覆無常之勢，凡事宜作兩手準備，以免被突如其來之事打亂陣腳。

整體來說，庚寅日出生者在蛇年的事業運和財運也非大敗之象，只不過瑣碎困擾之事情較龍年多。健康方面，蛇年也較多小病小痛，加上瑣事纏繞，情緒易受牽動，令你有點迷失方向。只要明白運勢總有高有低，以平常心面對障礙，這些問題絕非想像中般難以應付。如果情緒持續不穩，不妨多接觸大自然或出門散心，總言之蛇年只要對人際關係和健康多加留意，大致上也無大礙。

財運方面　蛇年以正財收入為主，做生意者不宜拓展新業務，繼續保持原有業務經營為上，否則容易遇上波折，更有破財的風險。此外，蛇年容易與下屬或同行之間有口舌之爭，所謂和氣生財，爭拗不休只會影響正常生意運作。蛇年也務必謹慎處理文件合約買賣，貸款予他人時也要量力而為；始終蛇年有周轉不靈的危機，要有未雨綢繆的準備，加上偏財運欠佳，投資、投機可免則免。

事業方面　其實打工一族在蛇年本有升職的機會，不過蛇年的人事糾紛同樣特別多。首先自己與上司的關係不太協調，如為管理階層的話，下屬運也欠佳；員工不太聽從自己的吩咐，難免經常為下屬的對抗而動氣，所以很多事情只好親力親為。正因人事不和，蛇年也易萌生轉工的念頭，奈何轉工的機會匱乏，難以達成心願。其實原有公司的發展尚算不錯，只要忍耐一點，改善人事關係，發展應比轉工為佳。

感情方面　有伴侶的男士對現任女友容易出現不滿，雖未至於即時分手，但已陷入危機。為免拖拖拉拉，宜冷靜細想彼此關係，果斷作出決定。單身女士桃花運尚可，容易遇上年齡比自己小的對象，不介意姊弟戀的話不妨一試。已婚人士則容易為瑣碎事而爭執，更有小事化大之象；建議勿意氣用事，互相忍讓之餘，也應多為對方的處境着想，平日也加強溝通，便可減輕問題。

健康方面 傷風感冒等輕微疾病在蛇年相對較多，雖然並非嚴重毛病，但也令你備受困擾，也增添更多憂慮。不妨在踏入蛇年前，先抽空作健康檢查，務求心安理得。蛇年也要多關注膝蓋、腰骨等部位，慎防扭傷出現痛症；若本身已有相關部位的舊患，蛇年也有復發之象。另外要留心肝臟方面的健康，飲酒不宜過量，徹夜工作更是可免則免，否則會更損肝臟之健康。

❤ **農曆正月**
屬相沖的月份，留意人際關係，切勿動氣，以和為貴較佳。

❤ **農曆二月**
天合地合之月，運勢比較反覆，適宜多加耐性，便可安然度過。

❤ **農曆三月**
事業運暢旺，惟工作壓力較大，工作會比較辛苦。

❤ **農曆四月**
身體較差，尤其是關節方面，有舊患的人士要格外留神。

❤ **農曆五月**
事業運強，工作順遂。

❤ **農曆六月**
貴人運強，但容易鑽牛角尖，令自己情緒低落，宜找人多作開解。

❤ **農曆七月**
相沖的月份，要注意道路安全，駕駛人士更要加倍注意交通安全。

❤ **農曆八月**
此月容易有財物損失，留心開支的方向，勿作無謂的消費。

❤ **農曆九月**
事業上出現新的合作機會，但不要輕信別人，宜考慮得周詳一點才下決定。

❤ **農曆十月**
此月煩惱較多，也是破財的月份，投機、投資容易損失金錢。

❤ **農曆十一月**
人事糾紛令你十分煩躁，凡事以和為貴會比較理想。

❤ **農曆十二月**
頭部易受傷或出現病痛，但事業運和貴人運皆不錯。

	正月	二月	三月	四月	五月	六月	七月	八月	九月	十月	十一月	十二月
吉					▲							
中吉			▲									▲
平		▲				▲			▲		▲	
凶	▲			▲			▲	▲		▲		

每月運勢西曆日子請參閱頁348上的對照表

28.【辛卯日】平穩之年 應酬頻密有利進修

出生於辛卯日的人士在壬辰龍年頗多人事困擾，因自己出生日的地支「卯」與龍年地支「辰」呈現「卯辰相害」之象，陷入「日犯太歲」的局面，引致人際關係也大受影響。但踏入癸巳蛇年後，心情明顯轉趨開朗，對人對事均較樂觀積極，人際關係自然大為改善。

辛卯日出生者在蛇年的事業運也有輕微突破，不過整體上未達至收成階段，一切只是發展之中，所以蛇年的事業運只稱得上平平穩穩。另外，蛇年的應酬也比過去頻繁，當中不少更是與朋友吃喝玩樂的聚會，或多或少影響工作，甚至令惰性上升，失去事業目標。不如視此年為播種期，選擇與工作有關的科目去進修學習，反而更有助未來事業發展。

財運方面 從事以「口才得財」的工作，例如推銷、公關或律師等等，蛇年發展會較為理想，若親身與客人會面，業績將更佳。投機投資方面，蛇年只適宜以穩健為主，中長線投資比短炒更有利。另外，蛇年的下屬運也較疲弱，甚至易因下屬的過失而要承擔責任，招致相關的損失，宜加緊審核下屬之工作。已婚而有長大成人之子女者，也適宜預留一筆儲備，子女或有錢財上的問題需要你出財支援。

事業方面 相比龍年，蛇年人際關係轉佳，同輩之間的競爭減少，工作壓力也相應減輕，心情開朗暢快；若為管理階層，自己與上司和下屬的關係都不像龍年般緊綳，自然更覺輕鬆。打工一族也有升遷的機會，雖然薪酬加幅未必如自己所想，不過權責增加，仍稱得上是輕微進步的年份。另外，蛇年也有不錯的學習運，不妨選擇與自己行業相關的課程報讀或投考專業試，有助長遠的事業發展。

感情方面 不論男女，由於應酬活動多多，遇上心儀對象的成數也增加，不妨在朋友堆中努力找尋合緣的異性。女士桃花運不錯，對方大多屬於外向活力型，比較健談，應有不錯的發展。至於單身男士也有利結識合適對象，雖然對方的外形、背景各方面條件都不錯，但長遠相處下來或會性格不合，所以宜抱觀望態度。已婚人士的感情大致趨向穩定，只是容易為子女的事情而煩擾。

健康方面　辛卯日出生者因其天干「辛金」受到剋制，所以蛇年要特別注意呼吸系統的毛病，如喉嚨、氣管、肺部等等也會較弱，容易出現鼻敏感、喉嚨發炎、咳嗽等輕微毛病，若本身已有哮喘的人士則要更加小心調理身體。有抽煙習慣者，建議在蛇年戒掉煙癮，另外也要注意頻繁的應酬容易引致心廣體胖，要注意均衡飲食，並留意血壓或心臟毛病。

❤農曆正月
易招錢財損失，不適宜進行投機、投資等活動。

❤農曆二月
財運趨順，不過是一得一失的月份，或有額外支出抵消收入。

❤農曆三月
人事糾紛頻仍，而且呼吸系統或出現小毛病，到戶外舒展身心較佳。

❤農曆四月
事業運轉旺，有升職的機會。

❤農曆五月
事業運依然不錯，不過工作壓力很大，而且有轉換工作環境的念頭。

❤農曆六月
人際關係比較順暢，貴人運強，長輩、上司或同輩會提供不少助力。

❤農曆七月
易有輕微疾病，有打針吃藥之象，宜注意身體健康。

❤農曆八月
屬桃花重的月份，或有三角關係出現，備受困擾。

❤農曆九月
容易有錢財損失，尤其不宜投機炒賣，持盈保本為上。

❤農曆十月
學習運非常強，有利進修或參加與自己行業相關的升級試。

❤農曆十一月
人事關係較複雜，已婚男士尤其小心，提防受到三角關係之困擾。

❤農曆十二月
財運和貴人運都處於強勢，心情輕鬆愉快。

	正月	二月	三月	四月	五月	六月	七月	八月	九月	十月	十一月	十二月
吉				▲		▲				▲		▲
中吉					▲							
平		▲					▲					
凶	▲		▲					▲	▲		▲	

每月運勢西曆日子請參閱頁348上的對照表

29.【壬辰日】重整旗鼓　冬天出生者運勢更佳

壬辰日出生者在壬辰龍年時，因出生日與流年天干地支完全相同，玄學稱為「伏吟」，此乃六十年一遇，是以龍年的運勢十分波動。除非在龍年舉辦喜事，例如結婚、添丁或置業等等來化解「伏吟」帶來的影響，否則事業、感情和健康方面都陷入一定程度的變動，令壬辰日出生者在龍年頗受困擾。

幸好，踏入癸巳蛇年後，「伏吟」之象漸退，運勢會趨向回穩。尤其如果在龍年舉辦了喜事沖喜，蛇年將可延續喜事的餘慶，度過愉快的年份。如龍年沒有舉辦喜事，蛇年則可視作重整旗鼓之年，無論財運或事業運上，蛇年都比之前順暢穩定，感情運也比龍年理想。壬辰日出生者之中，尤以農曆十月至十一月出生者運勢最佳，可望在蛇年更上一層樓。

財運方面　原則上壬辰日出生者在蛇年能得財星拱照，收入好轉，做生意者的業績也有所增長，惟承受的工作壓力也隨之增加，正是一分付出一分收穫。另外，憑着蛇年獨有的靈感，適度的投機也可一試，容易獲得偏財進帳。不過，壬辰日的天干為「壬水」，踏入癸巳蛇年也有比劫之象，代表收入雖增多，但開支同時上升，所以最後難免財來財去，較難有餘錢作儲蓄。

事業方面　蛇年是重新開始的年份，若果龍年曾轉工，蛇年的事業理應有不俗的發展。假若龍年沒有轉工的話，踏進蛇年也可落實轉工的計劃，新公司會有更多發揮的機會。總之無論轉工或留守在原有公司，蛇年的上進心較過往強，也容易給予自己壓力，勢要幹出一番成績。蛇年也有貴人相助，加上奮鬥心強，不妨在自己的工作崗位上更積極進取，有利打下更佳的事業基礎。

感情方面　除非龍年曾有沖喜之事，否則龍年的感情運有「不結即分」之象。但踏入蛇年，不論男女在感情方面皆有新發展，單身人士容易遇上良好背景、性格樂觀積極的對象，當中又以異地情緣為佳，應有不俗的發展。不過若龍年曾受感情創傷，心情還未平伏的話，則容易忽略蛇年的桃花，以至仍是原地踏步。已婚者的感情則頗穩定，龍年時出現的爭執有望在蛇年迎刃而解。

健康方面 龍年因受「伏吟」影響，健康出現不少小毛病，甚至有輕微的血光之災。踏入蛇年，身體各方面都會好轉，只不過因流年「火土」較重，腸胃疲弱，因此出門用膳要更加小心，並要提防水土不服。另外，蛇年也要多注意眼睛方面的毛病，工作壓力也會影響情緒，但相比龍年已減輕很多。蛇年也要多關心家人的健康，兄弟姊妹在蛇年的健康運會較弱，需要你的支援。

❤農曆正月
是非口舌比較多，宜少說話多做事。

❤農曆二月
容易患上腸胃方面的疾病如腸胃炎，身體狀況較差，要多加注意，預防疾病纏身。

❤農曆三月
略有相沖，工作較忙，容易與人發生衝突，還是以和為貴為佳。

❤農曆四月
壓力過大引致焦慮不安，建議多找朋友傾訴，也要注意作息時間。

❤農曆五月
是非官非運較強，文件合約方面容易出現錯漏，宜反覆核實為上。

❤農曆六月
工作壓力頗大，要慎防腎臟、膀胱等出現小毛病。

❤農曆七月
貴人運強，長輩的助力很大。

❤農曆八月
感情受困擾的月份，相對桃花比較多，亦多負面想法，容易鑽牛角尖。

❤農曆九月
屬變化多端的月份，容易破財，不適宜投機投資，小心金錢上的損失。

❤農曆十月
有利向外走動，但同時容易受傷扭損，做運動時要加緊提防。

❤農曆十一月
工作鬥志旺盛，比較忙碌，但要控制個人脾氣，避免人際關係轉差。

❤農曆十二月
事業運順遂，亦有升遷的機會。

	正月	二月	三月	四月	五月	六月	七月	八月	九月	十月	十一月	十二月
吉							▲					▲
中吉											▲	
平	▲			▲				▲		▲		
凶		▲	▲		▲	▲			▲			

每月運勢西曆日子請參閱頁348上的對照表

30.【癸巳日】伏吟之局 喜事有利穩定運勢

出生於癸巳日的人士處於癸巳蛇年，出生日的天干地支與流年的完全相同，玄學上稱為「伏吟」，有呻吟的意思。此情況每六十年才出現一次，倘若在蛇年進行人生三大喜事之一，即結婚、添丁或置業，將有助化解「伏吟」所帶來的變動影響。

每逢「伏吟」之年，運勢也會特別動盪不安，但整體情況也要視乎自己本命是「身強」還是「身弱」；「身強」受「伏吟」影響較多，「身弱」則較少。癸巳日出生者的命格屬水，如命格其他組合的「水」較多，遇上癸巳蛇年即有水過旺之象，會令運勢更不理想。相反，若命格其他組合之「水」較少，「伏吟」的影響力便大大降低。不過無論是「身強」或「身弱」，還是適宜有心理準備蛇年事情較容易一波三折，宜抱着隨遇而安的心態，反而更輕鬆。

財運方面 受「伏吟」的影響，蛇年呈現劫財之象。做生意者不宜過分進取，宜有兩手準備，預備一筆應急錢以備不時之需，萬一有突如其來的開支，應急錢或可解決當中周轉的問題。蛇年也不適宜作借貸擔保，否則容易「一去不回頭」，得不償失。偏財方面，短炒投機可免則免，也要避免有太多現金傍身：既然蛇年有劫財之象，不妨把現金儲備轉作年期較長的實物投資，例如置業買樓，既能保值，又有沖喜的作用，可謂一舉兩得。

事業方面 無論上司、同事如何對待自己，蛇年總有被針對之感，或自覺事業有不少困阻，令人悶悶不樂。蛇年的事業運確實較弱，做事容易節外生枝，一波幾折，宜事先做足準備，以耐性克服箇中困難。公司方面也容易出現變動，如收購合併或更換老闆之類，令你更感無所適從。不過，蛇年並非轉工之理想時機，若有意蟬過別枝者，跳槽後或發現新不如舊，所以還是一動不如一靜。

感情方面 已有伴侶者在蛇年的感情運出現較大變化，但變化可正可負。正面發展的話，此乃結婚之良機，但也要提防為結婚細節而各執一詞。若無意結婚，蛇年則要有心理準備因第三者的出現而引致分手危機。已婚的話，蛇年則有利生兒育女，可積極落實計劃，對運勢也有幫助。單身男女的桃花運則頗弱，有形單影隻之象，不如穩守崗位，專注事業發展為上。

健康方面 生於癸巳日的人士，先天腳部已較易受傷；踏入「伏吟」之年，腳部扭損撞傷之機會更有所提升，所以一向有運動習慣者在蛇年務必加倍留神。此外眼睛也易生問題，容易有視力退化或發炎之象。此外由於小毛病較多，加上蛇年情緒不穩，容易出現「疑病症」，時常焦慮自己身體狀況欠佳。既然到「關口」之年，建議趕及在蛇年之前盡早作詳細的健康檢查，便可防患於未然。

❤ **農曆正月**
容易受傷弄損的月份，有做運動的朋友要特別小心，亦要注意交通安全。

❤ **農曆二月**
有是非口舌的糾纏，還是少説話多做事較佳，避免擔當中間人角色。

❤ **農曆三月**
財運亨通的月份，但略有官非之象，需要謹慎處理文件合約。

❤ **農曆四月**
相沖特別嚴重，事情容易節外生枝，要加倍用耐性和心機去應付。

❤ **農曆五月**
心情低落，適宜找朋友傾訴心事，或出門到寒冷地區旅遊，有助改善運勢。

❤ **農曆六月**
大致與上月相同，仍在困局之中，除了請求身邊朋友協助外，也有利短線旅遊。

❤ **農曆七月**
早前積累的工作難題，終於有解決的迹象，但留意伴侶之間的爭拗。

❤ **農曆八月**
情緒比前月好轉，事業運和財運都算順遂。

❤ **農曆九月**
工作壓力較大，但仍可應付；本月有貴人扶持，所以心情較佳。

❤ **農曆十月**
變化特別大的月份，十分動盪，尤其人際關係及健康兩方面最受困擾，駕駛人士也要加緊注意道路安全，凡事宜作兩手準備。

❤ **農曆十一月**
工作變得順暢，事業運和財運都回穩，令人心情愉快。

❤ **農曆十二月**
湧現不少合作機會，不妨一試，或可因此而開拓不同的商機和財路。

	正月	二月	三月	四月	五月	六月	七月	八月	九月	十月	十一月	十二月
吉								▲			▲	▲
中吉			▲				▲		▲			
平		▲				▲						
凶	▲			▲	▲					▲		

每月運勢西曆日子請參閱頁348上的對照表

31.【甲午日】雙星會合　低調行事以避是非

出生於甲午日的人士命格屬木，而癸巳蛇年乃火運之年，「木生火」形成流年出現「食神」星。甲午日出生者原本的出生日柱已自坐「傷官」星，踏入癸巳蛇年則有「食神、傷官」雙會之象。在「雙星效應」下，蛇年運勢大致不錯，但因流年運勢有「火過旺」之象，所以要盡量避免鋒芒畢露，招致猜忌，有損名聲。

若從事的工作與是非、名氣經常扯上關係，如演藝、娛樂或政圈等等，蛇年有機會聲名鵲起，名氣暢旺。但對從事其他工作的甲午日出生者來說，則少惹是非為妙，故應盡量保持低調，避免擔當中間人角色，否則容易愈幫愈忙，最後自討苦吃。幸好蛇年也屬貴人運理想之年，不少麻煩事最後都能逢凶化吉；另外學習運也強，適宜讀書進修，有助未來發展。

財運方面　蛇年是親力親為、依靠「口技得財」的年份，即使身為老闆或上司，也不可完全依靠員工，有必要親身上陣，多與客戶接觸見面及溝通，才可令財運上升。整體而言，蛇年的正財不俗，也有輕微的偏財，奈何開支較大；若為做生意者，或要面對經營成本上升、下屬要求加人工或額外增加人手等問題，所以宜先作額外預算，預備充足的流動資金，作為應急之用。

事業方面　打工一族事業運一般，而且容易惹來是非口舌，人際關係處於緊張狀態，因此蛇年最好少說話、多做事，同事之間也要多作遷就，做好本分為上。另外，也要避免捲入與自己無關的紛爭之中，若有人請求你協助排難解紛，也要考慮清楚是否值得介入其中。蛇年升職機會欠奉，轉工也非理想時機，幸好有貴人、長輩的扶持，所以工作方面總算平穩。

感情方面　男士或會遇上不錯的對象，而且有機會比自己的年齡小得多，若果仍屬單身，不妨嘗試發展。若已有伴侶，則要慎防陷入三角關係，最好避免拖拖拉拉，否則容易糾纏不休。女士的感情運欠佳，即使遇上心儀對象也不宜寄望太高，不妨先從朋友開始，深入了解後再作決定。已婚人士的感情尚算平穩和氣，僅容易為子女事情而爭執，建議先尋找共識，以防小事化大。

健康方面 生於甲午日的人士在癸巳蛇年有「水少而火過旺」之象，尤其農曆四、五、六月出生的人士，身體問題較多。蛇年必須加緊留意與水、火相對應的部位，如腎臟、膀胱、泌尿系統等等，心臟、血壓方面也不可忽視。至於在冬天（農曆十月至十二月）出生的甲午日人士，因火氣減弱，蛇年健康運比較穩定。但始終蛇年交際應酬頻繁，自己也要多注意作息時間。

❤ **農曆正月**
屬打針吃藥的月份，要多加注意健康狀況。

❤ **農曆二月**
桃花運較旺，單身男士或有機會好好發展一段新戀情。

❤ **農曆三月**
財運不錯，正財及偏財都有進帳之象。

❤ **農曆四月**
工作比較忙碌，有感辛苦；是非口舌也較多，還是以和為貴較佳。

❤ **農曆五月**
身體較差，要特別注意腸胃；出門則要加倍留心飲食衛生，生冷食物可免則免。

❤ **農曆六月**
天合地合，事事反覆，諸事變化較大，凡事宜作兩手準備。

❤ **農曆七月**
運勢好轉，事業運比較強，更有突破的空間。

❤ **農曆八月**
桃花比較旺，單身女士唯一可把握機會的月份，不妨託朋友幫忙撮合良緣。

❤ **農曆九月**
偏財運不錯，可作適度的投機、投資。

❤ **農曆十月**
屬「動中生財」的月份，適宜往外地出勤，多賺外地的錢財。

❤ **農曆十一月**
相沖月份，爭拗比較多，宜與另一半聚少離多，否則爭執更大。

❤ **農曆十二月**
有悶悶不樂之象，情緒容易低落，不妨多找朋友傾訴。

	正月	二月	三月	四月	五月	六月	七月	八月	九月	十月	十一月	十二月
吉		▲	▲				▲	▲	▲	▲		
中吉												
平	▲											▲
凶				▲	▲	▲					▲	

每月運勢西曆日子請參閱頁348上的對照表

32.【乙未日】學習運強 創作靈感豐富

出生於乙未日的人士，踏入癸巳蛇年的思路特別靈敏，學習運強，稱得上思考創作之年。若從事與創作有關的工作，如寫作、編劇、設計、創意產業等等，蛇年乃大展身手之年，可在現有崗位上展露才華；雖然實際收益沒有相對大大提升，但滿足感十足，也會招來他人之賞識，有助長遠發展。

至於從事商業性質工作，不必經常思考的，則呈現懶散之象，工作不甚起勁，故蛇年只屬不過不失。另外，蛇年也要留心是非口舌，盡量少理會他人之閒言閒語，情緒便會較安穩。其實蛇年學習運理想，倒不如把握機會，積極進修或考取一些事業資格，一方面好好裝備自己，另一方面也有助訂立目標，幫助事業發展。

財運方面　從事自由職業者，尤其與創作相關的工作，蛇年會有更大的發揮空間，事業出現突破，收入自然有所提升。不過從商者在蛇年則僅屬中規中矩，收入如常保持平穩，而且沒有開拓新業務之機會，出現原地踏步的狀況；做生意者在蛇年要預留現金，以作應急之用。偏財方面，投機、投資的回報也不算理想，只適宜作穩定性強的中長線投資，不宜短炒。

事業方面　打工一族因同輩之間競爭加劇而倍感壓力，幸得貴人扶持，自己的表現備受各方認同。雖然難在短期內有所收成，但這個耕耘期將會為你帶來更理想的事業前景。蛇年比較困擾的是人際關係，處事宜低調，避免牽涉別人糾紛之中，以免兩面不討好。如前文所述，蛇年學習運暢旺，十分適合進修讀書，不妨把握運勢，為自己好好增值。

感情方面　單身男士有機會遇到心儀女性，惟新女友性格比較硬朗，脾氣較大。有伴侶的男士則易為小事爭執，雖未引致分手危機，但為免積存心病，還是與對方坦誠相向。女士工作較忙，單身者更難結識對象，不妨借助長輩的介紹，或有望找到合眼緣的異性稍作發展。已婚者則容易因伴侶的家人或朋友發生爭執，所以盡量避免出席伴侶的家庭或其他圈子的活動，以免令感情生變。

健康方面 蛇年應酬比較頻繁，時常飲食不定時，要多加注意體重上升的趨勢；假若體重超標，建議多做運動保持健康。此外也有機會出現輕微的皮膚敏感，並要注意牙齒方面的問題，不過問題不大，只要及早醫治便可逐步解決。有子女的乙未日出生者，則要多加注意小朋友的健康，尤其家中容易出現碰損撞傷，宜加倍關注家居安全，慎防發生家居意外。

❤ 農曆正月
略有劫財的情況出現，切勿胡亂投機或投資。

❤ 農曆二月
財運仍然較弱，不宜做借貸擔保人，慎防金錢上的損失。

❤ 農曆三月
財運上升，不過此月有輕微的是非口舌，需注意人際關係。

❤ 農曆四月
應酬比較頻繁，心情煩躁，工作容許的話，不妨拖慢步伐，發展反而較佳。

❤ 農曆五月
運勢反覆，諸事得得失失，波折重重，需有多點耐性。

❤ 農曆六月
有意外之財或少許偏財，但要小心花錢，否則一得一失。

❤ 農曆七月
事業運強，但官非運亦強，駕駛人士要小心被票控。

❤ 農曆八月
爭拗頻生，頭部亦容易在此月受傷，要多加留神。

❤ 農曆九月
心情煩躁，不妨多找朋友傾訴，紓緩自己的工作壓力。

❤ 農曆十月
諸事順遂，之前跟進的事宜或出現突破的局面；貴人運強，有輕微的升職運。

❤ 農曆十一月
易有人事糾紛，不宜為他人作中間協調，以免進一步引起無謂的爭執。

❤ 農曆十二月
屬破財月份，夫妻間易生摩擦，還是以和為貴為上。

	正月	二月	三月	四月	五月	六月	七月	八月	九月	十月	十一月	十二月
吉						▲				▲		
中吉			▲									
平				▲			▲		▲		▲	
凶	▲	▲			▲			▲				▲

每月運勢西曆日子請參閱頁348上的對照表

33.【丙申日】巳申相合　感情易生變化

出生於丙申日的人士，本有財星拱照，奈何癸巳流年的地支與自己的出生地支呈「巳申相合」之象，屬「日犯太歲」的一種，也同時「合走」了自己的財星，象徵錢財上的損失，所以蛇年若要開拓生意或進行大型投資，宜三思而後行，不可輕率。

此外，地支相合的年份也容易帶來感情的變化。若已有伴侶，蛇年乃關係突破之「關口年」，有不進則退之象，宜籌辦喜事，如結婚、添丁、置業以作沖喜；正所謂「一喜擋三災，無喜是非來」，沖喜有助把不穩定之運勢引向正面發展。可是若蛇年無意舉辦喜事，麻煩事情將相繼出現，備受困擾，宜先作好心理準備。雖然蛇年運勢未如理想，但當中也有三成比例的丙申日出生者有望成功尋求突破；總言之蛇年凡事先作最壞打算，未雨綢繆會較安心。

財運方面　由於「巳申相合」的關係，將財星「合走」，儘管心中有創業或拓展新業務的念頭，奈何蛇年容易破財，故不適宜大手投資，以減輕損失的風險。不過若面對商機接踵湧現，令你躍躍欲試，也可投放小量資金創業。整體而言，蛇年宜審慎行事，不適宜投資任何高風險的業務或股票，自己不熟悉或不擅長的行業也不宜沾手；若能做足兩手準備，應可平穩度過。

事業方面　打工一族在蛇年總覺上司處處針對自己，吹毛求疵、格外挑剔；或是「新官上場三把火」，磨合期尚需時間適應。蛇年的工作運確實稍欠運氣，例如平日上班大多準時，偶爾遲到一天卻不幸被上司撞個正着……諸如此類的小問題，令你自覺事業運不如理想。其實蛇年只要做好分內事，不要抱着僥倖取巧的心態，運勢也不算太差。另外蛇年不利轉工，面對公司的變動，還是多作忍耐。

感情方面　不論男女，流年「巳申相合」都屬容易有喜的好兆頭，即使未有計劃添丁，也需提防意外有喜。假若仍未有結婚打算的情侶，則要提防陷入「不結即分」的局面，甚或出現三角關係導致分手。單身女士雖有桃花，但要慎防在懵然不知的情況下成為第三者。已婚人士若沒有喜事，家宅運則易起變化，尤其要留意伴侶的健康，不妨變動一下家居的陳設或大型家具，有助提升家宅運。

健康方面 若在蛇年有喜，懷胎首三個月適宜低調，不宜太早公布，否則有懷胎不穩之險。此外流年「巳申相合」將「金」合走，與「金」相應的器官如喉嚨、氣管、呼吸系統等方面要加倍留意；有抽煙習慣的人士，還是趕緊把煙癮戒掉為上。關節部位亦要多加注意，尤其是腳、膝蓋、腰骨方面，不過都是輕微痛症較多。此外，家中男性長輩的健康也有不穩之象，宜多加關注。

❤農曆正月
本月出門的話容易損失財物，要特別留神，宜預先購買保險。

❤農曆二月
貴人及長輩運強，可借助他們的力量解決問題。

❤農曆三月
有破財之象，不要投機投資，否則得不償失。

❤農曆四月
事業上出現輕微的變化，錢財或有損失，做決定前要謹慎，宜三思而後行。

❤農曆五月
容易因不小心而撞傷弄損，有輕微的「血光之災」，可捐血或洗牙以作化解。

❤農曆六月
此月是非口舌比較多，宜少說話多做事。

❤農曆七月
財運比較強，但與別人的爭拗亦比較多，已結婚的人士宜留心伴侶的健康。

❤農曆八月
人事紛爭較多，呼吸系統也較弱，惟財運不錯。

❤農曆九月
事業運好轉，容易得到別人認同自己的表現，更有望獲得上司的嘉許。

❤農曆十月
事業運依然強勁，不過壓力比較大，自己要學習如何紓緩工作壓力。

❤農曆十一月
出現新的合作機會，但不要輕信別人，因為這些合作或投資成果可能被誇大。

❤農曆十二月
工作尚算穩定，無論事業運和財運都漸趨理想。

	正月	二月	三月	四月	五月	六月	七月	八月	九月	十月	十一月	十二月
吉		▲							▲			
中吉							▲			▲		▲
平	▲			▲		▲		▲			▲	
凶			▲		▲							

每月運勢西曆日子請參閱頁348上的對照表

34.【丁酉日】重生之年　樂觀積極分析力強

丁酉日出生的人士在壬辰龍年面對「天合地合」之象，此乃六十年才出現一次的運勢，假若曾於龍年舉辦人生三大喜事，即結婚、添丁或置業沖喜，或已應驗「天合地合」的影響，可把負面力量減至最低。

如在龍年籌辦喜事，踏入癸巳蛇年則可延續喜事的餘慶，如龍年結婚，蛇年則有利添丁。假若龍年沒有舉辦任何喜事的話，在龍年則要面對不少突如其來的變動，蛇年將是重新開始的年份。但無論如何，經歷龍年的動盪後，蛇年一切漸趨穩定，想法也較樂觀積極，不再鑽牛角尖。丁酉日出生者在蛇年較易重拾信心，處事時分析能力趨強，不論財運、事業運、感情運都重歸進步的軌道上。

財運方面　丁酉日出生者在蛇年的財運不俗，錢財有所進帳，也有餘錢可作儲蓄；尤其做生意者不妨趁機擴展業務版圖，開拓商機。不過由於龍年的財運反覆不定，經歷不少波動，故蛇年還有機會受到「餘震」帶來的風險，例如要為一些問題而額外增加開支。不過如能早作準備，預留應急錢的話則無大礙。另外，因蛇年分析能力較強，投機投資可靠自己之分析作小嘗試，應可賺取不錯的回報。

事業方面　蛇年的事業星與自己的出生日柱出現輕微相沖，因而令工作易生變化，出現轉工的可能，而且由於得到貴人相助，轉工後事業走勢大致向好。雖然工作壓力有所上升，轉工後也需要時間磨合及適應，但相關困難最終都能克服，毋須過分擔心。人事上或出現小變化和衝擊，自己的信心易受打擊，假若能出門到外地公幹或旅遊，或轉換工作環境，均有助提升自信心。

感情方面　若龍年與伴侶分了手，蛇年則標誌感情上的「重新開始」。單身女士或會結識性格南轅北轍的新對象，最初較多輕微的爭執，不過戀情會愈趨甜蜜溫馨。相反，單身男士於蛇年的桃花運不太暢旺，有原地踏步之象；已拍拖中的男士則較安穩，與伴侶的感情有望更鞏固。已婚人士在蛇年適宜與伴侶聚少離多，各有各的朋友圈子較佳，有助減輕因小事而產生摩擦的機會。

健康方面 因受流年「水火相沖」影響，要提防眼睛及心臟等相應之身體部位易有毛病。首先，蛇年較易受眼疾困擾，如出現視力退化、發炎或紅眼症等；有近視者若有意做矯視手術，蛇年也是適合時機。此外心臟、血壓方面也要留意，注意飲食和作息，以免觸發問題。個人情緒方面雖比龍年時有所好轉，但始終受流年「癸丁相沖」的影響，情緒上落仍然較大，建議多找朋友傾訴或接觸大自然等，也有助穩定情緒。

❤農曆正月 貴人運不錯，有長輩的提攜，有助個人的事業發展。

❤農曆二月 備受「相沖」影響，提防夫妻爭拗不斷，也要提防朋友之間的爭執，宜以和為貴。

❤農曆三月 屬劫財的月份，避免做借貸、擔保，以免易招錢財損失。

❤農曆四月 錢財或有小的損耗，人事上或有紛爭和糾纏，最好少說話、多做事。

❤農曆五月 兄弟姊妹或親朋戚友或有事相求，要量力而為。

❤農曆六月 學習運強，但是非口舌比較多，故此說話要謹慎。

❤農曆七月 財運順遂，可進行投機投資，或有理想的偏財進帳。

❤農曆八月 健康較弱，有輕微的血光之災，提防與金屬有關的輕微創傷，駕駛人士要加倍注意路面安全。

❤農曆九月 此月天合地合，容易失眠、神經衰弱，工作比較反覆，可以考慮出外散心，有助穩定運勢。

❤農曆十月 眼睛較差的月份，要提防視力上的問題，但女士的桃花旺盛。

❤農曆十一月 工作壓力較大，幸好表現出色，或可獲取上司讚賞。

❤農曆十二月 貴人運強勁，但頻繁的應酬，令自己感到心力交瘁。

	正月	二月	三月	四月	五月	六月	七月	八月	九月	十月	十一月	十二月
吉	▲						▲					
中吉											▲	▲
平		▲			▲	▲				▲		
凶			▲	▲				▲	▲			

每月運勢西曆日子請參閱頁348上的對照表

35.【戊戌日】戊癸相合 心情煩躁睡眠不足

戊戌日出生人士在壬辰龍年因受「辰戌相沖」，此乃「天羅地網」之象，以至走動較多，運勢變化不定。踏入癸巳蛇年，因出生日與流年的天干呈「戊癸相合」之象，雖然心情較為煩躁，但諸事漸趨穩定，整體好壞則視乎出生的月份。

農曆十月至十二月出生者，因流年得到「火氣」溫暖，蛇年諸事較為順遂。農曆四月至六月出生者，命格「火旺」，流年再行火運，財運欠佳，蛇年只求不過不失。「戊癸相合」象徵情緒低落，心情容易煩躁，更甚者因過度焦慮引致失眠，宜多找友人交談，多做運動或到大自然郊遊等，皆有助放鬆身心。工作方面，雖然出現新的商機，但因「戊癸相合」寓意吉中藏凶，凡事不宜太過急進，還是謹慎行事為上。

財運方面 農曆四月至六月出生的人士，因流年財星不夠旺，因此收入反比龍年為差。農曆十月至十二月出生的人士，命格「水重」，再行火運相得益彰，財運較為亨通。但蛇年始終有表面風光之嫌，尤其從商者看似推陳出新，商機不斷，但實際上未見財源滾滾，反而由於開支甚多，實際收入未如理想，所以還是持盈保泰為上。流年也不適合投資，切勿眼見他人有理想回報，自己便依樣畫葫蘆，否則容易成為輸家。

事業方面 受「戊癸相合」的影響，事業多有阻滯，未見有很大突破；本來簡單事情也會出現波折，尤其在最後關頭容易產生變數。例如本來升職有望，最後階段卻殺出程咬金，令如意算盤打不響。所以蛇年在工作方面只好抱着「盡人事，聽天命」的心態，先積極爭取機會突出自己，但輕鬆一點面對結果。蛇年不宜轉工，即使勉強成事，新的工作環境容易不符自己所想，反而呈現事業倒退現象。

感情方面 對單身男士來說，蛇年是重新開始的年份，容易遇上女士主動投懷送抱，不妨把握良機，開展這段情緣。單身女士處於原地踏步之年，唯有靜待以後的機會。至於已有伴侶的的男士，蛇年能與伴侶度過平穩甜蜜的日子；拍拖中的女士或因焦慮過多，總覺得對方不夠體貼，故容易對對方生氣，有點庸人自擾。已婚人士則大致平穩，有利在蛇年添丁。

健康方面 戊戌日出生者在癸巳蛇年因受「戊癸相合」影響，除了要特別留意皮膚出現敏感狀況外，也因精神壓力沉重，或會出現精神緊張、神經衰弱、疑神疑鬼的情況，情緒稍為低落。假若有宗教信仰，心情會較為平穩；如無宗教信仰，則可多做紓緩身心的運動，如瑜伽、太極或游泳等等，有助減壓和紓緩緊張情緒。此外相約友人暢談心事，或出門外遊等都有助解決情緒上的困擾。

❤ **農曆正月**
官非運比較旺，留心合約文件方面，但事業發展順利。

❤ **農曆二月**
事業運依然強勁，工作尚算順遂，但壓力比較大。

❤ **農曆三月**
此月驛馬運強，事業或出現反覆變化，適宜往外走動。

❤ **農曆四月**
工作方面有阻礙，或比較棘手，需給予時間及耐性去解決。

❤ **農曆五月**
屬破財月份，不適宜投機投資，宜小心理財，慎防有損失。

❤ **農曆六月**
財運依然有損，或因親友問題而要作額外開支，還是量力而為較佳。

❤ **農曆七月**
名氣運強，但有小量是非口舌，與己無關之事，切勿加諸無謂意見。

❤ **農曆八月**
學習運強，不妨報讀合適課程；男士桃花運強，容易有女士主動示好。

❤ **農曆九月**
此月情緒比較反覆，如有宗教信仰，可參與相關活動紓解壓力。

❤ **農曆十月**
此月財運不俗，但容易胡思亂想，適宜多找好友相聚，傾訴心中抑鬱。

❤ **農曆十一月**
有利往外走動之月，若有機會到外地公幹或駐守外地分公司，不妨一試。

❤ **農曆十二月**
事業運強勁，發展不錯，也可考慮轉換工作環境，但事前宜多諮詢別人意見。

	正月	二月	三月	四月	五月	六月	七月	八月	九月	十月	十一月	十二月
吉								▲			▲	▲
中吉		▲					▲		▲			
平	▲		▲							▲		
凶				▲	▲	▲						

每月運勢西曆日子請參閱頁348上的對照表

36.【己亥日】驛馬相沖　愈動愈生財

己亥日出生者，因出生日與癸巳蛇年的地支呈現「巳亥相沖」，此乃「日犯太歲」的一種，也屬驛馬的相沖，寓意「離鄉別井」。故己亥日出生者踏入蛇年，無論是主動或被動也好，特別容易因事離開自己的出生地，要與家人、朋友分開一段時間。故不妨把握流年機會，出差公幹甚至駐守異地工作，或是前往外地留學，皆相當合適，對運勢更加有利。

另外，因流年天干「癸水」通根至「亥水」，故大部分人士的收入應比龍年更為豐厚。可惜受相沖的影響，賺取的錢財未必可剩下，出現財來財去的現象。但整體而言，蛇年適宜動中生財，雖然四處頻撲，比較奔波勞碌，但往外出勤愈密，收入愈多，可謂「愈動愈起勁」的一年。

財運方面　因流年驛馬有利，做生意者不妨考慮將生意版圖拓展至外地，以賺取「外地財」：若為自僱人士，蛇年同樣因驛馬運強，諸事適宜親力親為，親自出馬與客人洽商，成果會更豐碩。不過受相沖影響，錢財呈一得一失之勢，建議先制訂理財計劃，把餘錢作穩健的實物投資，設法將賺取的金錢剩下，否則容易「一場歡喜一場空」。另外，蛇年出門容易遺失財物，出發前宜購買旅遊保險，以求心安理得。

事業方面　驛馬相沖之年，最有利往外闖，例如出差到外地公幹甚或駐守外地分公司都特別合適。即使只留在本地，若工作有需要到處外勤，蛇年也會愈動愈起勁，事業運愈能提升，辛苦得來也有價值。打工一族加薪幅度理想，兼有貴人扶持，長輩、同事之間相處融洽。惟注意由於蛇年沖日腳，容易為小事動氣，其實整體工作還算順遂，只要互相忍讓，不求急進，亦可度過開心愉快的一年。

感情方面　拍拖中男士的感情運有變化，容易與現任伴侶陷入分手危機，並出現條件更佳的對象；新對象脾氣屬剛強類型，但能輔助自己的運勢。總之若要開展新戀情，宜避免與前度藕斷絲連，否則事業也受牽連。女士有利異地情緣，往外地公幹宜多加留意，也不妨多認識從外地回流的男士。已婚人士工作太忙，無暇關懷伴侶，雖然蛇年適宜聚少離多，但為免感情太過疏離，不妨忙裏偷閒出門短遊。

健康方面 蛇年容易出現車輛碰撞，要加倍注意交通安全，駕駛電單車之類高危車輛的人士，不如轉用較安全的代步工具。此外受「巳亥相沖」的影響，攀山、爬石、降落傘、直升機、潛水等高危活動可免則免，而且關節情況轉差，宜避免選擇對膝蓋、腰骨、腳跟等衝擊較大的運動。另外，出生日與流年「沖日腳」也有沖夫妻宮之意，妻子健康容易出現毛病，幸好問題不大，只需加以注意便可。

❤ **農曆正月**
「天合地合」的月份，要留心家宅方面，波折煩惱亦比較多，受到不少困擾，唯有多找朋友幫忙解決。

❤ **農曆二月**
事業運向好，工作漸漸順暢，並有利出門公幹。

❤ **農曆三月**
有貴人的幫忙，事業運持續順暢。

❤ **農曆四月**
比較令人動氣的月份，與人爭吵比較多，宜留意人際關係。

❤ **農曆五月**
此月錢財易有損失，不適宜作投機投資，否則破財居多。

❤ **農曆六月**
仍然是容易破財的月份，而且容易受傷扭損，注意身體健康，多加保重。

❤ **農曆七月**
工作依然順遂，惟月內多是非口舌，要注意人際關係。

❤ **農曆八月**
宜多加表現突出自己，容易得到別人認同，甚至有助令財運上升。

❤ **農曆九月**
財運順遂，或有意想不到的額外收入。

❤ **農曆十月**
留心伴侶健康出現問題，或出現輕微「血光之災」，不過仍可安然度過。

❤ **農曆十一月**
特別有利往外地公幹，女士或有機會結識外地男友，締結異地良緣。

❤ **農曆十二月**
女士們的桃花運依然不錯，此外財運亦算順遂。

	正月	二月	三月	四月	五月	六月	七月	八月	九月	十月	十一月	十二月
吉		▲	▲					▲	▲		▲	▲
中吉							▲					
平				▲	▲					▲		
凶	▲					▲						

每月運勢西曆日子請參閱頁348上的對照表

37.【庚子日】做足準備 未雨綢繆迎接變化

對庚子日出生者來說，癸巳蛇年是未雨綢繆的一年。其實庚子日出生者在蛇年整體運勢基本屬向好發展，事業運上升，學習運也不俗，僅是非口舌較多而已。但何以要做足準備呢？原來二〇一四甲午馬年乃庚子日出生者「天沖地沖」的年份，變動甚大，有屢生波折之象。如能及早在前一年，即癸巳蛇年開始計劃喜事，例如結婚、添丁或置業等等，並在甲午馬年之前或該年實行，運勢則可導向正面變化。

如癸巳蛇年全無任何計劃在一至兩年內舉辦喜事，那麼甲午馬年便會有不少突如其來的變化。要注意的是，甲午馬年的「天沖地沖」之影響有機會提早在蛇年下半年出現，正拍拖的人士或要面對離離合合，事業也會突呈變化之勢。所以如情況許可，還是自動主動求變較佳。

財運方面 從事「以口得財」行業，如保險、公關、律師、營銷等工作者，蛇年運勢不錯，財運有提升之象。至於從商者則必須親力親為，不能單靠下屬之力，況且蛇年下屬運特別弱，有「惡奴欺主」之象，合心意之員工易流失，即使升職加薪也難以挽留，所以蛇年只好多勞多得。單打獨鬥之年不宜大手投資，穩守本業為上。複雜或高風險的投資皆不適宜。

事業方面 打工一族有升職的機會，雖說薪酬加幅不算理想，不過事業發展總算順遂。要留意人事方面易有爭拗，容易招惹口舌是非。下屬不聽話，他們犯錯也有機會連累自己，故最好自己也做足功夫，多加審核下屬表現，以防出錯。蛇年也適宜轉工或申請駐守海外分公司，奈何二〇一四甲午馬年面對「天沖地沖」，或有機會再迎接多一次變動；所以最好留待下半年才實踐，以減低再次變化的機會。

感情方面 同樣因甲午馬年「天沖地沖」，蛇年在入秋後感情發展也有走向兩極之象，故此蛇年正是戀情「不結即分」的抉擇年。倘若早已認定對方為終身伴侶，不妨在蛇年積極籌備結婚事宜，已婚人士也可考慮為家庭增添新成員或置業、搬遷。至於未有結婚打算而繼續拍拖的人士，容易因突然有喜而不知所措。總之遇上感情上關口之年，彼此爭執難免，還是多作溝通，互相了解體諒為上。

健康方面 蛇年大致沒有擾人的病痛，只需注意工作壓力過大。不過面對「天沖地沖」的甲午馬年，屆時或有不少意料之外的病痛，故適宜做好準備功夫，不妨趁蛇年作詳細身體檢查，查明潛在隱疾，便可防患於未然。其實踏入蛇年秋冬之際，已漸進式受到甲午馬年「天沖地沖」的影響，故入秋後就應盡量避免參加一些危險性高的運動，如攀山、爬石、潛水、降落傘等就可免則免，安全至上。

❤ 農曆正月

略有相沖的月份，與人爭執、摩擦的機會較多，要多加注意，以和為貴。

❤ 農曆二月

容易受到外面誘惑影響，出現三角關係；此月亦有失眠情況，要注意作息時間。

❤ 農曆三月

事業運向上，是進步的月份。

❤ 農曆四月

事業運持續不錯，但工作壓力頗大，不妨多找朋友、同事幫忙，工作會更舒適。

❤ 農曆五月

相沖月份，有機會往外出勤，有望動中生財，出門旅遊亦佳。

❤ 農曆六月

「土重」之月，無論自己付出多少努力，也難有理想成績，此外容易出現人事變化，安守本分為上。

❤ 農曆七月

屬劫財月份，切忌投機、投資。

❤ 農曆八月

依然有輕微的破財運，兼有「桃花破財」，或因感情方面招致金錢上的損失。

❤ 農曆九月

貴人運強，事業表現出色。

❤ 農曆十月

是非口舌多的月份，不宜做借貸擔保的中間人，亦不適宜做排難解紛的事。

❤ 農曆十一月

相沖之月，頭、手、腳容易受傷，駕車的人士亦要多加注意道路上的安全。

❤ 農曆十二月

天合地合之月，情緒容易低落，諸事變化不定；如各方面皆不太如意，建議出門旅遊，有助改善運勢。

	正月	二月	三月	四月	五月	六月	七月	八月	九月	十月	十一月	十二月
吉			▲						▲			
中吉				▲	▲							
平	▲									▲		▲
凶		▲				▲	▲	▲			▲	

每月運勢西曆日子請參閱頁348上的對照表

38.【辛丑日】先難後易 與肖雞者合作更有利

整體而言，辛丑日出生者在癸巳蛇年的運勢屬於先難後易，需要經過不少波折才可取得成功，切不可抱着一步登天的心態。雖然過程艱辛，不過蛇年總算是進步年，尤其出生日柱與流年有「暗合」之象，對運勢也有所提升。

要注意的是，辛丑日出生者在癸巳蛇年遇上的這種「暗合」比較特別。流年地支「巳」與自己出生日地支「丑」本身呈暗合，寓意有新的合作機遇，可強化事業發展。因此蛇年會有不少欣賞自己的人士，向自己提議新的合作商機。然而「巳」和「丑」要達至完全會合，原來中間還要加上「酉」；所謂「巳酉丑」地支三合，蛇年若要發展更加順利，最好多找與「酉」相關的人士幫忙或合作，例如肖雞或姓名帶「酉」的拍檔（如鄭、猷、尊等），方能把這種正面力量發揮得更淋漓盡致。

財運方面 蛇年雖有新的合作機會，但容易因突然的變化而損失錢財，故此洽談期間必須做好預算功夫，而且要有心理準備未必可在短時間內獲取理想回報，需要投放較長時間。蛇年也不適宜投機短炒，只適宜作中長線投資。至於打算創業人士，快速回本的如意算盤未能打得響，要有充裕籌備時間加上精準計算才有微利。若本身已有舊客戶的支持和信賴，蛇年則可穩守原有生意。

事業方面 上司、下屬、同事與自己的關係不俗，工作時能互相協調幫忙，相處融洽。不過升職運欠佳，可能因輕微的職位調升，換來倍增的工作量，令自己透不過氣外，亦有感回報和實際付出不成正比。不妨調整心態，將蛇年視作播種期，不久的將來必有收成。此外不少轉工機會湧現，但條件未算吸引，或到下半年的年尾才有機會成事。

感情方面 女士感情運較佳，不過心儀對象也有其他選擇，所以蛇年同時有感情競爭，令人患得患失。若要突圍則不宜太被動，要加倍主動出擊尋找機會，方能成就美好姻緣。單身男士在蛇年較專注事業，不太熱衷追求另一半。至於已有伴侶者，蛇年容易暗地裏不滿對方，卻一直沒有宣之於口。其實處理不當也有機會導致分手，與其積存心病，不如彼此坦誠相向，反而有助了解對方、增進感情。

健康方面 蛇年的健康運整體無大礙，但受「巳丑暗合」的影響，應酬比較頻繁，也多瑣事需要處理，有「無事忙」之象，故此飲食、作息皆不定時，外出用膳機會也較多。因此蛇年需要加倍注意腸胃，要注意均衡飲食，提防因飲食失衡引致不適，飲酒過量也會傷及肝臟，所以好杯中物者在蛇年要多加節制。另外，因出生日的「辛金」受到輕微剋制，宜多加注意肺部健康。

❤ 農曆正月
財運不俗，事業頗順暢，不妨作輕微的投機投資，小試牛刀。

❤ 農曆二月
屬容易受傷的月份，手、頭皆是較大機會出現意外的部位，要多加注意。

❤ 農曆三月
呼吸系統比較差；工作上宜積極表現自己，讓別人看到自己付出的心血。

❤ 農曆四月
有輕微的人事糾紛或惹上官非，必須審慎處理文件合約。

❤ 農曆五月
事業運轉強，但留意身體方面比較差，要多加注意健康。

❤ 農曆六月
心情比較煩躁，適宜出門到外地散心，或是多找朋友傾訴心事。

❤ 農曆七月
屬破財月份，不適宜投機投資，亦要注意健康，因有打針吃藥之象。

❤ 農曆八月
本月應酬特別多，而且喉嚨、氣管情況欠佳，要更加關注自己的生活節奏。

❤ 農曆九月
工作上容易動氣，或與拍擋出現糾紛，凡事以和為貴，也別做擔保借貸的中間人角色。

❤ 農曆十月
較多口舌是非，宜少說話多做事。

❤ 農曆十一月
與伴侶或生意伙伴有輕微爭執，但財運不弱。

❤ 農曆十二月
相沖的月份，適宜往外走動，加強自己的運勢。

	正月	二月	三月	四月	五月	六月	七月	八月	九月	十月	十一月	十二月
吉	▲											
中吉					▲							▲
平		▲	▲			▲		▲		▲	▲	
凶				▲			▲		▲			

每月運勢西曆日子請參閱頁348上的對照表

39.【壬寅日】瑣事困擾 盡人事聽天命

受「寅巳相刑」的影響，出生於壬寅日的人士在癸巳蛇年只算是不過不失。此刑剋乃「日犯太歲」的一種，屬「日腳」的刑剋，寓意人事上的不和及健康容易出現問題等等。不過客觀環境來說，整體運勢不算太差，也不至於是很大的破敗年，只是做事容易節外生枝，最後階段有滑鐵盧之象，難以順利完成。雖然影響也非十分嚴重，但功虧一簣自然特別可惜，難免引致蛇年心情欠佳。

既然事事諸多阻礙，最重要是首先調節自己的心情，宜有心理準備迎接波折，最好步步為營，凡事也要有兩手準備為上。總言之蛇年乃特別多瑣碎事情困擾的一年，結果難以符合自己的理想預期；所謂「盡人事，聽天命」，若能抱着隨遇而安的心態，蛇年也可安然度過。

財運方面 在「日犯太歲」刑剋的年份，投資可免則免，短炒尤其不宜。從商者處理與生意拍檔的關係要恰如其分，彼此建立良好的溝通渠道，慎防因意見不合而鬧翻。蛇年也有劫財之象出現，故此容易增加不必要的開支，加上經營成本上漲，故開支需加以監察，開拓生意更要步步為營，不可輕率行事。另外，要提防被客戶拖欠繳款，切勿對還款期限過於寬鬆，最好確保萬無一失。

事業方面 流年辛苦得財，壓力稍大是在所難免，幸好事業運仍是在進步的軌道上，惟蛇年不宜有大變動，轉工並不合適。留守原有公司雖有輕微升職運，但新職位「中看不中用」，工作量大增之餘，薪酬沒有隨之大幅調升，故有舉步維艱、陷入困局之象。其實蛇年日常生活中不妨多選用米色、白色、淺藍色的衣飾或物件作配襯，除可助旺自己的事業運勢，也可改善自己的情緒。

感情方面 有伴侶的男士感情運容易出現暗湧，例如想分手但不敢宣之於口，心裏悶悶不樂。其實若性格不合，但仍未至於分手階段，不妨先設冷靜期，蛇年少見面一點，反而有機會挽救戀情。單身女士容易有短暫情緣，但對方不算合拍，還是不宜過分投入，以免受到傷害。已婚人士或因親人朋友而與伴侶出現輕微爭拗，稍作忍讓應問題不大，但流年「日腳」刑剋，夫妻健康較差，彼此都要多加保重。

健康方面 流年呈「寅巳相刑」，代表心情低落、鬱悶不歡，是以情緒健康難免特別受困，宜尋找鬆弛身心的方法解困。另外，蛇年也要特別提防舊患復發的問題，尤其是關節方面，如腰骨、膝蓋、腳跟等部位在蛇年皆特別容易受傷；若有運動習慣的朋友，適宜選擇不傷關節的柔軟運動。蛇年也有車輛碰撞之象，維修機會也比過往高，故不論踏單車或駕駛其他車輛也要多加注意道路安全。

❤農曆正月
勞心勞力才事成，但辛苦得來的結果未如理想，還是多給忍耐。

❤農曆二月
仍有困阻之象，要比以前加倍努力；為人父母者則容易因子女之事而困擾。

❤農曆三月
財運開始好轉，但出現一得一失的情況，或有機會損失錢財。

❤農曆四月
心情煩躁，容易緊張、失眠，人際關係也處理得不太理想，宜多對人忍讓。

❤農曆五月
官非運強，慎防被票控，幸好事業運也算不錯。

❤農曆六月
做生意人士要看清楚合約文件的細節，稍一不慎或出現官司訴訟。

❤農曆七月
工作運轉順，心情也隨之好轉，但此月比較頻撲，或需出門公幹。

❤農曆八月
貴人運旺，在強而有力的貴人扶助下，工作更趨順利。

❤農曆九月
屬破財月份，錢財有所損失，特別要避免偏財上的投資，否則損失更多。

❤農曆十月
工作順遂，出外更佳，適宜到外地公幹或旅遊；財運不俗，有新的合作機會。

❤農曆十一月
脾氣轉差，急於求成，不妨多一點耐性，否則口舌是非會更多。

❤農曆十二月
事業運強，有升遷的機會，而且年近歲晚，諸事趨順。

	正月	二月	三月	四月	五月	六月	七月	八月	九月	十月	十一月	十二月
吉								▲		▲		▲
中吉					▲		▲					
平	▲		▲								▲	
凶		▲		▲		▲			▲			

每月運勢西曆日子請參閱頁348上的對照表

40.【癸卯日】比肩劫財　宜往寒冷地方借地運

癸卯日出生者遇上癸巳蛇年，因自己出生日與流年的天干同屬「癸水」，此現象稱為「比肩」，寓意陷入「劫財」之禍。由於流年地支屬火，而癸卯日出生者的命格則屬水木相生，且多屬「弱水」，故在蛇年皆有「水受困」之象。除非是生於寒冷季節（農曆十月至十二月），命格則屬「水旺」，不怕流年火運之影響，運勢方較順暢。

整體而言，蛇年事業運不太差，但始終有受困之象，故不時感覺受到掣肘，而且身體也較多小毛病纏身。若要在蛇年提升運勢，平日不妨多選用米色、白色、淺藍色、金色、銀色等的物品作配襯，以求生旺自己，補救流年「水」的不足。另外蛇年多去寒冷地方旅遊，也可借地運強化運勢，尤其對夏天農曆四至六月出生的人士助力更大。

財運方面　蛇年本有輕微的財星，但因流年同時有劫財之象，故財運也是一得一失。原則上冬天（農曆十月至十二月）出生的人士，收入不錯，更有餘錢可作儲蓄；至於其他季節出生者，尤其是生於夏天（農曆四月至六月）的人士，即使看似收入不俗，但轉眼間便因事而被迫花掉。做生意者則要留心成本控制，別因有利可圖便過度急於擴展生意，以免轉盈為虧。投資方面不宜過分進取，選擇作中長線的較佳，短炒還是可免則免。

事業方面　龍年工作方面受盡人事困擾，更有小人從中作梗，踏入蛇年則轉趨順遂。蛇年沒有明顯的轉工運，但是非減少，加上表現理想，易得上司嘉許；假若在大公司工作，更是升職在望，整體來說稱得上是進步之年。不過沉重工作壓力隨之而來，如為管理階層，下屬流動性高，工作流程或因下屬離職而有所延誤。如預先有加強人手部署，兼與下屬坦誠溝通，便可事半功倍。

感情方面　男士容易遇上心儀對象，可惜「襄王有心，神女無夢」，單靠自己未必可以發展。女士或會遇上不錯的男士，不過限於彼此欣賞，對方即使對自己有好感，但因某些原因而裹足不前，未能突破關係，有陷入僵局之象。若要締結良緣，最好多找朋友幫忙推動，製造更多見面機會，才有利真正發展起來。已婚人士在蛇年則算安穩，屬恩愛甜蜜的年份。

健康方面　工作壓力較大，作息時間不定，容易引致失眠、早醒的情況，故多加留意睡眠質素。另外受「土困水」的影響，與「水」相應的器官如腎臟、膀胱、內分泌系統等要多加注意，不妨多用米色、白色、淺藍色等日常物品，以彌補命格「金水」的不足。蛇年也不宜吃太多煎炸食物，反而選吃寒涼食物或「金水」類食物如海鮮、海帶等則無大礙。心情仍覺鬱悶煩躁的話，可到寒冷地區遊玩散心，有助化解「水弱」運勢。

❤ **農曆正月**
工作比較辛苦，有點心力交瘁之象，幸好同事之間的合作有助幫自己解決疑難。

❤ **農曆二月**
有是非口舌的情況出現，唯有少説話多做事。

❤ **農曆三月**
此月有輕微的人事爭拗，身體也有輕微小毛病，尤其是腸胃疾病要加以預防。

❤ **農曆四月**
傷風感冒等小毛病較多，而且視力有衰退之象，故本月不宜令眼睛太操勞。

❤ **農曆五月**
整體不俗，但工作壓力比較大，可以考慮去寒冷地方旅遊，有助增強運勢。

❤ **農曆六月**
官非運比較強，如有法律文件往來，建議請教專家幫忙。

❤ **農曆七月**
運勢轉順，貴人運較強，工作亦算稱心滿意。

❤ **農曆八月**
留意與伴侶之間易生摩擦，此月也有桃花出現，但與對方的發展不算太穩定。

❤ **農曆九月**
人事變遷或下屬出錯，令自己增添煩惱，有加重工作壓力之象。

❤ **農曆十月**
此月容易受傷扭損，駕駛人士更要打醒十二分精神，幸好事業運和貴人運尚算不俗。

❤ **農曆十一月**
人事雖有紛爭，但最終能夠圓滿解決；創作靈感特強，有利發揮才華。

❤ **農曆十二月**
兄弟姊妹、親戚朋友可能要自己幫忙，只適宜量力而為，以免累己及人。

	正月	二月	三月	四月	五月	六月	七月	八月	九月	十月	十一月	十二月
吉							▲					
中吉					▲						▲	
平	▲	▲						▲		▲		▲
凶			▲	▲		▲			▲			

每月運勢西曆日子請參閱頁348上的對照表

41.【甲辰日】健康轉佳　事事穩步上揚

出生於甲辰日的人士，壬辰龍年時由於出生日與流年地支呈「辰辰相刑」之象，健康情況大受影響，身心頗受困擾。幸好踏入癸巳蛇年後，運勢會大為好轉。其中又以健康運明顯轉佳，病痛困擾大大減少；流年也有貴人扶持及輕微的財運，諸事漸趨穩定，可說是否極泰來，身心放鬆不少。

整體而言，由於有貴人扶助，工作順遂，正財、偏財皆不錯；打工一族在蛇年也較勤奮，雖然有時自覺多勞少得，但事業仍屬穩步上揚，不宜操之過急。至於做生意者，蛇年的發展比打工一族更佳，有利再下一城，擴展事業。癸巳蛇年雖然不能說是很大的進步年，但已算是運勢不錯的年份。惟注意家宅運，尤其家中長者的健康，切勿掉以輕心。

財運方面　做生意者在蛇年有利尋求突破，尤其若心中湧現新構思，不妨在蛇年付諸實行；蛇年適宜以嶄新模式將業務擴充，因循守舊只會限制發展。但要注意，蛇年不適宜投放太大量資金，必須在能力範圍內進行，以免弄巧反拙。蛇年也有輕微的投資運，有微利可圖，但切勿倚賴小道消息，必須經詳細分析及權衡風險後才作投資。財運雖算順遂，但家宅開支也不少，宜儲備一筆應急錢應付。

事業方面　事業運僅屬不過不失，惟讀書運強勁，不妨選擇對事業有幫助的課程進修，為前途播下種子，他日收成更佳。蛇年大致工作穩定，但別期望職位上有大幅提升；其實蛇年貴人運佳，有欣賞自己的上司或客戶幫忙，已是極大鼓舞，加上同事合作無間，似乎留守原有崗位比轉工跳槽好得多。此外蛇年的是非口舌也比龍年少，人際關係大有改善。

感情方面　甲辰日出生者之中，男士的桃花運較女士佳。單身男士容易遇上年齡比自己大或小很多的女士，不介意姊弟戀的話，可以嘗試發展，也屬不錯的姻緣。女士遇到的桃花則不算理想，雖有好感，但屬於花花公子型，對方誠意欠奉，拍拖尚可，不必認真用情。已婚人士比較安定，雖然流年也有一些小爭執，但大多因家人而生，彼此多作溝通便可小事化無。

健康方面 雖然健康運整體上比龍年改善不少，但蛇年也需注意關節、皮膚及內分泌系統，並要提防跌倒受傷，爬山、攀岩等劇烈活動可免則免；家居方面也要特別小心，如上落樓梯、洗抹窗戶等要打醒十二分精神。蛇年也易皮膚敏感，故選用新護膚品或牀上用品方面要格外注重品質。不妨多用「水木」物品如栽種水種植物，家居裝修佈置時多用綠色、間條物品等也有利運勢。

❤農曆正月
易有傷風感冒等小病痛，另有有輕微破財運，避免投資，減低損失風險。

❤農曆二月
工作易節外生枝，需要多給一點耐性克服波折。

❤農曆三月
注意腸胃方面的問題，容易肚瀉不適，出門的話更要小心水土不服。

❤農曆四月
是非口舌比較多，別介入別人的是非，以免惹禍上身。

❤農曆五月
財運不錯，但身體方面或有小病小痛。

❤農曆六月
不論正財或偏財都不錯，惟手比較容易受傷扭損，要注意男性長輩的身體健康。

❤農曆七月
屬多爭拗的月份，兼有官非之象，要多注意文件合約方面的事宜。

❤農曆八月
事業運強勁，有升職的機會。

❤農曆九月
相沖月份，心情煩躁，宜出門旅遊放鬆身心，也有助運勢推展。

❤農曆十月
貴人運強，工作順遂，尤其外出公幹更佳。

❤農曆十一月
雖有新的合作機會，但此現象可能是海市蜃樓，不建議開展。

❤農曆十二月
財運不錯，但有一得一失的迹象，財來財去。

	正月	二月	三月	四月	五月	六月	七月	八月	九月	十月	十一月	十二月
吉								▲		▲		
中吉					▲							
平	▲		▲			▲					▲	▲
凶		▲		▲			▲		▲			

每月運勢西曆日子請參閱頁348上的對照表

42.【乙巳日】傷官影響 加倍付出才見收成

生於乙巳日的人士遇上癸巳蛇年，因出生日與流年的地支皆為「巳火」，而自己的出生天干為「乙木」，日柱本已呈現「木在火上」之象，再加上蛇年行火運，木生火反令自己的運勢被泄弱。加上流年受「傷官星」影響，事業受阻，需加倍付出才見收成，蛇年多勞少得是在所難免。

其實「傷官星」有利才華發揮，若從事與創意相關的工作，由於蛇年靈感源源不絕，事業相對理想。至於從事其他工作的話，蛇年則容易被瑣碎事宜纏繞，波折較多，需要加倍耐性才可解決。若屬已婚，蛇年較易為子女問題感到煩惱，做生意者或為人上司，則要面對員工下屬突然請辭、紀律欠佳或默契不足等問題，令自己心情更添煩亂。幸好蛇年的財運衝擊較小，凡事多作防範，蛇年運勢也不至太差。

財運方面 做生意者，蛇年容易面對「惡奴欺主」的情況，下屬流動性高，而部分員工的工作態度也欠佳，以至管理出現困難，每事唯有親力親為、勞心勞力，心情難免煩躁。下屬支援力不足，也令生意難以擴展，幸好客戶給予較大的支持，總算穩守原有生意。至於欲於蛇年創業的朋友，適宜親身與客戶溝通，正所謂「力不到不為財」。蛇年作小額投資較有把握，大額反而出現損耗，還是選擇風險低的保守類型，方為上策。

事業方面 從事溝通為主的營銷行業，客路比以往廣；從事創作方面的自由職業如編劇、公關、中介人等，事業同樣有長足進步。反而就職於大公司內，因受「傷官星」影響，事業發展受阻，即使滿以為升職在望，但中途易有變數，以至最後關頭錯失良機。「傷官星」也易惹是非口舌，損害人事關係，或受下屬錯誤拖累，幸好蛇年有女性貴人相助，如女性上司或女性客戶，對事業也有扶助。

感情方面 女士感情運欠佳，拍拖中的感情也不見穩定，更見趨向分手迹象；單身女士則未遇到合適對象，還是原地踏步。男士較易遇到合適對象，甚至有女士主動示愛，但對方與自己心中條件相差頗遠，即使成功開展戀情，也未必是良緣。單身男女在蛇年不妨多依靠長輩或親戚朋友的推介，才有機會開花結果。已婚人士平穩愉快，只嫌伴侶體諒不足，或出現輕微爭執，但也沒有大礙。

健康方面 整體而言蛇年較多傷風感冒等小病小痛，而且應酬不少，工作壓力也大，不妨多做瑜伽、太極等鬆弛身心的運動，或多到郊外散步以作減壓。夏天（農曆四月至六月）出生者的健康情況較差，秋天（農曆七月至九月）出世的更呈「剋泄交加」，身體更加虛弱；春天（農曆正月至三月）及冬天（農曆十月至十二月）出世人士的身體狀況則比較穩定。

❤ **農曆正月**
健康或出現小問題，膝蓋、腰骨比較差，有做運動的人士要特別留神。

❤ **農曆二月**
屬劫財的月份，不適宜借款予別人，投機投資可免則免。

❤ **農曆三月**
財運好轉，不過被輕微的是非口舌帶來的煩惱困擾。

❤ **農曆四月**
屬容易受傷扭損的月份，此月要多注意身體，劇烈的運動可免則免。

❤ **農曆五月**
財運不錯，但下屬流動性高，或因輕率犯錯而牽連自己，事前宜多與下屬溝通。

❤ **農曆六月**
正偏財都不錯，此月可作適量的投機投資，財運比較順遂。

❤ **農曆七月**
「天合地合」的月份，無論家宅、事業、財運都容易節外生枝，不妨到外地旅遊，反而有助運勢好轉。

❤ **農曆八月**
相沖月份，手容易受傷，人際關係方面也有糾纏不清之象，切勿做中間人角色。

❤ **農曆九月**
貴人運、財運俱佳，此月比較順遂。

❤ **農曆十月**
驛馬月份，適宜前往外地公幹或駐守外地分公司，動中生財；貴人運強，惟留意家中女性長輩的健康。

❤ **農曆十一月**
承接上月運勢，大致不俗；思路清晰，作決定的眼光不錯，諸事順遂。

❤ **農曆十二月**
破財月份，投資投機不適宜，用錢方向亦需謹慎，避免招致損失。

	正月	二月	三月	四月	五月	六月	七月	八月	九月	十月	十一月	十二月
吉						▲			▲		▲	
中吉			▲							▲		
平	▲			▲	▲							
凶		▲					▲	▲				▲

每月運勢西曆日子請參閱頁348上的對照表

43.【丙午日】火上加火 辛苦得財多勞少得

生於丙午日的人士，本身天干、地支皆屬火，乃六十日柱中火最當旺的一種命格。而癸巳蛇年也是火旺之年，屬火的日柱再行火運，會引致錢財損耗之象，故蛇年不但錢財比較緊張，也是多勞少得的年份。

其實丙午日出生者本身五行不均，行水運比較理想。幸好癸巳蛇年的天干「癸」屬水，尚有一點水滋潤；若生於冬天（農曆十月至十二月）或在凌晨時段出生的話，因太陽減弱，稍為平衡了「丙火」，所以蛇年的運勢也不至太差。但假若在農曆四、五月或午時（上午十一時至下午一時）出生，命格本已匯聚了最強之火氣，踏入蛇年工作會更趨辛苦；這些朋友不妨選擇到寒冷地區旅遊，尤其於生日前後出門，更能起借地運的作用。此外多接觸與水有關或深淺藍色的物品，也有助泄減「火旺」之力量。

財運方面 因癸巳蛇年「火旺」，對丙午日朋友來說特別容易破財，或出現意想不到的額外開支，所以宜有周詳理財計劃，或將部分現金轉移至實物投資，減少流動資金，有助減少白白破財的機會。從商人士在蛇年適宜穩守，即使打算擴充業務，也需預算投資兩至三年才能回本。此外面對不熟稔的客戶，付款限期宜抓緊一點。至於投機投資亦不適宜，寧願選擇置業，較為穩健。

事業方面 蛇年有感同事間競爭較大，工作壓力倍增，幸好自己鬥志旺盛，加上事業運不俗，仍有機會突圍成功。蛇年的事業運有先難後易之象，上半年比較辛苦，下半年的運勢則轉趨暢順。因蛇年並非變動之年，所以不宜刻意尋求變化或轉工，穩守自己崗位更佳。其實流年讀書運不錯，可選擇在蛇年投考升職試或進修，加倍用功必可過關。總之蛇年工作上不宜急進，放慢步伐反而更有利。

感情方面 有伴侶的男士在蛇年容易因三角關係導致感情出現變化，但流年本身已有不少瑣事要兼顧，故無暇處理感情危機，有拖拉之象。單身女士遇上的對象條件不錯，惟對方性格較主觀，自己也屬倔強，故勉強遷就開展新戀情也未必可開花結果。已婚人士容易動氣，易因瑣事出現爭執；建議勿意氣用事，不妨多到郊外或外地散心，或各自尋找朋友傾訴，「小別勝新婚」反而有助維繫感情。

健康方面「火」過旺的年份宜關注牙齒，最好事先作牙齒檢查，以防問題突然加劇。此外蛇年的肝臟比較弱，愛好杯中物的話，為免加重肝臟負荷，還是忍口為妙。另外由於五行之「水」稍欠，與「水」相應的腎臟、膀胱等也要注意。如要提升健康運，蛇年可多選用藍色物品，或在家中添置與水有關的擺設，盡量避免使用紅色物品，以免加強流年之火氣。

❤ 農曆正月
貴人運算是不錯，但工作遇上不少壓力。

❤ 農曆二月
有輕微的桃花運，不過有點屬於霧水情緣，暫時不宜過於認真。

❤ 農曆三月
屬劫財月份，而且身體比較容易受傷，要多加注意。

❤ 農曆四月
「火旺」月份，或會出現困局，工作方面宜多加耐性，不適宜太急進。

❤ 農曆五月
人事方面有小問題，宜多忍讓，或出門到寒冷地區旅遊，有助提升運勢。

❤ 農曆六月
學習運相當強勁，不妨在工餘時間進修；已婚夫妻易為子女問題而爭執。

❤ 農曆七月
全年之中財運比較理想的月份，如果想投資的話，可考慮在此月進行。

❤ 農曆八月
喉嚨、氣管、呼吸系統比較差的月份，要多保重身體；感情容易出現三角關係。

❤ 農曆九月
相沖月份，容易與人摩擦，而且頭部有機會受傷，避免進行高危運動，並需注意失眠。

❤ 農曆十月
運勢轉順，事業運強勁，宜積極主動突出表現。

❤ 農曆十一月
提防與伴侶出現爭執，不妨到外地出差公幹，對自己更有利。

❤ 農曆十二月
事業平穩暢順，事業運和財運都算不錯。

	正月	二月	三月	四月	五月	六月	七月	八月	九月	十月	十一月	十二月
吉							▲			▲		▲
中吉	▲					▲					▲	
平		▲	▲	▲	▲							
凶								▲	▲			

每月運勢西曆日子請參閱頁348上的對照表

44.【丁未日】心情轉佳 事業呈正面變動

丁未日出生者因在壬辰龍年出現「丁壬相合」之象，容易胡思亂想，引致神經衰弱，更甚者時常失眠。踏入癸巳蛇年後，整體上的精神健康已大大改善，無謂的焦慮減少很多，心情轉佳，自己相比龍年樂觀不少，運氣也自然好轉。

不過蛇年也有需要特別注意的地方，因為出生日和流年天干出現「癸丁相沖」的影響，眼睛方面容易出現問題，要提防視力出現衰退或眼部發炎等情況。另外，事業運繼龍年後也持續出現變動，故此連續兩年的事業運都不穩定，但蛇年的變化屬於向好的改動，轉工或職位上的改變對未來的事業發展會更為有利。雖然事業有輕微提升，但火旺之年對丁未日出生者的財運沒有太大幫助，故不宜期望過高。

財運方面 因流年地支的「巳」與自己地支的「未」均屬「火」，本已削弱了財運；若加上生於農曆五月全年最「火旺」的時間，蛇年更加重了破財之象，故在龍年應該開始好好計劃蛇年之理財方向。無論如何，蛇年開支也頗多，審慎理財之餘，也要避免借貸擔保。做生意者不適宜太過進取，投資、投機或將生意擴展等大動作，蛇年還是可免則免。另要加倍審慎處理合約，以防惹上官非有損財運。

事業方面 蛇年的事業運有變化之象，容易出現轉工或公司的人事變動，例如轉換老闆後，要適應新上司的另一套管理文化，頗需時間磨合，但過後問題不大。假若轉職另謀高就，事業有望提升，不過宜在下半年才轉工，否則或有機會在下半年多轉工一次。不論轉工與否，由於鬥心和判斷力不俗，加上思路清晰，儘管工作艱辛，蛇年事業應有不俗發展。

感情方面 已有伴侶的女士，蛇年與男伴的關係出現變化，容易互相指責甚至出現分手的危機；不過一輪爭吵或冷戰後，即使曾一度分手，也會「牀頭打交牀尾和」。單身男士雖有桃花，暗裏得知有人喜歡自己，可惜對方不是自己屬意的對象，只是「神女有心，襄王無夢」。已婚人士婚姻生活則屬穩定，甜蜜溫馨，如有意在蛇年添丁，可趁蛇年落實。

健康方面 相比龍年，蛇年身體狀況轉佳，失眠改善，壓力也減卻不少，不過容易因事動怒，若諸事以平常心面對，則無大礙。受「癸丁相沖」影響，眼睛也容易受損，要注意視力衰退、近視加劇或老花加深等情況，也要提防患上其他眼疾。另外踏入「火土」旺的流年，慎防患上與肺、氣管或呼吸系統方面毛病，蛇年也特別容易咳嗽，故此要多留意家居的空氣質素。

❤ 農曆正月
工作比較勞累，但貴人運算強。

❤ 農曆二月
不少新的合作機會湧現，不妨一試，但此月應酬比較多，要留意作息時間。

❤ 農曆三月
屬劫財的月份，不適宜投機投資，容易破財。

❤ 農曆四月
財運比上月更弱，要預留流動資金傍身，稍一不慎都可動用此筆錢應急。

❤ 農曆五月
工作大起大落，波折重重，宜多給耐性，或出門到寒冷地方也合適。

❤ 農曆六月
是非口舌比較多，宜少說話多做事，亦不適宜做幫別人排難解紛的工作。

❤ 農曆七月
財運相當不錯，或有可觀的收入。

❤ 農曆八月
財運依然順遂，不過人際關係上出現輕微倒退。

❤ 農曆九月
此月工作不愉快，情緒較低落，不妨多找朋友傾訴，另要關注家人的健康。

❤ 農曆十月
事業運強勁，但工作壓力也大，並提防官非運。

❤ 農曆十一月
易有小人作梗或遭人陷害，對事業造成衝擊；凡事宜謹慎執行，有兩手準備為佳。

❤ 農曆十二月
適宜往外走動，把握出門公幹的機會，有助強化運勢，但要注意腸胃方面的健康。

吉							▲					
中吉	▲	▲						▲		▲		
平									▲			▲
凶			▲	▲	▲	▲					▲	
	正月	二月	三月	四月	五月	六月	七月	八月	九月	十月	十一月	十二月

每月運勢西曆日子請參閱頁348上的對照表

45.【戊申日】天合地合 宜辦喜事迎接變動

面對六十年一遇「天合地合」的影響，戊申日出生的人士在癸巳蛇年要面對不少變化，包括家宅、財運和事業等各方面都頗為動盪，宜做足心理準備，也要注意家中長者健康。在「天合地合」之年，最適宜舉辦喜事以作化解。如在蜜運之中，蛇年十分有利落實結婚計劃；已婚夫婦打算生兒育女也是理想時機。若早已儲蓄一筆資金打算做生意或置業，此等也屬喜事，適宜在蛇年實行。

部分人士若早在龍年已舉辦喜事，也有利迎接蛇年「天合地合」之變化，蛇年可延續餘慶。倘若未有任何舉辦喜事的決定，蛇年則要面對突如其來的變動，尤其感情方面容易陷入「不結即分」的局面。經商者則要抱着「宜守不宜攻」的態度，以防情況突然逆轉。總之「天合地合」之年變動不斷，萬事宜謹慎為上。

財運方面「天合地合」之年創業有沖喜的作用，從商人士也可開拓新業務，奈何反覆之年還是保守穩健較佳，任何新投資都要小心翼翼，也不宜投放龐大資金，並要避免投資不熟悉的行業，以防有損失。蛇年也要小心被人拖欠借款，故不宜借貸或做擔保人，若有必要，也要預算對方難以在短期內歸還。投資方面，投機短炒虧損機會較高，反之選擇置業保值較佳，同時能有「沖喜」作用，一舉兩得。

事業方面受「戊癸相合」的影響，事業變化不斷，蛇年容易萌生轉工或創業的念頭，但變動前要想清楚，否則出錯機會高，轉工後也容易與預期有所出入，有一轉再轉之象。另外要慎防新公司突然取消聘約，故簽約作實後才正式辭職為佳。留在原有公司者，也要面對公司架構出現變化，倍感吃力，易招精神緊張。如果公司有出差任務，「天合地合」之年出門最佳，宜努力爭取。

感情方面面對「不結即分」之關口年，不妨坦然面對離離合合。結婚固然是好事，未有結婚計劃者，便要提防蛇年出現突變，如在沒有預期的情況下突然鬧分手。已婚人士踏進關口之年，若無意為家庭增添新成員沖喜，則易因三角關係而導致婚變，故此面對外在誘惑應加以克制，安守本分為上。假若在蛇年有喜，宜按照中國傳統懷胎三月後才向外公布，對懷孕過程更有利。

健康方面 面對蛇年如此動盪，精神自然特別緊張，容易惹來虛驚一場，故趁龍年未過，不妨趕緊做身體檢查，以求自己安心，萬一身體有任何問題，也可盡早醫治。但始終蛇年容易神經衰弱，失眠情況較嚴重，不妨多做運動紓緩，或多找朋友傾訴。其實蛇年整體健康未見大礙，但醫療開支有增加之象，購買保險也可主動作應驗。此外「天合地合」之年，也要留意家中老人的健康。

❤農曆正月
事業運有進步，不過工作壓力頗大。

❤農曆二月
官非運強，處理文件合約要當心，提防引起官司訴訟。

❤農曆三月
人際關係不錯，兼有貴人幫忙，遇事可以多加向身邊朋友求助。

❤農曆四月
是非口舌比較強，若不慎言，或出現名聲受損的情況。

❤農曆五月
有輕微劫財的情況，不適宜投機投資，只求穩守，不宜進取。

❤農曆六月
破財的情況依然持續，注意花錢的方向，如果能置業買樓，長遠收益更理想。

❤農曆七月
有打針吃藥之象，要注意身體健康。

❤農曆八月
有感情困擾的月份，或出現三角關係，提防感情糾纏不清。

❤農曆九月
財運不錯，領導才能更得以發揮，事業運趨旺。

❤農曆十月
工作不俗，財運也不錯，不過工作壓力沉重，宜多注意作息時間。

❤農曆十一月
本月適宜到外地工作，不妨積極爭取此「動中生財」的機會。

❤農曆十二月
財運順遂，積極尋求進帳的機會。

	正月	二月	三月	四月	五月	六月	七月	八月	九月	十月	十一月	十二月
吉			▲						▲			▲
中吉	▲									▲	▲	
平				▲	▲	▲	▲					
凶		▲						▲				

每月運勢西曆日子請參閱頁348上的對照表

46.【己酉日】財運趨順　貴人扶持事事稱心

整體而言，己酉日出生者在癸巳蛇年的運勢不俗，貴人運強，尤其情緒方面比壬辰龍年大有改善。己酉日出生者在龍年因出現「辰酉相合」之象，故此運勢比較反覆，心情自然不佳。但踏入癸巳蛇年，因流年地支的「巳」跟出生日地支的「酉」有輕微相合的情況，故事業會轉趨順暢，加上流年天干「癸水」正是自己的財星，也有利提升財運。

尤其冬天（農曆十月至十二月）出生者，財運更佳，甚至有餘錢可作儲蓄；至於夏天（農曆四月至六月）出生的人士，則屬表面風光，實際未如理想。此外，蛇年的感情路上會較複雜，多變之餘更有外來的引誘，令自己心大心細，有時難免影響情緒，甚至牽連工作表現，故此需要多加注意。

財運方面　冬天（農曆十月至十二月）出生的人士，由於天干「癸水」通根至自己月份的地支，財運特別亨通，從商者更可大展拳腳，不過要留意人事方面的配合，蛇年尋找能幹員工比較艱難，而且流動性強，也會拖慢生意步伐。至於夏天（農曆四月至六月）出生的朋友則別被表面風光所蒙蔽，要慎防年中入不敷支。蛇年也可投機投資，但避免與人合作，以免因財失義。

事業方面　龍年工作格外賣力，惟得不到老闆賞識，有多勞少得之感。踏入蛇年則有得力貴人扶持，諸事稱心如意；貴人多是昔日的上司或工作上的前輩，雖然不會即時帶動職位上的調升，但只要做好分內事，年末還有輕微的升遷機會。若有意轉工，也適宜過了農曆四、五月才考慮會更理想。如果從事需要見客的銷售工作，蛇年容易得到舊客戶的支持，生意額不錯。

感情方面　仍然單身的男女，蛇年雖有不錯的桃花運，但遇上的對象各有缺點，比較後仍不知誰較理想，有舉棋不定、左右徘徊之象，更容易引發三角關係。其中尤以單身男士的桃花比女士多，對象的家庭背景不俗；女士則有遇上「假桃花」之象，萬綠叢中也難有真正合意之選，還是請求長輩介紹較佳。已有伴侶者，蛇年要提防第三者的介入，面對誘惑要懂得自我克制。

健康方面 由於流年行「火土」運，己酉日出生者在蛇年要特別留意關節部位，尤其是腳部比較容易撞傷扭損，故出門旅遊或做運動時也要多加注意。日常生活中，要提防發生家居意外，引發腳部受傷。此外，心臟、血壓在蛇年也較易出現問題，提防患上膽固醇偏高、心律不正常或高血壓等慢性疾病，並要注意因飲食失調引致體重急升，故必須多加注意均衡飲食及穩定的作息。

❤ 農曆正月
工作運算不錯，不過手部容易受傷弄損，宜多加留意。

❤ 農曆二月
相沖月份，工作比較辛苦和頻撲，出外公幹反而不錯，不妨主動爭取。

❤ 農曆三月
人際關係出現變化，較多口舌是非，還是少説話多做事較佳。

❤ 農曆四月
有新的合作機會出現，可以開展，應有不俗的發展空間及回報。

❤ 農曆五月
財運方面比較受困，不宜投機、投資。

❤ 農曆六月
錢財依然耗損的月份，若兄弟姊妹或親朋戚友要求幫忙，只宜量力而為。

❤ 農曆七月
學習運強勁，可以選擇合適課程進修。

❤ 農曆八月
身體狀況出現問題，提防腸胃疾病，女士則要提防婦科疾病。

❤ 農曆九月
工作或遇上波折，宜給予耐性克服；投機投資運不俗，不妨小試牛刀。

❤ 農曆十月
雖然錢財一出一入，但整體運勢仍算不俗。

❤ 農曆十一月
此月或有官非出現，要多注意文件合約細節，以免出錯引起訴訟。

❤ 農曆十二月
事業發展理想，但情緒較低落，宜多找朋友聯誼，有助消除心中鬱悶。

	正月	二月	三月	四月	五月	六月	七月	八月	九月	十月	十一月	十二月
吉				▲			▲					
中吉	▲									▲		
平		▲	▲						▲			▲
凶					▲	▲		▲			▲	

每月運勢西曆日子請參閱頁348上的對照表

47.【庚戌日】辛苦得財 打工一族運勢更佳

庚戌日出生者踏入癸巳蛇年，因流年的地支「巳火」乃自己的事業星，故蛇年的事業發展不錯，打工一族有理想的事業發展，有望更上一層樓。然而流年地支「巳火」同時有剋制自己出生日天干的「庚金」之象，所以蛇年的財運不太順暢。

尤其對從商者而言，因蛇年沒有財星高照，雖然事業發展暢旺，但財運往往未能配合，故有辛苦得財之感。幸好自己鬥志頑強，想法積極樂觀，所以辛苦工作也覺值得。蛇年也適合擴充業務，惟不適宜投入龐大資金，也不宜因循一直依據的模式，反而新噱頭更能帶動生意。整體而言，蛇年比受「天羅地網」相沖的龍年穩定，事事漸趨安定，而且學習運強，不妨工餘進修，對長遠事業更有幫助。

財運方面 蛇年的財運對打工一族較有利，薪酬調整頗理想，但從商人士賺錢方面則較吃力。若有意開拓其他市場，用原有方法宣傳的話成效不彰，反而以新穎的推廣橋段更有機會突圍而出。蛇年官非運也強，寧願花錢聘用專業人士覆檢合約，總好過出錯招致訴訟，破財機會更大。若要提升財運，不妨多靠人際關係尋找客戶的支持，主動一點聯絡舊有客戶，容易有意想不到的收穫。

事業方面 打工人士有望更上一層樓，升職機會不俗，並有理想的薪酬加幅。新職位涉及的層面更廣，有助開拓視野，不過艱苦在所難免，幸好事業發展不俗，故仍屬滿意的一年。管理階層要面對下屬能力不足的問題，不時要單打獨鬥面對繁重工作，勞累得透不過氣。假若龍年已轉工，蛇年將可守穩，不宜再作轉工，工餘時間不妨進修增值，對運勢更佳。

感情方面 女士容易遇上年紀比自己小的男性，雖屬姊弟戀，但彼此性格合拍，故新戀情仍可順利開展。至於單身男士在蛇年較難遇到理想的桃花，加上工作忙碌，分身乏術，開展新戀情或會帶來更多煩惱，故自己也無意欲拍拖。有伴侶的人士應可度過開心甜蜜的一年；至於已婚人士也屬平穩發展，僅因對子女的成長有不同觀點而有意見，不過爭拗輕微，影響不大。

健康方面 即使以往沒有睡眠問題，但蛇年沉重的工作壓力也容易引致睡眠不足或失眠等情況。此外，蛇年也略有小病小痛，主要來自鼻敏感和呼吸系統等方面的毛病，尤其蛇年特別容易咳嗽，剛治癒不久又再復發或久咳不癒都較易發生，故要多加保護氣管，少到空氣混濁的地方；若有抽煙習慣，不如趁機戒掉。日常生活宜多接觸大自然或多做運動，有助紓緩壓力。

❤農曆正月
相沖的月份，除輕微破財外，人事紛爭在所難免，宜互相忍讓為上。

❤農曆二月
「天合地合」的月份，做事一波三折，也要留心家宅運；不妨到寒冷地方旅遊，有助改善運勢。

❤農曆三月
事業運向好發展，比以往有進步，惟注意人事爭拗。

❤農曆四月
官非較旺的月份，要多注意文件合約的細節，務必審慎處理。

❤農曆五月
領導才能得以發揮，惟工作壓力沉重，需加倍賣力應付。

❤農曆六月
貴人運強，但表現有點操之過急，以至未如理想，宜做事耐心一點。

❤農曆七月
屬劫財月份，易招財物損失，也要避免在此月投機、投資。

❤農曆八月
依然是容易損失錢財的月份，要小心提防破財，惟桃花運不俗。

❤農曆九月
事業運、財運俱順遂，諸事較前月穩定。

❤農曆十月
是非口舌比較多，或會為子女的問題而煩憂。

❤農曆十一月
有輕微的人事爭拗，但工作尚算順利。

❤農曆十二月
容易失眠和頭痛，要多注意作息時間；工作上稍遇挫折，最好有兩手準備。

	正月	二月	三月	四月	五月	六月	七月	八月	九月	十月	十一月	十二月
吉									▲			
中吉			▲		▲						▲	
平				▲		▲		▲				▲
凶	▲	▲					▲			▲		

每月運勢西曆日子請參閱頁348上的對照表

48.【辛亥日】驛馬相沖 出外有利提防是非

辛亥日出生者因出生日的地支與癸巳蛇年的地支有「巳亥相沖」之象，這不僅是「日犯太歲」其中一種，也象徵「驛馬相沖」，所以蛇年無論家宅和事業都有一定程度的變動。為順應運勢，蛇年宜動不宜靜，若能到不同地方工作或旅遊，會帶來更佳的運勢。

不過始終受「日犯太歲」的影響，加上天干「癸水」通根至出生日地支「亥」上，蛇年的是非口舌會特別多，容易動輒與人爭執；若為管理階層，員工不僅有頻繁轉換之象，也易因下屬拒絕合作而帶來困擾。因此，蛇年要多加注意人際關係的溝通，面對下屬的問題也要平心靜氣，以免彼此關係進一步惡化。至於流言蜚語則不要多管，最重要是做好眼前工作，否則一旦捲入紛爭之中，很容易一發不可收拾。

財運方面 蛇年乃動中生財的年份，主要以口才謀生工作的，如營銷、律師、公關等等，事業發展理想，可謂多勞多得。做生意者也不應守株待兔，宜積極聯絡客戶，甚或親自上陣向顧客推銷，業績會更理想。驛馬相沖之年也有利開拓海外市場，出門公幹或多做外貿生意皆對財運有利。蛇年的偏財運也相當不俗，宜把握流年個別有利的月份作投資投機，可望有橫財進帳；切忌密密炒賣，反會功虧一簣。

事業方面 打工一族在蛇年心情輕鬆，個人鬥志比以前低，升職突破無望：與其抱着「不求有功但求無過」的心態做事，不如在蛇年主動進修增值或要求出差公幹等，也有助重拾事業目標。為人上司者則要注意下屬問題，員工流動性強，聘請出現困難，下屬也不太聽話，唯有事事親力親為。蛇年的是非也特別多，最好閒事莫理，也不宜做中間人調解角色，如此才可明哲保身。

感情方面 受「巳亥相沖」影響，情侶、夫妻若經常朝夕相對，蛇年無論大小事情上都易發生衝突，甚至出現分離的危機。因此蛇年最適合聚少離多，出門公幹甚至駐守外地分公司對感情運反而更有利。單身者則有利覓得異地情緣，前往外地公幹或遇上外地朋友來港工作時不妨多加留意；女士桃花較旺，但分隔異地感情未必穩定，只宜把蛇年視為愛情的萌芽期。

健康方面　蛇年往外公幹頻繁，要注意外地飲食，慎防水土不服，而體重也易因應酬過多而上落不定。「驛馬相沖」之年也代表腳部容易受傷扭損，有膝蓋、腰骨舊患者，更有惡化的機會。故此蛇年不宜多做容易勞損關節的運動，如跑步、足球、攀山等，改為選擇有助紓緩筋骨關節的運動，如游泳、太極等較佳。駕駛人士在相沖之年的碰撞機會也較大，要格外留意道路安全。

❤**農曆正月**
財運不俗，但收入轉瞬損失，屬一得一失的月份。

❤**農曆二月**
有輕微的人事爭拗，但正偏財運都不錯，工作順遂。

❤**農曆三月**
喉嚨、氣管、呼吸系統較差的月份，容易咳嗽，要多加注意健康。

❤**農曆四月**
事業運強，做生意者可考慮拓展海外市場。

❤**農曆五月**
事業運和貴人運俱強，趁勢發展事業較理想。

❤**農曆六月**
自己的功勞被人搶去，唯有加諸耐性，靜待時機突出自己。

❤**農曆七月**
屬劫財月份，不適宜投機投資。

❤**農曆八月**
注意健康，易有小病痛，有打針吃藥之象。

❤**農曆九月**
貴人運好轉，可藉此發展自己的事業，但注意是非口舌較多。

❤**農曆十月**
下屬的錯誤或子女的麻煩帶來不少困擾，宜找朋友傾訴抒發鬱結。

❤**農曆十一月**
學習運強，不妨增值進修。

❤**農曆十二月**
屬相沖的月份，容易與人爭執，但事業運和財運都不俗。

	正月	二月	三月	四月	五月	六月	七月	八月	九月	十月	十一月	十二月
吉				▲	▲						▲	
中吉		▲							▲			
平	▲		▲					▲				▲
凶						▲	▲			▲		

每月運勢西曆日子請參閱頁348上的對照表

49.【壬子日】財運提升 慎防破相開刀

壬子日出生者在壬辰龍年因受地支「子辰會水」的影響，以至財運欠佳，錢財易招損失之餘，健康運也處於弱勢，小毛病特別多。踏進癸巳蛇年，由於流年行火運，對自己命格有利，故此財運轉佳，理應有不錯的收入，特別是生於農曆四月至六月的人士，更有餘錢可作儲蓄。反觀冬天出生的，即使收入有所提升，但容易轉瞬又因事破財，出現財來財去的局面，難免一場歡喜一場空。

此外，蛇年也要繼續注意健康，因為流年有破相開刀之象，凡事不可掉以輕心。不過無論如何，壬子日的人士在蛇年的整體運勢也比龍年為佳，事業及財運皆在上升之軌道上；如能恰當理財，減少無謂的支出，並多加注意健康，蛇年也屬開心愉快的一年。

財運方面 踏進行火運之年，命格利火之壬子日出生者自然如魚得水，財運比較穩定，尤其是農曆四月至六月出生的人士，正財提升之餘，更可增加儲蓄。相反，生於農曆十月至十二月的朋友，蛇年的錢財則容易「左手來右手去」，不妨將收入轉成實物投資，如置業或購買黃金等皆有助保值。此外，不要以為自己收入好轉，便「先使未來錢」，否則或會出現入不敷支的情況。

事業方面 蛇年的事業運趨向理想，更有可進步的空間，打工一族有升職的機會，薪酬的加幅也屬滿意。若有意蟬過別枝轉到其他公司發展，蛇年也是理想時機，惟需踏進年中，即農曆四月至六月後才較合適。另外，同事之間易有輕微的爭執，或因公司內部的劇烈競爭，出現不少明爭暗鬥。幸好蛇年的貴人力量不俗，競爭之中也有利脫穎而出。

感情方面 不論是單身或已有伴侶的男士，蛇年桃花運頗強，對象條件不俗，故此拍拖中的有伴侶男士容易萌起分手的念頭，有意開展另一段戀情。女士也有輕微的桃花，惟競爭對手亦不少，而且其他人條件不俗，自信容易受到打擊，不妨多找朋友幫忙，會有更佳發展。已婚人士要多加注意伴侶的健康，雖然屬輕微小問題，但伴侶身體出現毛病，增添不少煩惱。

健康方面　其實龍年和蛇年連續兩年都比較容易生病、受傷，儘管蛇年較佳，但最好還是在踏入蛇年前先作健康檢查，防患於未然。蛇年較大機會因接觸金屬利器而破相、受傷，甚至有開刀的機會，如從事經常接觸機械器等高危性工作，必須格外留神。此外壬子日出生者的命格本身較容易有牙齒問題，蛇年問題更大，修補牙齒在所難免，不如先主動作檢查為佳。女性則要提防婦科毛病，切勿諱疾忌醫。

❤農曆正月
是非口舌比較多，不要幫別人排難解紛，否則容易惹禍上身。

❤農曆二月
頗多小問題湧現，還是做好分內事為佳，避免加劇人事紛爭。

❤農曆三月
事業運強，財運亦不俗。

❤農曆四月
工作比較辛苦，精神壓力較大，屬容易失眠的月份。

❤農曆五月
事業運和財運都不錯，不過此月容易受傷扭損，要多注意健康。

❤農曆六月
有升職的機會，工作頗為順遂。

❤農曆七月
貴人運較強，但要留心家中長輩的健康。

❤農曆八月
儘管有桃花運，惟應想清楚才開展，勿對別人太過熱情，以免陷入三角關係。

❤農曆九月
容易受傷的月份，或有破相、開刀的機會，駕車人士要特別小心。

❤農曆十月
錢財易招破損，此外亦要留意健康。

❤農曆十一月
適宜往外地出勤，但投機投資則要特別小心。

❤農曆十二月
工作方面開始回穩順暢，惟家宅有變動之象，作小型裝修佈置有利應驗運勢。

	正月	二月	三月	四月	五月	六月	七月	八月	九月	十月	十一月	十二月
吉			▲			▲						
中吉					▲		▲					▲
平		▲								▲	▲	
凶	▲			▲				▲	▲			

每月運勢西曆日子請參閱頁348上的對照表

50.【癸丑日】財來財去 宜作穩健投資保值

癸丑日出生者遇上癸巳蛇年，因出生日和流年天干同樣是「癸水」，引致流年財運的起跌頗大。雖然有不錯的收入，但也有錢財耗損之象，總是財來財去，難以守着所得之財富。因此蛇年除了要注意開支預算，也不適宜擁有太多現金；若有餘錢，不妨作穩健的投資，如買樓置業或購買黃金，一來可應破財之象，二來有利長遠的保值。

此外，因流年地支「巳」與出生日地支「丑」有暗中的會合，象徵蛇年會有比較多突如其來的合作和變化；這些機遇看似是新發展，但小心因考慮欠周詳而做錯決定。「暗合」也代表胡思亂想、焦慮較多，所以也要注意情緒起落。總體來說，蛇年只要不太冒進，新一年應是穩步上揚的年份。

財運方面 從商者易得原有客戶支持，生意不俗。蛇年也特別容易受人賞識，對方主動洽談合作機會，但不宜太急，因「巳丑暗合」要加上「酉」才算完全的會合，除非商討合作者乃肖雞的人士，成事機會才會較高，否則多數只是空談居多。若有新計劃進行，上半年只宜作部署，下半年才適合執行。蛇年也要特別留意錢財的流動，投資方面只宜作中長線的計劃，高風險的投機炒賣可免則免。

事業方面 打工一族薪酬加幅滿意，惟面對工作上的流言蜚語，加上同事之間存有不少競爭，頗受困擾。另外還要面對公司內的變化，例如部門重組或調換職位等機會也較大；雖然工作上有新鮮感，但需要時間重新適應，當中也有不少壓力。幸好蛇年容易得到前輩或上司的提攜，表現不俗。整體而言事業乃穩步上揚，留在原有公司發展所長，比轉工更佳；若要轉工，也要等入冬後才較有利。

感情方面 情侶之間容易有小風波，或因小誤會產生摩擦，感情不算十分恩愛甜蜜。處身爭吵的年份，宜將專注力轉移至工作上，對感情不宜抱太大期望，但求平穩度過便可。已婚人士也容易覺得不受對方重視，或因自己應酬過多而疏忽另一半的感受；其實蛇年最好與伴侶聚少離多，反而有助穩定感情。單身男女即使桃花飄至，蛇年也難以落實，所以不宜太投入。

健康方面 踏入蛇年，癸丑日出生者在腸胃及眼睛方面特別容易出現小毛病。若本身有深度近視，有意作激光矯視的話，蛇年適合主動做手術應驗運勢；喜愛游泳的人士，蛇年要更加提防紅眼症及其他眼睛炎症。另外，因工作壓力頗大，自己有胡思亂想之象，容易透過大吃大喝減壓；其實此方法長遠更損健康，最好在生活習慣上作適當調節，日常保持穩定作息之餘，也適宜多做運動紓緩身心。

❤農曆正月 個人思路清晰，事業發展不錯。

❤農曆二月 學習運強，可選讀合適課程進修。

❤農曆三月 工作壓力較大，但事業或更上一層樓，有升職機會。

❤農曆四月 眼睛容易出現毛病，要多加注意及提防，應酬亦比較多，要注意健康。

❤農曆五月 心情低落，容易胡思亂想，宜找朋友傾訴。

❤農曆六月 建議多作走動，到別處公幹有助提升運勢，另提防官非纏身。

❤農曆七月 貴人運強，之前積累的問題都有望在此月迎刃而解。

❤農曆八月 貴人運相當不俗，思路清晰，可好好把握機會，惟應酬較為頻密，要注意健康。

❤農曆九月 屬劫財月份，不適宜投機投資，亦要注意人際關係。

❤農曆十月 手腳容易受傷，容易破相開刀，提防發生家居意外。

❤農曆十一月 有新的合作機會，不過切忌輕易相信他人，因可能只是海市蜃樓。

❤農曆十二月 易惹口舌是非，說話方面要小心，以免得罪上司或朋友。

	正月	二月	三月	四月	五月	六月	七月	八月	九月	十月	十一月	十二月
吉	▲	▲					▲					
中吉			▲					▲				
平				▲		▲					▲	
凶					▲				▲	▲		▲

每月運勢西曆日子請參閱頁348上的對照表

51.【甲寅日】寅巳相刑　提防無故惹上是非

甲寅日出生者處身癸巳蛇年因有「寅巳相刑」之情況，流年運勢呈現「日犯太歲」，人際關係容易出現倒退；即使一向人際關係良好，與別人沒有什麼衝突，蛇年也容易無故惹來是非，甚至無緣無故被針對，故此還是加倍審慎言行為上。「寅巳相刑」也寓意容易受傷，尤其關節部位，必須多加提防。

工作方面，蛇年比較有利從事創意工作的朋友，反而穩定性較高的行業只屬不過不失。甲寅日屬木，出生於秋季的人士，由於秋天樹木開始凋零，加上遇上行火運的蛇年，事業固然會比較差。至於春天出生者，由於「木」強，行火運時木能生火，反而平衡了命格，事業則比較順遂。由此推之，冬天水旺，水能生木，故「木」較強；夏天火旺，木生火，「木」則較弱。故此整體而言，春冬出生的人士運勢較佳；夏秋出生的人士較差，工作比較辛苦。

財運方面　蛇年的財運不及龍年順遂，比較辛苦才可得財，尤其做生意者事事也要親力親為，甚至要親身見客才可將生意談妥；故此蛇年乃「力不到不為財」，不能抱着僥倖心態。其實蛇年整體收入不錯，只是較難有餘錢作儲蓄，始終有財來財去之情況。投資運不過不失，輕微的小額嘗試尚可，大手投資則不合適，也不宜與別人合作投資，否則可能因財失義。

事業方面　若從事依賴靈感的自由職業，如編劇、廣告創作、設計等，由於蛇年創作力和想像力澎湃，天馬行空的橋段容易獲得客戶賞識，有助事業發展。反觀若是大企業管理人員，蛇年頗多人事不和，更有可能更換老闆，令發展未如理想，所以不妨在人事方面多下功夫，多與上司、下屬溝通了解。蛇年也不宜做排難解紛的中間人，若要參加升職試，年末報考才較合適。

感情方面　受「日犯太歲」影響，感情運不算理想，有將問題小事化大的危機。若本身對伴侶已有頗多不滿，為免把累積的小問題一次爆發，還是坐下來好好詳談，以免問題惡化。單身男女在蛇年的桃花較弱，機會欠奉，或可透過長輩或前輩介紹，有望提升機會。已婚者則較易有喜，惟早段的穩定性不高，宜懷孕三個月後才公布喜訊。

健康方面 甲寅日出生者本身已是比其他人容易受傷，「寅巳相刑」更強化受傷的機會，故此踏入蛇年，更要提防膝蓋、腰骨等關節方面出現扭損，做運動要格外留神。此外駕車人士也要加倍小心，提防車輛碰撞的機會。受命格「土弱火重」的影響，腸臟、脾胃有關的器官在蛇年較弱，容易腸胃不適，故此出門要慎防水土不服，避免進食不潔食物。

❤ 農曆正月
容易手腳受傷，做運動要多加留神；此月容易破財，不宜投機投資。

❤ 農曆二月
依然屬破財月份，投資要保守；應酬頻繁，要注意作息時間。

❤ 農曆三月
財運出現好轉的迹象，可作適度投資，惟小心是非口舌。

❤ 農曆四月
人際關係或有問題，工作出現輕微阻礙，不妨找舊同事或前輩幫忙。

❤ 農曆五月
財運好轉，可以量力投機投資，或有不錯的回報。

❤ 農曆六月
手容易受傷的月份，不過財運和事業運尚算不俗。

❤ 農曆七月
天干地支相沖，面對不少變化，或需突然出門，凡事宜有兩手準備。

❤ 農曆八月
事業運強勁，惟文件合約有可能出錯，要加倍注意細節。

❤ 農曆九月
財運順遂，收入理想，更有貴人扶持。

❤ 農曆十月
留心家中長者的健康，此外家居內若有需要維修或整頓，也宜在本月進行。

❤ 農曆十一月
屬劫財月份，或有人向你請求幫忙，只宜量力而為。

❤ 農曆十二月
工作順利，但受身邊不少流言蜚語所困擾。

	正月	二月	三月	四月	五月	六月	七月	八月	九月	十月	十一月	十二月
吉					▲				▲			
中吉			▲			▲						▲
平				▲				▲		▲		
凶	▲	▲					▲				▲	

每月運勢西曆日子請參閱頁348上的對照表

52.【乙卯日】漸離困局　事業財運並進

乙卯日出生者在壬辰龍年因受「卯辰相害」影響，以至人際關係備受考驗。蛇年運勢則理想得多，雖然仍有輕微的是非口舌，但人際關係漸趨改善，有望逐步脫離人事困局。

踏入蛇年，事業及健康運也有好轉迹象，而且蛇年的思考運不錯，頭腦較以往清晰，想法也比以往積極。因此即使有是非口舌，自己也能以輕鬆心情面對，不再耿耿於懷，可更專注於事業上的發揮。此外，由於學習運不俗，不妨選擇對自己事業有幫助或自己感興趣的課程修讀，一來可增值及裝備自己，二來也可趁機發展自己的其他才能，或者可發掘事業上的其他可能性。蛇年也是貴人得力之年，身邊有人扶持自己，故無論事業、財運以及人際關係都較龍年進步不少。

財運方面　儘管因為原有客戶的支持，做生意者的收入仍算理想，但面對經營成本上漲，加上蛇年有不少無謂的開支，故此財運僅屬表面風光。蛇年必須加倍留意成本控制，以防「吉中藏凶」。另外年中或因遇到一些困難而急需用錢，有暗地漏財之象。另外因思考運佳，蛇年投資方面適宜依靠自己的詳細分析來下決定，可憑着獨到眼光而獲利；切忌誤信別人的小道消息，否則會招致損失。

事業方面　蛇年的貴人運比較強，長輩和老闆皆對自己不錯，而且下屬的支援力較龍年為佳。雖然相比龍年，事業還稱不上是強力的反彈，但已逐漸好轉，加上與上司、下屬關係融洽，工作尚算稱心如意。蛇年也有輕微的升職運，薪酬加幅雖然未算十分滿意，但依然值得高興。打算轉工者，蛇年似乎未能落實此願，留守原有崗位更見進步，不妨靜待更佳的機會。

感情方面　出生於乙卯日的男士在蛇年可望遇上不錯的桃花，但對象個性比較硬朗，如果喜愛此類型的女性，不妨認真發展。女士桃花較弱，雖然較大機會在朋友聚會、學習環境或旅途上遇到合眼緣的對象，但此情緣屬「暗桃花」，需要時間悉心栽培，才有開花結果的機會，不能操之過急。已婚人士婚姻尚算美滿，相聚時間較以往多，不妨找個機會舊地重遊，有助進一步提升感情運。

健康方面：因蛇年火較旺，乙卯日的朋友需多加注意肝臟健康，若時常要作應酬、喝酒，或經常睡眠時間不足，蛇年的肝臟負荷會更加嚴重，故此建議將作息時間稍作協調較佳，也要注意飲食。此外，因流年「水分不足」，與水對應的部位如腎臟、膀胱、內分泌系統等都要加倍留意。想改善，不妨多選用淺藍色、米色、白色等物品配襯服飾或家居，有助提升健康運勢。

❤ 農曆正月
屬劫財月份，不適宜投機投資。

❤ 農曆二月
天干地支完全相同的月份，工作會比較棘手，易發脾氣，不妨多找朋友傾訴開解。

❤ 農曆三月
財運順遂，惟人際關係欠佳，有輕微的口舌是非。

❤ 農曆四月
可以到外地出勤或旅遊，學習運亦相當強。

❤ 農曆五月
財運亨通，投機投資均不妨一試。

❤ 農曆六月
財運不俗，但要留意男性長輩的健康。

❤ 農曆七月
工作壓力較大，容易神經衰弱、精神緊張，小心惹上官非。

❤ 農曆八月
天干地支相沖，除非有喜事或搬遷計劃，否則易有人事變動或波折，凡事宜有兩手準備。

❤ 農曆九月
有新的合作商機，但小心吉中藏凶，最終未必可以落實。

❤ 農曆十月
有利外地出勤的月份，驛馬運強；貴人運佳，有望貴人扶持。

❤ 農曆十一月
容易出現三角關係，感情或生變化，宜及早處理。

❤ 農曆十二月
財運相當不錯，但財來財去，收入轉瞬花去，故要注意開支方向。

	正月	二月	三月	四月	五月	六月	七月	八月	九月	十月	十一月	十二月
吉				▲	▲					▲		
中吉						▲						▲
平			▲						▲		▲	
凶	▲	▲					▲	▲				

每月運勢西曆日子請參閱頁348上的對照表

53.【丙辰日】穩步上揚　冬天出生運勢更佳

丙辰日出生者在壬辰龍年因受日犯太歲的「辰辰相刑」所影響，諸事掣肘，總覺波折不斷。幸好踏入癸巳蛇年，健康轉佳，人際關係也有改善。然而運勢強弱也得視乎出生季節；由於流年行火運，若生於冬天（農曆十月至十二月）之寒冷氣候，因命格利火，遇上癸巳蛇年更是如魚得水，事業運和財運均特別理想。反之，如果生於夏天（農曆四月至六月），行火運不但沒有優勢，反而會出現劫財之象。

總言之，冬天出世者運勢理想，蛇年乃穩步上揚。夏天出生者事業雖同樣漸入佳境，但仍有感多勞少得，尤其打工一族財運損耗較大，投機、投資也要小心。夏天出生者的工作運也有節外生枝之象，阻滯較多，建議可多佩戴金器、白色或米色等物品，有助改善運勢。

財運方面　受行火運的影響，收入有所提升，冬天出生者更可有餘錢作儲蓄，反觀夏天出生的人士儲蓄較難，有劫財之情況，要面對不少突如其來的支出，有暗地漏財之象。蛇年的花費似乎特別多，例如做生意者或會因維修設備或員工離職補償等情況而需作額外開支，故宜預留一筆應急錢。若有充足現金，則適宜把部分資金用作投資實物，以免蛇年白白破財。

事業方面　打工一族事業有進步，有貴人扶持之外，可能更因老闆賞識，令事業更上一層樓，有升職的機會。薪酬加幅雖未如理想，但職權有增加，總算心滿意足。蛇年同事之間合作順遂，事業發展也算理想，留在現公司前景不俗，加上外面機會不算多，故此蛇年不宜轉工。反觀可趁流年有不錯的考試運，報讀對自己事業有幫助的課程，為未來前途鋪路。

感情方面　女士容易遇上條件不俗的男士，對方背景優秀，與自己也很搭配，故不妨主動出擊，應可成功開展這段新戀情。男士只是暗地裏有桃花，有女士對自己動心，向自己曖昧地暗示心意，但自己不算太滿意，所以遲遲未能落實戀情。已婚人士則算不錯，屬穩定甜蜜的年份，大家各有空間和活動；雖然有輕微的爭執，但無損彼此感情。

健康方面 由於日柱天干在流年有被「水火」衝擊之象，因此要特別注意皮膚問題，提防因錯用護膚品等貼身用品，而引發皮膚敏感。此外，「金」的相應器官包括喉嚨、氣管、呼吸系統方面，流年也相對較弱，因此特別容易咳嗽或有呼吸系統方面的毛病；一向有氣管敏感、鼻敏感的人士，蛇年要加倍提防敏感惡化，也要加強注意居住環境的空氣質素。

♥ 農曆正月
貴人運強，工作方面順遂。

♥ 農曆二月
焦慮比較多，常常胡思亂想，故不宜想得太多，以免鑽牛角尖。

♥ 農曆三月
健康欠佳，工作波折重重，不妨可以考慮出外，有助提升自己的運勢。

♥ 農曆四月
屬破財月份，不適宜投機、投資。

♥ 農曆五月
身體要小心，容易受傷扭損。此外是非口舌比較多，宜少說話多做事。

♥ 農曆六月
學習運強，可以報讀合適課程進修。

♥ 農曆七月
財運順遂，投機、投資可以一試，但亦屬應酬較多的月份，注意身體健康。

♥ 農曆八月
天合地合的月份，波折重重、吉中藏凶；注意家宅及工作上的變化，宜有兩手準備。

♥ 農曆九月
天剋地沖的月份，運勢仍然持續波動，並要留意家中長輩健康，不妨舉辦喜事沖喜。

♥ 農曆十月
事業運強，屬進步升職的月份。

♥ 農曆十一月
工作壓力較大，應酬較多，留意生活節奏，提防休息不足。

♥ 農曆十二月
運勢看似安定，但要注意人際關係或有突如其來的衝擊。

	正月	二月	三月	四月	五月	六月	七月	八月	九月	十月	十一月	十二月
吉	▲					▲				▲		
中吉							▲					
平			▲		▲						▲	
凶		▲		▲				▲	▲			▲

每月運勢西曆日子請參閱頁348上的對照表

54.【丁巳日】癸丁相沖 有利實踐轉工大計

丁巳日出生者踏入癸巳蛇年後，因面對出生日和流年天干「癸丁相沖」的影響，容易萌起轉工求變的念頭。若在壬辰龍年已有轉工意向，蛇年有利將此計劃赴諸實行。雖然壬辰龍年受「丁壬相合」的影響，焦慮較多，也屬求變之年，但相對來說，蛇年的正面變化力量較大，實踐計劃較龍年為佳。

另外，蛇年乃火運之年，因丁巳日出生者命格大多屬火旺，雖然事業發展不俗，但財運卻有點受阻，以至蛇年需要更親力親為，比較勞碌。尤其面對變化後的新路向有時會力不從心，有多勞少得之象，開支也會比往年多。所以整體來說，打工一族在蛇年的發揮會比從商者理想。另外受「癸丁相沖」的影響，健康方面也要面對小病小痛，宜保重身體為上。

財運方面 蛇年有劫財的情況出現，不適宜大肆擴張，只適宜持盈保泰，並注意開源節流，諸事謹慎。不過受「癸丁相沖」的影響，求變意欲旺盛，想投資開拓業務的話，唯一可考慮的是以低成本向外擴張。但要注意，未必有即時回報，需要一段較長時間才能實現盈利。投資只適宜選取保守型，短炒並不適宜。此外亦要留心與拍擋的關係，提防因小事而決裂。

事業方面 求變意欲旺盛的年份，不妨考慮轉換新的工作環境，尤其是農曆四、五月間比較合適。不過即使轉工成功，也需有心理準備面對開首的一段辛苦時期，而且有機會在農曆十月再面對變動，因此有外地的工作機會或前往外地公幹的話，應加以爭取，會比長期留守本地更為合適。幸好工作鬥心足夠，加上新上司、下屬和同事均能有所支援，大致可應付轉工後的工作壓力。

感情方面 拍拖中的女士易因爭吵不斷而面臨分手；至於單身女士雖有桃花，但遇到的都是短暫情緣，僅屬曇花一現，不太樂觀。男士的桃花比較反覆，面對諸多變化，實際未如理想。總之不論男女，蛇年想拍拖的話不妨從「異地桃花」尋找，例如出門時或在本地結識其他國籍人士等較有利。已婚人士則易因家人和子女的瑣事而煩惱不斷，甚至因而與伴侶爭吵，建議彼此多加忍讓，勿小事化大。

健康方面「癸丁相沖」寓意眼睛在流年容易出現毛病，如視力衰退、眼睛出現發炎等症狀，假若本身近視深，不妨趁勢做矯視手術主動應驗。有游泳習慣的人士，要提防紅眼症和眼睛發炎。另外，蛇年也要提防關節損傷，日常生活慎防碰傷撞損，若有關節舊患者更要加倍小心。駕車人士在蛇年也要特別抖擻精神，注意路上交通安全，免生意外。

❤農曆正月 受「寅巳相刑」影響，關節或出現小毛病，駕車人士要注意路上安全，免生碰撞。

❤農曆二月 貴人運不俗，事業上見進步。

❤農曆三月 屬劫財的月份，不適宜投機、投資。

❤農曆四月 工作阻礙頻仍，容易動氣，需多加耐性應付；本月有利轉工，或到寒冷地方旅遊。

❤農曆五月 火較旺的月份，有破財之象，並要留意喉嚨、氣管、呼吸系統方面之毛病。

❤農曆六月 易為子女問題困擾，或因下屬工作犯錯而受牽連。

❤農曆七月 吉中藏凶的月份，工作或見波折重重，屢見反覆，不過財運甚佳。

❤農曆八月 財運不錯，不論男女都有輕微桃花的出現。

❤農曆九月 易生焦慮的月份，不妨多找朋友傾訴或到郊外遊樂，有助放鬆身心。

❤農曆十月 天干、地支皆相沖的月份，可考慮轉工、搬屋裝修等變動，另要提防官非。

❤農曆十一月 事業運、財運俱佳，可把握機會一展所長。

❤農曆十二月 貴人運相當不俗，也有新的合作機會出現。

	正月	二月	三月	四月	五月	六月	七月	八月	九月	十月	十一月	十二月
吉		▲						▲			▲	▲
中吉							▲					
平					▲				▲			
凶	▲		▲	▲		▲				▲		

每月運勢西曆日子請參閱頁348上的對照表

55.【戊午日】戊癸相合 諸事以平常心面對

戊午日出生者在癸巳蛇年因受天干「戊癸相合」的影響，容易因胡思亂想引致精神緊張，壓力較沉重；除非是在冬天（農曆十月至十二月）出生，運勢則不算差，財運中規中矩，兼有餘錢可作儲蓄，諸事順遂。其他戊午日出生者的命格則屬火旺土重，加上流年行火運，運勢較差。尤其是夏天（農曆四月至六月）出生的人士，要有心理準備工作辛勞百倍，更有財來財去的危機。

整體而言，「戊癸相合」的年份需要承受較沉重的工作壓力，引致精神緊張，甚至過度焦慮而有時常失眠的情況，因此有時間宜作適量減壓，事事不宜過度擔心，不論成功失敗，均以平常心面對。蛇年不妨抽空到各處旅行，鬆弛身心後再投入工作，諸事也會比較如意。

財運方面 本來天干「癸水」屬自己的財星，流年財運理想，新的商機及財路處處，可惜遇上「戊癸相合」，看來還是見財化水。唯獨冬天出生人士，由於「癸水」通根至自己的地支上，收入比較實在。其他月份出生的人士財運只屬表面風光。投資容易先贏後輸，開始時或有微利，便決定下重注，最終卻賺頭蝕尾離場。從商者全年進步雖不大，但因有原有客戶支持，只要穩守，業績還算平穩。

事業方面 整體而言，人際關係尚算理想，團隊合作也佳。蛇年有貴人幫助，但受火土運影響，個人突破較困難，事業上的成績容易被人埋沒，不少同事看似比自己更勤力、更忙，給他們搶盡風頭，難以在蛇年突圍而出；為免功勞被搶，不如主動出擊，突出表現自己。另外基於求變的心態，心情或比較鬱悶，但蛇年不太有利轉工，留守原有崗位反而更佳。

感情方面 單身男士容易遇上條件合適的對象，而且不用十分賣勁，對方也會主動示好，自自然然走在一起，發展理想。至於單身女士則出現原地踏步的情況，心儀對象或已有很多選擇，故此自己較難與對方成功發展；借助長輩、貴人的推動會有一點幫助，但始終成事機會不高。已婚人士有機會添丁，但蛇年工作壓力稍大，有可能冷落伴侶而遭埋怨，不妨抽空結伴舊地重遊，回味當年的甜蜜溫馨。

健康方面 整體無大礙，但受「戊癸相合」的影響，容易終日疑神疑鬼，更因承受沉重的精神壓力而令自己失眠緊張；若一向有偏頭痛的毛病，蛇年會更密集。不妨多做如瑜伽、太極等有助減壓的運動，也不宜讓自己過分投入工作，適當時應出門散心。另外，蛇年也要留心腸胃，出門小心水土不服，生冷食物等可免則免。蛇年可多選用藍色、綠色的日常用品或配飾，有助改善健康運勢。

❤農曆正月

事業運強，乃進步之月，不過工作壓力較大，凡事不宜操之過急。

❤農曆二月

有少許桃花，事業順暢，工作鬥志頑強。

❤農曆三月

屬劫財月份，不適宜投機投資，提防破財。

❤農曆四月

當心腸胃方面出現毛病，情緒較為低落；不妨出門旅遊，或找朋友傾訴。

❤農曆五月

工作易有波折，容易節外生枝，凡事要有兩手準備，也需更多耐性解決。

❤農曆六月

工作方面難以突圍而出，不妨出外旅遊借地運，亦要留意人際關係。

❤農曆七月

工作順遂，很多事情都找到解決方法，而且也得貴人扶持。

❤農曆八月

有輕微桃花運，工作順利，財運亦不俗。

❤農曆九月

雖然工作比較辛苦，但領導才能得以發揮，財運亦算順遂。

❤農曆十月

有偏財運的月份，適宜投機投資，但留意男性長輩健康，家宅或有事，惹來煩惱。

❤農曆十一月

順遂的月份，有不少新的機遇擺在眼前，可能有升遷的機會。

❤農曆十二月

事業運不俗，惟個人情緒低落，注意作息時間。

	正月	二月	三月	四月	五月	六月	七月	八月	九月	十月	十一月	十二月
吉		▲					▲	▲			▲	
中吉	▲								▲	▲		▲
平						▲						
凶			▲	▲	▲							

每月運勢西曆日子請參閱頁348上的對照表

56.【己未日】做好計劃　迎接天合地合

己未日出生者在踏進二〇一三癸巳蛇年後，雖有貴人幫忙，不過財運及事業運僅屬中規中矩，需辛苦才可得財。其實癸巳蛇年應好好開始計劃各種人生大事，以迎接二〇一四甲午馬年的重大變化。到了甲午馬年，因流年出現「天合地合」，屬人生大變化之年。而有部分人還未到馬年，便可能在蛇年的下半年踏入變動期，諸事開始變化不定。

凡是人生動盪之年，最適宜以喜事來應驗變化，例如結婚、添丁、置業或創業等，皆有利運勢向好發展。若蛇年及馬年皆沒有任何喜事計劃或發生，己未日出生者便要迎接很多突如其來的變動，做事也易一波三折。雖然變化未必是壞事，但因流年運勢充滿不穩定因素，自然容易令人手足無措。但只要做好計劃，凡事有兩手準備，整體則無大礙。

財運方面　一般而言，己未日出生者行水運較有利，奈何蛇年乃火運之年，故此運勢較受掣肘，要加倍努力才可得財。從商者在蛇年不可墨守成規，要掏空心思尋求突破，想出具噱頭的新業務才能獲利。幸好雖然事事需親力親為，還是多勞多得，艱辛工作仍可得財。蛇年也有輕微的偏財，適度的投機投資會有微利，不過因即將踏入「天合地合」，萬事應謹慎小心，始終吉中藏凶，短炒尚可，中長線持有反而不妙。

事業方面　雖有貴人長輩運，但事業仍難以突圍。眼見原地踏步，容易萌起創業或轉工的念頭。雖然面臨「天合地合」之年，創業、轉工也屬主動求變，但凡事不宜輕率急進，宜有周詳計劃，想清楚才決定行動，否則滿以為容易取得成功的事情，也會出現一波三折。幸好上司和同事的支援也足夠，再多加耐性處理，應有望解決。此外蛇年適宜進修，有助開闊視野，不妨當作是播種期，未來必有所成。

感情方面　儘管蛇年桃花欠旺，但人際關係不錯，男女均可擴闊社交圈子，認識更多新朋友，只是發展成情侶的機會不大。男士有機會遇上年齡差距特別大的對象，令你忐忑是否應該開展戀情；女士則對對方抱有好感，但未至於可進一步發展。已婚人士可計劃添丁，以配合「天合地合」之年沖喜；拍拖多年的人士，不妨考慮結婚，否則踏入關口之年，易有「不結即分」的危機。

健康方面 健康無大礙，算是稱心如意的一年，惟命格「火土」較重，但沒有「木」去疏「土」，因而諸事處理比較急進，固執而為；即使一向是好好先生，處事慢條斯理，蛇年卻一反常態，事事急不及待，容易發脾氣，情緒波動較大，所以要多加留意自己的情緒起落。此外蛇年也要稍加留意腎臟、膀胱等泌尿系統，也要注意神經或關節痛症，提防家居陷阱，免生意外。

❤農曆正月
工作順利，事業發展理想，惟工作比較辛苦，亦要提防惹上官非。

❤農曆二月
工作依然順遂，壓力比較大，惟注意應酬較多，人際關係變得複雜。

❤農曆三月
貴人運強，但此月屬劫財月份，錢財易有破損。

❤農曆四月
事業或有新際遇，不過諸事仍未落實，只屆籌備階段，要給予耐性。

❤農曆五月
此月患得患失，諸事有穩定的變化，故不適宜有太高期望，宜多給時間觀察。

❤農曆六月
屬破財月份，不適宜投機投資或借貸擔保，否則易有損耗。

❤農曆七月
是非口舌比較多，易為下屬和子女煩惱。

❤農曆八月
學習運較強，不妨報讀與事業有關的課程，令自己更充實。

❤農曆九月
心情較差，情緒容易出現波動，但財運算是不錯。

❤農曆十月
工作順遂，事業運、財運和人際關係方面都算滿意。

❤農曆十一月
手容易有受傷扭損；工作順利，但家人和朋友對自己有輕微埋怨。

❤農曆十二月
面對變動的月份，財來財去，不適宜貿然投資，還是專注進步中的事業較佳。

	正月	二月	三月	四月	五月	六月	七月	八月	九月	十月	十一月	十二月
吉								▲		▲		
中吉	▲	▲		▲								
平			▲		▲		▲		▲		▲	▲
凶						▲						

每月運勢西曆日子請參閱頁348上的對照表

57.【庚申日】巳申相合　挑戰驚喜連連

庚申日出生者在癸巳蛇年面對出生日和流年地支「巳申相合」，也即所謂「合日腳」之象，因此蛇年波折頗多，更有不少意料之外的事情發生。不過，「合日腳」不代表運勢欠佳，只象徵有新的變化，最明顯是心情受到影響，事事諸多掣肘，因此需要加倍用耐性應付。

蛇年是充滿挑戰的年份，有時以為事情很容易辦妥，卻遇上波折重重；有時以為鐵定失敗之事，最終又能順利完成。所以庚申日出生者在蛇年必須時常保持平常心，面對成敗。另外，「巳申相合」也會令人際關係不順，較多口舌是非出現，事業方面也有變化，轉職也無妨。惟蛇年是容易決定錯誤的年份，不可輕率而為，需反覆謹慎考慮，想清楚才下決定也未晚。

財運方面　以正財為主的蛇年，辛苦耕耘得財，諸事親力親為，需花心思才能成功開拓新市場。原有客戶支持令業務得以平順發展，但不宜將業務開拓過急，亦切忌讓新客戶延長還款期，否則易招損失。另外，蛇年容易惹上官非，文件合約要多加審核。受「合日腳」的影響，容易決定錯誤，因此投資易招損失，但仍可選擇穩健的中長線或購買藍籌股份投資，但短炒可免則免。

事業方面　蛇年有輕微的升遷運，雖然只屬虛銜，但因有貴人扶助，仍屬進步。此外蛇年有求變的心態，對轉工一事蠢蠢欲動。受「合日腳」的影響，打算外闖的朋友轉工前還是先簽約作實，然後再辭職較佳，否則一旦新公司出現變動，取消聘約，屆時進退兩難則更令你頭痛。若留守原有公司亦可，惟有機會面對收購合併、職位或權責上的突然變動，慢慢適應後前景不俗。

感情方面　已拍拖的男士在感情上的處理欠妥當，或因爭拗而出現冷戰。單身女士容易遇上心儀對象，可以與對方發展，但事前查清楚對方是否單身，否則或有機會身陷三角關係。未拍拖的男女也有機會在活動上認識合拍的對象，但止於朋友關係，未能再進一步。已婚人士在蛇年容易有喜，若已戀愛數載的話，也不妨把握運勢，在蛇年為結婚、添丁一事作好計劃。

健康方面 健康問題本無大礙，不過自己會比往年更關注健康情況，做運動的熱情提升，健體之餘也可鍛煉鬥志。此外，庚申日出生者也要注意喉嚨、氣管等呼吸系統方面，不過都屬於小毛病。有關節舊患者，尤其是家中老人的風濕、腳痛、腰骨痛症等，蛇年會更差，宜多加預防。已婚人士在蛇年容易有喜，初期懷孕時，最好跟從中國傳統低調處理，三個月過後才向外公布較佳。

❤ 農曆正月
天剋地沖的月份，遇事阻滯，留意人事上的爭拗，手腳容易受傷，留意道路安全。

❤ 農曆二月
財運尚可，但工作壓力太大而精神緊張，甚至引致失眠。

❤ 農曆三月
面對太多應酬，打亂自己的生活節奏，還是要注意作息時間。

❤ 農曆四月
錢財易招損失，要注意開支去向，從而作出調整。

❤ 農曆五月
事業運比較強，惟需提防官非。

❤ 農曆六月
貴人運較強，借助長輩力量，讓自己事業尋得突破。

❤ 農曆七月
有劫財之情況，工作富挑戰性，需加以耐性觀察和應付。

❤ 農曆八月
屬劫財月份，投機投資可免則免。

❤ 農曆九月
工作轉趨順遂，兼得到下屬幫忙，以前積累的問題有望得到解決。

❤ 農曆十月
工作順遂，學習運強，可選擇讀書進修，有助事業發展。

❤ 農曆十一月
摩擦爭吵不斷，與同伴的爭拗或影響彼此關係，還是以和為貴較佳。

❤ 農曆十二月
貴人運雖強，但工作壓力沉重，精神緊張和失眠頻生外，更備受偏頭痛的影響。

	正月	二月	三月	四月	五月	六月	七月	八月	九月	十月	十一月	十二月
吉						▲			▲	▲		
中吉					▲							
平		▲	▲	▲							▲	▲
凶	▲						▲	▲				

每月運勢西曆日子請參閱頁348上的對照表

58.【辛酉日】事業穩步上揚 打工一族比從商佳

辛酉日出生者在壬辰龍年因受「辰酉相合」合日腳的影響，諸事阻滯。踏入癸巳蛇年，整體運勢扭轉，尤其是打工一族的事業運穩步上揚，既有個人鬥心，事業際遇亦配合，因而有升遷的可能，宜好好把握機會。

不過蛇年也有一定困擾，其一是事業運提升後，隨之而來有更大的工作壓力；二是同事之間有不少流言蜚語，幸好謠言止於智者，影響不大。總之蛇年專注於事業上較佳，不要多管別人閒事，也不宜做中間人角色，便可遠離口舌禍端。其實蛇年乃忙碌辛勞之年，工作和進修都有不錯的成績，不妨趁着好運勢，令自己的事業更上一層樓。另外，由於財運不及事業運，故打工一族的運勢比從商人士較佳，從商者要付出更大的努力。

財運方面 由於流年和出生日有輕微會合，但此「暗合」需要生肖屬牛者才能完整會合，故此從商者找來屬牛的人士合作或幫忙，會比較容易成事。整體上蛇年屬循序漸進之年，建議用新穎、富噱頭的做法開拓市場，從而尋求業務上的突破。求財不宜太過急進，需要開源節流，否則容易財來財去。投資需經詳細分析才能得財，聽取消息可免則免，而且見好就收，否則貪字變貧。

事業方面 蛇年事業漸有進步，發展強勁，打工一族得貴人的幫助，或有升職機會之餘，如升職成功，薪酬加幅亦相當滿意。惟面對劇烈的職場競爭，升職與否需視乎人際關係的維持，否則有失諸交臂的機會。工作保持低調，以免過分突出，招人妒忌。想轉工的人士可考慮在蛇年實踐計劃，但未必需要採取主動，或有舊同事、老闆向自己招手，而跳槽後發展亦不俗。另外也可選擇進修，為未來鋪路。

感情方面 單身女士易遇上背景和嗜好與自己理想吻合的對象，彼此滿意，可以嘗試，但發展緩慢，不能確定對方心意，心裏難免忐忑，不妨找長輩、朋友推波助瀾，有助鞏固這段感情的萌芽期。單身男士遇上心儀對象有所猶疑，舉棋不定，遲遲未能落實。已婚人士需提防外在的誘惑，切忌對人太過熱情，惹來別人誤會；聚會攜眷出席較佳，否則有機會引發三角關係。

健康方面 辛酉日出生的女士，本已比其他出生日人士更易患上婦科疾病，蛇年此現象更明顯。此外男女流年容易皮膚敏感，發炎、蚊叮蟲咬較平日多，要留意家居用品是否敏感源頭，也要提防食物會否引起敏感反應。受天干「辛金」被火剋制的影響，喉嚨、氣管、呼吸系統亦比往年欠佳，容易有氣管敏感，有抽煙習慣者，不妨趁機將煙癮戒掉。

❤農曆正月 財運不俗，惟小心健康方面，或因小病小痛而需要打針吃藥。

❤農曆二月 天沖地沖的月份，需面對不同變動，不妨為家居進行裝修，另需提防人事爭拗。

❤農曆三月 天合地合的月份，變化較大，提防文件合約出錯帶來的官非，宜給予耐性。

❤農曆四月 工作順暢，事業運已強化，舊有的困難都能克服。

❤農曆五月 工作壓力沉重，幸好貴人運比較強，可借助他們的力量解決困難。

❤農曆六月 胡思亂想的月份，未免想得太多，不妨找友人傾訴，或前往外地旅遊。

❤農曆七月 屬劫財月份，投機投資皆不適宜，可能有兄弟姊妹要求借貸，需量力而為。

❤農曆八月 天干地支完全相同的月份，健康尤其是腸胃方面或有問題，或出現曇花一現的短暫情緣。

❤農曆九月 人際關係出現變化的月份，切勿輕易相信別人，容易因財失義。

❤農曆十月 是非口舌比較多，切勿做中間人角色，宜少說話多做事。

❤農曆十一月 桃花運開展的月份，或有機會發展一段情緣，尤其男士更甚，不過提防桃花破財。

❤農曆十二月 事業運和財運皆順遂，惟人際關係出現問題，或與人有爭拗糾紛。

	正月	二月	三月	四月	五月	六月	七月	八月	九月	十月	十一月	十二月
吉				▲								
中吉	▲				▲						▲	▲
平						▲		▲	▲			
凶		▲	▲				▲			▲		

每月運勢西曆日子請參閱頁348上的對照表

59.【壬戌日】表面風光 積極主動尋求突破

壬戌日出生者在壬辰龍年因有「辰戌相沖」之影響，此乃「天羅地網相沖」，令壬戌日人士在龍年的運勢特別反覆。踏入癸巳蛇年，運勢已有好轉，而且是行財運之年，收入應該不錯。惟壬戌日出生者天干的水不算強，有土火困水的情況出現，即使財運及事業運都有進步，但仍未達到自己的理想。

蛇年有感事事抑壓未有突破，心裏自然感到納悶無助，變動的念頭自然應運而生，有尋求突破的心態。與其守株待兔，不妨主動求變，積極嘗試尋找新機遇，假若能夠好好掌握，便有助打破悶局。其實蛇年的客觀條件不俗，只是有財來財去之情況，賺到的錢財在不知不覺間花掉，稍一不慎更有入不敷支的可能，故只稱得上是表面風光。

財運方面 從商人士收入可觀，賺錢的門路有望隨着業務擴充而增加，惟蛇年的開支也有大幅提升之象，錢財或在不知不覺地無故溜走，或突然需要一筆應急錢，難免大失預算。故蛇年只適宜保守理財，即使要把金錢投放到新業務上，也要預算回報難以在短期出現。幸好蛇年的偏財運不俗，尤其是在第三、四季，不用刻意研究，也有機會得到關連人士關照，加上自身運氣，不太貪心應有微利。

事業方面 壬戌日出生者在蛇年轉工機會不大，反而留守原有位置也有升遷的機會，轉工或未如理想。蛇年有貴人提攜，職權有望晉升，惟工作壓力沉重，而且下屬支援不力，未免有孤軍作戰之感，艱辛百倍。原則上蛇年是事業進步的開端，上半年比較辛勞，不過下半年已開始順暢，屬先難後易之年，最終也有足夠實力應付。其實事事不妨輕鬆面對，無謂給自己太大壓力，表現反而更佳。

感情方面 單身女士有機會遇上新情緣，但拍拖過程並不滿意，彼此了解後，發現雙方不如想像般合拍，或有感對方不夠體貼，對自己不夠關心。其實逼得太緊對大家也沒好處，建議不妨讓戀情循序漸進，將注意力分散在朋友圈子和興趣上，對感情發展更有利。男士桃花當旺，選擇頗多，但難以踏實發展。已婚人士因工作壓力頗大，易為小事與伴侶爭拗，倒不如聚少離多，反而有助穩定感情。

健康方面 受「土困水」的影響，壬戌日出生的人士容易變得情緒化，因而終日悶悶不樂。要改善悲觀情緒，還是多找朋友傾訴，有助紓緩壓力。此外「土困水」也寓意時常胡思亂想，有失眠的情況，而且對每事都有不滿意之處，諸多挑剔而不快樂，不妨尋求宗教信仰支持，疏導悲觀情緒。另外與水對應的器官包括膀胱、腎臟等都要留心，也要提防血壓和心臟方面出現毛病。

❤ 農曆正月
工作辛苦至體力透支，因而睡眠不足，需注意作息時間。

❤ 農曆二月
工作壓力依然沉重，加上人際關係受到衝擊，或有親友要求幫忙，宜量力而為。

❤ 農曆三月
天沖地沖，面對諸多變化，以為順利的事情卻波折重重，宜尋求幫忙和給予耐性。

❤ 農曆四月
工作辛苦萬分，情緒低落，引致睡眠不足。

❤ 農曆五月
領導才能得到發揮，兼有升職的機會，但工作壓力依然巨大。

❤ 農曆六月
提防有官非埋身；駕車人士要注意道路安全，奉公守法。

❤ 農曆七月
事業上得到貴人的助力，令自己工作更順暢。

❤ 農曆八月
合作機會湧現，或有新的事業發展和路向。

❤ 農曆九月
天干地支俱相同的月份，工作艱辛，而且有劫財情況，別胡亂投機投資。

❤ 農曆十月
容易受傷扭損的月份，提防破相開刀，危險的運動可免則免。

❤ 農曆十一月
工作順暢，心情開朗，事業運和貴人運皆順暢。

❤ 農曆十二月
遇上因家人親友引起的小麻煩，宜量力而為，提防麻煩纏身。

	正月	二月	三月	四月	五月	六月	七月	八月	九月	十月	十一月	十二月
吉							▲	▲			▲	
中吉					▲							
平		▲		▲		▲						▲
凶	▲		▲						▲	▲		

每月運勢西曆日子請參閱頁348上的對照表

60.【癸亥日】天干相同地支相沖 出外走動最佳

癸亥日出生者在癸巳蛇年面對「巳亥相沖」的影響，也屬「日犯太歲」的一種。逢是在日犯太歲的年份，財運上易有損耗，而癸亥日出生者之中，尤以冬天（農曆十月至十二月）出世的人士最受財來財去影響，收入雖然不俗，但有意料之外的開支，難以將餘錢剩下。反觀夏天（農曆四月至六月）出生的人士，能在蛇年把收入轉化成儲蓄，財運較佳。

其實癸亥日出生者在蛇年不但容易劫財，也有受傷之象，同時驛馬運強。故蛇年的變化比龍年大，穩定性比較低，惟變化未必代表運勢欠佳，不妨爭取主動求變，往外公幹反而是好事。要注意的是健康上的變化，而出門後亦要注意道路安全，提防交通意外。整體而言，蛇年變化特別多，只要做足心理準備，便可順利過渡。

財運方面 若是冬天出生的人士，由於蛇年開支比龍年多，要提防出現入不敷支的情況，理財要加倍小心：最好勿留太多現金傍身，不妨將財富轉為投資置業、購買黃金等，有助避免破財。至於夏天出生的朋友，財運較理想，開支較多也能應付。從商人士在蛇年不妨主動求變，趁驛馬運強的年間拓展海外市場，動中生財，賺外地的錢財便有助避免財來財去的情況。

事業方面 受「巳亥相沖」影響，蛇年應主動求變，申請到外地公幹或駐守外地分公司，愈動愈好。至於從事銷售等需主動與顧客溝通的工作，靠口才得財，流年事業也不俗。其他人士或受同事、上司、下屬關係的影響而困擾，爭拗頻生，轉工念頭萌生，尤其是管理階層，面對下屬的不順從，無奈多加忍耐，事事需親力親為，多勞少得，比從前更辛勞。

感情方面 戀愛中或已婚的男女，均容易陷入三角戀愛，更甚者導致分手，所以要提防最壞的結局，還是安守本分為上。單身男女可嘗試尋求異地情緣，外地公幹時認識的或從外地回流的人士，都有機會成為心儀對象；但此段情緣不太實在，比較短暫，有「鏡中花，水中月」的情況，若不介意也可嘗試發展。至於已婚人士流年的夫妻宮相沖，適宜互相忍讓，也要留意對方的健康。

健康方面 蛇年比其他年份更容易有破相、開刀的機會，為免受傷，不妨捐血或洗牙，也可應驗這種輕微的血光之災。此外，流年有較大機會因健康問題而破財，不妨購買醫療保險之類的計劃，一來可安心一點，二來也可主動應驗破財。「巳亥相沖」也代表蛇年雙腳容易受傷扭損，愛踢足球者要特別小心，並要避免做太多令關節容易受傷扭損的運動。

❤ **農曆正月**

才華有機會發揮的月份，但不宜高調，否則招人妒忌。

❤ **農曆二月**

學習運強，可報讀一些和自己工作相關的課程，為繁重的工作做好準備。

❤ **農曆三月**

本月無論財運及事業運皆旺盛，各方面的發展都很順利。

❤ **農曆四月**

天干相冲、地支相冲，麻煩事較多，尤其要特別小心家宅和人事上出現問題。

❤ **農曆五月**

雖然財運不俗，但四方八面湧來事務，要作好心理準備面對較大壓力。

❤ **農曆六月**

工作壓力依然，但事業向上有望升職；有輕微官非運，宜萬事小心。

❤ **農曆七月**

本月容易破財，不適宜投機投資；女性長輩健康易生問題，宜多加關心。

❤ **農曆八月**

雖得貴人相助，但自己容易胡思亂想，為免錯下決定，凡事應三思而為。

❤ **農曆九月**

工作開始變得順利，但本月容易破財及受傷，別因事業運轉強而掉以輕心。

❤ **農曆十月**

天干及地支和自己出生的日子完全相同，本月極易破財，萬萬不可投資，也要特別小心健康。

❤ **農曆十一月**

雖破財運持續，但工作漸入佳境，早前遇上的困難終可得到解決。

❤ **農曆十二月**

各方面開始回穩，事業運及財運均順遂向上。

	正月	二月	三月	四月	五月	六月	七月	八月	九月	十月	十一月	十二月
吉			▲									▲
中吉	▲	▲			▲	▲					▲	
平								▲	▲			
凶				▲			▲			▲		

每月運勢西曆日子請參閱頁348上的對照表

每月運勢西曆日子對照表（按中國廿四氣節而分）

農曆	干支	西曆
農曆正月	甲寅	一三年二月四日至三月四日
農曆二月	乙卯	一三年三月五日至四月三日
農曆三月	丙辰	一三年四月四日至五月四日
農曆四月	丁巳	一三年五月五日至六月四日
農曆五月	戊午	一三年六月五日至七月六日
農曆六月	己未	一三年七月七日至八月六日
農曆七月	庚申	一三年八月七日至九月六日
農曆八月	辛酉	一三年九月七日至十月七日
農曆九月	壬戌	一三年十月八日至十一月六日
農曆十月	癸亥	一三年十一月七日至十二月六日
農曆十一月	甲子	一三年十二月七日至一四年一月四日
農曆十二月	乙丑	一四年一月五日至二月三日

犯太歲化解錦囊

犯太歲自救法

其實犯太歲並非想像中嚴重，一般來說犯太歲代表該年的生活衝擊較大，情緒亦容易起伏不定，但不代表一定行衰運，有些人可能愈變愈好，視乎不同的命格而定。總之，踏進人生另一階段之際，變化在所難免，最重要還是做足心理準備，以正面態度迎接未來的變化。

另外，犯太歲只是坊間的統稱，其實仔細還可分作幾類，影響有輕有重，大家不必過分擔憂，而今年犯太歲者包括以下四個生肖：

本年（二〇一三蛇年）犯太歲者包括：

蛇、豬、猴、虎

蛇　犯本命年太歲

本命年犯太歲者，生活會出現不少變化，情緒起落較大，容易胡思亂想，務必注意穩定情緒。凡是本命年犯太歲者，最適宜舉辦喜事、添丁、創業、轉工或搬遷等，可化凶為吉。

另外，本命年犯太歲也會影響健康運，輕則撞傷擦損，重則有血光之災，所以日常生活宜多加注意安全，避免參加任何高危的活動，自己主動捐血或洗牙等也有化解之用。

豬　沖太歲

沖太歲之年變化最多，尤其容易涉及各種人生大事，例如在沖太歲之年轉換工作、置業、搬遷、結婚或分離等等。其中，感情關係乃最受影響的範疇發展，很多人在沖太歲之年正好遇上感情關口，已有伴侶者如沒有計劃結婚或生兒育女，即容易出現感情重大衝擊，宜自己先作主動或聚少離多為佳；單身者則容易開展一段感情，但較難穩定發展，有易來易去之象。

猴　刑太歲＋破太歲

刑太歲有刑剋之意，人際關係較多是非口舌，感情關係也會受到考驗，凡事宜有後着。

破太歲則有破壞之意，代表一些固有關係容易遭受破壞或與人反目，但不算嚴重。

虎　刑太歲＋害太歲

刑太歲主流年運勢受到刑剋，情緒及健康的影響最大，人際關係易有鬥爭出現，為免是非纏身，凡事低調為佳。

害太歲之影響則相對輕微，主有陷害之意，代表今年容易有小人作祟，但同樣不足為忌，少說話、多做事便可。

犯太歲的化解方法：

一、沖喜

古人說「太歲當頭坐，無喜必有禍」，又說「一喜擋三災」。其實用上「災禍」兩字又未免太嚴重，但犯太歲者如能在同一年籌辦喜事的確可以將壞影響減至最低。

各種喜事中尤以結婚、生兒育女及置業等最佳，但這些人生大事很難刻意「製造」，所以不妨透過其他喜慶事如上契、壽宴等沖喜。另外，不時出席喜慶活動及多吃喜慶食品都可略為提升運勢，但犯太歲者碰上探病問喪便可免則免。

二、小心部署計劃

犯太歲代表多變動，包括轉工、搬遷及有較大的投資計劃（如從事生意可以是倒閉或擴張業務）等。雖然今年會多變動，但好壞仍是未知之數，所以下決定前更應詳加考慮。

三、佩戴生肖飾物

傳統上犯太歲者都會佩戴生肖飾物來化煞，其實沒有犯太歲者都可佩戴。

二〇一三蛇年犯太歲生肖飾物配對

蛇：宜貼身佩戴雞形及牛形之飾物

豬：宜貼身佩戴兔形及羊形之飾物

猴：宜貼身佩戴鼠形及龍形之飾物

虎：宜貼身佩戴馬形及狗形之飾物

其他生肖：

二〇一三是癸巳年，地支「巳」即代表蛇；本來「巳蛇」與「申猴」為六合生肖，互助力量最強，按道理，其他生肖在蛇年適宜佩戴猴形飾物才對。奈何「申猴」在蛇年同樣有刑太及破太歲之象，因「自身難保」，故相助力量減弱，是以猴形飾物一律不宜在蛇年佩戴。

既然六合生肖不宜使用，那麼退一步則可選用三合生肖之配搭。所謂「巳酉丑」三合，「酉雞」與「丑牛」基本上是癸巳蛇年的通用吉祥生肖。故其他生肖若要保平安，也可在蛇年佩戴雞形及牛形的飾物，或者在家中擺放牛形及雞形的飾品，也有助提升家宅運。

如何選擇化太歲之生肖飾物

曾經有記者朋友問我，為什麼每年各玄學家所選的化太歲生肖並非完全相同？其實玄學家教人用生肖飾物化太歲，一般都以「六合」或「三合」的生肖來計算。因為每一生肖的「有利拍檔」都不只一個，所以有時玄學家所介紹的化太歲生肖便略有出入。

在此順帶一提，其實所謂十二生肖就是十二地支的代表。中國古代的年份代號，均由十天干和十二地支配搭而成，共有六十個組合。如二〇一一年的辛卯，二〇一二年的壬辰……其中的「卯」及「辰」便屬地支。

十天干：甲、乙、丙、丁、戊、己、庚、辛、壬、癸

十二地支：子、丑、寅、卯、辰、巳、午、未、申、酉、戌、亥

因地支的力量在一般情況下比天干強，所以每一年的地支都較受玄學家的重視。但對於十二地支的名稱和意義，民間不易理解和流傳，於是古人便把十二地支與十二種動物配合起來，才出現了十二生肖。所以生肖飾物的宜忌配搭，實際也是十二地支的有利組合，亦即下文提到的「六合」和「三合」。

十二地支及生肖對照表

地支	子	丑	寅	卯	辰	巳	午	未	申	酉	戌	亥
生肖	鼠	牛	虎	兔	龍	蛇	馬	羊	猴	雞	狗	豬

用最淺白的比喻來解釋的話，「六合」就是把十二生肖分成六組，每組互相是對方的貴人；「三合」則把十二生肖分成四組，每組的生肖都

特別包容及欣賞對方。兩者比較，當然以「六合」的互助力量較大，所以玄學家一般都會取「六合」的生肖作化煞之用。

不過大家別忘記，「六合」中每組只得兩個生肖，換言之「不是你幫我便是我幫你」，但每年都有數個生肖觸犯太歲，這些生肖本身已是「自身難保」，又如何有力量幫助他人？所以如果「六合」幫不上忙，便應退一步從「三合」中選擇。如果「三合」的選擇中遇有犯太歲的生肖，亦應剔除。

下表列出了十二生肖的「六合」與「三合」配對，基本上年年適用。但因「蛇、豬、猴、虎」在癸巳蛇年皆屬犯太歲，未有能力幫助他人，所以我便特別加上「×」，讓大家更清晰知道每一生肖餘下的選擇共有多少。如果「六合」及「三合」可以任選，則以「六合」作首選。

至於飾物質料方面，所有生肖均可按出生季節來選擇；春夏出世者宜選金銀，秋冬出世者宜選玉器。

二〇一三蛇年化太歲之生肖飾物一覽表

所屬生肖	六合	三合
鼠	牛	猴、龍
牛	鼠	蛇、雞
虎 （犯太歲）	豬	馬、狗
兔	狗	豬、羊
龍	雞	鼠、猴
蛇 （犯太歲）	猴	牛、雞
馬	羊	虎、狗
羊	馬	豬、兔
猴 （犯太歲）	蛇	鼠、龍
雞	龍	牛、蛇
狗	兔	馬、虎
豬 （犯太歲）	虎	兔、羊

（×：今年不可選擇，只作參考）

四、拜太歲

拜太歲亦是常見的化煞方法，但年輕一輩未必懂得當中的細節。其實拜太歲的方法可繁可簡，但下面的步驟則不可缺少。

一般來說拜太歲可粗略分為三類：

❤往大廟參拜

本港有很多寺廟都供奉了太歲，當中最大規模的則是荃灣圓玄學院。進大廟和進細廟的拜祭方式略有不同，如欲到大型廟宇參拜，步驟應為：

- 先到廟外買一份太歲衣（太歲衣的作用有如一份表格，應將自己的名字、年齡及出生年月日寫在上面，以知會太歲應保佑哪一位）
- 首先往六十太歲的統領上香
- 往當年太歲上香（二〇一三癸巳年太歲為「徐舜」）
- 再到自己出生年的所屬太歲上香（大廟設有六十太歲一覽表）
- 逐一向其餘太歲上香
- 最後將太歲衣化掉

❤往細廟參拜

細廟因為地方淺窄，很多時會將六十位太歲放在一起，所以拜祭方式比大廟簡單：

- 廟外購買壽金（細廟一般沒有正式的太歲衣出售，所以通常用壽金代替）
- 壽金上寫上自己名字及出生年月日，壽金數目則按自己歲數多少而定

．向廟中太歲上香參拜
．將準備好的壽金放到太歲像下（可請廟中工作人員代勞）
．化掉其餘衣紙

家中自行拜祭

不論大廟細廟，新春前後總是人頭湧湧，如果不想往廟宇參拜，其實亦可在家中自行拜太歲，俗語稱為「拜當天」：
．在紅紙上寫下該年太歲資料，以本年為例，可寫上「癸巳年當年太歲之位」或「癸巳年徐舜太歲位」
．將紅紙放到家中大神（如觀音、關帝）旁邊
．以六色果（六款生果）、煎堆及齋菜等供奉，再誠心參拜
．將衣紙化掉

不論你用哪種方法，只要誠心太歲便會保佑。至於最適當的拜太歲的日子可以參考另表（※頁390），而帶去的供奉物品不需有肉類，只需簡單的香燭及生果便可。

拜太歲後亦謹記要於年尾「還太歲」，以酬謝神明一年來的庇佑。還太歲的最適當時間為每年的冬至前，即西曆十二月廿二日前，方法跟一般還神步驟一樣，同樣只需準備生果香燭便可。

人人適用趨吉避凶方法

如果你並非犯太歲，但從運程預測中得知來年運勢不佳，其實亦有其他方法趨吉避凶。

❤化白事：施棺

所謂「施棺」，其實指幫助那些過身後無以為殮的貧苦大眾。除了捐助殮葬費外，亦可向死者家屬提供生活上的幫助。這種善舉是莫大功德，亦助人助己，可以化解自己家中輕微白事。

❤化血光之災：捐血及放生

除了捐血，主動做全身檢查、洗牙或補牙等都算「應劫」。另外，「放生」也是一種福德，可有助削弱衰運，最好選擇街市那些快將成為「刀下亡魂」的家禽或海鮮，但同時要小心放生的動物是否有充足覓食能力，以免好心做壞事。

如果今年易有血光之災，危險性活動切勿參加，也忌開快車，總之生活上更加要事事小心謹慎，也要備有足夠的醫療保障以求安心。

蛇年行好運
風水佈局

蛇年九大吉凶方位

「今年的桃花位在哪裏？」、「想要催財又該怎麼辦？」不論是傳媒還是客人，不時都會問我該如何佈風水陣。其實在「玄空飛星」學派中，每間住宅的吉凶方位會年年有所不同。上年的財位在今年可以變成病位，桃花位亦可變成病位。這些年年不同的吉凶方位統稱為「流年飛星」，想知道今年該如何佈陣，應該先了解不同方位的吉凶屬性。

下面的癸巳蛇年（二〇一三年）九宮飛星圖，揭示了九大流年飛星在蛇年降臨的方位。要注意的是，流年風水陣的應用以「立春」為界，並非正月初一。換言之，下面的風水陣適用期為西曆二〇一三年二月四日零時十四分至二〇一四年二月四日六時四分。

二〇一三年癸巳蛇年九宮飛星圖

4 〔太歲〕	9 （南）	2
3 （東） 〔三煞〕	5 （中宮）	7 （西）
8	1 （北）	6 〔歲破〕

正東

三碧「是非星」
五行屬性：木
影響範疇：官非、鬥執、是非、小劫

化解方法：

三碧星屬木，而水又生木，為免刺激此是非星，所以今年正東位忌見綠（屬木）、藍（屬水）兩色，亦不可養魚。另外因木生火，而紅色及數字「9」又代表火，如要化是非或減少一家人的爭吵，可在正東一帶以火泄掉三碧星的木氣，所以最適宜擺放九枝紅玫瑰來化是非（玫瑰一定要去葉，因綠色不利）。如不方便，亦可在今年的正東位置多用紅色物品，或裝上一盞紅燈，並長期着亮。

要注意的是，今年正東亦為三煞位，所以無論家中正東一帶是否大門位置，皆切忌動土，小型裝修亦可免則免，以免有損家宅運。

東南

四綠「文昌星」
五行屬性：木
影響範疇：考試、進修、升職、名譽、文職工作

催旺方法：

因文昌屬木，而綠色及數字「4」均代表木，所以最適宜擺放四枝水種富貴竹來催旺。如果睡房位處東南方，今年可用綠色、藍色或間條窗簾，書桌若能面向東南方亦佳，同樣有正面作用。當然，其他綠色物品、文昌塔或筆座等都有助帶旺文昌星，有利考試進修。

要注意的是，今年的東南亦為流年太歲位，所謂太歲頭上動土必有禍，所以今年東南一帶頂多只可鬆油，絕對不宜動土，尤其是鑿地，否則病氣會更重。若大門向東南方或家中睡房、廚房位處東南方，更要加倍提防。

正南

九紫「喜慶星」
五行屬性：火
影響範疇：各種喜慶吉事，尤其是嫁娶及添丁

催旺方法：

今年流年九紫星的方位在正南。九紫星代表的是一切喜慶事宜，即使並非急於嫁娶或生兒育女，加以催旺亦百利而無一害。再者，現在已為八運，九紫星也屬進氣星，若能催旺其力量自然更強。九紫屬火，而木又生火，最適宜用土種植物來催旺，例如放一盆多果實的植物、泥種大葉盆景，便可達至木火通明之吉象。另外，也可在今年的正南一帶多放紫、紅、綠等色來催旺，例如紅色擺設及揮春等等，甚或長期着亮一盞紅燈。要注意的是，此方位不宜擺放藍色、黑色、灰色物品，恐將火氣減弱。

西南

二黑「病星」
五行屬性：土
影響範疇：健康問題，尤其是婦科病及腸胃病

化解方法：

因二黑病星屬土，而火又生土，所以今年西南一帶皆要避忌黃色（屬土）及紅色（屬火），以免進一步增強災星的力量。另外，因流動性物品可提升凶位力量，所以西南一帶不宜動土、養魚或擺放水種植物，而且要避免長期坐臥。

因為土生金，金可以泄去土氣，而數字「6」又代表金，要化解西南的病氣，可長期擺放銅製或金色重物，例如錢兜或六件銅製飾物等。

正西

七赤「破軍星」
五行屬性：土
影響範疇：破財、盜賊、牢獄、損丁

化解方法：

七赤本為凶星，僅在七運的二十年間才屬當旺財星。但目前已完全進入八運，七運餘氣盡消，故不可不防七赤凶星的影響。

七赤的力量很強，若不慎催旺，恐防有損家宅運。今年屬金的七赤星飛臨正西，因七赤現已帶蕭殺之氣，所以宜靜不宜動，不可擺放流動性高的物品，只宜擺放藍色物品（一白水星），以泄蕭殺之氣，作陰陽平和。

西北

六白「武曲星」
五行屬性：金
影響範疇：驛馬、武職、財運

催旺方法：

六白武曲星代表的是技術性、勞動性或經常要出外走動的工作，也主權力管理，所以凡文職以外的工作者想催旺事業運，一定要好好利用六白星。

一般情況下，六白星飛臨之處毋須特別化解，反而家中若有成員從事軍政界、紀律部隊、技術人員、運動員或體力勞動者等工作，催旺六白星便特別有助事業運。

今年六白武曲星飛臨西北，因六白屬金，而土又生金，可以在今年的西北位置多放黃色及金色物品，如陶瓷及石頭等亦有幫助。另外，數字「8」亦代表土，加上流動性高的物品皆可加強力量，所以在此飼養八條金魚、擺放金色風扇、有水擺設及水種植物等等亦有幫助。要注意的是，六白不宜受火氣剋制，故忌見紅橙兩色，亦不宜燃點香薰。

正北

一白「桃花星」
五行屬性：水
影響範疇：姻緣、拍拖、人緣、出門、遠行

催旺方法：

今年正北為一白桃花位，桃花星屬水，如果想拍拖或改善人緣，均可在正北方放任何水種植物或顏色鮮豔的花卉。

不過已拍拖又擔心桃花太旺會影響感情的話，不妨放八粒石春削弱桃花力量。因為土剋水，而數字「8」又代表土，所以雙管齊下最佳。要注意如果家中有人從事人際關係為主的工作（如傳銷、營業員及公關等），則不可過分化解桃花位，否則人緣不佳，工作運亦會轉壞。

東北

八白「當旺財星」
五行屬性：土
影響範疇：升職、財運

玄學中每二十年便轉一次地運，共有九運，循環不息。隨着地運轉變，飛星的力量亦受影響。由於二〇〇四年開始已經踏入八運（二〇〇四年至二〇二三年），八白星自然成為九星中力量最強的吉星，所以在這二十年期間，若要催財，都要密切留意八白飛星的流年方位。

催旺方法：

今年八白星所在位置是東北。故東北一帶可多用屬火及屬土的紅黃兩色（因火生土）來加以催旺。再者，因吉星亦宜動不宜靜，有利流動性的物品，再配合上述之顏色，今年在東北一帶最適宜用方形的紅色盆、種植水種植物或金魚，帶動財氣。

另外，因八白星屬土，所以放置白色的陶瓷亦有助催旺財運。此方位謹記不可放置雜物，以免阻礙財星旺氣。

中宮

五黃「災星」
五行屬性：土
影響範疇：疾病、災禍

化解方法：

五黃是「災星」，其破壞力較二黑「病星」更嚴重，但化解原理及方法相同。五黃星今年飛臨中宮；所謂中宮，即一屋的中央一帶。因黃色代表土，紅色代表火；因五黃星屬土，而火又生土，所以今年全屋的中宮一帶忌見紅黃兩色，並要避免動土、養魚、放水種植物及長期坐臥。

因金有助泄去土氣，而數字「6」又代表金，所以可多放銅製或金色重物，例如錢兜、六件銅製飾物或安忍水等，有助進一步化解五黃的病氣。其實五黃災星最適合用聲音去化解，所以能發聲的圓形銅鐘，或六層的金色風鈴亦有幫助。

蛇年家居全方位風水陣

前文講解了蛇年九大吉凶方位所在，這部分會按照不同坐向的家居圖來簡單指出佈陣方法。使用方法是先找出家中大門的坐向，然後參考下列的佈陣圖，當中所用的風水物品亦有其他選擇，如有需要可參閱前文。

正東：九枝去葉玫瑰／紅色物品

東南：四枝富貴竹／藍綠物品

正南：泥種植物／紅燈

西南：銅製或金色重物／錢兜／藍黑物品

正西：藍色物品

西北：八條金魚／有水擺設

正北：鮮花／水種植物

東北：水種植物／紅黃物品

中宮：銅製或金色重物／錢兜／發聲圓形銅鐘／六層金色風鈴

富貴竹	（南） 泥種植物	銅製重物
（東） 紅色物品	（中宮） 銅製重物	（西） 藍色物品
水種植物	（北） 鮮花	魚缸

癸巳蛇（二〇一三）年佈陣一覽圖

適用期：西曆二〇一三年二月四日零時十四分至二〇一四年二月四日六時四分

蛇年家宅運預測

每一住宅的門向（大門往外走之方向）都十分重要，因為大門是氣流最常進出之處，如果流年方位好，自然引入喜慶吉事，反之亦然。

下面列舉了蛇年八大門向的好壞影響。如果你家中大門正好是吉位，當然值得高興；如果大門方向恰巧是流年凶位，亦不必太杞人憂天。只要加以避忌及化解，家宅運也不至太差。

要注意，錯認大門坐向自會嚴重影響佈局，故大家應利用指南針來找出正確的家宅坐向方位——所謂「向」，基本以家中面對大門往外走的方向；「坐」即面對大門時所背對的方向。要得知自己家宅的坐向，可以在家中面向大門正中的位置，手持指南針，指南針所指出的門外方向，便為「向」。舉例說，若門外方向為正南，其對立的正北便為「坐」，即坐北向南。

（註：坊間一般所出售的指南針，大都需要用者自行調校方向。記着指南針並非指「南」，針上有顏色的一端應該調校至正北，如此才不會計錯方向。）

大門向正東

三碧是非星臨門：

今年家中是非及爭吵特別多，忌用綠色及藍色地毯，宜用紅色地毯或張貼紅色海報、揮春。要注意，因今年正東同為三煞臨門，不宜裝修動土，否則有損健康運。

大門向東南

四綠文昌星臨門：

今年家中各人特別有利考試、升職及提升名氣，不論是進修或讀書皆有明顯進步，適宜放藍色或綠色地毯再催旺。

另外，因今年太歲位在東南，太歲既不宜坐也不宜向，其中又以大門向太歲方最為嚴重，若動土會更容易引致健康受損，所以應避免裝修、動土之事宜。

大門向正南

九紫喜慶星臨門：

今年家中的喜慶事特別多，尤其有利嫁娶及生兒育女，適合擺放紅色或綠色地毯。另外可在門旁裝一盞小燈，並長期着亮，亦有助催旺喜慶事。

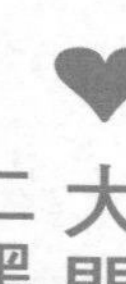

大門向西南
二黑病星臨門：

今年要特別注意健康，尤其是婦女及腸胃病等。忌見紅黃兩色的地毯，宜放白玉葫蘆或在灰地毯底放六個銅錢化解病氣。另外，亦可選擇在地毯底放一塊大銅片。

大門向正西
七赤破軍星臨門：

今年家宅運較弱，要慎防盜賊及官非訴訟，也要小心受金屬利器所傷或與人爭吵。今年大門位置不宜動土，亦不可擺放流動性高的物品，宜放藍色地毯化解。

大門向西北
六白武曲星臨門：

今年整體家宅運不俗，雖不至於有強大財星入屋，但仍有吉星拱照。如要催旺可放黃色或金色地毯，有助升職及提升名譽。

❤ 大門向正北

一白桃花星臨門：

今年特別有利遠行及出門發展，桃花亦重，單身的家庭成員可望發展戀情，但夫妻或情侶則要小心三角關係。如要催旺可放彩色地毯；如要削弱則可放素色地毯或木製的雞形擺設。

❤ 大門向東北

八白當旺財星臨門：

今年家中各人的工作運都頗佳，財運亦有明顯提升，如要進一步催旺，大門位宜擺放紅色或黃色地毯，陶瓷狗亦可加旺八白吉星。

二〇一三年簡易風水陣

不管傳媒朋友也好，前來找我算命的客人也好，大多數人只是關心如何針對他們的問題來佈陣解決，其他枝節不知也罷。這也難怪，找我的人大多已被問題纏身，而且又是玄學的門外漢，又怎會有心思精力來詳加研究當中的原理？

正因如此，為方便大家手執此書仍不至茫無頭緒，我為各種常見的疑難列出針對性的解決辦法。大家只要按自己的願望翻到相關一頁，便可得知如何自行佈陣了。

以下所教的風水陣之特色：

一、所用工具盡量簡單實用，只要符合相關原則，也可以其他物品取代。

二、佈陣方位除了可應用於整個家宅，也可應用於私人空間（如睡房、書房）及辦公室。

三、若只得一張辦公桌，亦可照樣佈陣。方法是先將屬於自己的面積（例如辦公桌連座椅位置）看成一個長方形，再平均劃成九格，便可用指南針找出相關位置。

❤我要拍拖！

想拍拖的話當務之急是催旺正北的桃花位。不論在家還是在公司，如果牀頭或辦公桌位處正北便最佳。桃花星飛臨之處除適宜擺放水種鮮花外，也可放粉紅水晶、紅紋石、紅色絲帶花或蝴蝶擺設等等，既有點綴作用，亦能催旺姻緣。切忌在正北位置使用過多黑色或深色，因為這些屬孤寡顏色，會削弱姻緣運。

東南	正南	西南
正東	中宮	正西
東北	正北 粉紅水晶／紅色絲帶花／蝴蝶	西北

我要愛得更甜蜜！

不論是情人還是已婚夫婦，想彼此感情與日俱增，不得不在今年的正東位置作風水佈局。本年的正東乃是非星降臨，特別忌見任何綠色，尤其是睡房位處正東者，更要小心避忌，否則會吵架終日。

想改善關係，可於正東位置多擺放些紅色物品或九枝紅玫瑰，但玫瑰一定要去刺，這才可控制是非星的力量。另外，日常也可隨身攜帶紅色物品。

東南	正南	西南
正東 紅色物品／九枝去刺玫瑰	中宮	正西
東北	正北	西北

我要結婚或添丁！

今年正南是喜慶位，代表一切喜事，尤其有利嫁娶及生兒育女。所以拍拖已久，希望於今年共諧連理，又或者已婚夫婦打算生兒育女的話，可於家中的正南位置多放紅色、綠色物品或帶果實的泥種植物。至於孖公仔或鴛鴦擺設亦對想結婚的情侶有直接催旺之幫助。

東南	正南 紅色、綠色物品／帶果實的泥種植物／孖公仔擺設	西南
正東	中宮	正西
東北	正北	西北

❤我要防炒！

打工一族想「保飯碗」，避免被裁，要注意自己在辦公室的座位會否「欠靠山」（如欠牆或高櫃遮擋）。如無大物在背後遮擋，一般會削運勢，易受煞氣所沖，所以應該在背後掛上山水畫、加高椅背或擺放八粒石春。另外，家中的沙發也宜背靠實牆或高闊穩重之物，否則也會出現欠靠山之意象。

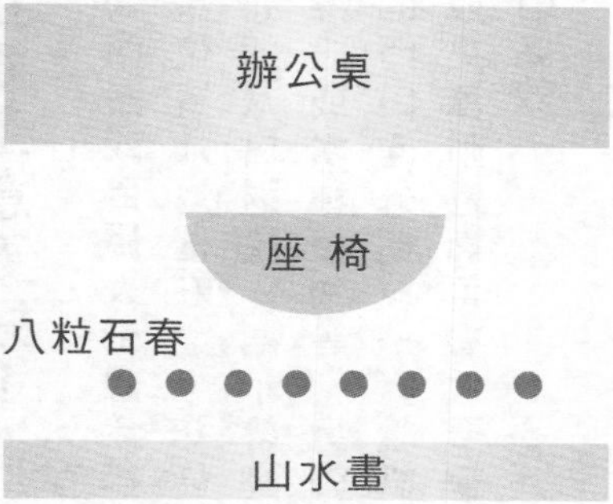

辦公桌

座椅

八粒石春

山水畫

在辦公室中的座位背後掛上山水畫，加高椅背或擺放八粒石春，可化解煞氣。

❤我要升職加薪！

想升職加薪，一定要在家裏或辦公室中加以催旺文昌星及財星位置。今年的文昌星在東南，可以用流動性強而又帶綠色的物品催旺升職機會，最佳選擇當然是四枝富貴竹。至於要加薪，可於位處東北的八白財星位置放有水擺設或多用紅黃兩色。如此兩管齊下，便有助升職加薪了。

東南 四枝富貴竹	正南	西南
正東	中宮	正西
東北 有水擺設	正北	西北

♥ 我要生意更好！

營商者或自僱人士想今年生意更好，可於當旺財星位置加以催旺。今年最強的財星位置在東北，亦即八白財星。為了帶動財氣，可於該處放有水擺設或水種植物等。另外，也可在商舖或辦公室的門口向外擺放一對貔貅以作招財，收銀機位置或夾萬附近則可擺放聚寶盆等風水物品，以收守財之效。

東南	正南	西南
正東	中宮	正西
東北 有水擺設 / 水種植物	正北	西北

♥ 我要避開是非！

想減少是非之爭，首要是切忌在今年的正東位置動土。今年的正東為是非星降臨，在此位置擺放流動性愈強的物品或經常搬動物品，便愈易引發爭吵衝突。要化解是非星，除了免動土，也適宜擺放紅色物品及黑曜石水晶，皆有助減弱是非星的力量。

東南	正南	西南
正東 黑曜石水晶	中宮	正西
東北	正北	西北

我要提升人緣！

桃花亦代表人緣，所以想改善人際關係，不妨在正北的桃花位花點功夫。正北所見的顏色愈鮮艷便愈佳，而且任何水種植物皆可加強人際關係。如果想在辦公室佈陣，只需於桌面放一盆簡單的水種小植物便可。

東南	正南	西南
正東	中宮	正西
東北	正北 水種植物	西北

我要身體好！

今年的中宮（即中央一帶）及西南分別為五黃災星及二黑病星位，兩者皆對健康不利，當中尤以五黃最嚴重。要提升健康運，必須注意家中的梳化、睡牀及公司中的坐向是否位處此兩方向，因為在病位長期坐臥皆會容易引發大病小痛。所以中宮及西南一帶均要避忌動土及擺放紅黃兩色物品，宜放銅製或金色重物加以化解。

東南	正南	西南 銅製／金色重物
正東	中宮 銅製／金色重物	正西
東北	正北	西北

我要防止男朋友變心！

拍了拖又要日防夜防男友變心，正是不少女性的憂慮。如果真的太擔憂，其實可於桃花位着手。因為桃花位既可催旺亦可削弱，不論是未婚或已婚，均可於家中的正北位置擺放木製的公雞飾物，減低桃花力量，另外謹記忌放空花瓶，否則更易惹壞桃花。要注意的是桃花亦代表人緣，化桃花多少會對人際關係帶來影響，若從事對外工作，如公關、營銷等，便容易有不利影響，所以化桃花前一定要考慮清楚。

東南	正南	西南
正東	中宮	正西
東北	正北 木製的公雞飾物	西北

二〇一三年辦公室秘密風水陣

雖然家居風水相當重要，但近年人們的工作時間愈來愈長，可能留在辦公室的時間比在家裏還要長。如果你認為最近的工作不太如意，不妨花點心思在公司佈個小風水陣，不但實用，而且絕不勞師動眾，佈了陣也沒有人知！

多勞少得

針對問題：

工作量與日俱增，精神卻難以集中，經常覺得工作辛苦及情緒不佳。出現此情況可能是因為你的座位有煞氣侵襲，例如與洗手間太近或對着尖角等，會形成煞氣，令事業發展受阻。

解決辦法：

在辦公桌附近加上板塊或其他遮擋物品，以防煞氣。

建議用具：

只有辦公桌的話，最簡單的方法是在桌面的正前方或旁邊豎立一塊水松板。如不確定煞氣來源，一般可放在正前方。

如擁有獨立辦公室，煞氣可能來自窗外，可選擇在窗上貼上大幅海報或者長期拉下窗簾。

❤ 是非多

針對問題：

閒言閒語特別多，即使自己沒有主動說三道四，是非也會找上門，影響工作。如果自問別人對你的不滿全屬誤會，可能是公司中所坐的方位特別惹是非。

解決辦法：

先找來一個指南針，面對自己的辦公桌，找出是非星「三碧星」飛臨之處，然後在該方向擺放九件紅色物品，以化解不利影響。（癸巳蛇年的三碧星在正東）

建議用具：

選用何種紅色物品可以自行決定，例如利是封、文具及文件夾皆可。

過年習俗知識

「做尾禡」

何謂「做禡」？

「做禡」就是拜祭土地公公的意思。中國人以農立國，所以歷代的農民甚或商人都對土地十分敬重。他們相信要豐衣足食，就要得到土地公公的庇佑，所以除了農曆正月外，其他月份中的初二和十六，他們都會「做禡」。而每年的農曆二月初二是「頭禡」，「尾禡」就是農曆十二月十六日。

「尾禡」與「無情雞」有何關連？

傳統上，公司上上下下都會在過年前聚在一起吃一頓飯，而席上總會有一道以雞為主的菜式，相信大家也聽過這一個説法——雞頭對着某人，便代表那人將要被「炒魷」！這個「無情雞」傳統在今天看來已被視為笑話，但在往日卻是真有其事的，而這跟「尾禡」的由來大有關聯。

祭祀「尾禡」要準備什麼物品？

燒肉、雞、香燭、三杯酒及一對沙田柚（每個柚子都要以紅筆在外皮上垂直寫上「招財進寶」四個字）。衣紙選用運財祿、地主貴人符、貴人馬及祿馬等，將之焚香三拜後火化即可。

何日是做「尾禡」日子？

「做尾禡」不一定要在正日（即農曆十二月十六日），其他日子也是可以的，只要那日不與公司負責人的生肖相沖，而且又屬於好日子便可。拜祭後，可保佑公司來年生意滔滔，並且可消除是非口舌之爭。

為何一年二十二次的「做禡」中，以「尾禡」最為人熟悉及特別被重視？原來根據清朝的僱傭制，「尾禡」被定為評核員工表現的日子。

在「尾禡」日子裏，僱主除了會派利市（類似現代社會的雙糧花紅）獎勵員工外，亦會藉着在祭祀後大家圍坐在一起用膳的機會，以含蓄的手法來指出裁員的人選，那就是所謂給人吃「無情雞」了！

如果僱主決定了要辭退某人，便會將在一道熱葷中的雞頭對準那個下屬，那是代表要請他吃「無情雞」；而如果雞頭對準的是僱主自己，則代表他不會辭退任何人。

時至今日，仍有少數舊式的酒樓及海味店會在「尾禡」當日拜祭土地及設宴款待辛勞了一整年的員工，而「無情雞」則已絕少派上用場了！現代僱主要裁員，派一個「大信封」，直接簡單得多！

大掃除

大掃除有何意義？

「年廿八，洗邋遢」，玄學家相信，每年一次的大掃除的確有助改善宅氣，可在新一年的開始，將旺氣引入室內。即使撇開玄學不談，大掃除亦有如傳統節慶般備受重視，因為它提醒人們是時候去舊迎新，將家居收拾乾淨，無論在外觀或心理上，這都是好事。

應在何日大掃除？

擇個好日子來去舊迎新，來年宅運便會更加順利！一般來說，只要日子並不跟家中成員的生肖相沖，《通勝》中所列的「成日」及「除日」皆可用；至於「破日」本身向來不宜祭祀，不過因為大掃除有破舊立新的意思，所以不常用的「破日」亦可選擇。（請參考本書頁387「蛇年吉時吉日」部分，以得知年尾適宜大掃除的日子。）

應如何清潔神位？

家中如有神位，在大掃除當日，應以椂柚葉、肩柏、芙蓉或七色花煲水，然後以此水來洗淨神櫃，方法是用新毛巾從上至下、由內至外把所有污垢盡除。

貼揮春有何宜忌？

很多家庭都會在大掃除後貼上新揮春，這做法可增加新年的喜慶氣氛，也象徵迎接新的開始。不過，貼揮春時要注意以下兩點——

第一，不可把紅色的揮春貼在流年的五黃及二黑位，因為此舉會加強這兩顆大、小病星的力量（蛇年的五黃及二黑位分別於中宮（即中央一帶）及西南）。

第二，揮春的字不可與流年的生肖相沖，例如流年為馬年的話，便不應貼上「馬運亨通」揮春；到了羊年，就不應貼上有「羊」字的揮春；而蛇年的做法亦相同。

年花有何象徵意義？

新年的節日氣氛熱鬧，其中最好的活動便是行年宵了。無論經濟有多差，每年各個年宵市場中，都有很多人爭相買年花回家擺放，一來可美化家居，二來又可討個意頭，可謂一舉兩得！

除了桃花、水仙和桔等「人氣年花」外，其他常見的年花也有其象徵的吉祥意義——

年花	象徵意義
牡丹	富貴
菊花	長壽長久
劍蘭	步步高陞
萬年青	順利長久
松樹	長壽健康
富貴竹	竹報平安
銀柳	有銀有樓
五代同堂	嫁娶添丁

擺放植物的禁忌

其實只要自己喜歡，大部分植物都可以擺放在家中。不過，要注意有刺植物的擺放位置，例如玫瑰和仙人掌等，假如將有刺植物放在家中的桃花位，便很容易惹來「桃花劫」！建議為免一時錯手，還是少放為妙！

團年

應在何日吃團年飯？

香港人生活忙碌，雖然各家各戶仍然保留着吃團年飯的習俗，但現在已不一定在年三十晚團年了。其實只要團年的日子並非屬於「陰錯」、「陽錯」或「破日」便可；而最佳的選擇，是在「天德」或「月德」等的好日子（有關日子可翻查《通勝》）。

有何傳統習俗要遵守？

從前在家吃一頓團年飯，人們有不少習俗要遵守，但時移世易，不少人為了方便快捷，都會選擇一家人出外用膳。以下所提及的習俗儀式僅作參考，不管如何安排團年飯的細節，只要是一家人高高興興地聚在一起吃，便已很足夠了。

一、吃團年飯前，要拜祭神明及祖先。拜菩薩要大香、細香各三枝；拜地主要五枝香；要在分別拜過五方土地龍神後；然後才上三枝香拜祖先。如果有家庭成員未能出席，家人應代其拜祭以示尊重神明。

二、團年飯的菜肴要包括至少一款酒（如糯米酒），及要具備意頭吉祥的小菜，例如髮菜（意謂「發財」）、韭菜（意謂「長長久久」）及蠔豉（意謂「好事」）等。另外，要有魚、肉、雞、鴨等四道主菜，再加上另四道小菜，這稱為「四盤四碗」，取其諧音「事事如意」。

三、在吃團年飯時，各人皆宜添飯，代表「添福添壽」；而為團年煮的米飯亦需準備多一些，好讓可以留起一點，代表「年年有餘」，此舉又可避免在年初一打開飯煲時，出現「空空如也」的不吉利情況。

四、飯後長輩會派利市給後輩，而放於枕頭下的利市稱為「壓歲錢」，注意「壓歲錢」的數目應該為雙數，將之放於枕頭下，代表來年可有充足的金錢使用。

開年

開年飯有何意義？

大年初一過後，大部分家庭都會在年初二準備開年，開年即在新的一年進行第一次祭祀儀式，傳統上此日子頗受重視，中國人每逢祭祀皆離不開一頓豐富的飯菜，而開年又是舊曆新年中的大事，所以不論家庭或公司，為祈求新一年事事順利，開年飯已成為了一項傳統習俗。

應在何時吃開年飯？

開年雖然定於年初二，但祭祀的時間則各處鄉村各處例，有些家庭選擇在年初一剛過、年初二的凌晨進行拜祭儀式及準備開年飯，這純粹是風俗習慣，不必嚴格執行。但要注意年初二也不一定是好日，如果適逢歲破，便要選擇在好的時辰來進行拜祭儀式。在上香拜神後，一家人便可一起吃開年飯。

開年飯要有哪些菜式？

傳統開年飯要準備的食物，不外乎是魚、生菜、燒肉及雞，最好齊備九款開年菜式，象徵「長長久久」。如果是營商者，和員工一起吃開年飯時，適宜在飯桌中央擺放「發財好市」（即髮菜蠔豉），象徵生意愈做愈好！

蛇年吉時吉日

大掃除

吉日	吉時	沖生肖
農曆十二月十九 西曆一三年一月三十日	巳時（早上九時至十一時） 申時（下午三時至五時）	虎
農曆十二月二十 西曆一三年一月卅一日	午時（早上十一時至下午一時）	兔
農曆十二月廿六 西曆一三年二月六日	卯時（早上五時至七時）	雞

上頭炷香及拜神

吉日	吉時	提示
農曆正月初一 西曆一三年二月十日	子時（晚上十一時至凌晨一時） 寅時（凌晨三時至五時）	每年的貴神（代表招財納福）、財神（代表財星拱照）位於不同的方向，拜神時可按自己的所需向該方位拜祭。今年的貴神在西北，財神則在正西。

行大運

吉日

農曆正月初一
西曆二〇一三年二月十日

吉時

巳時（早上九時至十一時）
午時（早上十一時至下午一時）

提示

年初一行大運是迎接新一年的新開始，踏出家門後，應先向有利的方向走一圈，這做法對你整年的運勢都有幫助。今年有利的方向是西北及正西（貴神和財神所在方位）。另外，要注意今年的五鬼在正東、死門在正南，故年初一首步踏出家門後，切勿往這兩個方向走。

開年拜神

吉日

農曆正月初二
西曆二〇一三年二月十一日

吉時

辰時（早上七時至九時）
巳時（早上九時至十一時）

拜太歲

	吉日	吉時	沖生肖
首選	農曆正月初六 西曆一三年二月十五日	辰時（早上七時至九時） 巳時（早上九時至十一時） 未時（下午一時至三時）	馬
次選	農曆正月初十 西曆一三年二月十九日	巳時（早上九時至十一時）	狗
	農曆正月十二 西曆一三年二月廿一日	巳時（早上九時至十一時） 未時（下午一時至三時）	鼠

開市

	吉日	吉時	沖生肖
首選	農曆正月初六 西曆一三年二月十五日	辰時（早上七時至九時） 巳時（早上九時至十一時） 未時（下午一時至三時）	馬
次選	農曆正月初十 西曆一三年二月十九日	巳時（早上九時至十一時）	狗
	農曆正月十二 西曆一三年二月廿一日	巳時（早上九時至十一時） 未時（下午一時至三時）	鼠

嫁娶吉日

農曆正月

農曆	西曆	星期	沖生肖
初六	二〇一三年二月十五日	五	馬
初九	二〇一三年二月十八日	一	雞
初十	二〇一三年二月十九日	二	狗
十二	二〇一三年二月廿一日	四	鼠
廿一	二〇一三年三月二日	六	雞
廿四	二〇一三年三月五日	二	鼠
廿五	二〇一三年三月六日	三	牛
廿八	二〇一三年三月九日	六	龍

農曆二月

農曆	西曆	星期	沖生肖
初一	二〇一三年三月十二日	二	羊
初七	二〇一三年三月十八日	一	牛
初十	二〇一三年三月廿一日	四	龍
十二	二〇一三年三月廿三日	六	馬
十三	二〇一三年三月廿四日	日	羊
廿四	二〇一三年四月四日	四	馬
廿六	二〇一三年四月六日	六	猴

農曆三月

農曆	西曆	星期	沖生肖
初一	二〇一三年四月十日	三	鼠
初四	二〇一三年四月十三日	六	兔
初七	二〇一三年四月十六日	二	馬
二十	二〇一三年四月廿九日	一	羊
廿二	二〇一三年五月一日	三	雞
廿八	二〇一三年五月七日	二	兔
廿九	二〇一三年五月八日	三	龍

農曆四月

農曆	西曆	星期	沖生肖
初四	二〇一三年五月十三日	一	雞
初六	二〇一三年五月十五日	三	豬
初九	二〇一三年五月十八日	六	虎
初十	二〇一三年五月十九日	日	兔
十三	二〇一三年五月廿二日	三	馬
十五	二〇一三年五月廿四日	五	猴
十六	二〇一三年五月廿五日	六	雞
十九	二〇一三年五月廿八日	二	鼠
廿一	二〇一三年五月三十日	四	虎
廿二	二〇一三年五月卅一日	五	兔
廿三	二〇一三年六月一日	六	龍
廿五	二〇一三年六月三日	一	馬
廿六	二〇一三年六月四日	二	羊

農曆五月

農曆	西曆	星期	沖生肖
初三	二〇一三年六月十日	一	牛
初四	二〇一三年六月十一日	二	虎
初六	二〇一三年六月十三日	四	龍
十二	二〇一三年六月十九日	三	狗
十八	二〇一三年六月廿五日	二	龍
廿二	二〇一三年六月廿九日	六	猴
廿七	二〇一三年七月四日	四	牛
三十	二〇一三年七月七日	日	龍

農曆六月

農曆	西曆	星期	沖生肖
初五	二〇一三年七月十二日	五	雞
初九	二〇一三年七月十六日	二	牛
初十	二〇一三年七月十七日	三	虎
十七	二〇一三年七月廿四日	三	雞
廿一	二〇一三年七月廿八日	日	牛
廿四	二〇一三年七月卅一日	三	龍
廿九	二〇一三年八月五日	一	雞

農曆七月

農曆	西曆	星期	沖生肖
初四	二〇一三年八月十日	六	虎
初八	二〇一三年八月十四日	三	馬
十一	二〇一三年八月十七日	六	雞
十四	二〇一三年八月二十日	二	鼠
十八	二〇一三年八月廿四日	六	龍
二十	二〇一三年八月廿六日	一	馬
廿三	二〇一三年八月廿九日	四	雞
廿五	二〇一三年八月卅一日	六	豬
廿八	二〇一三年九月三日	二	虎

農曆八月

農曆	西曆	星期	沖生肖
初三	二〇一三年九月七日	六	馬
初四	二〇一三年九月八日	日	羊
初七	二〇一三年九月十一日	三	狗
初八	二〇一三年九月十二日	四	豬
初十	二〇一三年九月十四日	六	牛
十一	二〇一三年九月十五日	日	虎
十六	二〇一三年九月二十日	五	羊
十九	二〇一三年九月廿三日	一	狗
二十	二〇一三年九月廿四日	二	豬
廿一	二〇一三年九月廿五日	三	鼠
廿二	二〇一三年九月廿六日	四	牛

農曆九月

農曆	西曆	星期	沖生肖
初二	二〇一三年十月六日	日	豬
初三	二〇一三年十月七日	一	鼠
初五	二〇一三年十月九日	三	虎
十五	二〇一三年十月十九日	六	鼠
廿四	二〇一三年十月廿八日	一	雞
廿六	二〇一三年十月三十日	三	豬
廿七	二〇一三年十月卅一日	四	鼠
廿八	二〇一三年十一月一日	五	牛

農曆十月

農曆	西曆	星期	沖生肖
初六	二〇一三年十一月八日	五	猴
初七	二〇一三年十一月九日	六	雞
初八	二〇一三年十一月十日	日	狗
十二	二〇一三年十一月十四日	四	虎
十三	二〇一三年十一月十五日	五	兔
十八	二〇一三年十一月二十日	三	猴
十九	二〇一三年十一月廿一日	四	雞
二十	二〇一三年十一月廿二日	五	狗
廿二	二〇一三年十一月廿四日	日	鼠
廿八	二〇一三年十一月三十日	六	馬
三十	二〇一三年十二月二日	一	猴

農曆十一月

農曆	西曆	星期	沖生肖
初一	二〇一三年十二月三日	二	雞
初二	二〇一三年十二月四日	三	狗
初六	二〇一三年十二月八日	日	虎
初八	二〇一三年十二月十日	二	龍
十一	二〇一三年十二月十三日	五	羊
十四	二〇一三年十二月十六日	一	狗
廿三	二〇一三年十二月廿五日	三	羊
廿六	二〇一三年十二月廿八日	六	狗

農曆十二月

農曆	西曆	星期	沖生肖
初一	二〇一四年一月一日	三	虎
初七	二〇一四年一月七日	二	猴
初九	二〇一四年一月九日	四	狗
十四	二〇一四年一月十四日	二	兔
十九	二〇一四年一月十九日	日	猴
二十	二〇一四年一月二十日	一	雞
廿六	二〇一四年一月廿六日	日	兔

時辰對照表

時辰	時間
子時	晚上十一時至凌晨一時
丑時	凌晨一時至三時
寅時	凌晨三時至五時
卯時	早上五時至七時
辰時	早上七時至九時
巳時	早上九時至十一時
午時	早上十一時至下午一時
未時	下午一時至三時
申時	下午三時至五時
酉時	下午五時至晚上七時
戌時	晚上七時至九時
亥時	晚上九時至十一時

每日
通勝

二〇一三年西曆二月／三月

癸巳年農曆正月

西曆月日	吉凶	農曆	星期	干支	月建	宜	忌	子	丑	寅	卯	辰	巳	午	未	申	酉	戌	亥	沖
2 10	♥	正月初一	日	丁未	執	萬事大吉	理髮、整甲						♥	♥	♥		♥			牛
2 11	♥	初二	一	戊申	破	沐浴、治病、破屋、壞垣	置產、安牀		♥			♥	♥	♥	♥					虎
2 12	♥	初三	二	己酉	危	祭祀、理髮、沐浴、掃舍	栽種、時插	♥				♥	♥	♥	♥					兔
2 13	♡	初四	三	庚戌	成	祭祀、入學、掃舍	結網、除服		♥					♥	♥					龍
2 14	♥	初五	四	辛亥	收	祭祀、掃舍	合醬、嫁娶		♥	♥	♥			♥	♥			♥		蛇
2 15	♥	初六	五	壬子	開	祭祀、入學、嫁娶、出行	開渠、問卜	♥	♥	♥	♥	♥	♥		♥					馬
2 16	♡	初七	六	癸丑	閉	祭祀、安牀、補垣、塞穴	詞訟、動土	♥	♥		♥	♥					♥	♥		羊
2 17	♡	初八	日	甲寅	建	會友、裁衣、交易、納畜	開倉、祭祀			♥		♥			♥		♥	♥		猴
2 18	♥	初九	一	乙卯	除	會友、出行、嫁娶、開市	栽種、開池	♥		♥	♥				♥			♥		雞
2 19	♥	初十	二	丙辰	滿	祭祀、祈福、會友、嫁娶	修廚、行喪						♥				♥			狗
2 20	♡	十一	三	丁巳	平	平治、道塗、修飾、垣牆	理髮、遠行		♥				♥	♥	♥		♥	♥		豬
2 21	♥	十二	四	戊午	定	祭祀、求嗣、出行、嫁娶	置業、搭廁				♥		♥		♥		♥			鼠
2 22	♡	十三	五	己未	執	祭祀、會友、動土、安葬	修廚、作灶			♥	♥		♥	♥	♥					牛
2 23	♥	十四	六	庚申	破	治病、破屋、壞垣	結網、安牀		♥			♥	♥	♥	♥					虎
2 24	♡	十五	日	辛酉	危	祭祀、祈福、交易、安葬	合醬、造酒			♥		♥	♥	♥						兔

♥ 吉　♡ 中吉　♡ 平　♥ 凶

西曆月	西曆日	吉凶	農曆	星期	干支	月建	宜	忌	子	丑	寅	卯	辰	巳	午	未	申	酉	戌	亥	沖
2	25	♥	十六	一	壬戌	成	祭祀、開市、動土、安葬	開渠、栽種			♥	♥		♥		♥			♥		龍
2	26	♥	十七	二	癸亥	收	祭祀、掃舍	詞訟、嫁娶			♥	♥	♥		♥				♥		蛇
2	27	♡	十八	三	甲子	開	祭祀、會友、出行、開市	開倉、除服	♥	♥	♥		♥			♥					馬
2	28	♡	十九	四	乙丑	閉	祭祀、出行、治病、安牀	栽種、動土	♥	♥	♥	♥						♥			羊
3	1	♥	二十	五	丙寅	建	會友、訂婚、立約、安葬	作灶、祭祀	♥			♥			♥			♥			猴
3	2	♥	廿一	六	丁卯	除	祭祀、祈福、嫁娶、安葬	理髮、栽花			♥				♥	♥					雞
3	3	♡	廿二	日	戊辰	滿	祭祀、祈福、會友、理髮	置產、行喪		♥		♥		♥		♥		♥			狗
3	4	♡	廿三	一	己巳	平	平治、道塗、修飾、垣牆	遠行、成服	♥		♥				♥	♥					豬
3	5	♥	廿四	二	庚午	定	祭祀、嫁娶、移徙、安葬	結網、動土		♥	♥				♥	♥		♥			鼠
3	6	♥	廿五	三	辛未	定	祭祀、嫁娶、動土、安葬	合醬、造酒			♥	♥		♥	♥		♥				牛
3	7	♡	廿六	四	壬申	執	捕捉、掃舍、除服、安葬	開渠、安牀	♥	♥		♥	♥	♥		♥					虎
3	8	♡	廿七	五	癸酉	破	求醫、治病、破屋、壞垣	詞訟、作灶	♥	♥	♥		♥	♥			♥				兔
3	9	♥	廿八	六	甲戌	危	祭祀、出行、嫁娶、安葬	開倉、出財		♥	♥	♥		♥		♥					龍
3	10	♥	廿九	日	乙亥	成	拆卸、掃舍	栽種、嫁娶	♥	♥	♥	♥				♥	♥				蛇
3	11	♡	三十	一	丙子	收	交易、捕捉、結網、針灸	修廚、作灶	♥	♥				♥					♥		馬

二〇一三年西曆三月/四月

癸巳年農曆二月

西曆 月日	農曆	星期	干支	月建	宜	忌	吉凶	子	丑	寅	卯	辰	巳	午	未	申	酉	戌	亥	沖
3 12	二月初一	二	丁丑	開	祭祀、出行、嫁娶、置產	理髮、整甲	♥	♥					♥	♥						羊
3 13	初二	三	戊寅	閉	裁衣、修倉、作灶、安葬	置業、祭祀	♥		♥		♥	♥	♥	♥	♥					猴
3 14	初三	四	己卯	建	出行、會友	動土、穿井	♡	♥		♥	♥			♥	♥					雞
3 15	初四	五	庚辰	除	出行、理髮、掃舍	結網、行喪	♡		♥	♥		♥	♥	♥	♥					狗
3 16	初五	六	辛巳	滿	祭祀、開市、立約、交易	遠行、動土	♡		♥	♥			♥	♥	♥			♥		豬
3 17	初六	日	壬午	平	平治、道塗、修飾、垣牆	開渠、放水	♡		♥	♥	♥		♥		♥					鼠
3 18	初七	一	癸未	定	祭祀、嫁娶、交易、安葬	詞訟、進水	♥	♥		♥	♥		♥	♥				♥		牛
3 19	初八	二	甲申	執	祭祀、掃舍	開倉、安牀	♥	♥	♥			♥	♥		♥	♥				虎
3 20	初九	三	乙酉	破	破屋、壞垣	栽種、行喪	♥	♥	♥	♥		♥				♥				兔
3 21	初十	四	丙戌	危	祭祀、嫁娶、移徙、動土	修廚、作灶	♥	♥		♥	♥		♥			♥		♥		龍
3 22	十一	五	丁亥	成	祭祀、掃舍	理髮、嫁娶	♥		♥	♥				♥	♥			♥		蛇
3 23	十二	六	戊子	收	嫁娶、理髮、捕捉	買田、置業	♡		♥		♥	♥	♥			♥				馬
3 24	十三	日	己丑	開	祭祀、嫁娶、醫病、置產	栽種、補垣	♥	♥		♥	♥		♥			♥				羊
3 25	十四	一	庚寅	閉	訂婚、交易、動土、安葬	結網、祭祀	♡		♥	♥	♥	♥		♥	♥					猴
3 26	十五	二	辛卯	建	祭祀、會友、出行、交易	動土、穿井	♡			♥	♥		♥	♥				♥		雞

(子至亥欄為「是日吉時」)

♥ 吉　♡ 中吉　♡ 平　♥ 凶

吉凶	西曆 月	西曆 日	農曆	星期	干支	月建	宜	忌	子	丑	寅	卯	辰	巳	午	未	申	酉	戌	亥	沖
♡	3	27	十六	三	壬辰	除	出行、理髮、掃舍、結網	開渠、行喪		♥	♥	♥		♥							狗
♡	3	28	十七	四	癸巳	滿	祭祀、祈福、開市、交易	詞訟、動土	♥			♥	♥	♥			♥		♥		豬
♡	3	29	十八	五	甲午	平	祭祀、平道、塗飾、垣牆	開倉、苫蓋		♥	♥					♥					鼠
♥	3	30	十九	六	乙未	定	祭祀、祈福、訂婚、赴任	栽種、動土	♥		♥	♥					♥		♥		牛
♡	3	31	二十	日	丙申	執	祭祀、移徙、理髮、安葬	作灶、安牀	♥	♥				♥		♥	♥		♥		虎
♥ (black)	4	1	廿一	一	丁酉	破	破屋、壞垣	理髮、整甲		♥					♥	♥					兔
♥	4	2	廿二	二	戊戌	危	訂婚、立約、交易、動土	置業、修倉		♥		♥			♥	♥	♥				龍
♥ (black)	4	3	廿三	三	己亥	成	祭祀、掃舍	嫁娶、除服	♥		♥	♥			♥	♥	♥				蛇
♡	4	4	廿四	四	庚子	收	嫁娶、理髮、交易、納財	結網、修廚		♥						♥	♥				馬
♡	4	5	廿五	五	辛丑	收	祭祀、納財、建屋、取魚	合醬、造酒		♥	♥	♥		♥	♥		♥				羊
♥	4	6	廿六	六	壬寅	開	出行、嫁娶、醫病、動土	開渠、祭祀		♥	♥	♥				♥					猴
♥	4	7	廿七	日	癸卯	閉	祭祀、合帳、修墳、安葬	詞訟、開池	♥		♥	♥									雞
♡	4	8	廿八	一	甲辰	建	祭祀、理髮、修飾、垣牆	開倉、動土	♥	♥	♥		♥			♥		♥			狗
♥	4	9	廿九	二	乙巳	除	理髮、移居、入宅、開市	栽種、遠行	♥	♥							♥	♥			豬

二〇一三年西曆四月／五月

癸巳年農曆三月

西曆月	西曆日	吉凶	農曆	星期	干支	月建	宜	忌	子	丑	寅	卯	辰	巳	午	未	申	酉	戌	亥	沖
4	10	♡	三月初一	三	丙午	滿	嫁娶、成服、安葬	修廚、作灶						♥	♥		♥	♥			鼠
4	11	♡	初二	四	丁未	平	祭祀、結網、平道、飾垣	理髮、整甲						♥	♥	♥		♥			牛
4	12	♥	初三	五	戊申	定	祭祀、祈福、合帳、動土	置業、安牀		♥			♥	♥		♥	♥				虎
4	13	♥	初四	六	己酉	執	祭祀、嫁娶、醫病、安葬	動土、除靈	♥				♥	♥	♥	♥	♥				兔
4	14	♥	初五	日	庚戌	破	求醫、治病、破屋、壞垣	結網、開市		♥					♥	♥	♥				龍
4	15	♥	初六	一	辛亥	危	拆卸、掃舍	合醬、嫁娶		♥	♥	♥			♥	♥					蛇
4	16	♥	初七	二	壬子	成	祭祀、嫁娶、動土、安葬	開渠、進水	♥	♥	♥	♥	♥	♥		♥					馬
4	17	♡	初八	三	癸丑	收	捕捉、作灶、納畜	詞訟、開倉	♥	♥		♥	♥	♥			♥	♥			羊
4	18	♥	初九	四	甲寅	開	出行、移徙、交易、置產	出財、祭祀			♥		♥			♥		♥			猴
4	19	♡	初十	五	乙卯	閉	祭祀、出行、動土、安葬	栽種、穿井	♥		♥	♥				♥	♥				雞
4	20	♡	十一	六	丙辰	建	飾垣	作灶、動土						♥			♥	♥			狗
4	21	♡	十二	日	丁巳	除	祭祀、掃舍	理髮、遠行		♥				♥	♥	♥		♥			豬
4	22	♡	十三	一	戊午	滿	祭祀、出行、交易、安牀	買田、置業				♥		♥		♥	♥	♥			鼠
4	23	♡	十四	二	己未	平	理髮、田獵、平道、飾垣	開倉、成服			♥	♥		♥	♥	♥	♥				牛
4	24	♡	十五	三	庚申	定	祭祀、沐浴、掃舍、安葬	結網、安牀		♥			♥	♥	♥	♥	♥				虎

（子至亥欄為「是日吉時」）

♥ 吉　♡ 中吉　♡ 平　♥ 凶

吉凶	西曆 月	西曆 日	農曆	星期	干支	月建	宜	忌	子	丑	寅	卯	辰	巳	午	未	申	酉	戌	亥	沖
中吉	4	25	十六	四	辛酉	執	理髮、掃舍、治病、安葬	醞釀、動土			♥		♥	♥	♥						兔
平	4	26	十七	五	壬戌	破	破屋、壞垣	開渠、放水			♥	♥		♥		♥					龍
凶	4	27	十八	六	癸亥	危	拆卸、掃舍	詞訟、嫁娶			♥	♥	♥		♥						蛇
吉	4	28	十九	日	甲子	成	祭祀、祈福、出行、安葬	開倉、動土	♥	♥	♥		♥			♥	♥				馬
中吉	4	29	二十	一	乙丑	收	嫁娶、納財、捕捉、納畜	栽種、修倉	♥	♥	♥	♥					♥	♥			羊
吉	4	30	廿一	二	丙寅	開	會友、訂婚、移徙、置產	修廚、祭祀	♥			♥			♥			♥			猴
吉	5	1	廿二	三	丁卯	閉	祭祀、嫁娶、動土、安葬	理髮、整甲			♥				♥	♥					雞
平	5	2	廿三	四	戊辰	建	祭祀、裁衣、修飾、垣牆	動土、行喪		♥		♥		♥		♥	♥	♥			狗
吉	5	3	廿四	五	己巳	除	會友、入宅、開市、交易	遠行、行喪	♥		♥				♥	♥	♥				豬
凶	5	4	廿五	六	庚午	滿	祭祀、伐木	結網、苫蓋		♥	♥				♥	♥	♥	♥			鼠
平	5	5	廿六	日	辛未	平	祭祀、平道	合醬、針灸			♥	♥		♥	♥		♥				牛
平	5	6	廿七	一	壬申	平	沐浴、掃舍、理髮、平道	開渠、安牀	♥	♥	♥	♥	♥	♥		♥		♥			虎
吉	5	7	廿八	二	癸酉	定	祭祀、嫁娶、動土、安葬	詞訟、置產	♥	♥	♥		♥	♥			♥				兔
吉	5	8	廿九	三	甲戌	執	祭祀、祈福、嫁娶、納采	開倉、出財		♥	♥	♥		♥		♥					龍
凶	5	9	三十	四	乙亥	破	破屋、壞垣	栽種、嫁娶	♥	♥	♥	♥				♥	♥				蛇

二〇一三年西曆五月／六月

癸巳年農曆四月

吉凶	西曆月	西曆日	農曆	星期	干支	建月	宜	忌	子	丑	寅	卯	辰	巳	午	未	申	酉	戌	亥	沖
♡	5	10	四月初一	五	丙子	危	祭祀、祈福	修廚、作灶	♥	♥				♥				♥	♥		馬
♥	5	11	初二	六	丁丑	成	出行、訂婚、動土、安葬	理髮、移徙	♥					♥	♥			♥			羊
♡	5	12	初三	日	戊寅	收	建屋、捕捉、結網、取魚	置產、祭祀		♥		♥	♥	♥	♥	♥					猴
♡	5	13	初四	一	己卯	開	會友、嫁娶、開市、入倉	穿井、動土	♥		♥	♥			♥	♥					雞
♡	5	14	初五	二	庚辰	閉	祭祀、出行、交易、安葬	結網、針灸		♥			♥	♥	♥	♥					狗
♥	5	15	初六	三	辛巳	建	祭祀、祈福、嫁娶、移徙	遠行、動土		♥	♥			♥	♥	♥			♥		豬
♥	5	16	初七	四	壬午	除	祭祀、出行、交易、安葬	開渠、放水		♥	♥	♥		♥		♥					鼠
♡	5	17	初八	五	癸未	滿	置產、掃舍、栽種、結網	詞訟、行喪	♥		♥	♥		♥	♥				♥		牛
♡	5	18	初九	六	甲申	平	嫁娶、沐浴、掃舍、平道	開倉、安牀	♥				♥	♥		♥	♥				虎
♥	5	19	初十	日	乙酉	定	祭祀、嫁娶、動土、安葬	栽種、時插	♥	♥	♥		♥				♥	♥			兔
♡	5	20	十一	一	丙戌	執	祭祀、訂婚、理髮、安牀	修廚、作灶	♥		♥	♥		♥			♥	♥	♥		龍
♥	5	21	十二	二	丁亥	破	破屋	理髮、嫁娶		♥	♥				♥	♥		♥	♥		蛇
♥	5	22	十三	三	戊子	危	祭祀、會友、嫁娶、安葬	置業、問卜		♥		♥	♥	♥			♥	♥			馬
♥	5	23	十四	四	己丑	成	祭祀、出行、交易、安葬	詞訟、移徙	♥		♥	♥		♥			♥	♥			羊
♡	5	24	十五	五	庚寅	收	出行、嫁娶、移徙、安葬	動土、祭祀		♥	♥	♥	♥			♥					猴

♥ 吉　♡ 中吉　♡ 平　♥ 凶

吉凶	西曆 月日	農曆	星期	干支	月建	宜	忌	子	丑	寅	卯	辰	巳	午	未	申	酉	戌	亥	沖
♥	5 25	十六	六	辛卯	開	祭祀、出行、嫁娶、置產	合醬、開池			♥	♥		♥	♥				♥		雞
♡	5 26	十七	日	壬辰	閉	田獵、結網	開渠、放水		♥	♥	♥		♥				♥			狗
♡	5 27	十八	一	癸巳	建	會友、裁衣、修飾、垣牆	詞訟、遠行	♥			♥	♥	♥			♥		♥		豬
♥	5 28	十九	二	甲午	除	祭祀、嫁娶、動土、安葬	開倉、出財		♥	♥					♥		♥			鼠
♡	5 29	二十	三	乙未	滿	祭祀、掃舍	栽種、行喪	♥		♥	♥					♥		♥		牛
♡	5 30	廿一	四	丙申	平	出行、嫁娶、納采、移徙	作灶、安牀	♥	♥				♥		♥	♥	♥	♥		虎
♥	5 31	廿二	五	丁酉	定	出行、赴任、嫁娶、安葬	理髮、修置		♥					♥	♥		♥			兔
♡	6 1	廿三	六	戊戌	執	祭祀、嫁娶、納采、動土	買田、置業		♥		♥			♥	♥	♥				龍
♥	6 2	廿四	日	己亥	破	破屋、壞垣	嫁娶、除服	♥		♥	♥			♥	♥	♥				蛇
♥	6 3	廿五	一	庚子	危	祭祀、出行、嫁娶、安葬	問卜、合帳		♥						♥	♥	♥			馬
♥	6 4	廿六	二	辛丑	成	祭祀、會友、嫁娶、安葬	合醬、進水		♥	♥	♥		♥	♥		♥				羊
♡	6 5	廿七	三	壬寅	收	捕捉	開渠、祭祀		♥	♥	♥				♥			♥		猴
♡	6 6	廿八	四	癸卯	收	祭祀、結網	詞訟、穿井			♥	♥							♥		雞
♥	6 7	廿九	五	甲辰	開	祭祀、訂婚、納采、移徙	開倉、動土		♥	♥		♥			♥		♥			狗

（是日吉時：子至亥）

二〇一三年西曆六月/七月

癸巳年農曆五月

西曆 月日	農曆	星期	干支	月建	宜	忌	吉凶	是日吉時 子	丑	寅	卯	辰	巳	午	未	申	酉	戌	亥	沖
6/8	五月初一	六	乙巳	閉	祭祀、移徙、建屋、塞穴	栽種、遠行	♡		♥							♥	♥	♥		豬
6/9	初二	日	丙午	建	祭祀	作灶、動土	♡						♥	♥		♥	♥	♥		鼠
6/10	初三	一	丁未	除	祭祀、出行、嫁娶、移徙	除靈、行喪	♥						♥	♥	♥		♥			牛
6/11	初四	二	戊申	滿	出行、嫁娶、移徙、動土	置業、安牀	♡		♥			♥	♥		♥	♥				虎
6/12	初五	三	己酉	平	沐浴、理髮、掃舍、平道	修廚、作灶	♡					♥	♥	♥	♥	♥				兔
6/13	初六	四	庚戌	定	出行、嫁娶、移徙、動土	結網、栽種	♡		♥					♥	♥	♥				龍
6/14	初七	五	辛亥	執	拆卸、掃舍	合醬、嫁娶	♥		♥	♥	♥			♥	♥			♥		蛇
6/15	初八	六	壬子	破	破屋、壞垣	開渠、放水	♥		♥	♥	♥	♥	♥		♥					馬
6/16	初九	日	癸丑	危	祭祀、開市、修造、動土	詞訟、除服	♡		♥		♥	♥	♥			♥	♥	♥		羊
6/17	初十	一	甲寅	成	會友、訂婚、醫病、安葬	祭祀、祈福	♥			♥		♥			♥		♥	♥		猴
6/18	十一	二	乙卯	收	祭祀、結網	栽種、穿井	♡			♥	♥				♥	♥		♥		雞
6/19	十二	三	丙辰	開	祭祀、出行、嫁娶、交易	修廚、作灶	♥						♥			♥	♥			狗
6/20	十三	四	丁巳	閉	祭祀	理髮、遠行	♥		♥				♥	♥	♥		♥	♥		豬
6/21	十四	五	戊午	建	祭祀	買田、動土	♡				♥		♥		♥	♥	♥			鼠
6/22	十五	六	己未	除	祭祀、立約、交易、安葬	合帳、除靈	♥			♥	♥		♥	♥	♥	♥				牛

♥ 吉　♡ 中吉　♡ 平　♥ 凶

吉凶	西曆 月	西曆 日	農曆	星期	干支	月建	宜	忌	是日吉時 子	丑	寅	卯	辰	巳	午	未	申	酉	戌	亥	沖
♥	6	23	十六	日	庚申	滿	祭祀、出行、移徙、安葬	安牀、開倉		♥			♥	♥	♥	♥	♥				虎
♡	6	24	十七	一	辛酉	平	祭祀、沐浴、理髮、掃舍	合醬、造酒			♥		♥	♥	♥						兔
♥	6	25	十八	二	壬戌	定	祭祀、祈福、嫁娶、移居	開渠、動土			♥	♥		♥		♥			♥		龍
♥	6	26	十九	三	癸亥	執	祭祀、掃舍	詞訟、嫁娶			♥	♥	♥		♥				♥		蛇
♥	6	27	二十	四	甲子	破	求醫、治病、破屋、壞垣	開倉、出財		♥	♥		♥			♥	♥				馬
♡	6	28	廿一	五	乙丑	危	祭祀、掃舍、動土、安葬	栽種、時插		♥	♥	♥					♥	♥			羊
♥	6	29	廿二	六	丙寅	成	會友、出行、嫁娶、安葬	修廚、祭祀				♥			♥			♥			猴
♡	6	30	廿三	日	丁卯	收	祭祀	理髮、穿井			♥				♥	♥					雞
♥	7	1	廿四	一	戊辰	開	祭祀、會友、訂婚、移徙	置業、補垣		♥		♥		♥		♥	♥	♥			狗
♡	7	2	廿五	二	己巳	閉	補塞、修造、動土、作灶	遠行、除服			♥				♥	♥	♥				豬
♡	7	3	廿六	三	庚午	建	修飾、垣牆	結網、動土		♥	♥				♥	♥	♥	♥			鼠
♥	7	4	廿七	四	辛未	除	祭祀、訂婚、嫁娶、安葬	合醬、行喪			♥	♥		♥	♥		♥				牛
♥	7	5	廿八	五	壬申	滿	祭祀、出行、動土、安葬	開渠、安牀		♥		♥	♥	♥		♥		♥			虎
♡	7	6	廿九	六	癸酉	平	理髮、掃舍、平道、飾垣	詞訟、成服		♥	♥		♥	♥			♥				兔
♡	7	7	三十	日	甲戌	平	祭祀、嫁娶、修飾、垣牆	開倉、動土		♥	♥	♥		♥		♥					龍

二〇一三年西曆七月／八月

癸巳年農曆六月

西曆月日	吉凶	農曆	星期	干支	月建	宜	忌	子	丑	寅	卯	辰	巳	午	未	申	酉	戌	亥	沖
7 8	♥	六月初一	一	乙亥	定	掃舍、拆卸	栽種、嫁娶	♥		♥	♥				♥	♥				蛇
7 9	♡	初二	二	丙子	執	裁衣、理髮、赴任、捕捉	修廚、作灶	♥					♥				♥	♥		馬
7 10	♥	初三	三	丁丑	破	破屋、壞垣	理髮、開市	♥					♥	♥			♥			羊
7 11	♡	初四	四	戊寅	危	會友、出行、訂婚、移徙	買田、祭祀				♥	♥	♥	♥	♥					猴
7 12	♥	初五	五	己卯	成	祭祀、出行、嫁娶、交易	開池、成服	♥		♥	♥			♥	♥					雞
7 13	♡	初六	六	庚辰	收	納財、捕捉、栽種	結網、修倉			♥		♥	♥	♥	♥					狗
7 14	♡	初七	日	辛巳	開	祭祀、祈福、會友、開市	合醬、遠行			♥			♥	♥	♥			♥		豬
7 15	♡	初八	一	壬午	閉	醞釀、補塞、除服、安葬	開渠、放水			♥	♥		♥		♥					鼠
7 16	♥	初九	二	癸未	建	祭祀、出行、嫁娶、赴任	詞訟、行喪	♥		♥	♥		♥	♥				♥		牛
7 17	♥	初十	三	甲申	除	祭祀、嫁娶、移徙、安葬	開倉、出財	♥				♥	♥		♥	♥	♥			虎
7 18	♥	十一	四	乙酉	滿	祭祀、動土、化靈、安葬	栽種、進水	♥		♥		♥				♥	♥			兔
7 19	♡	十二	五	丙戌	平	祭祀、田獵、結網、取魚	作灶、動土	♥		♥	♥		♥			♥	♥	♥		龍
7 20	♥	十三	六	丁亥	定	拆卸、掃舍	理髮、嫁娶			♥				♥	♥		♥	♥		蛇
7 21	♡	十四	日	戊子	執	祭祀、出行、沐浴、理髮	買田、置業				♥	♥	♥			♥	♥			馬
7 22	♥	十五	一	己丑	破	破屋	除服、成服	♥		♥	♥		♥			♥	♥			羊

♥ 吉　♡ 中吉　♡ 平　♥ 凶

吉凶	西曆 月	西曆 日	農曆	星期	干支	月建	宜	忌	子	丑	寅	卯	辰	巳	午	未	申	酉	戌	亥	沖
吉	7	23	十六	二	庚寅	危	會友、出行、訂婚、安葬	經絡、祭祀			♥	♥	♥		♥	♥					猴
吉	7	24	十七	三	辛卯	成	祭祀、嫁娶、交易、安葬	合醬、穿井			♥	♥		♥	♥				♥		雞
平	7	25	十八	四	壬辰	收	納財、捕捉、栽種、納畜	開渠、放水			♥	♥		♥				♥			狗
吉	7	26	十九	五	癸巳	開	祭祀、入學、訂婚、求醫	詞訟、遠行	♥			♥	♥	♥			♥		♥		豬
平	7	27	二十	六	甲午	閉	祭祀、醞釀、補塞、安葬	開倉、出財			♥					♥		♥			鼠
中吉	7	28	廿一	日	乙未	建	祭祀、出行、嫁娶、開市	動土、行喪	♥		♥	♥					♥		♥		牛
吉	7	29	廿二	一	丙申	除	沐浴、掃舍、治病、安葬	修廚、安牀	♥					♥		♥	♥	♥	♥		虎
吉	7	30	廿三	二	丁酉	滿	祭祀、立約、交易、安葬	理髮、進水							♥	♥		♥			兔
中吉	7	31	廿四	三	戊戌	平	嫁娶、結網	買田、動土				♥			♥	♥	♥				龍
凶	8	1	廿五	四	己亥	定	祭祀、掃舍	嫁娶、除服	♥		♥	♥			♥	♥	♥				蛇
吉	8	2	廿六	五	庚子	執	出行、赴任、安牀、安葬	經絡、問卜								♥	♥	♥			馬
凶	8	3	廿七	六	辛丑	破	求醫、治病、破屋、壞垣	合醬、造酒			♥	♥		♥	♥		♥				羊
吉	8	4	廿八	日	壬寅	危	會友、訂婚、動土、安葬	開渠、祭祀			♥	♥				♥			♥		猴
吉	8	5	廿九	一	癸卯	成	出行、嫁娶、交易、安葬	詞訟、開池	♥		♥	♥							♥		雞
凶	8	6	三十	二	甲辰	收	祭祀	開倉、出財	♥		♥		♥			♥		♥			狗

二〇一三年西曆八月／九月

癸巳年農曆七月

吉凶	西曆 月	西曆 日	農曆	星期	干支	月建	宜	忌	是日吉時 子	丑	寅	卯	辰	巳	午	未	申	酉	戌	亥	沖
♡	8	7	七月初一	三	乙巳	開	入學、會友、理髮、安牀	栽種、遠行	♥								♥	♥	♥		豬
♥	8	8	初二	四	丙午	開	祭祀、出行、訂婚、納采	修廚、作灶						♥	♥		♥	♥	♥		鼠
♡	8	9	初三	五	丁未	閉	祭祀、訂婚、動土、補塞	理髮、針灸						♥	♥	♥		♥			牛
♥	8	10	初四	六	戊申	建	祭祀、嫁娶、醫病、安葬	置業、動土		♥			♥	♥	♥	♥	♥				虎
♡	8	11	初五	日	己酉	除	祭祀、裁衣、動土、安葬	栽種、取魚	♥				♥	♥	♥	♥	♥				兔
♡	8	12	初六	一	庚戌	滿	會友、理髮、補塞、栽種	結網、行喪		♥					♥	♥	♥				龍
♥	8	13	初七	二	辛亥	平	平治、道塗	合醬、嫁娶		♥		♥			♥	♥			♥		蛇
♥	8	14	初八	三	壬子	定	祭祀、嫁娶、交易、安葬	開渠、問卜	♥	♥		♥	♥	♥		♥					馬
♡	8	15	初九	四	癸丑	執	祭祀、出行、訂婚、安葬	詞訟、移徙	♥	♥		♥	♥	♥			♥	♥	♥		羊
♥	8	16	初十	五	甲寅	破	破屋、壞垣	開倉、祭祀					♥			♥		♥	♥		猴
♡	8	17	十一	六	乙卯	危	祭祀、求嗣、嫁娶、安葬	栽種、穿井	♥			♥				♥	♥		♥		雞
♥	8	18	十二	日	丙辰	成	祭祀、祈福、訂婚、交易	作灶、進水						♥			♥	♥			狗
♡	8	19	十三	一	丁巳	收	祭祀、掃舍	理髮、動土		♥				♥	♥	♥		♥	♥		豬
♥	8	20	十四	二	戊午	開	祭祀、入學、嫁娶、開市	買田、置業				♥		♥		♥	♥	♥			鼠
♡	8	21	十五	三	己未	閉	祭祀、訂婚、動土、補垣	修廚、作灶				♥		♥	♥	♥	♥				牛

♥ 吉　♡ 中吉　♡ 平　**♥** 凶

吉凶	西曆月	西曆日	農曆	星期	干支	月建	宜	忌	子	丑	寅	卯	辰	巳	午	未	申	酉	戌	亥	沖
♡	8	22	十六	四	庚申	建	出行、沐浴、掃舍、納財	安牀、動土		♥			♥	♥	♥	♥	♥				虎
♥	8	23	十七	五	辛酉	除	掃舍、動土、成服、安葬	合醬、補塞					♥	♥	♥						兔
♥	8	24	十八	六	壬戌	滿	會友、嫁娶、動土、安葬	開渠、行喪				♥		♥		♥			♥		龍
♥	8	25	十九	日	癸亥	平	平治、道塗、修飾、垣牆	詞訟、嫁娶				♥	♥		♥				♥		蛇
♥	8	26	二十	一	甲子	定	祭祀、訂婚、嫁娶、交易	開倉、出財	♥	♥			♥			♥	♥				馬
♡	8	27	廿一	二	乙丑	執	會友、捕捉、牧養、納畜	栽種、時插	♥	♥		♥					♥	♥			羊
♥	8	28	廿二	三	丙寅	破	治病、破屋、壞垣	作灶、祭祀	♥			♥			♥			♥			猴
♥	8	29	廿三	四	丁卯	危	祭祀、嫁娶、交易、安葬	理髮、動土							♥	♥					雞
♥	8	30	廿四	五	戊辰	成	祭祀、訂婚、動土、安葬	置業、取魚		♥		♥		♥		♥	♥	♥			狗
♡	8	31	廿五	六	己巳	收	祭祀、嫁娶、納采、動土	遠行、除服	♥						♥	♥	♥				豬
♡	9	1	廿六	日	庚午	開	祭祀、出行、訂婚、動土	新船、進水		♥					♥	♥	♥	♥			鼠
♡	9	2	廿七	一	辛未	閉	出行、交易、動土、安牀	合醬、造酒				♥		♥	♥		♥				牛
♥	9	3	廿八	二	壬申	建	祭祀、出行、嫁娶、安葬	開渠、動土	♥	♥		♥	♥	♥		♥		♥			虎
♥	9	4	廿九	三	癸酉	除	祭祀、訂婚、出財、安葬	詞訟、補垣	♥	♥			♥	♥			♥				兔

二〇一三年西曆九月/十月

癸巳年農曆八月

西曆月日	農曆	星期	干支	建月	宜	忌	吉凶	子	丑	寅	卯	辰	巳	午	未	申	酉	戌	亥	沖
9/5	八月初一	四	甲戌	滿	會友、開市、交易、補塞	開倉、行喪	♡		♥		♥		♥		♥					龍
9/6	初二	五	乙亥	平	平治、道塗	栽種、嫁娶	♥	♥	♥		♥				♥	♥				蛇
9/7	初三	六	丙子	定	祭祀、出行、嫁娶、安葬	作灶、進水	♥	♥	♥				♥				♥	♥		馬
9/8	初四	日	丁丑	定	會友、嫁娶、動土、安葬	理髮、栽種	♥	♥					♥	♥			♥			羊
9/9	初五	一	戊寅	執	會友、訂婚、理髮、安葬	買田、祭祀	♡		♥			♥	♥	♥	♥					猴
9/10	初六	二	己卯	破	破屋、壞垣	穿井、開池	♥	♥		♥				♥						雞
9/11	初七	三	庚辰	危	祭祀、嫁娶、動土、安葬	經絡、進水	♥		♥	♥		♥	♥	♥	♥					狗
9/12	初八	四	辛巳	成	祭祀、嫁娶、醫病、動土	遠行、除靈	♥		♥	♥			♥	♥	♥			♥		豬
9/13	初九	五	壬午	收	理髮、捕捉	開渠、放水	♡		♥	♥			♥		♥					鼠
9/14	初十	六	癸未	開	祭祀、嫁娶、納采、移徙	詞訟、動土	♡	♥		♥			♥	♥				♥		牛
9/15	十一	日	甲申	閉	出行、嫁娶、動土、安葬	開倉、安牀	♡	♥	♥			♥	♥		♥	♥	♥			虎
9/16	十二	一	乙酉	建	出行、掃舍、修置、產室	栽種、動土	♡	♥	♥	♥		♥				♥	♥			兔
9/17	十三	二	丙戌	除	祭祀、出行、掃舍、動土	作灶、行喪	♡	♥		♥			♥			♥	♥	♥		龍
9/18	十四	三	丁亥	滿	祭祀、掃舍	理髮、嫁娶	♥		♥	♥				♥	♥		♥	♥		蛇
9/19	十五	四	戊子	平	平治、道塗、修飾、垣牆	買田、置業	♡		♥			♥	♥			♥	♥			馬

♥ 吉　♡ 中吉　♡ 平　♥ 凶

西曆 月日	吉凶	農曆	星期	干支	月建	宜	忌	子	丑	寅	卯	辰	巳	午	未	申	酉	戌	亥	沖
9/20	♥	十六	五	己丑	定	祭祀、嫁娶、交易、動土、栽種、修置		♥		♥			♥			♥	♥			羊
9/21	♡	十七	六	庚寅	執	出行、訂婚、動土、安葬	結網、祭祀		♥	♥		♥			♥					猴
9/22	♥	十八	日	辛卯	破	破屋、壞垣	醞釀、穿井			♥			♥	♥				♥		雞
9/23	♥	十九	一	壬辰	危	祭祀、嫁娶、動土、安葬	開渠、合帳		♥	♥			♥				♥			狗
9/24	♥	二十	二	癸巳	成	祭祀、嫁娶、移徙、醫病	詞訟、遠行	♥				♥	♥			♥		♥		豬
9/25	♡	廿一	三	甲午	收	祭祀、嫁娶、理髮、捕捉	開倉、出財		♥	♥					♥		♥			鼠
9/26	♥	廿二	四	乙未	開	祭祀、會友、出行、嫁娶	栽種、動土	♥		♥						♥		♥		牛
9/27	♡	廿三	五	丙申	閉	出行、理髮、移徙、安葬	作灶、安牀	♥	♥				♥		♥	♥	♥	♥		虎
9/28	♡	廿四	六	丁酉	建	掃舍、伐木、安葬	理髮、動土		♥					♥	♥		♥			兔
9/29	♥	廿五	日	戊戌	除	祭祀、出行、醫病、動土	置業、行喪		♥					♥	♥	♥				龍
9/30	♥	廿六	一	己亥	滿	伐木、掃舍	嫁娶、除服	♥		♥				♥	♥	♥				蛇
10/1	♡	廿七	二	庚子	平	平治、道塗、修飾、垣牆	結網、問卜		♥						♥	♥	♥			馬
10/2	♥	廿八	三	辛丑	定	會友、納財、移居、置產	合醬、成服		♥	♥			♥	♥		♥				羊
10/3	♥	廿九	四	壬寅	執	會友、出行、修墳、安葬	開渠、祭祀		♥	♥					♥			♥		猴
10/4	♥	三十	五	癸卯	破	求醫、治病、破屋、壞垣	詞訟、穿井	♥		♥								♥		雞

二〇一三年西曆十月/十一月

癸巳年農曆九月

西曆月日	吉凶	農曆	星期	干支	月建	宜	忌	子	丑	寅	卯	辰	巳	午	未	申	酉	戌	亥	沖
10/5	♥	九月初一	六	甲辰	危	納采、移居、立約、交易	開倉、出財	♥	♥	♥		♥			♥		♥			狗
10/6	♥	初二	日	乙巳	成	祭祀、祈福、嫁娶、動土	遠行、除靈	♥	♥							♥	♥	♥		豬
10/7	♡	初三	一	丙午	收	祭祀、嫁娶、捕捉、針灸	修廚、作灶						♥	♥		♥	♥	♥		鼠
10/8	♡	初四	二	丁未	收	捕捉、田獵	理髮、整甲						♥	♥	♥		♥			牛
10/9	♥	初五	三	戊申	開	祭祀、嫁娶、開市、動土	置業、安牀		♥				♥		♥	♥				虎
10/10	♡	初六	四	己酉	閉	動土、補塞、作灶、安葬	針灸、成服	♥					♥	♥	♥	♥				兔
10/11	♡	初七	五	庚戌	建	祭祀、出行、移徙、納財	動土、行喪		♥					♥	♥	♥				龍
10/12	♥	初八	六	辛亥	除	祭祀、掃舍	合醬、嫁娶		♥	♥	♥			♥	♥			♥		蛇
10/13	♡	初九	日	壬子	滿	祭祀、出行、開市、安葬	開渠、問卜	♥	♥	♥	♥		♥		♥					馬
10/14	♡	初十	一	癸丑	平	修廚、作灶	詞訟、取魚	♥	♥		♥		♥			♥	♥	♥		羊
10/15	♡	十一	二	甲寅	定	會友、裁衣、啟攢、安葬	開倉、祭祀			♥					♥		♥	♥		猴
10/16	♥	十二	三	乙卯	執	祭祀、祈福、針灸、安葬	栽種、開池	♥		♥	♥				♥	♥		♥		雞
10/17	♥	十三	四	丙辰	破	祭祀、沐浴、破屋、壞垣	修廚、作灶						♥			♥	♥			狗
10/18	♡	十四	五	丁巳	危	拆卸、掃舍	理髮、遠行		♥				♥	♥	♥		♥	♥		豬
10/19	♥	十五	六	戊午	成	會友、嫁娶、醫病、動土	置業、苫蓋				♥		♥		♥	♥	♥			鼠

♥ 吉　♡ 中吉　♡ 平　♥ 凶

吉凶	西曆 月	西曆 日	農曆	星期	干支	月建	宜	忌	是日吉時 子	丑	寅	卯	辰	巳	午	未	申	酉	戌	亥	沖
平	10	20	十六	日	己未	收	捕捉、田獵	除靈、成服			♥	♥		♥	♥	♥	♥				牛
吉	10	21	十七	一	庚申	開	祭祀、出行、醫病、交易	安牀、合帳		♥				♥	♥	♥					虎
吉	10	22	十八	二	辛酉	閉	祭祀、出行、補塞、安葬	合醬、造酒			♥			♥	♥						兔
吉	10	23	十九	三	壬戌	建	祭祀、出行、訂婚、移徙	開渠、動土			♥	♥		♥		♥			♥		龍
凶	10	24	二十	四	癸亥	除	祭祀、掃舍	詞訟、嫁娶			♥	♥			♥				♥		蛇
中吉	10	25	廿一	五	甲子	滿	祭祀、會友、開市、納財	開倉、出財	♥	♥	♥					♥	♥				馬
平	10	26	廿二	六	乙丑	平	作灶、平道、塗飾、垣牆	栽種、蒔插	♥	♥	♥	♥					♥	♥			羊
中吉	10	27	廿三	日	丙寅	定	會友、修造、動土、安葬	作灶、祭祀	♥			♥			♥			♥			猴
吉	10	28	廿四	一	丁卯	執	祭祀、出行、嫁娶、安葬	理髮、整甲			♥				♥	♥					雞
凶	10	29	廿五	二	戊辰	破	破屋、壞垣	買田、置業		♥		♥		♥		♥	♥	♥			狗
中吉	10	30	廿六	三	己巳	危	祭祀、納采、嫁娶、動土	遠行、成服	♥		♥				♥	♥	♥				豬
吉	10	31	廿七	四	庚午	成	祭祀、嫁娶、醫病、安葬	經絡、結網		♥	♥				♥	♥	♥	♥			鼠
中吉	11	1	廿八	五	辛未	收	祭祀、嫁娶、納財、捕捉	合醬、動土			♥	♥		♥	♥		♥				牛
吉	11	2	廿九	六	壬申	開	祭祀、出行、醫病、置產	開渠、安牀	♥	♥		♥		♥		♥		♥			虎

二〇一三年西曆十一月／十二月

癸巳年農曆十月

西曆 月日	農曆	星期	干支	月建	宜	忌	吉凶	子	丑	寅	卯	辰	巳	午	未	申	酉	戌	亥	沖
11 3	十月初一	日	癸酉	閉	祭祀、祈福	新船、進水	♡	♥	♥	♥			♥			♥				兔
11 4	初二	一	甲戌	建	祭祀、豎柱、上樑、建屋	開倉、動土	♡		♥	♥	♥		♥		♥					龍
11 5	初三	二	乙亥	除	拆卸、掃舍	栽種、嫁娶	♥	♥	♥	♥	♥				♥	♥				蛇
11 6	初四	三	丙子	滿	祭祀	修廚、作灶	♥	♥	♥				♥				♥	♥		馬
11 7	初五	四	丁丑	平	補塞	理髮、整甲	♡	♥					♥	♥			♥			羊
11 8	初六	五	戊寅	平	會友、嫁娶、移徙、安葬	置業、祭祀	♡		♥		♥	♥		♥	♥					猴
11 9	初七	六	己卯	定	祭祀、出行、嫁娶、安葬	開池、進水	♥	♥		♥	♥			♥	♥					雞
11 10	初八	日	庚辰	執	祭祀、會友、嫁娶、安葬	結網、動土	♡		♥	♥		♥		♥	♥					狗
11 11	初九	一	辛巳	破	求醫、治病、破屋、壞垣	合醬、遠行	♥		♥	♥				♥	♥			♥		豬
11 12	初十	二	壬午	危	會友、訂婚、移徙、動土	開渠、放水	♡		♥	♥	♥				♥					鼠
11 13	十一	三	癸未	成	祭祀、訂婚、動土、安葬	詞訟、進水	♥	♥		♥	♥			♥				♥		牛
11 14	十二	四	甲申	收	會友、嫁娶、動土、安葬	開倉、安牀	♡	♥	♥			♥			♥	♥	♥			虎
11 15	十三	五	乙酉	開	祭祀、嫁娶、移徙、動土	栽種、補垣	♥	♥	♥	♥		♥				♥	♥			兔
11 16	十四	六	丙戌	閉	築堤、建屋、修置、產室	修廚、作灶	♡	♥		♥	♥					♥	♥	♥		龍
11 17	十五	日	丁亥	建	祭祀、掃舍		♥		♥	♥				♥	♥		♥	♥		蛇

♥ 吉　♡ 中吉　♡ 平　♥ 凶

西曆月日	吉凶	農曆	星期	干支	月建	宜	忌	子	丑	寅	卯	辰	巳	午	未	申	酉	戌	亥	沖
11 18	♡	十六	一	戊子	除	入學、出行、開市、動土	買田、置業		♥		♥	♥				♥	♥			馬
11 19	♡	十七	二	己丑	滿	祭祀、會友、動土、補塞	新船、進水	♥		♥	♥					♥	♥			羊
11 20	♥	十八	三	庚寅	平	出行、嫁娶、動土、安葬	結網、祭祀		♥	♥	♥	♥			♥					猴
11 21	♥	十九	四	辛卯	定	會友、嫁娶、動土、安葬	合醬、開池			♥	♥			♥				♥		雞
11 22	♥	二十	五	壬辰	執	訂婚、嫁娶、理髮、治病	開渠、放水		♥	♥	♥						♥			狗
11 23	♥	廿一	六	癸巳	破	求醫、治病、破屋、壞垣	詞訟、遠行	♥			♥	♥				♥		♥		豬
11 24	♥	廿二	日	甲午	危	祭祀、求嗣、嫁娶、安葬	開倉、出財		♥	♥					♥		♥			鼠
11 25	♥	廿三	一	乙未	成	祭祀、交易、動土、安葬	修廚、作灶	♥		♥	♥					♥		♥		牛
11 26	♡	廿四	二	丙申	收	伐木、掃舍、捕捉、田獵	作灶、安牀	♥	♥						♥	♥	♥	♥		虎
11 27	♥	廿五	三	丁酉	開	祭祀、出行、移居、動土	理髮、整甲		♥					♥	♥		♥			兔
11 28	♡	廿六	四	戊戌	閉	修造、動土、作廁、結網	買田、置業		♥		♥			♥	♥	♥				龍
11 29	♥	廿七	五	己亥	建	拆卸、掃舍	嫁娶、動土	♥		♥	♥			♥	♥	♥				蛇
11 30	♥	廿八	六	庚子	除	祭祀、嫁娶、動土、安葬	結網、問卜		♥						♥	♥	♥			馬
12 1	♡	廿九	日	辛丑	滿	會友、理髮、補垣、塞穴	醞釀、行喪		♥	♥	♥			♥		♥				羊
12 2	♥	三十	一	壬寅	平	會友、嫁娶、移徙、動土	開渠、祭祀		♥	♥	♥				♥			♥		猴

（子至亥為是日吉時）

二〇一三年西曆十二月

癸巳年農曆十一月

西曆 月/日	農曆	星期	干支	月建	宜	忌	吉凶	子	丑	寅	卯	辰	巳	午	未	申	酉	戌	亥	沖
12/3	十一月初一	二	癸卯	定	祭祀、嫁娶、立約、安葬	詞訟、開池	♥	♥		♥	♥							♥		雞
12/4	初二	三	甲辰	執	祭祀、嫁娶、移徙、安葬	出財、動土	♥	♥	♥	♥		♥			♥		♥			狗
12/5	初三	四	乙巳	破	求醫、治病、破屋、壞垣	栽種、遠行	♥	♥	♥							♥	♥	♥		豬
12/6	初四	五	丙午	危	祭祀、掃舍、動土、架馬	修廚、作灶	♥							♥		♥	♥	♥		鼠
12/7	初五	六	丁未	危	祭祀、訂婚、交易、動土	理髮、整甲	♥						♥		♥		♥			牛
12/8	初六	日	戊申	成	會友、嫁娶、醫疾、安葬	置業、動土	♥		♥			♥	♥		♥	♥				虎
12/9	初七	一	己酉	收	理髮、納財、捕捉、結網	新船、進水	♡	♥				♥	♥		♥	♥				兔
12/10	初八	二	庚戌	開	祭祀、嫁娶、動土、置產	經絡、結網	♥		♥						♥	♥				龍
12/11	初九	三	辛亥	閉	拆卸、掃舍	合醬、嫁娶	♥		♥	♥	♥				♥			♥		蛇
12/12	初十	四	壬子	建	祭祀、修飾、垣牆	開渠、動土	♡	♥	♥	♥	♥	♥	♥		♥					馬
12/13	十一	五	癸丑	除	祭祀、嫁娶、移徙、醫病	詞訟、行喪	♥	♥	♥			♥	♥			♥	♥	♥		羊
12/14	十二	六	甲寅	滿	出行、開市、動土、安葬	開倉、祭祀	♡			♥		♥			♥		♥	♥		猴
12/15	十三	日	乙卯	平	平治、道塗、修飾、垣牆	栽種、穿井	♡	♥		♥	♥				♥	♥		♥		雞
12/16	十四	一	丙辰	定	祭祀、嫁娶、動土、安葬	修廚、栽種	♥						♥			♥	♥			狗
12/17	十五	二	丁巳	執	祭祀、掃舍	理髮、遠行	♡		♥				♥		♥		♥	♥		豬

（子至亥欄為「是日吉時」）

♥ 吉　♡ 中吉　♡ 平　♥ 凶

吉凶	西曆 月	西曆 日	農曆	星期	干支	月建	宜	忌	子	丑	寅	卯	辰	巳	午	未	申	酉	戌	亥	沖
♥	12	18	十六	三	戊午	破	求醫、治病、破屋、壞垣	買田、置業				♥		♥		♥	♥	♥			鼠
♡	12	19	十七	四	己未	危	納采、理髮、動土、安牀	開倉、出財			♥	♥		♥		♥	♥				牛
♥	12	20	十八	五	庚申	成	祈福、出行、移徙、安葬	動土、詞訟		♥			♥	♥		♥	♥				虎
♥	12	21	十九	六	辛酉	收	祭祀、掃舍	醞釀、動土			♥		♥	♥							兔
♡	12	22	二十	日	壬戌	開	祭祀、訂婚、開市、動土	開渠、補垣			♥	♥		♥		♥			♥		龍
♥	12	23	廿一	一	癸亥	閉	拆卸、掃舍	詞訟、嫁娶			♥	♥	♥						♥		蛇
♡	12	24	廿二	二	甲子	建	沐浴、理髮、立約、交易	開倉、動土	♥	♥	♥		♥			♥	♥				馬
♥	12	25	廿三	三	乙丑	除	祭祀、嫁娶、立約、安葬	栽種、行喪	♥	♥	♥	♥					♥	♥			羊
♡	12	26	廿四	四	丙寅	滿	出行、納采、動土、安葬	作灶、祭祀	♥			♥					♥				猴
♡	12	27	廿五	五	丁卯	平	平治、道塗、修飾、垣牆	理髮、穿井			♥					♥					雞
♥	12	28	廿六	六	戊辰	定	祭祀、嫁娶、動土、安葬	置業、進水		♥		♥		♥		♥	♥	♥			狗
♡	12	29	廿七	日	己巳	執	祭祀、置產、動土、作灶	遠行、除服	♥		♥					♥	♥				豬
♥	12	30	廿八	一	庚午	破	求醫、治病、破屋、壞垣	結網、苫蓋		♥	♥					♥	♥	♥			鼠
♡	12	31	廿九	二	辛未	危	交易、安牀、補塞、除服	合醬、造酒			♥	♥		♥			♥				牛

二〇一四年西曆一月

癸巳年農曆十二月

西曆月日	農曆	星期	干支	月建	宜	忌	吉凶	子	丑	寅	卯	辰	巳	午	未	申	酉	戌	亥	沖
1/1	十二月初一	三	壬申	成	祭祀、嫁娶、交易、安葬	開渠、動土	♥	♥	♥		♥	♥	♥		♥		♥			虎
1/2	初二	四	癸酉	收	祭祀、沐浴、掃舍、栽種	詞訟、成服	♡	♥	♥	♥		♥	♥			♥				兔
1/3	初三	五	甲戌	開	祭祀、訂婚、作灶、置產	開倉、出財	♡		♥	♥	♥				♥					龍
1/4	初四	六	乙亥	閉	拆卸、掃舍	栽種、嫁娶	♥	♥	♥	♥	♥				♥	♥				蛇
1/5	初五	日	丙子	建	飾垣	作灶、動土	♡	♥	♥				♥				♥	♥		馬
1/6	初六	一	丁丑	建	立約、交易	理髮、動土	♡	♥					♥	♥			♥			羊
1/7	初七	二	戊寅	除	入學、嫁娶、移徙、交易	置產、祭祀	♥		♥		♥	♥	♥	♥						猴
1/8	初八	三	己卯	滿	祭祀、求嗣、訂婚、交易	穿井、開池	♥	♥		♥	♥			♥						雞
1/9	初九	四	庚辰	平	訂婚、嫁娶、平道、飾垣	結網、裁衣	♡		♥	♥		♥	♥	♥						狗
1/10	初十	五	辛巳	定	祭祀、訂婚、立約、交易	合醬、遠行	♥		♥	♥			♥	♥				♥		豬
1/11	十一	六	壬午	執	祭祀、出行、動土、安葬	新船、進水	♡		♥	♥	♥		♥							鼠
1/12	十二	日	癸未	破	破屋、壞垣	詞訟、開市	♥	♥		♥	♥		♥	♥				♥		牛
1/13	十三	一	甲申	危	祭祀、移徙、動土、安葬	開倉、納采	♥	♥	♥			♥	♥			♥	♥			虎
1/14	十四	二	乙酉	成	祭祀、嫁娶、醫病、安葬	栽種、取魚	♥	♥	♥	♥		♥				♥	♥			兔
1/15	十五	三	丙戌	收	納財、捕捉、結網	修廚、作灶	♡	♥		♥	♥		♥			♥	♥			龍

（子至亥欄為是日吉時）

♥ 吉　♡ 中吉　♡ 平　♥ 凶

西曆 月/日	吉凶	農曆	星期	干支	月建	宜	忌	子	丑	寅	卯	辰	巳	午	未	申	酉	戌	亥	沖
1/16	♥	十六	四	丁亥	開	祭祀、掃舍	理髮、嫁娶		♥	♥				♥			♥	♥		蛇
1/17	♡	十七	五	戊子	閉	祭祀、出行、理髮、開市	置業、動土		♥		♥	♥	♥			♥	♥			馬
1/18	♡	十八	六	己丑	建	祭祀、裁衣、立約、交易	動土、行喪	♥		♥	♥		♥			♥	♥			羊
1/19	♥	十九	日	庚寅	除	會友、嫁娶、動土、安葬	結網、祭祀		♥	♥	♥	♥								猴
1/20	♥	二十	一	辛卯	滿	祭祀、嫁娶、開市、安葬	合醬、穿井			♥	♥		♥	♥				♥		雞
1/21	♡	廿一	二	壬辰	平	結網、納財、捕捉、安葬	開渠、放水		♥	♥	♥		♥				♥			狗
1/22	♡	廿二	三	癸巳	定	會友、訂婚、交易、動土	詞訟、遠行	♥			♥	♥	♥			♥		♥		豬
1/23	♥	廿三	四	甲午	執	祭祀、出行、動土、安葬	開倉、出財		♥	♥							♥			鼠
1/24	♥	廿四	五	乙未	破	破屋、壞垣	栽種、時插	♥		♥	♥					♥		♥		牛
1/25	♥	廿五	六	丙申	危	祭祀、出行、交易、安葬	修廚、安牀	♥	♥				♥			♥	♥	♥		虎
1/26	♥	廿六	日	丁酉	成	祭祀、酬神、嫁娶、安葬	理髮、詞訟		♥					♥			♥			兔
1/27	♡	廿七	一	戊戌	收	納財、捕捉、田獵、栽種	買田、置業		♥		♥			♥		♥				龍
1/28	♥	廿八	二	己亥	開	祭祀、掃舍	嫁娶、除服	♥		♥	♥			♥		♥				蛇
1/29	♡	廿九	三	庚子	閉	祭祀、交易、安牀、安葬	結網、動土		♥							♥	♥			馬
1/30	♥	三十	四	辛丑	建	祭祀、求嗣、訂婚、納財	合醬、動土		♥	♥	♥		♥	♥		♥				羊

麥玲玲 2013 蛇年運程

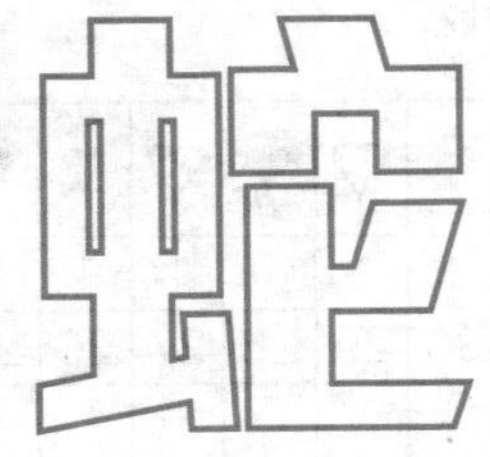

作　　　者：麥玲玲
責任編輯：易小青　蔡綺瑩
美術設計：Rita Young
封面設計：Catherine Wong
出　　　版：日閱堂出版社
發　　　行：明報出版社有限公司
香港柴灣嘉業街 18 號
明報工業中心 A 座 15 樓
電　　　話：2595 3215
傳　　　真：2898 2646
網　　　址：http://books.mingpao.com/
電子郵箱：mpp@mingpao.com
版　　　次：二〇一二年九月初版
二〇一二年九月加印第二版
I S B N：978-988-8135-48-6
承　　　印：美雅印刷製本有限公司